D0272347

afgeschreven

De duivelse koningin

Van Jeanne Kalogridis zijn verschenen:

Het portret van Mona Lisa
De duivelse koningin

JEANNE KALOGRIDIS

De duivelse koningin

SIJTHOFF

Oorspronkelijke titel: *The Devil's Queen*
Vertaling: Mieke Trouw-Luyckx
Omslagontwerp: Nico Richter
Omslagfotografie: *Portrait of Eleonora da Toledo* (1519-74), c. 1550s (oil on panel) by Bronzino, Agnolo (1503-72) Galleria Sabauda, Turin, Italy / The Bridgeman Art Library

ISBN 978 90 218 0325 8
NUR 302

www.boekenwereld.com
www.uitgeverijsijthoff.nl
www.watleesjij.nu

voor Russell Galen

DEEL EEN

Blois, Frankrijk
Augustus 1556

Proloog

Op het eerste gezicht was hij een kleine, gezette, onopvallende man met grijzend haar en de grauwe kleding van de gewone burger. Vanaf mijn waarnemingsplaats, twee verdiepingen hoger, kon ik zijn gezicht niet zien, maar ik zag dat hij terugschrok toen hij uit het rijtuig stapte en zijn voet op de kasseien zette. Hij gebaarde dat hij zijn stok wilde hebben en stak zijn hand uit naar de arm van de koetsier. Zelfs met deze hulpmiddelen bewoog hij zich op deze benauwde ochtend voorzichtig en aarzelend, en ik dacht ontzet: *hij is een zieke, oude man, meer niet.*

Achter hem hadden de wolken zich al vroeg boven de rivier samengepakt. Het was een voorbode van het onweer dat we die middag konden verwachten, maar voorlopig was de zon nog niet helemaal verdwenen. De zonnestralen piepten door de gaten in de bewolking heen en schitterden oogverblindend op het water van de Loire.

Ik liep weg van het raam en ging in mijn stoel zitten. Eigenlijk had ik indruk willen maken op de gast die ik had ontboden. Ik had hem met mijn charmes willen betoveren om mijn nervositeit te verbergen, maar in die tijd kon ik het niet opbrengen om toneel te spelen. Ik droeg zwarte, eenvoudige rouwkleding en zag er allesbehalve voornaam uit. Ik was een dikke, onaantrekkelijke vrouw, erg vermoeid en erg verdrietig.

Goddank zijn het maar kinderen, had de vroedvrouw gemompeld.

Ze had gedacht dat ik sliep, maar ik had haar gehoord en had haar boodschap begrepen: het leven van een koningin was waardevoller dan dat van haar dochters. En de meisjes hadden broers en zusjes achtergelaten, de troonopvolging was al veiliggesteld. Maar als het bloed en de hoop niet uit me waren gevloeid, had ik haar een klap gegeven. Ondanks alles was ik intens verdrietig.

Ik had mijn laatste bevalling zonder vrees tegemoetgezien, want tot dan toe had het baren nooit problemen opgeleverd. Ik ben sterk en vastberaden en ben nooit bang geweest voor pijn. Ik had zelfs al namen uitgekozen – Victoria en Johanna – omdat Ruggieri had voorspeld dat ik tweelingdochters zou krijgen. Maar hij had er niet bij gezegd dat ze zouden sterven.

Het eerste kind deed er lang over om ter wereld te komen, zo lang dat zelfs de vroedvrouw mijn bezorgdheid begon te delen. Ik werd te moe om in de baarstoel te zitten.

Na een dag en een halve nacht werd Victoria geboren. Ze was het kleinste kindje dat ik ooit had gezien, te zwak om hardop te huilen. Na haar geboorte kreeg ik geen rust, want Johanna weigerde tevoorschijn te komen. Er volgden uren vol martelende pijn, tot de nacht weer dag werd en de ochtend in de middag overging. Het lichaam van het kindje bleef zo koppig dwarsliggen dat het niet naar buiten kon glijden. Er werd besloten haar beentjes te breken, zodat ze naar buiten kon worden getrokken zonder mij te doden.

De hand van de vroedvrouw ging bij me naar binnen en ik hoorde het afgrijselijke, gedempte geluid van brekende botjes. Ik schreeuwde het uit van het geluid, niet van de pijn. Toen Johanna dood werd geboren, wilde ik haar niet zien.

Haar ziekelijke tweelingzusje bleef drie weken leven. Op de dag dat Victoria ook bezweek, maakte zich een ijzige, stekende overtuiging van me meester: na al die jaren nam Ruggieri's bezwerende kracht af. Mijn echtgenoot en overlevende kinderen waren in levensgevaar.

En dan was er nog het kwatrijn in het dikke boek van de profeet, het kwatrijn dat, zo vreesde ik, het lot van mijn geliefde Hendrik voorspelde. Ik ben vasthoudend als ik antwoorden wil hebben, en ik had geen rust tot ik de waarheid uit de mond van de beroemde ziener zelf zou horen.

Ik werd weer terug naar het heden gebracht door een klop op de deur en de zachte stem van de wachter. Na mijn antwoord zwaaide de deur open en kwam de wachter met de manke man aan zijn arm binnen. De wachter was verbaasd dat ik helemaal alleen was, zonder mijn hofdames om voor me te zorgen. Ik had Diane een andere taak gegeven en had zelfs madame Gondi weggestuurd. Mijn gesprek met mijn bezoeker moest onder vier ogen plaatsvinden.

'Madame la reine.' Het accent van de ziener verraadde dat hij uit het zuiden kwam. Hij had een zacht, rond gezicht en bijzonder vriendelijke ogen. 'Majesteit.'

Madame Gondi zei dat hij in een joodse familie was geboren, maar dat kon ik aan zijn gelaatstrekken niet zien. Hoewel hij zelfs met zijn stok wankel op zijn benen stond, slaagde hij erin om zijn muts af te nemen en een acceptabele kniebuiging te maken. Zijn haar, dat lang en verward was en op zijn kruin dunner werd, hing naar voren en verborg zijn gezicht.

'Ik ben zeer vereerd dat u mij wilt ontvangen,' zei hij. 'Mijn grootste wens is om u en Zijne Majesteit te mogen dienen, wat u ook van mij verlangt. Vraag om mijn leven en ik schenk het u.' Zijn stem trilde, en de hand die zijn muts vasthield beefde. 'Mocht u mij van onfatsoen of ketterij verdenken, dan kan ik alleen maar zeggen dat ik een goed katholiek ben en mijn hele leven mijn best heb gedaan om God te dienen. Op zijn bevel heb ik de visioenen opgeschreven. Ze zijn van Hem afkomstig, niet van een onreine geest.'

Ik had gehoord dat hij vaak van omgang met duivels was beschuldigd, en dat hij de afgelopen jaren van dorp naar dorp was verhuisd om te voorkomen dat hij werd gearresteerd. Broos en kwetsbaar als hij was, keek hij me aarzelend aan. Hij had mijn brief gelezen, maar hij had ongetwijfeld gehoord dat mijn echtgenoot, de koning, een hekel aan occulte zaken en protestanten had. Misschien was hij bang dat hij in een val van de inquisitie liep.

Haastig stelde ik hem gerust.

'Daar twijfel ik niet aan, monsieur de Nostredame,' zei ik warm, terwijl ik glimlachend mijn hand naar hem uitstak. 'Daarom heb ik u om hulp gevraagd. Hartelijk dank dat u ondanks uw ongemakken de lange reis hebt gemaakt om ons te bezoeken. Daar zijn we u zeer dankbaar voor.'

Er ging een huivering door hem heen toen de angst uit hem gleed. Hij strompelde naar me toe en kuste mijn hand, waarbij zijn haar vederlicht over mijn knokkels streek. Zijn adem rook naar knoflook.

Ik keek op naar de wachter. 'Je kunt gaan,' zei ik, en toen hij een wenkbrauw optrok – waarom had ik zo'n haast om me aan de fatsoensregels te onttrekken en hem weg te sturen? – liet ik mijn blik bijna onmerkbaar strenger worden tot hij knikte, een buiging maakte en vertrok.

Ik was alleen met de onwaarschijnlijke profeet.

Monsieur de Nostredame ging rechtop staan en stapte achteruit. Terwijl hij dat deed, viel zijn blik op het raam en het tafereeltje buiten. Zijn nervositeit verdween en maakte plaats voor een kalme concentratie.

'Ach,' zei hij, alsof hij het tegen zichzelf had. 'De kinderen.'

Toen ik me omdraaide, zag ik Eduard op het grasveld op de binnenplaats achter Margot en de kleine Navarra aan rennen, doof voor de luide vermaning van de gouvernante dat hij het rustiger aan moest doen.

'Zijne Hoogheid prins Eduard vindt het leuk om achter zijn zusje aan te zitten,' legde ik uit. De vijfjarige Eduard was nu al bijzonder groot voor zijn leeftijd.

'De twee kleinsten – het jongetje en het meisje – lijken wel een tweeling, maar dat zijn ze niet.

Het zijn mijn dochter Margot en haar neefje Hendrik van Navarra. We noemen hem Hendrikje, of soms Navarra, om hem niet te verwarren met de koning.'

'De gelijkenis is verbluffend,' mompelde hij.

'Ze zijn allebei drie jaar oud, monsieur. Margot is geboren op 13 mei, Navarra op 13 december.'

'Verbonden door het lot,' merkte hij onnadenkend op, en hij keek even naar me opzij.

Zijn ogen waren te groot voor zijn gezicht, net als de mijne, maar ze hadden een heldere, lichtgrijze tint. Zijn blik was open als die van een kind, en hoewel het niets voor mij was, voelde ik me niet op mijn gemak toen hij me onderzoekend aankeek.

'Ik heb ook een zoon gehad,' zei hij weemoedig. 'En een dochter.'

Ik deed mijn mond open om mijn medeleven te betuigen en te zeggen dat ik dat had gehoord. Als de meest getalenteerde arts van Frankrijk had hij roem geoogst door veel mensen van de pest te redden, maar hij had hulpeloos moeten toekijken toen zijn kinderen en vrouw eraan stierven.

Ik kreeg echter geen gelegenheid om iets te zeggen, want hij ging door met praten. 'Ik hoop dat ik niet als een monster overkom, madame, nu ik over mijn eigen verdriet begin terwijl u rouwkleding draagt. Ik vertel het u alleen maar om uit te leggen dat ik begrijp wat u doormaakt. Ik heb onlangs gehoord dat u rouwt om het verlies van twee dochtertjes. Er bestaat geen grotere tragedie dan de dood van een kind. Ik bid dat God uw pijn en die van de koning zal verzachten.'

'Dank u, monsieur de Nostredame.' Ik veranderde vlug van onderwerp, want zijn medeleven klonk zo oprecht dat ik bang was dat ik in tranen zou uitbarsten als hij nog meer zou zeggen. 'Gaat u zitten.' Ik gebaarde naar de stoel tegenover me en het voetenbankje dat daar speciaal voor hem was neergezet. 'U hebt nu al lang genoeg pijn voor me geleden. Ga zitten, dan vertel ik u wanneer de kinderen zijn geboren.'

'U bent te goed, Majesteit.'

Hij liet zich in de stoel zakken en legde zijn pijnlijke voet met een zachte kreun op het voetenbankje. Hij zette zijn stok onder handbereik naast zich.

'Hebt u een ganzenveer en papier nodig, monsieur?'

Hij tikte met zijn vinger tegen zijn slaap. 'Nee, ik zal alles onthouden. Laten we beginnen met de oudste. De dauphin, geboren op 19 januari in het jaar 1544. Om een goede berekening te maken, moet ik ook...'

'De plaats en het uur weten,' onderbrak ik hem. Omdat ik goed kon rekenen, had ik mezelf al geleerd om horoscopen op te maken, maar ik vertrouwde niet helemaal op mijn eigen interpretaties. Daarnaast hoopte ik maar al te vaak dat ik het bij het verkeerde eind had. 'Zoiets vergeet een moeder natuurlijk nooit. Frans is geboren in het kasteel van Fontainebleau, een paar minuten over vier in de middag.'

'Een paar minuten over...' echode hij, en de vinger waarmee hij tegen zijn slaap had getikt, begon nu zijn huid te masseren, alsof hij dit feit in zijn geheugen wilde duwen. 'Weet u hoeveel minuten? Drie, misschien, of tien?'

Ik fronste mijn wenkbrauwen en probeerde het me te herinneren. 'Minder dan tien. Helaas was ik destijds uitgeput; nauwkeuriger kan ik niet zijn.'

We hadden het niet over de meisjes, Elizabeth en Margot, want onder de Salische wet mocht een vrouw de Franse troon niet bestijgen. Op dit moment moesten we ons concentreren op de troonopvolgers – Karel-Maximiliaan, geboren op 27 juni 1550 in Saint-Germain-en-Laye, en mijn lieve Eduard-Alexander. Hij werd een jaar na Karel geboren, op 19 september, twintig minuten na middernacht.

'Dank u, madame la reine,' zei Nostredame toen ik klaar was. 'Ik zal u binnen twee dagen een volledig verslag geven. Ik heb al het een en ander voorbereid, omdat de geboortedata van de jongens alom bekend zijn.'

Hij maakte geen aanstalten op te staan, zoals je zou verwachten. Hij bleef me met die heldere, kalme ogen aankijken, en in de daaropvolgende stilte hervond ik mijn moed en mijn stem.

'Ik heb nachtmerries,' zei ik.

Deze vreemde uitbarsting leek hem helemaal niet te verbazen.

'Mag ik openhartig zijn, madame?' vroeg hij beleefd. Voordat ik antwoord kon geven, vervolgde hij: 'U hebt astrologen. Ik ben niet de eerste die de horoscopen van de kinderen opmaakt. Ik zal ze natuurlijk opmaken, maar u hebt me niet alleen daarvoor ontboden.'

'Nee,' erkende ik. 'Ik heb uw boek met voorspellingen gelezen.' Ik schraapte mijn keel en citeerde het vijfendertigste kwatrijn, dat me op de knieën had gedwongen toen ik het voor het eerst las.

De jonge leeuw zal de oude overwinnen
Op het strijdtoneel van één enkel duel. Hij zal
in een gouden kooi zijn ogen doorboren, twee
wonden in één, en dan een wrede dood sterven.

'Ik schrijf op wat mij wordt opgedragen.' De blik van monsieur de Nostredame was behoedzaam geworden. 'Ik beweer niet dat ik begrijp wat het betekent.'

'Maar ik wel.' Ik boog me naar hem toe, niet meer in staat om mijn agitatie te verbergen. 'Mijn echtgenoot, de koning, is de leeuw. De oudere. Ik droomde dat...' Ik begon te stotteren, omdat ik het afgrijselijke visioen in mijn hoofd niet wilde verwoorden.

'Madame,' zei hij vriendelijk. 'Ik heb de indruk dat u en ik elkaar goed begrijpen – beter dan de rest van de wereld. U en ik zien dingen die voor anderen verborgen blijven. Dingen die we soms liever niet zien.'

Ik wendde mijn blik af en staarde door het raam naar de tuin, waar Eduard, Margot en de kleine Navarra elkaar in de felle zon rond de groene heggen achternazaten. In mijn gedachten werden schedels gespleten, lichamen doorboord en zag ik spartelende mannen in een aanzwellende vloedgolf van bloed verdrinken.

'Ik wil niets meer zien,' zei ik.

Ik weet niet hoe hij het wist. Misschien las hij het op mijn gezicht, zoals een tovenaar de lijnen op een handpalm leest. Misschien had hij mijn geboortehoroscoop al bestudeerd en het aan de ongunstige stand van mijn Mars gezien. Misschien las hij het in mijn ogen, in de flits van de veelzeggende angst toen ik het vijfendertigste kwatrijn citeerde.

'De koning gaat dood,' zei ik. 'Mijn Hendrik zal te jong sterven, een vreselijke dood, tenzij er iets wordt gedaan om dat te voorkomen. Dat weet u, u hebt erover geschreven in dit gedicht. Zeg dat ik gelijk heb, monsieur, en dat u me zult helpen om alles in het werk te stellen om het te voorkomen. Mijn echtgenoot is mijn leven, mijn ziel. Als hij sterft, wil ik niet meer verder leven.'

Destijds, al die jaren geleden, dacht ik dat mijn droom alleen over Hendrik ging. Ik had gedacht dat zijn gewelddadige einde het ergste zou zijn wat mij, zijn erfgenamen en Frankrijk kon overkomen.

Achteraf weet ik natuurlijk dat ik me daarin vergiste. En dat ik dom was toen ik door de kalme woorden van de profeet in woede ontstak.

Ik schrijf wat God me opdraagt, madame la reine. Zijn wil geschiede, ik beweer niet dat ik begrijp wat het betekent.

Als God u deze visioenen heeft gestuurd, moet u proberen te achterhalen waarom Hij dat heeft gedaan. Dat is uw taak.

Ik zei dat het mijn taak was om de koning te behoeden. Het was mijn taak om voor mijn kinderen te zorgen.

'Uw hart misleidt u,' zei hij. Er ging een huivering door hem heen, alsof hij door onzichtbare klauwen werd gegrepen. Toen hij verder praatte, sprak hij met de stem van iemand anders... iemand die niet helemaal menselijk was.

'Deze kinderen,' mompelde hij, en op dat moment wist ik dat zelfs het duisterste geheim niet voor hem verborgen kon blijven. Ik drukte mijn handpalm tegen de met bloed bezoedelde parel op mijn hart, alsof ik daarmee de waarheid kon verbergen.

'Het gesternte van deze kinderen is ongunstig. Madame la reine, deze kinderen hadden niet geboren mogen worden.'

DEEL TWEE

Florence, Italië
Mei 1527

1

De dag waarop ik de magiër Cosimo Ruggieri ontmoette – 11 mei – was een zwarte dag.

Ik wist het al bij de dageraad, toen er op de kasseien voor het huis dreunende hoeven klonken. Ik was al opgestaan en aangekleed en wilde net naar beneden gaan toen ik buiten lawaai hoorde. De luiken voor mijn raam waren opengeslagen, en ik ging op mijn tenen staan om naar beneden te turen.

Op de brede Via Larga haalde Passerini de teugels van zijn paard aan, dat het schuim op de flanken had staan. Hij werd vergezeld door een stuk of tien gewapende mannen en droeg zijn rode kardinaalsgewaad, maar hij was zijn hoed vergeten – of misschien was die wel afgewaaid tijdens de wilde rit. Zijn witte haar piekte als een hanenkam omhoog en hij schreeuwde uit alle macht dat de staljongen het hek moest openmaken.

Ik haastte me naar de trap en kwam tegelijk met mijn tante Clarice op de overloop aan.

In dat jaar voor haar voortijdige dood was ze een heel mooie vrouw, teer als een van Botticelli's Gratiën. Die ochtend was ze gekleed in een roze fluwelen gewaad en droeg ze een doorschijnende sluier over haar kastanjebruine haar.

Maar er was niets teers aan het karakter van tante Clarice. Mijn neef

Piero noemde zijn moeder vaak 'de hardste man van de familie'. Ze boog het hoofd voor niemand, en al helemaal niet voor haar vier zoons of haar man, Filippo Strozzi, een machtige bankier. Ze had een scherpe tong en een snelle hand, en ze aarzelde nooit om met een van beide uit te halen.

Die ochtend had ze een slecht humeur. Toen ze me zag, boog ik mijn hoofd en sloeg ik mijn ogen neer, want bij tante Clarice kon ik het nooit goed doen.

Ik was acht, en mijn aanwezigheid werd als hinderlijk ervaren. Mijn moeder was negen dagen na mijn geboorte gestorven, en mijn vader volgde haar zes dagen later. Gelukkig had mijn moeder me enorme rijkdommen nagelaten en erfde ik van mijn vader de titel hertogin en het recht om over Florence te regeren.

Dat waren de redenen waarom tante Clarice me naar het Palazzo Medici had gehaald. Ze bereidde me voor op de taak die me wachtte, maar liet me duidelijk merken dat ik haar tot last was. Behalve haar eigen zoons moest ze twee andere wezen uit de familie de Medici opvoeden – mijn halfbroer Alessandro en mijn neef Ippolito, het onwettige kind van mijn oudoom Giuliano de Medici.

Terwijl Clarice naast me op de overloop liep, dreef er vanuit de deuropening een stem naar boven: kardinaal Passerini, op dat moment regent over Florence, sprak met een bediende. Ik kon zijn woorden niet verstaan, maar de klank van zijn stem maakte de boodschap meer dan duidelijk: een ramp. Het veilige, comfortabele leven dat ik met mijn neven en nichten in het huis van onze voorouders had geleid, zou verdwijnen.

Terwijl Clarice luisterde, vertrok haar gezicht van angst, maar die maakte al snel plaats voor haar gebruikelijke hardheid. Ze keek met samengeknepen ogen naar mij om te zien of ik haar moment van zwakheid had opgemerkt, en waarschuwde me voor het geval het me niet was ontgaan.

'Naar de keuken jij, nu meteen. Op weg naar beneden mag je niet stilstaan of met anderen praten,' beval ze.

Ik gehoorzaamde en liep naar beneden, maar ik besefte al snel dat ik te nerveus was om te eten. In plaats daarvan liep ik naar de grote zaal, waar tante Clarice en kardinaal Passerini in een heftig gesprek verwikkeld waren. De stem van Zijne Eminentie klonk gedempt, maar ik ving een paar felle woorden van tante Clarice op:

Dwaas die je bent.

Wat had Clemens dan verwacht, de idioot?

Hun gesprek ging over de paus, geboren als Giulio de Medici, wiens invloed onze familie aan de macht hield. Zelfs als kind begreep ik genoeg van politiek om te weten dat mijn verre neef paus Clemens gebrouilleerd was met de Heilige Roomse keizer Karel, wiens troepen Italië waren binnengevallen. Vooral Rome liep gevaar.

De deur zwaaide plotseling open en ik zag het hoofd van Passerini, die om Leda riep, de slavin van tante Clarice. De kardinaal had een asgrauw gezicht. Hij ademde zwaar en zijn mondhoeken wezen geagiteerd naar beneden terwijl hij radeloos en ongeduldig op Leda wachtte. Zodra ze verscheen, gaf hij haar opdracht oom Filippo, Ippolito en Alessandro te halen.

Even later werden Ippolito en Sandro binnengeleid. Ik denk dat Clarice inmiddels bij de deur was komen staan, want ik hoorde haar heel duidelijk tegen iemand in de hal zeggen: *We hebben mannen nodig, iedereen die wil vechten. Tot we weten hoeveel man we tot onze beschikking hebben, moeten we voorzichtig te werk gaan. Verzamel er zo veel mogelijk voor het avond wordt, en kom dan bij mij.* Er kroop een vreemde aarzeling in haar stem. *En laat Agostino de zoon van de astroloog halen – nú.*

Ik hoorde oom Filippo instemmend brommen en vertrekken, en daarna ging de deur weer dicht. Ik bleef nog een paar minuten staan en deed mijn best om te verstaan wat er binnen werd gezegd. Toen dat niet lukte, slenterde ik naar de trap die naar de kinderkamers leidde.

De zesjarige Roberto, het jongste kind van Clarice, kwam huilend en handenwringend op me afrennen. Hij had zijn ogen stijf dichtgeknepen, en ik kon hem nog maar net opvangen voordat hij me omverliep.

Ik was klein, maar Roberto was nog kleiner. Hij rook naar warm weer en zurig zweet. Zijn wangen waren rood en betraand, en zijn meisjesachtige lange haren plakten aan zijn vochtige nek.

Op dat moment verscheen het kindermeisje van de jongens achter hem. Ginevra was een eenvoudige, ongeschoolde vrouw, gekleed in versleten katoenen rokken en een wit schort. Haar haar zat altijd in een sjaal gewikkeld, maar die ochtend had Ginevra haar haren en zenuwen niet in bedwang. Een lok goudblond haar was voor haar gezicht gevallen.

Roberto stampte met zijn voet en krijste. 'Laat me lós!' Hij probeerde me met zijn vuistjes te slaan, maar ik wendde mijn gezicht af en hield hem vast.

'Wat is er? Waarom is hij bang?' vroeg ik aan Ginevra, die naar ons toe kwam.

'Ze willen ons pakken!' jammerde Roberto, terwijl er tranen en speeksel in het rond vlogen. 'Ze willen ons pijn doen!'

Verdoofd van angst antwoordde Ginevra: 'Er staan mannen voor het hek.'

'Wat voor mannen?' vroeg ik.

Toen Ginevra geen antwoord gaf, rende ik naar boven, naar de vertrekken van de kamermeisjes, die uitkeken over de stallen en het hek dat uitkwam op de drukke Via Larga. Ik sleepte een kruk naar het raam, ging erop staan en gooide de luiken open.

De stallen stonden aan de westelijke kant van het huis, en aan de noordzijde bevond zich het massieve ijzeren hek dat indringers buiten de deur moest houden. Het hek was gesloten en vergrendeld, en vlak ervoor stonden drie van onze gewapende wachters.

Aan de andere kant van de puntige spijlen kwamen veel mensen voorbij: een groep wandelende dominicaanse monniken uit het nabijgelegen San Marco, een kardinaal in zijn vergulde koets, kooplieden te paard. En Roberto's mannen – misschien waren het er op dat vroege tijdstip twintig, voordat Passerini's nieuws tot heel Florence was doorgedrongen. Een paar van hen stonden op de hoeken van de Via Larga, anderen voor de ijzeren poort bij de stallen. Ze hielden ons huis nauwlettend in de gaten, als haviken die wachtten tot hun prooi tevoorschijn kwam.

Een van hen schreeuwde uitbundig naar de voorbijgangers. 'Hebben jullie het al gehoord? De paus is verslagen! Rome is in handen van de keizer!'

Bij de hoofdingang van het palazzo hing een banier met het wapen van de familie de Medici, dat zo trots in de hele stad terug te vinden was: zes ballen, zes *palle*, in rijtjes op een gouden schild. *Palle, palle!* was onze strijdkreet, de woorden op de lippen van onze aanhangers terwijl ze hun zwaarden hieven om ons te verdedigen.

Terwijl ik stond te kijken, klom een wolverver, wiens handen en rafelige tuniek vol donkerblauwe vlekken zaten, op de schouders van zijn metgezel om onder luid gejuich de banier naar beneden te halen. Een derde man hield een fakkel bij de banier en stak hem in brand. Voorbijgangers minderden vaart en keken met open mond toe.

'*Abbasso le palle!*' schreeuwde de wolverver, en de mensen om hem heen lieten die zin uitgroeien tot een spreekkoor: 'Weg met de ballen! Dood aan de familie de Medici!'

Te midden van het tumult ging de ijzeren poort een klein stukje open en glipte Agostino – de loopjongen van tante Clarice – ongezien naar buiten. Maar toen het hek met een galmende klap achter hem dichtviel, bekogelden een paar mannen hem met steentjes. Hij beschermde zijn hoofd, stoof weg en verdween in de menigte.

Ik leunde verder uit het open raam. Achter de dunne slierten rook die van de brandende banier opstegen, kreeg de wolverver me in de gaten. Er verscheen een blik vol haat in zijn ogen. Als hij bij het raam had gekund, had hij mij – een onschuldig, achtjarig kind – beetgegrepen en mijn schedel op de kasseien kapotgeslagen.

'Abbasso le palle!' brulde hij. Tegen mij.

Ik liep weg van het raam. Ik kon geen steun zoeken bij Clarice, want zelfs als ze tijd had gehad, zou ze me niet hebben getroost. Ik wilde naar mijn neef Piero, die nergens bang voor was, zelfs niet voor zijn ontzagwekkende moeder. Daarnaast was hij de enige die ik vertrouwde. Omdat hij op dit moment geen les in het klaslokaal van de jongens had, haastte ik me naar de bibliotheek.

Daar trof ik hem aan, zoals ik wel had verwacht. Net als ik was hij een onverzadigbare leerling, wiens vragen vaak te moeilijk waren voor zijn leraren. Het gevolg was dat we elkaar vaak troffen als we met onze neus in de boeken zaten. Voor een zestienjarige had hij nog een rond, engelachtig gezicht, en hij had korte krulletjes en een lief, argeloos karakter – heel anders dan ik. Er was niemand in wie ik meer vertrouwen stelde, en ik adoreerde hem alsof hij mijn broer was.

Piero zat in kleermakerszit op de vloer en tuurde met samengeknepen ogen uiterst bedaard en geconcentreerd naar het dikke, opengeslagen boek op zijn schoot. Hij keek even op, maar ging daarna meteen door met lezen.

'Ik vertelde je vanochtend dat Passerini er was,' zei ik. 'Hij had heel slecht nieuws. Paus Clemens is verslagen.'

Piero slaakte een kalme zucht en vertelde me over het lastige parket waarin Clemens zich bevond. Zelf had hij het verhaal van de kokkin gehoord. In Rome leidt een geheime tunnel van het Vaticaan naar een vesting die de Engelenburcht heet. De opstandige soldaten van keizer Karel hadden zich bij tegenstanders van de familie de Medici aangesloten en het paleis van de paus aangevallen. Ze overrompelden paus Clemens, die voor zijn leven had moeten rennen. Zijn gewaden hadden geflapperd als de vleugels van een geschrokken duif toen hij door de geheime gang naar de burcht was gevlucht. Daar zat hij nog steeds, door jouwende troepen in zijn eigen vesting gevangengezet.

Piero bleef er uiterst rustig onder.

'We hebben altijd vijanden gehad,' zei hij. 'Ze willen een eigen regering vormen. De paus heeft altijd van hun bestaan geweten, maar moeder zegt dat hij onvoorzichtig is geworden en onmiskenbare voortekenen van problemen over het hoofd heeft gezien. Ze heeft hem gewaarschuwd, maar Clemens luisterde niet.'

'Maar wat gebeurt er nu met óns?' vroeg ik, geïrriteerd dat mijn stem trilde. 'Piero, er staan mannen buiten die onze banier verbranden! Ze vinden dat we gedood moeten worden!'

'Cat,' zei hij zachtjes, terwijl hij mijn hand pakte. Ik stond toe dat hij me naast zich op het koele marmer trok.

'We hebben altijd geweten dat de rebellen zouden proberen zo'n situatie uit te buiten, maar ze hebben zich niet goed georganiseerd,' zei Piero sussend. 'Het zal een paar dagen duren voordat ze iets ondernemen, maar tegen die tijd zijn wij al naar een van de villa's op het platteland vertrokken, en hebben moeder en Passerini besloten wat we moeten doen.'

Ik trok me los. 'Hoe gaan we naar het platteland? Het volk laat ons niet eens naar buiten!'

'Cat toch,' zei hij vriendelijk, 'het zijn gewoon oproerkraaiers. Vanavond krijgen ze er vast genoeg van en gaan ze wel naar huis.'

Voordat hij nog iets kon zeggen, vroeg ik: 'Wie is de zoon van de astroloog? Je moeder heeft Agostino op pad gestuurd om hem te halen.'

Met enige verbazing liet hij dit nieuws op zich inwerken. 'Dat moet de oudste zoon van ser Benozzo zijn, Cosimo.'

Ik schudde mijn hoofd om aan te geven dat ik niet wist over wie hij het had.

'De Ruggieri's zijn altijd de astrologen van onze familie geweest,' legde Piero uit. 'Ser Benozzo gaf Lorenzo *il Magnifico* advies. Ze zeggen dat zijn zoon Cosimo een soort wonderkind en een zeer machtige magiër is. Anderen zeggen dat dat slechts een gerucht is, dat door ser Benozzo is verspreid om meer klandizie te krijgen.'

Ik onderbrak hem. 'Maar tante Clarice gelooft helemaal niet in zulke dingen.'

'Nee,' zei hij peinzend. 'Cosimo heeft moeder ruim een week geleden een brief gestuurd, waarin hij zijn diensten aanbood. Hij schreef dat er grote moeilijkheden op komst waren en dat ze zijn hulp nodig zou hebben.'

Dat intrigeerde me. 'Wat deed ze toen?'

'Je kent moeder. Ze weigerde de brief te beantwoorden, omdat ze het een belediging vond dat zo'n jongeman – een jongen, noemde ze hem – aannam dat ze hulp nodig had van iemand als hij.'

'Pater Domenico zegt dat het het werk van de duivel is.'

Piero klakte minachtend met zijn tong. 'Magie is niet slecht – tenzij je er iemand kwaad mee wilt doen – en het is geen bijgeloof, het is wetenschap. Je kunt haar gebruiken om medicijnen te maken in plaats van vergif. Hier.' Hij tilde trots het dikke boek op zijn schoot op, zodat ik het omslag kon zien. 'Ik ben Ficino aan het lezen.'

'Wie?'

'Marsilio Ficino, de leraar van Lorenzo il Magnifico. De oude Cosimo huurde hem in om de *Corpus Hermeticum* te vertalen, een heel oud boek over magie. Ficino was briljant, en dit is een van zijn beste werken.' Hij wees op de titel: *De Vita Coelitus Comparanda*.

'Leven verkrijgen door de sterren,' vertaalde hij. 'Ficino was een uitstekend astroloog, en hij begreep dat magie een natuurlijke kracht is.' Hij begon enthousiast te worden. 'Luister maar.' Hij vertaalde haperend uit het Latijn. 'Doordat de drie wijzen, de magiërs uit het Oosten, de kracht van de sterren gebruikten, waren ze de eersten die het kind Jezus kwamen aanbidden. Waarom zouden wij dan de naam magiër vrezen, die gunstig vermeld staat in het evangelie?'

'Dus de zoon van die astroloog komt ons helpen,' zei ik. 'Hij brengt hulp van Gods sterren.'

'Ja.' Piero knikte geruststellend. 'Zelfs als hij dat niet deed, zou het allemaal goed komen. Moeder zou misschien mopperen, maar we gaan gewoon naar het platteland tot de situatie weer veilig is.'

Ik liet me overtuigen – voorlopig. Op de vloer van de bibliotheek ging ik lekker tegen mijn neef aan zitten en luisterde ik terwijl hij Latijn voorlas. We bleven zitten tot Leda, de bleke, fronsende, hoogzwangere slavin van tante Clarice, in de deuropening verscheen.

'O, zat je hier.' Ze wenkte ongeduldig. 'Je moet meteen meekomen, Catharina. Donna Clarice wacht op je.'

De horoscooptrekker was een lange, magere jongeling van achttien, als je royaal schatte, maar hij had de grijze tuniek en sombere houding van een stadsbestuurder. Zijn pokdalige huid was ziekelijk bleek, zijn haar zo zwart dat het een blauwe gloed kreeg. Toen hij het achteroverstreek, werd een flinke weerborstel zichtbaar. Zijn ogen leken nog zwarter en hadden iets ouds en listigs in zich, wat me tegelijkertijd fascineerde en bang maakte. Hij was lelijk: zijn lange neus was krom, zijn lippen hadden verschillende diktes en zijn oren waren te groot. Toch kon ik mijn blik niet van hem afwenden. Ik was een onbeleefd, dom kind en staarde naar hem.

Tante Clarice zei: 'Kom hier staan, Catharina, in het licht. Nee, laat die reverence maar zitten en blijf gewoon stilstaan. Leda, doe de deur achter je dicht en wacht in de hal tot ik je roep. Ik wil niet gestoord worden.' Haar toon was afwezig en opvallend zacht.

Na een bezorgde blik op haar meesteres glipte Leda naar buiten, en ze deed zachtjes de deur dicht. Ik stapte in een streep zonlicht en bleef gehoorzaam een paar passen van Clarice af staan, die naast een haard zat waarin geen vuur brandde. Mijn tante, misschien wel de machtigste vrouw van heel Italië, was oud genoeg om de moeder van deze jongeman te zijn, maar zijn persoonlijkheid – kalm en geconcentreerd als een adder die klaarligt om aan te vallen – was nog krachtiger dan de hare. Zelfs Clarice, die al jaren gewend was aan het gezelschap van pausen en koningen, was bang voor hem.

'Dit is het meisje,' zei ze. 'Ze is niet mooi, maar over het algemeen gehoorzaam.'

'Donna Catharina, het is een eer om u te ontmoeten,' zei de bezoeker. 'Ik ben Cosimo Ruggieri, zoon van ser Benozzo, de astroloog.'

Hij zag er streng uit, maar zijn stem was mooi en diep. Ik had mijn ogen kunnen sluiten en ernaar kunnen luisteren alsof het muziek was.

'Beschouw me maar als een dokter,' zei ser Cosimo. 'Ik wil u kort onderzoeken.'

'Doet dat pijn?' vroeg ik.

De glimlach van ser Cosimo werd iets breder, waardoor zijn scheve boventanden zichtbaar werden.

'Het is volstrekt pijnloos. Ik heb al een deel gedaan: u bent vrij klein voor uw leeftijd, zie ik, en uw tante vertelt dat u zelden ziek bent. Klopt dat?'

'Ja,' antwoordde ik.

'Ze rent altijd door de tuin,' meldde Clarice mat. 'Ze kan net zo goed paardrijden als de jongens. Tegen de tijd dat ze vier was, konden we haar niet meer bij de paarden weghouden.'

'Mag ik...' Ser Cosimo zweeg tactvol. 'Kunt u uw rokken een stukje optillen, donna Catharina, zodat ik uw benen kan bestuderen?'

Ik sloeg gegeneerd en verbluft mijn ogen neer, maar trok de zoom van mijn gewaad op tot boven mijn enkels. Op zijn vriendelijke aansporing trok ik het vervolgens op tot aan mijn knieën.

Ser Cosimo knikte goedkeurend. 'Heel sterke benen, precies wat ik had verwacht.'

'En dijen,' zei ik, terwijl ik mijn rokken liet zakken. 'Invloed van Jupiter.'

Dat leek hem te intrigeren. Hij glimlachte flauwtjes en bracht zijn gezicht vlak bij het mijne. 'Hebt u verstand van dergelijke zaken?'

'Een klein beetje,' antwoordde ik. Ik vertelde niet dat ik net naar Piero had zitten luisteren, die had voorgelezen wat er aan Jupiter werd toegeschreven.

Tante Clarice kwam op afstandelijke toon tussenbeide. 'Maar haar Jupiter staat in val.'

Ser Cosimo bleef me met zijn indringende blik aankijken. 'Bij Weegschaal, in het Derde Huis. Maar er zijn manieren om hem krachtiger te maken.'

Ik waagde het om een vraag te stellen. 'Weet u alles van mijn sterren, ser Cosimo?'

'Ik heb er al een tijdje belangstelling voor,' antwoordde hij. 'Ze laten vele uitdagingen en kansen zien. Mag ik vragen waar u moedervlekken hebt?'

'Ik heb er twee op mijn gezicht.'

Ser Cosimo ging op zijn hurken zitten, waardoor we op gelijke ooghoogte kwamen. 'Laat ze eens zien, donna Catharina.'

Ik veegde mijn saaie, vale haar naar achteren en toonde hem mijn rechterwang. 'Hier en hier.' Ik wees op mijn slaap, vlak onder de haarlijn, en op een plaats tussen mijn kaak en oor.

Hij hield scherp zijn adem in en wendde zich met een ernstige blik tot tante Clarice.

'Slecht nieuws?' vroeg ze.

'Niet in de zin dat we er niets aan kunnen doen,' antwoordde hij. 'Ik kom morgen op hetzelfde tijdstip terug, met amuletten en kruiden om haar te beschermen. U moet ze exact volgens mijn aanwijzingen gebruiken.'

'Voor mij,' zei Clarice vlug, 'en voor mijn zoons, niet alleen voor haar.'
De zoon van de astroloog wierp een strenge blik in haar richting. 'Natuurlijk. Voor iedereen die ze nodig heeft.' Zijn stem kreeg een dreigende toon. 'Maar zulke dingen werken alleen als ze precies volgens voorschrift worden gebruikt – en alleen door degene voor wie ze zijn gemaakt.'
Angstig sloeg Clarice haar ogen neer. Ze was woedend op zichzelf dat ze zich liet intimideren. 'Natuurlijk, ser Cosimo.'
'Goed,' zei hij. Met een buiging nam hij afscheid.
'Moge God met u zijn, donna Clarice,' zei hij beleefd. 'En met u, donna Catharina.'
Ik mompelde een afscheidsgroet toen hij de deur uit liep. Het was vreemd om een jongeling te zien lopen als een oude man. Vele jaren later zou hij bekennen dat hij destijds vijftien jaar was. Hij beweerde dat hij een toverspreuk had gebruikt om ouder te lijken, omdat hij wist dat Clarice anders nooit naar hem zou hebben geluisterd.
Zodra de astroloog buiten gehoorsafstand was, zei tante Clarice: 'Ik heb geruchten gehoord over deze oudste zoon. Een handige jongen, dat wel – handig in het oproepen van duivels en het bereiden van gifmengsels. Ik heb gehoord dat hij zijn vader tot wanhoop drijft.'
'Is hij geen goede man?' vroeg ik bedeesd.
'Hij is boosaardig. Op dit moment hebben we zijn boosaardigheid nodig.' Ze liet haar gezicht op haar hand rusten en begon haar slaap te masseren. 'Alles stort in. Rome, het pausdom, Florence zelf. Het is nog maar een kwestie van tijd voordat het nieuws zich door de hele stad verspreidt. En dan... dan gaat alles naar de verdommenis. Ik moet bedenken wat we moeten doen voordat...' Ik dacht dat ik tranen hoorde, maar ze vermande zich en deed abrupt haar ogen open. 'Ga naar je kamer om te studeren. Vandaag krijg je geen les, maar ik adviseer je om je netjes te gedragen. Ik duld geen afleiding.'

Ik verliet de grote zaal. Ik volgde de instructies van mijn tante niet op, maar rende naar de binnenplaats. Daar zag ik de zoon van de astroloog, die vlug in de richting van de tuinen liep.
'Ser Cosimo!' riep ik. 'Wacht!'
Hij stond stil en draaide zich om. Hij keek me geamuseerd en veelbetekenend aan, alsof hij al had verwacht dat een ademloos achtjarig meisje achter hem aan zou hollen.
'Catharina.' Het was vreemd om hem zo informeel te horen spreken.

'U kunt niet weg,' zei ik. 'Er staan mannen buiten die ons dood wensen. Zelfs als u veilig buiten komt, kunt u nooit meer terugkomen.'

Hij boog zich voorover tot hij me recht in de ogen kon kijken. 'Je zult zien dat ik veilig buiten kom,' zei hij. 'En morgen kom ik terug. Bij mijn komst moet je me in je eentje op de binnenplaats of in de tuin opwachten. We moeten bepaalde zaken bespreken, noodlottige geheimen. Maar vandaag niet. Dit is geen gunstig uur.'

Terwijl hij sprak, kregen zijn ogen een harde uitdrukking, alsof hij vanuit de verte iets kwaadaardigs zag naderen. Hij ging rechtop staan en zei: 'Maar er zal niets akeligs gebeuren. Daar zal ik voor zorgen. We spreken elkaar morgen. Moge God je behoeden, Catharina.'

Hij draaide zich om en liep weg.

Ik haastte me achter hem aan, maar hij liep sneller dan ik kon rennen. Binnen een paar tellen was hij bij de ingang van de stallen, waar je de grote poort naar de Via Larga kon zien. Uit angst hield ik me afzijdig.

Het palazzo was een stevige stenen vesting, en de hoofdingang was een ondoordringbare koperen deur die in het midden van het gebouw zat. Ten westen daarvan lagen de tuinen en de stallen, die vanaf de straat zichtbaar waren als je aan de noordzijde bij het ijzeren hek aan het uiteinde van de citadel stond.

Vlak achter het hek stonden zeven gewapende wachters, die de menigte aan de andere kant van de dikke ijzeren spijlen scherp in de gaten hielden. Toen ik boven uit het raam had gekeken, hadden er maar zes mannen bij de westelijke poort gestaan. Nu stonden er wel vijfentwintig boeren en kooplieden naar de wachters te staren.

Een staljongen gaf ser Cosimo de teugels van een glimmende zwarte merrie. Een paar mensen in de groep begonnen te sissen toen ze de astroloog zagen. Een van hen gooide een steen, die een ijzeren spijl raakte en op een paar passen van zijn doel op de grond terechtkwam.

Ser Cosimo leidde zijn paard bedaard naar het hek. De merrie stampte met haar benen en wendde haar hoofd af van de wachtende mannen toen een van hen riep: 'Abbasso le palle! Weg met de ballen!'

'Hebben ze jou soms gehaald om de pik van de kardinaal af te zuigen?' riep een ander.

'En zijn ballen, die zo gek zijn op de familie de Medici! Abbasso le palle!'

De commotie trok de aandacht van andere mensen, die aan de overkant van de straat op wacht hadden gestaan. Ze haastten zich om zich

bij de groep bij het hek te voegen, en hun spreekkoren werden luider.
'Abbasso le palle.'
'Abbasso le palle.'
Mannen hieven hun gebalde vuisten en duwden hun handen tussen de spijlen door om naar de mensen aan de andere kant van het hek te graaien. De merrie hinnikte en liet het wit van haar ogen zien.
Al die tijd bleef ser Cosimo uiterst kalm. In een regen van steentjes liep hij rustig en onverschrokken naar de ijzeren spijlen. Hij werd niet geraakt, maar onze wachters hadden minder geluk: ze riepen luidkeels verwensingen en probeerden hun gezichten te beschermen. Een van hen haastte zich naar de grendel en schoof de zware ijzeren staaf naar achteren, terwijl de anderen hun zwaarden trokken en schouder aan schouder een barricade vóór ser Cosimo vormden.
De wachter bij de grendel keek over zijn schouder naar de vertrekkende gast. 'U bent krankzinnig, heer,' zei hij. 'Ze scheuren u aan stukken.'
Ik kwam uit mijn schuilplaats tevoorschijn en holde naar ser Cosimo. 'Doe hem geen pijn!' schreeuwde ik tegen de menigte. 'Hij is geen familie van ons!'
Ser Cosimo liet de teugels van zijn nerveuze paard vallen en knielde om me bij mijn schouders te pakken.
'Ga naar binnen, Catherine,' zei hij. Catherine – mijn naam in een andere taal. 'Ik weet wat ik doe. Er zal me niets overkomen.'
Terwijl hij die laatste woorden uitsprak, schampte een steentje mijn schouder. Mijn gezicht vertrok, en ser Cosimo zag dat ik geraakt werd. En zijn ogen...
De blik van de duivel, wilde ik zeggen, maar misschien kan ik het beter de blik van God noemen. Want de duivel kan bedriegen en beproeven, maar alleen God beslist over leven en dood en kan een man tot in de eeuwigheid laten lijden.
Dat was de blik die ik in Cosimo's ogen zag. Ik kwam tot de conclusie dat hij in staat was om eeuwig wrok te koesteren en zonder enige spijt te moorden. Toch werd ik niet door die gelaatsuitdrukking van mijn stuk gebracht. Het verontrustte me dat ik die blik herkende en Cosimo nog steeds aardig vond, dat ik wist wat ik zag en mijn ogen niet wilde afwenden.
Hij draaide zich met die onvoorstelbaar boosaardige blik naar de menigte om. Meteen kwam er een einde aan de regen van stenen. Toen iedereen zweeg, riep hij met heldere, luide stem: 'Ik ben Cosimo Ruggieri,

de zoon van de astroloog. Waag het eens om haar nogmaals te raken.'

Er werd geen woord meer gesproken. Met zijn dreigende uitstraling stapte ser Cosimo op zijn paard, en de wachter duwde het piepende hek open. Op het moment dat de magiër naar buiten reed, week de menigte voor hem uiteen.

Het hek zwaaide met een weergalmende klap dicht, en de wachter schoof de grendel erop. Het was alsof er een signaal werd gegeven: de menigte kwam weer tot leven en begon de wachters weer met stenen en verwensingen te bekogelen.

Maar de zoon van de astroloog kon met opgeheven hoofd en rechte, zelfverzekerde schouders ongedeerd passeren. Terwijl de rest van de wereld zijn weerspannige aandacht weer op de hekken van het palazzo richtte, reed hij weg en verdween hij al vlug uit het zicht.

2

Mijn herinneringen aan Florence zijn vervaagd door gruwelen, genegenheid, afstand en tijd, maar sommige indrukken uit dat verre verleden staan me nog helder voor de geest. Het gebeier van de kerkklokken, bijvoorbeeld: ik ontwaakte, at en bad volgens de melodieën van de Basilica San Lorenzo, waar de beenderen van mijn voorouders begraven lagen, de Santa Maria del Fiore-kathedraal, met zijn enorme, onmogelijke koepeldak, en het klooster van San Marco, waar ooit de waanzinnige monnik Savonarola had gezeteld. Ik hoor nog steeds het lage 'geloei' van de Koe, een klok die in het grote Palazzo della Signoria hing, de zetel van de Florentijnse regering.

Ik herinner me ook de vertrekken van mijn jeugd, vooral de familiekapel. Op de muren boven de houten koorbanken bereden mijn voorouders prachtig opgetuigde paarden op Gozzoli's meesterwerk *De optocht der drie Wijzen*. Het fresco besloeg drie muren. Vooral de oostelijke muur sprak tot mijn verbeelding, want dat was de muur van de jongste Wijze, die de leiding nam en de ster van Bethlehem volgde. Mijn voorvaderen reden vlak achter hem, in oogverblindende tinten karmozijn, blauw en goud.

De opdracht voor het fresco was gegeven in de tijd van Piero de Jichtige. Mijn over-overgrootvader reed vlak achter de jonge Wijze en was een ernstige, streng kijkende man van tegen de vijftig. Hij reed vlak voor zijn eigen vader, de oude, maar nog altijd geslepen Cosimo. Zijn zoon Lorenzo il Magnifico reed achter hen. Hij was toen pas elf, een lelijke jongen met een uitstekende onderlip en een vreselijk kromme neus. Toch had de heldere, aandachtige intelligentie in zijn amandelvormige ogen iets moois, waardoor ik ernaar hunkerde om zijn wang aan te raken. Maar hij was hoog op de muur geschilderd, op een plaats waar ik niet bij kon. Als de kapel leeg was, klom ik vaak op een koorbank, maar ik kon slechts de onderkant van het fresco aanraken. Ik had vaak te horen gekregen dat ik Lorenzo's scherpe verstand had en voelde een verwantschap met hem. Zijn vader was gestorven toen hij nog jong was, en had hem een stad nagelaten die hij moest regeren. Niet lang daarna werd zijn geliefde broer vermoord, waardoor hij werkelijk moederziel alleen was.

Maar Lorenzo was wijs. Zijn kinderogen waren ernstig en evenwichtig, en zijn blik was niet gevestigd op zijn vader, Piero, of op zijn grootvader, Cosimo, maar op de goudblonde jonge Wijze die de ster volgde.

De jonge Lorenzo keek die avond tijdens de vespers op me neer. Oom Filippo was er niet, maar Clarice wel. Haar gespannen gelaatstrekken werden verzacht door een ragfijne zwarte sluier. Ze mompelde haar gebeden met één oog open en keek achterom, naar de openstaande deur. Tijdens haar ontmoeting met ser Cosimo had ze heel gedwee geleken, maar in de tussenliggende uren was haar wilskracht teruggekomen.

Aan haar rechterhand zat mijn kaarsrechte, lange neef Ippolito, die sinds kort de brede borstkas en rug van een man had. Hij was gebruind door de jacht en had een sikje en een snor laten staan, die zijn donkere ogen benadrukten en hem uitzonderlijk knap maakten. Hij was aardig tegen me – per slot van rekening zouden we ooit trouwen en samen over Florence regeren – maar hij was achttien en begon aandacht voor vrouwen te krijgen. En ik was maar een lelijk klein meisje.

Naast hem stond de twee jaar jongere Alessandro, die zijn ogen wijd openhield terwijl hij zijn gebeden mompelde. Mijn halfbroer Sandro, zoon van een Afrikaanse slavin, had dikke zwarte wenkbrauwen, volle lippen en een zwijgzaam karakter. Hoe lang ik ook naar zijn volle gelaatstrekken en tuitende mond keek, ik kon nooit enige familiegelijkenis tussen ons ontdekken. Sandro besefte heel goed dat hij de lichamelijke schoonheid en charme van zijn oudere neef Ippolito miste. Hun rivaliteit was kenmerkend voor hun onderlinge relatie, maar toch waren ze onafscheidelijk, verbonden door hun speciale status.

Ginevra zat in de kapel aan mijn tantes linkerhand, geflankeerd door de kleine Roberto, die naast Leone en Tommaso stond. Daarnaast stond mijn dierbare Piero. Hoewel hij eerder die dag mijn angsten had weggewuifd, was zelfs hij stil en somber geworden toen de menigte bij onze hekken steeds groter werd.

Ik herinner me nog maar weinig van de vespers van die avond. Ik herinner me alleen nog maar de heldere alt van tante Clarice toen we de psalmen zongen, en de trillende tenor van de priester toen hij het kyrie eleison voorzong.

Hij was net aan de gezongen zegening begonnen toen tante Clarice abrupt haar hoofd draaide. Buiten, in de gang, hield oom Filippo zijn muts in zijn handen.

Hij was een barse man met ingevallen wangen en grijs, kort haar, dat aan het kapsel van een Romeinse senator deed denken. Toen hij de blik van tante Clarice opving, werd zijn blik nog barser. Ze gebaarde vlug naar Ginevra: *wegwezen, wegwezen. Neem de kinderen mee*. Ze gebaarde met haar hoofd naar Ippolito en Alessandro. *En neem hen ook mee*.

De hand van de priester sneed horizontaal door de lucht als afsluiting van het onzichtbare kruisteken. Hij had de menigte ook bij de hekken zien staan en vertrok vlug door de uitgang bij het altaar.

Clarice stapte opzij, waardoor Ginevra de kinderen mee naar de deur kon nemen. Tegelijkertijd kwam oom Filippo binnen. Ik treuzelde en bleef als laatste van de kinderen in de kapel.

Sandro liep gedwee achter de anderen aan, maar Ippolito maakte zich van het groepje los om naar Clarice te kijken. 'Ik blijf hier,' zei hij. 'Filippo heeft belangrijk nieuws, nietwaar?'

De blik van Clarice werd harder, waardoor Ginevra extra haast kreeg om de kinderen de deur uit te werken. Ik dook weg achter een koorbank, omdat ik oom Filippo's nieuws graag wilde horen.

'Luister,' zei Filippo vriendelijk, terwijl hij naast zijn vrouw ging staan. 'Ippolito, ik moet haar even onder vier ogen spreken.' Hij wachtte tot Ginevra de andere jongens had meegenomen. 'Als het juiste moment daar is, krijgen jullie alles te horen.'

Ippolito keek indringend van zijn tante naar zijn oom. 'Dit is het goede moment. Ik heb vanaf de zijlijn toegekeken terwijl Passerini het volk van zich vervreemdde. Mijn geduld is op.' Hij haalde adem. 'Ik neem aan dat u militaire steun hebt geregeld. Hoe staan we ervoor?'

'We bevinden ons in een ingewikkelde situatie,' zei Filippo. 'En ik zal je alles vertellen wat ik vanavond te weten ben gekomen. Maar eerst wil ik mijn vrouw spreken, zonder anderen erbij.'

Een poosje staarden hij en Ippolito elkaar aan. Oom Filippo was standvastig als een rots. Na een geluid waaruit zijn weerzin bleek, draaide Ippolito zich uiteindelijk om en liep hij achter de anderen aan.

Filippo trok Clarice mee naar een kerkbank. Terwijl hij naast haar ging zitten, tilde ze haar sluier op en zei ze verslagen: 'Zo. We zijn dus verloren.'

Filippo knikte.

Woedend sprong Clarice overeind. 'Hebben ze ons nu al in de steek gelaten?' In haar toon was zowel razernij als teleurstelling te bespeuren. Ze had al geweten welk nieuws Filippo haar zou brengen, maar toch had ze tegen beter weten in gehoopt dat hij iets anders zou zeggen.

Filippo bleef zitten. 'Ze zijn bang. Zonder de steun van Clemens...'

'Ik vervloek hen!' Toen Filippo haar arm wilde pakken, schudde ze hem van zich af. 'De lafaards. Ik vervloek de keizer, ik vervloek Passerini – en ik vervloek de paus!'

'Clarice,' zei Filippo streng. Deze keer trok ze zich niet los toen hij haar arm pakte, maar ging ze met een plof zitten.

Haar gezicht vertrok van verdriet, en opeens vielen er tranen op haar wangen en boezem, fonkelende diamanten in het kaarslicht. Het onmogelijke was gebeurd: tante Clarice huilde.

'Ik vervloek hen allemaal,' zei ze. 'Het zijn stuk voor stuk idioten. Net als mijn vader, die het verlies van deze stad aan zijn eigen domheid te danken had. En nu raak ík Florence ook kwijt.'

Filippo legde een hand op haar schouder en wachtte geduldig tot ze weer rustig was. Toen ze zich had vermand, veegde hij haar tranen weg en vroeg hij zachtjes: 'Praat jij met hen?'

Ze gebaarde hulpeloos met haar handen. 'Wat moet ik anders?' Ze slaakte een diepe zucht en stak haar hand uit om Filippo's wang met een bitter, vluchtig glimlachje te strelen. Hij ving haar hand op en kuste hem met oprechte tederheid.

De glimlach van Clarice verdween abrupt. 'Ik onderhandel alleen met Capponi zelf,' zei ze. 'Je moet hem vanavond nog vinden – morgenochtend is het te laat. Tegen die tijd wordt er al bloed vergoten.'

'Vanavond,' herhaalde Filippo. 'Ik zal ervoor zorgen.'

'We ontmoeten elkaar op mijn voorwaarden,' zei Clarice. 'Ik zal ze opschrijven, want ik wil niet dat er misverstanden over ontstaan.' Ze keek Filippo veelbetekenend aan. 'Je weet al wat ik zal bedingen.'

'Clarice,' zei hij, maar ze legde een vinger op zijn lippen.

'Ze zullen mij geen kwaad doen, Lippo. Ze hebben het niet op mij voorzien. Als het allemaal voorbij is, voeg ik me bij je.'

'Ik laat je niet zonder bescherming vertrekken,' zei Filippo.

'Die heb ik al,' wierp ze tegen. 'De allerbeste bescherming – beter dan soldaten. Morgen komt de zoon van de astroloog – de magiër, Cosimo. Ik overleg met hem voordat ik Capponi spreek.'

Filippo deinsde achteruit. 'Cosimo Ruggieri? Benozzo's snode zoon?'

'Hij wíst het, Lippo. Hij wist het uur en de dag waarop Clemens verslagen zou worden. Hij probeerde me weken geleden al te waarschuwen, maar ik wilde niet naar hem luisteren. Nu luister ik wel.'

'Clarice, ze zeggen dat hij duivels oproept, dat hij...'

'Hij wist het uur en de dag,' onderbrak ze hem. 'Zo'n bondgenoot kan ik niet wegsturen.'

Filippo was nog niet gerustgesteld. 'Toch zal ik zorgen dat je de beste mannen en wapens krijgt.'

Clarice schonk hem een kil, sluw lachje. 'Ik heb de beste bescherming van allemaal, Lippo. Ik heb de erfgenamen.' Ze stond op en pakte haar echtgenoot bij de hand. 'Kom. Ik heb een ganzenveer en papier nodig. Capponi moet mijn brief vanavond nog krijgen.'

Oom Filippo liep achter haar aan naar de gang. Ik kroop uit mijn schuilplaats, maar bleef nog even in de kapel staan.

Hij wíst het. Hij wist het uur en de dag.

Wat was er gebeurd als tante Clarice weken geleden al had geloofd dat hij gelijk had? Had paus Clemens dan nog gewaarschuwd kunnen worden? Er drongen zich meer vragen op: zou mijn moeder eerder een arts hebben laten komen als ze had geweten dat mijn bevalling zwaar zou worden? Had mijn vader gewaarschuwd kunnen worden dat hij zijn gezondheid in acht moest nemen? Hadden hun levens gespaard kunnen blijven?

Ik kon me niet voorstellen dat God de paus en mijn ouders niet had willen sparen. Ik kon me niet voorstellen dat hij het een bang kind kwalijk nam dat ze naar veiligheid verlangde, zelfs als ze die bij een man vond die met duivels sprak.

We moeten bepaalde zaken bespreken, noodlottige geheimen.

Ik staarde omhoog naar de Wijze uit het Oosten, die jong en luisterrijk op zijn witte paard zat. Hij hield mijn aandacht niet lang vast, want ik werd geboeid door de jongen Lorenzo – een lelijk, eenzaam, briljant kind, dat door het lot gedwongen werd om voortijdig sluw te worden. Lorenzo, die alle anderen negeerde en zijn blik strak op de magiër gericht hield.

De volgende ochtend werd ik gewekt door de geluiden van een bedrukte, maar ondraaglijk alerte huishouding. De zangerige stemmen van de bedienden hadden plaatsgemaakt voor gespannen gefluister, en hun voetstappen klonken gedempt. Ik kon de kokkin en het keukenmeisje niet eens met potten en pannen horen slaan.

Ginevra kleedde me haastig aan en ging weg. Eigenlijk had ik meteen naar beneden moeten lopen om te gaan ontbijten, maar ik wist dat de kamermeisjes al druk aan het werk waren, en daarom liep ik naar hun lege slaapkamer. Ik sleepte een kruk naar het raam, ging erop staan en keek naar beneden.

De samenstelling van de menigte was veranderd. Gisteren hadden er ongewapende kooplieden en boeren gestaan. Vandaag waren het edelen met korte zwaarden op hun heupen, die in gedisciplineerde rijen waren opgesteld en een barricade rond onze vesting vormden. Het verkeer op de Via Larga was tot stilstand gekomen, dankzij schildwachten die elke voorbijganger ondervroegen.

Bezorgd stapte ik van mijn kruk en liep ik naar beneden om Piero te zoeken. Ik vond hem in de vertrekken van de jongens, waar Ginevra een stapel opgevouwen kleren uit een open kleerkast tilde. Ze had zich net omgedraaid om ze in een halfvolle koffer te leggen toen ze me in de deuropening zag staan.

Ik staarde naar de stapel jongenskleding in haar armen. Naast Ginevra zat Leda op een krukje beddengoed te vouwen, dat ze in een tweede koffer legde. Ik begreep niet waarom Leda, die altijd voor tante Clarice zorgde, zich bezighield met het beddengoed van de jongens.

Ginevra werd vuurrood. 'Je hoort hier niet te komen, Catharina,' zei ze. 'Heb je al ontbeten?'

Ik schudde mijn hoofd. 'Wat zijn jullie aan het doen?'

Piero hoorde ons en kwam uit het slaapvertrek. 'Inpakken,' zei hij glimlachend. 'Kijk niet zo bang, Cat. We gaan naar het platteland, zoals ik al zei. Moeder gaat vanavond met de rebellen praten, als wij weg zijn.'

Met een klein stemmetje zei ik: 'Niemand pakt mijn spullen in.'

'Dat komt nog wel.' Piero keek naar Ginevra, die strak naar de koffer voor haar neus keek. 'Wie pakt haar spullen in?'

Het duurde zo lang voordat Ginevra antwoord gaf dat Leda, de dapperste van hen tweeën, het woord nam. 'Als het moment daar is, zal haar tante daar wel iets over zeggen,' zei ze streng. 'Nu moet ze gaan ontbijten en niemand voor de voeten lopen.'

Hoewel ik mijn best deed om me te beheersen, voelde ik mijn onderlip trillen. Huilend zei ik tegen Piero: 'Ik mag niet met jullie mee.'

'Doe niet zo mal!' zei hij, voordat hij zich tot Leda richtte. 'Ze gaat toch gewoon met ons mee, of niet?'

Leda probeerde hem schaamteloos aan te kijken, maar uiteindelijk wendde ze haar blik af. 'Donna Clarice zal straks met haar praten.'

Piero begon verontwaardigd te protesteren, maar ik nam de benen voordat ik hoorde wat hij te zeggen had. Ik rende halsoverkop de trap af, de binnenplaats op, langs de formele tuin aan de andere kant van de stallen. Bij de stenen muur die de achterkant van het terrein omsloot, groeide een grote plataan. Ik liet me in de schaduw van de boom vallen en barstte in tranen uit. De wereld had me verraden. Mijn enige hoop, mijn enige geluk was Piero, maar nu zou hij me worden afgepakt. Voor wat een eeuwigheid leek, lag ik daar in mijn eentje ongestoord te huilen, tot ik met mijn rug op de vochtige grond ging liggen en naar het groene bladerdak staarde, waar flarden blauwe lucht doorheen piepten.

Ik heb de beste bescherming van allemaal, ik heb de erfgenamen. Piero en zijn broers zouden in veiligheid worden gebracht, en ik, een erfgenaam, zou achterblijven. Ik was een ruilmiddel dat Clarice in haar onderhandelingen met de rebellen kon gebruiken.

Ik was zo diep in gedachten verzonken dat ik de kerkklokken bijna niet opmerkte. San Marco, San Lorenzo en Santa Maria del Fiore lieten watervallen van melodieuze klanken over elkaar heen tuimelen. Hun geluid was bijna weggestorven toen ik rechtop ging zitten en me herinnerde hoe vaak ik de klokken had horen slaan. Het was de terts, het derde uur van de ochtend.

Ik stond op, veegde de twijgjes van mijn rokken en rende langs de stallen tot ik om het hoekje naar de hekken kon kijken, die op de Via Larga uitkwamen.

Terwijl onze vijfentwintig wachters de zwijgende rebellen aan de andere kant van de ijzeren spijlen in de gaten hielden, leidde een jongen een glanzende zwarte merrie naar de stallen. Ze was pittig en gooide haar hoofd in haar nek. Ze gehoorzaamde hem wel, maar ze liet hem met een minachtende blik weten dat ze hem niet vertrouwde.

Ser Cosimo kon niet ver uit de buurt zijn. Ik liep naar de verlaten tuin en bleef daar een halfuur wachten, wat een kwelling was voor een rusteloos kind.

Eindelijk verscheen de magiër, gekleed in een zwart-met-rood gestreepte zijden *farsetto*. Hij kreeg me in de gaten en nam me zwijgend mee naar een prieeltje, dat door een hoge heg aan het zicht werd onttrokken.

Toen we daar zaten, zei hij streng: 'Donna Catharina, u moet me beloven dat u met niemand over onze ontmoeting spreekt. Daar zijn vele redenen voor, en een heel belangrijke is dat het onbehoorlijk is als ik onder vier ogen met een jong meisje praat. U mag mijn woorden tegen niemand herhalen – vooral niet tegen uw tante Clarice.'

'Dat beloof ik.'

'Mooi zo.' Hij boog zich voorover tot we op gelijke ooghoogte zaten. 'Uw geboortegesternte is opmerkelijk. Ik wil u helpen, donna Catharina, om zijn slechte kanten te verzachten en zijn goede te versterken.' Hij zweeg even. 'U zult regeren, maar dat zal nog vele jaren duren. Daar zorgt Saturnus in Steenbok voor.'

'Raken we Florence kwijt – voor een poosje?' vroeg ik. 'En komen we dan terug, net als vroeger?'

'U zult nooit over Florence regeren,' zei hij, en toen hij zag dat ik wilde gaan huilen, snauwde hij: 'Luister! In uw geboortehoroscoop is Leeuw rijzende, en uw Ram staat in uw Tiende Huis. Dat is het kenmerk van een koning, donna Catharina. U zult regeren over een gebied dat veel groter is dan een enkele stad. Als...' Hij maakte zijn zin niet af. 'Uw horoscoop bevat vele vreselijke beproevingen, waarvan dit de eerste is. Ik ben van plan te zorgen dat u dit overleeft. Begrijpt u dat?'

Ik knikte, doodsbang en geïntrigeerd. 'Zag u dat toen u gisteren naar de moedervlekken bij mijn oor keek? U zag iets wat u bang maakte.'

Hij fronste zijn wenkbrauwen en probeerde terug te denken, maar toen gleed er een geamuseerde glimlach over zijn gezicht. 'Ik was niet bang. Ik was... onder de indruk.'

'Onder de indruk?'

'Van de koning,' zei hij. 'De koning met wie u zult trouwen.'

Ik staarde hem met open mond aan.

'Ik weet niet in hoeverre we donna Clarice kunnen vertrouwen,' vervolgde hij. 'Er nadert verraad, een levensbedreigend verraad, maar ik weet niet zeker van welke kant het zal komen. Ik heb uw tante eerlijk verteld dat u bijzonder belangrijk bent, en ik heb haar amuletten gegeven om u en uw neven te beschermen. Maar ik wist niet of ze zo betrouwbaar was dat ze dit aan u zou geven.'

Zijn vingers verdwenen in de buidel aan zijn riem en pakten er iets uit. Toen hij zijn hand openvouwde, zag ik een gladde zwarte steen en een stukje van een plant.

'Dit is de Vleugel van de Rijzende Raaf, uit Agrippa, gecreëerd onder aegide van Mars en Saturnus. Hij bevat de macht van de ravenster. Zijn vleugel zal tot onze volgende ontmoeting zorgen dat u niets overkomt. Draag hem op een verborgen plaats, met de steen bovenop en de smeerwortel op uw huid. Denk erom dat niemand hem mag zien of hem van u mag afpakken.'

'Ik zal ervoor zorgen,' zei ik. 'Ik ben niet achterlijk.'

'Dat had ik al begrepen,' zei hij met een spoortje humor in zijn stem. Hij stak zijn hand uit en ik nam het duistere geschenk aan. Ik had gedacht dat de edelsteen koud zou zijn, maar zijn huid had hem verwarmd.

'Waarom doet u dit voor mij?' vroeg ik.

In zijn glimlach verscheen opeens iets sluws. 'We zijn met elkaar verbonden, Catharina Maria Romula de Medici. U bent lang voor uw geboorte al in mijn sterren verschenen. Het is in mijn belang om u te beschermen, als ik dat kan.' Hij zweeg even. 'Laat me zien dat u de amulet onzichtbaar bij u kunt dragen.'

Ik priegelde mijn vingers onder mijn strak ingeregen lijfje en stopte de edelsteen tussen mijn onontwikkelde borsten. Ik moest een beetje schuiven met het stukje geplette smeerwortel voordat het netjes onder de steen lag.

'Goed zo,' zei ser Cosimo. 'Nu moet ik afscheid nemen.' Maar toen hij zich omdraaide om weg te gaan, schoot hem iets te binnen, en hij vroeg vlug: 'Droomt u wel eens, donna Catharina? Gedenkwaardige dromen, opvallende dromen?'

'Ik probeer ze te vergeten,' zei ik. 'Ze maken me bang.'

'Door de Vleugel van de Raaf zullen ze u helder bijblijven,' zei hij. 'Mars bevindt zich in uw Twaalfde Huis, het Huis van Verborgen Vijanden en Dromen. De hemel zelf zal onthullen wat u over uw lot moet weten. Dat is uw gave en uw last.' Hij maakte een klein buiginkje. 'Ik neem een poosje afscheid van u, donna Catharina. Moge God ons toestaan om elkaar snel weer te ontmoeten.'

Het was niet zijn bedoeling om zijn twijfel aan die toekomstige ontmoeting te laten doorklinken, maar ik hoorde de twijfel in zijn stem maar al te goed. Ik zei niets meer, maar draaide me om en rende over de binnenplaats terug, terwijl de ravensteen hard tegen mijn borstkas drukte.

3

IK HOLDE NAAR DE BIBLIOTHEEK, WAAR IK DE LUIKEN OPENGOOIDE OM het zonlicht en de geluiden van de straat en de ingang achter de stallen binnen te laten. Daarna vond ik *De Vita Coelitus Comparanda*, dat door de auteur zelf op vergelend perkament was geschreven. Piero had het boek op de onderste plank gelegd om het weer voor het grijpen te hebben. Daardoor kon ik het van de plank af schuiven en het met enige moeite op de vloer leggen.

Ik ging in kleermakerszit zitten, trok het boek op mijn schoot en sloeg het open. Ik was veel te onrustig om te lezen, maar ik duwde mijn handpalmen op de koele pagina's en staarde naar de woorden. Ik kalmeerde mezelf door een bladzijde beet te pakken, om te slaan en met mijn hand glad te strijken. Ik sloeg nog een bladzijde om, en daarna nog een, tot mijn ademhaling rustig werd. Mijn ogen ontspanden zich en ik herkende hier en daar een woord of een zinsnede.

Toen ik eindelijk kalm genoeg was om te lezen, zag ik vanuit mijn ooghoek iets bewegen. In de deuropening stond Piero, die rode wangen had en zwaar ademde. Hij keek zo ongelukkig en schuldbewust dat ik het onverdraaglijk vond om hem aan te kijken. Ik sloeg mijn ogen weer neer naar het boek op mijn schoot.

'Ik heb gezegd dat ik jou niet kon achterlaten,' zei hij. 'Als jij niet mee kunt, ga ik ook niet.'

'Het doet er niet toe wat wij willen,' zei ik kortaf. Als ik groot gevaar liep, kon Piero maar beter uit mijn buurt blijven. Op dit moment bewees ik hem de grootste dienst door wreed tegen hem te zijn. 'Ik ben een erfgename en moet hier blijven. Jij bent geen erfgenaam, dus jij moet je moeders overeenkomst respecteren en weggaan.'

'Ze willen Ippolito en Sandro, niet jou,' hield hij vol. 'Ik zal wel met moeder praten. Ik kan hen vast wel tot rede brengen...'

Ik liet mijn vinger over een bladzijde glijden en zei koeltjes: 'Het besluit is al genomen, Piero. Het heeft geen zin om erover te praten.'

'Cat,' zei hij met zoveel pijn in zijn stem dat mijn vastberadenheid wankelde. Toch hield ik mijn blik strak op de bladzijde gericht.

Hij bleef nog even in de deuropening staan, maar ik keek pas op toen het geluid van zijn voetstappen was weggestorven.

Ik bleef in mijn eentje in de bibliotheek zitten tot de zon alweer ging zakken, en ik kwam niet van mijn plaats tot een geluid me naar het raam lokte.

De koets met Piero, zijn broers en oom Filippo was naar het hek gereden en stond daar stil, terwijl onze soldaten opzij stapten om het hek naar binnen te laten zwaaien. Toen het hek opengìng, liepen twee mannen naar binnen. Het waren allebei edelen, en een van hen keek gewichtig en droeg een geborduurde blauwe tuniek. De andere was donker en gespierd en zag eruit als een militaire commandant. Zodra ze onze wachters waren gepasseerd, gaf de man in het blauw de koetsier een signaal.

Verslagen staarde ik de koets na, die ratelend door het hek reed en de straat op draaide. Piero kon me onmogelijk opmerken, want de laagstaande zon was oogverblindend en ik kon de ramen van de koets niet zien. Toch zwaaide ik en keek ik hem na toen hij over de Via de' Gori in noordelijke richting reed en uit het zicht verdween.

Rond etenstijd vond Paola me, en zij stuurde me naar mijn kamer, waar een bord eten voor me klaarstond. Ze bracht me ook een amulet aan een leren koord en hing hem om mijn hals. In ruil voor Ficino's boek beloofde ik in mijn kamer te blijven, maar toen Paola het me kwam brengen, bestookte ik haar met vragen. Wie waren de twee mannen bij het hek? Hoe lang zouden ze blijven?

Ze was afgemat en geïrriteerd, maar ik viel haar net zo lang lastig tot ze antwoordde: 'Niccolò Capponi, de leider van de rebellen, en zijn generaal, Bernardo Rinuccini.'

Ik gehoorzaamde haar en bleef in mijn kamer. Nadat ik vele uren bezorgd had zitten lezen, viel ik in slaap.

Ik werd wakker van schreeuwende stemmen en haastte me naar de grote overloop. In de hal, aan de voet van de trap, stond Passerini te schreeuwen. Hij werd geflankeerd door Ippolito en Sandro en droeg zijn met hermelijn afgezette, scharlakenrode kardinaalsgewaad. De kraag van het gewaad was zo strak dat zijn dubbele kin eroverheen puilde. Zo te zien, had de kardinaal heel wat wijn gedronken.

'Het is een schande!' schreeuwde hij. 'Ík ben de regent, ik ben de enige die zulke beslissingen mag nemen. En ik verwerp deze beslissing met kracht!' Hij stond slechts een paar centimeter van tante Clarice af, die, vergezeld door twee gewapende mannen, de toegang tot de eetzaal versperde. 'U beledigt ons!'

Hij greep Clarice bij haar rechterpols en gaf er zo'n gemene ruk aan dat ze verrast een kreet van pijn slaakte.

'Waardeloze ellendeling!' schreeuwde ze. 'Laat me los!'

Aan weerszijden van haar trokken de wachters hun zwaard. Meteen liet Passerini haar los. De jongste van de wachters wilde toesteken, maar Clarice hief haar hand op en ving Ippolito's blik op.

'Zorg dat ze uit mijn ogen verdwijnen,' siste ze.

Met haar hand om haar pijnlijke pols draaide ze zich om en schreed ze met een hooghartige blik weer naar de eetzaal. De deur ging achter haar dicht, en de wachters gingen ervoor staan. De kardinaal boog zijn schouders alsof hij erover dacht om zich tegen de deur te werpen, maar Ippolito pakte hem bij de arm.

'Zij hebben besloten dat ze met haar willen onderhandelen,' zei hij. 'We kunnen hier niets doen. Kom.' Met zijn hand nog op Passerini's arm liep hij in de richting van de trap. Sandro liep achter hen aan.

Ik bleef op de overloop staan toen ze de trap op kwamen, en keek vragend naar Ippolito.

'Onze tante heeft ervoor gekozen om ons te vernederen, Catharina,' zei Ippolito gespannen. 'Op verzoek van de rebellen houdt ze ons namelijk buiten de onderhandelingen. Ik ben ervan overtuigd dat ze haar inschikkelijker vinden.' Zijn stem werd heel laag en zacht. 'Ze heeft ons vernederd. En daar zal ze voor boeten.'

Ik keek hen na toen ze naar hun vertrekken liepen, en daarna keerde ik terug naar mijn bed. Daar staarde ik naar het raam en de duisternis erachter, die werd gekleurd door de flikkerende gloed van de rebellentoortsen.

Ik sliep onrustig en droomde over mannen en zwaarden en geschreeuw.

Tegen de ochtend werd ik gewekt door geluiden: de galm van laarzen op marmer, het gemompel van mannenstemmen. Ik riep Paola, die naar me toe kwam en me veel hardhandiger aankleedde dan Ginevra ooit had gedaan. Op haar bevel rende ik naar de keuken, maar beneden stond ik in de gang stil. De deur naar de eetzaal stond open, en uit nieuwsgierigheid tuurde ik naar binnen.

Clarice was in het vertrek. Ze zat in haar eentje aan de lange tafel, waarop allemaal lege bokalen stonden. Die van haar was vol, onaangeroerd. Ze zag er prachtig uit in donkergroen brokaat, en de sleep van haar gewaad hing over de zijkant van haar stoel en plooide zich sierlijk aan haar voeten. Haar arm rustte op de tafel, en haar gezicht, dat ze in de kromming van haar elleboog had gelegd, was van me afgewend. Haar kastanjebruine haren hingen over haar schouder en werden bijeengehouden door een goudkleurig net vol piepkleine diamantjes.

Ze hoorde me en tilde loom haar hoofd op. Ze was klaarwakker, maar haar gelaatsuitdrukking was wezenloos. Op dat moment was ik nog te jong om die doffe blik te herkennen, maar door de jaren heen ben ik hem gaan herkennen als onverwerkt verdriet.

'Catharina,' zei ze toonloos. Ze was zo uitgeput dat haar ogen half dicht zakten. Ze leunde opzij en tikte zachtjes op de stoel naast haar. 'Kom maar bij me zitten. De mannen komen zo beneden, en je kunt net zo goed meeluisteren.'

Ik ging zitten. Haar pols, die op de tafel lag, was pijnlijk opgezwollen en vertoonde donkere afdrukken van Passerini's vingers. Binnen een paar minuten bracht Leda Passerini en de neven naar de tafel. Ippolito's houding was gereserveerd, maar Passerini en Sandro keken boos en uitdagend.

Zodra ze zaten, gebaarde tante Clarice dat Leda het vertrek moest verlaten. Capponi had ons allemaal een vrijgeleide gegarandeerd, vertelde ze. We zouden naar Napels gaan, waar familieleden van haar moeder, de Orsini's, ons in huis zouden nemen. Met hun hulp zouden we een leger op de been brengen. De hertog van Milaan zou ons steunen, en de familie d'Este uit Ferrara ook, evenals elke andere dynastie in Italië die verstandig genoeg was om te begrijpen dat de formatie van een nieuwe republiek in de stijl van Venetië een regelrechte bedreiging voor hen allen was.

Passerini onderbrak haar. 'U hebt Capponi in alle opzichten zijn zin gegeven, nietwaar? Geen wonder dat ze liever onderhandelden met een vrouw!'

Clarice keek hem vermoeid aan. 'Dit huis is omsingeld door hun mannen, Silvio. Ze hebben soldaten en wapens, wij hebben niets. Waar had ik dan mee moeten onderhandelen?'

'Ze zijn naar ons toe gekomen!' snauwde Passerini. 'Ze wilden iets van ons.'

'Ze wilden ons vermoorden,' zei Clarice, nu weer met een spoortje vuur in haar stem. 'In plaats daarvan garanderen ze ons een vrije doortocht. In ruil daarvoor hebben zij een aantal eisen.'

Toonloos somde ze het hele verhaal op: de rebellen zouden ons laten leven als Ippolito, Alessandro en ik over vier dagen, op 17 mei, op het middaguur naar het Piazza della Signoria zouden komen om onze abdicatie aan te kondigen. Daar, op dat grote stadsplein, zouden we trouw zweren aan de nieuwe Derde Republiek Florence en moesten we zweren dat we nooit zouden terugkeren. Daarna zouden soldaten van het rebellenleger ons naar de stadspoorten en de wachtende koetsen brengen.

De kardinaal vloekte en sputterde tegen. 'Verraad,' zei Sandro. In gedachten zag ik het gezicht van de magiër voor me, die fluisterde: *een levensbedreigend verraad.* Ze hielden allebei hun mond toen Ippolito opstond.

'Ik wist dat we Florence kwijt waren,' zei hij met trillende stem tegen Clarice. 'Maar er waren andere dingen waarmee we onze veiligheid hadden kunnen kopen: eigendommen, verborgen familieschatten, beloftes van bondgenootschappen. Ik begrijp niet dat u akkoord kon gaan met een openbare vernedering...'

Clarice trok één wenkbrauw op. 'Heb jij liever te maken met het scherpe zwaard van de beul?'

'Ik zal niet voor hen buigen, tante,' zei Ippolito.

'Ik heb onze waardigheid bewaard,' pareerde Clarice. De piepkleine diamantjes in haar haarnet fonkelden toen ze haar kin in de lucht stak. 'Ze hadden ons kunnen onthoofden. Ze hadden ons kunnen ontkleden en ons op het Piazza della Signoria kunnen ophangen. In plaats daarvan wachten ze ons buiten op. Ze geven ons enige vrijheid. Ze geven ons tijd.'

Ippolito haalde diep adem, en toen hij zijn longen leegblies, beefde hij. 'Ik zal niet voor hen buigen,' herhaalde hij, en in zijn woorden klonk een dreigement door.

Er gingen vier ellendige dagen voorbij, die de mannen gezamenlijk in

Ippolito's vertrekken doorbrachten. Tante Clarice liep door de lege gangen, want alle huisbedienden – met uitzondering van de trouwste, onder wie Leda, Paola, de staljongens en de kokkin – waren weggegaan. Achter het ijzeren hek hielden de rebellen de wacht. De soldaten die ons palazzo hadden bewaakt, hadden ons in de steek gelaten.

Op de middag van de zestiende – een dag voordat we ons allemaal op het Piazza della Signoria moesten vernederen – werd mijn kamer leeggehaald. Ik smeekte Paola om het boek van Ficino in te pakken, maar ze mompelde dat het een erg groot boek was voor zo'n klein meisje.

Die avond haalde tante Clarice ons over om samen in een van de kleinere eetkamers te eten. Ippolito sprak haast geen woord, maar Sandro leek verbazend opgewekt, en Passerini ook. Toen Clarice zei dat ze het vreselijk vond om ons familiehuis in handen van de vijand te geven, tikte Passerini troostend op haar hand, waarbij hij het verband om haar rechterpols nadrukkelijk negeerde.

Het diner eindigde rustig – in elk geval voor Clarice, Ippolito en mij. Wij trokken ons terug en lieten Sandro en Passerini met hun wijn en grapjes achter. Ik kon hen horen lachen toen ik naar de kinderkamers liep.

Die nacht droomde ik.

Ik stond midden op een groot, open veld en zag in de verte een man, wiens rug werd beschenen door de stralen van de ondergaande zon. Ik kon zijn gezicht niet zien, maar hij kende me en riep me in een andere taal.

Catherine...

Niet Catharina, de naam die ik bij mijn geboorte had gekregen, maar Catherine. Ik wist dat het mijn naam was, net als op het moment dat de magiër me zo had genoemd.

Catherine, riep hij nog een keer smartelijk.

Opeens waren we ergens anders, zoals dat in dromen gaat. Hij lag aan mijn voeten en ik boog me over hem heen, omdat ik hem wilde helpen. Uit zijn beschaduwde gezicht welde bloed omhoog, als water uit een bron. Het doordrenkte de aarde onder hem, en ik wist dat ik verantwoordelijk voor dit bloed was, dat hij zou sterven als ik niets deed. Toch had ik geen idee wat ik moest doen.

Catherine, fluisterde hij, en hij stierf. Ik werd wakker van Leda's gegil.

4

Het geluid kwam van de andere kant van de overloop, uit de vertrekken die Ippolito en Alessandro samen deelden. Ik rende in de richting van het lawaai.

Leda was voor de openstaande deur op handen en voeten gevallen. Haar gegil was overgegaan in gekreun, dat zich vermengde met het klokgelui van de nabijgelegen Basilica San Lorenzo, dat de dageraad aankondigde.

Ik rende naar haar toe. 'Is er iets met je kindje?'

Leda klemde haar tanden op elkaar en schudde haar hoofd. Haar ontzette blik was op Clarice gericht, die in haar onderhemd en met een sjaal om haar schouders was komen aanrennen. Ze knielde bij de gevallen vrouw neer. 'Is de bevalling begonnen?'

Voor de tweede keer schudde Leda haar hoofd, en ze gebaarde naar de kamer van de erfgenamen. 'Ik wilde hen wakker maken,' bracht ze hijgend uit.

De mond van Clarice zakte een stukje open. Zwijgend stond ze op en haastte ze zich op blote voeten naar de antichambre van de mannen. Ik liep achter haar aan.

De antichambre zag er precies zo uit als anders – stoelen, een tafel, schrijftafeltjes, een haard waarin nu geen vuur brandde, omdat het zomer was. Zonder haar komst aan te kondigen, liep Clarice door de openstaande deur naar Ippolito's slaapvertrek.

Midden in de kamer – alsof de daders alle aandacht op hun dramatische uitstalling hadden willen vestigen – lag een stapel kleren op de vloer: de farsetto's die Alessandro en Ippolito de vorige avond hadden gedragen, boven op een wirwar van zwarte nauwsluitende broeken en Passerini's scharlakenrode gewaad.

Ik stond achter mijn tante toen ze zich vooroverboog om te voelen of de achtergelaten kleren nog warm waren. Toen ze weer rechtop ging staan, klonk er achter uit haar keel een onderdrukte woedekreet.

'Verraders! Verraders! Hoerenzonen, jullie allemaal!'

Ze draaide zich razendsnel om en zag mij doodsbang voor haar neus staan. Haar blik was wild, haar gezicht vertrokken.

'Ik heb het gezworen op mijn eer,' zei ze, maar niet tegen mij. 'Op mijn eer, op mijn familienaam, en Capponi vertrouwde me.'

Ze zweeg tot haar woede veranderde in een meedogenloze vastberadenheid. Ze greep me bij de hand en trok me ruw mee naar de gang, waar Leda nog altijd op de grond lag te jammeren.

Ze greep de zwangere vrouw bij de arm. 'Sta op. Ga vlug naar de stallen en kijk of de koetsen weg zijn.'

Leda kromde haar rug en verstijfde. Er spetterde zachtjes een straal vloeistof op het marmer. Clarice stapte weg van de heldere poel rond Leda's knieën en riep Paola, die natuurlijk geschokt was door de verdwijning van de mannen en stevig berispt moest worden voordat ze weer rustig werd.

Clarice gaf Paola bevel om naar de stallen te gaan en te kijken of alle koetsen waren verdwenen. 'Rustig lopen,' drukte Clarice haar op het hart, 'alsof je bent vergeten iets in te pakken. Denk erom – achter het hek houden de rebellen ons in de gaten.'

Zodra Paola was weggegaan, keek Clarice omlaag naar Leda. 'Help me om haar naar mijn kamer te brengen,' zei ze tegen mij.

We hielpen de in barensnood verkerende vrouw overeind en hielpen haar naar boven, naar de vertrekken van mijn tante. De wee die haar net in zijn greep had gehad, nam af, en ze zakte hijgend in een stoel naast het bed van Clarice.

Na een poosje kwam Paola hysterisch terug: Passerini en de erfgenamen waren nergens te vinden, maar de volgepakte koetsen stonden nog te wachten. De stalmeester en alle staljongens waren verdwenen – en in het stro lagen de bloederige lichamen van drie stalknechtjes. Er was nog maar één jongen over. Hij had liggen slapen, zei hij, en toen hij wakker werd, ontdekte hij tot zijn ontzetting dat de andere jongens dood waren en dat de meester nergens te bekennen was.

In de ogen van Clarice zag ik opeens de radertjes van Lorenzo's briljante geest werken.

'Mijn ganzenveer,' zei ze tegen Paola. 'En papier.'

Zodra Paola de gevraagde spullen had gebracht, ging Clarice aan haar schrijftafel zitten en schreef ze twee brieven. De inspanning putte haar uit, want haar verbonden hand deed pijn en de ganzenveer viel vaak uit haar vingers. Ze gaf Paola opdracht om een van de brieven tot een vierkantje op te vouwen en de andere in drieën te vouwen. Met de kleinste brief in haar hand ging tante Clarice op haar knieën bij Leda's stoel zitten, waar ze het gezicht van het dienstmeisje tussen haar handen nam. Ze wisselden een blik die ik als kind niet begreep. Daarna boog Clarice zich naar haar toe en drukte ze haar lippen op die van Leda, zoals een man een vrouw zou kussen. Leda sloeg haar armen om Clarice heen en hield haar vast. Na een poosje maakte Clarice zich van haar los en leunde ze met haar voorhoofd tegen dat van Leda. Het was een bijzonder teder gebaar.

Uiteindelijk ging Clarice weer rechtop staan. 'Ik wil dat je dapper bent, Leda, want anders gaan we allemaal dood. Ik zal met Capponi regelen dat je naar mijn arts kunt gaan.' Ze hield het papieren vierkantje omhoog. 'Geef hem dit, maar zorg dat niemand het ziet of het te weten komt.'

'Maar de rebellen...' hijgde Leda met grote ogen.

'Die zullen mededogen met je hebben,' zei Clarice ferm. 'Dokter Cattani zal zorgen dat je kind veilig ter wereld komt. We zien elkaar binnenkort terug. Je moet me vertrouwen.'

Toen Leda uiteindelijk met samengeperste lippen knikte, gebaarde Clarice dat Paola de andere brief moest meenemen.

'Zeg tegen de rebellen bij het hek dat ze deze brief onmiddellijk naar Capponi moeten brengen. Wacht op zijn antwoord en kom dan bij me terug.'

Paola aarzelde – slechts een paar seconden, want de blik van tante Clarice was veel angstaanjagender dan het vooruitzicht dat ze naar de rebellen moest – en verdween met de brief.

Na een lang, angstig uur, waarin ik er met hulp van Clarice in slaagde om me aan te kleden, kwam Paola terug met het nieuws dat Capponi Leda toestemming gaf om weg te gaan, op voorwaarde dat ze werkelijk zwanger was en op het punt stond om te bevallen. Dit leidde tot een koortsachtig gesprek tussen de vrouwen over de vraag waar de brief verborgen moest worden, en hoe Leda hem aan de dokter moest geven zonder dat iemand het zag.

Op instructie van Capponi hielpen Clarice en Paola de zwangere vrouw de trap af, naar de grote koperen deur die rechtstreeks op de Via Larga uitkwam. Ik volgde hen op een afstandje.

Vlak voor de deur stonden twee eerbiedige edelen te wachten, en achter hen hielden soldaten van het rebellenleger de verzamelde menigte op afstand. De edelen hielpen Leda in een wachtende koets. Tante Clarice stond met haar hand tegen de deurpost op de drempel en keek de koets met Leda na. Toen ze zich naar me omdraaide, was haar blik diepbedroefd. Ze ging ervan uit dat ze Leda nooit meer zou zien – een afschuwelijke gedachte, want Leda was sinds hun kindertijd haar slavin geweest.

We liepen weer naar boven. Uit de houding van mijn tante maakte ik de waarheid op: de wereld die wij kenden, brokkelde af om plaats te maken voor iets nieuws en vreselijks. Ik was verdrietig geweest en had gedacht dat ik Piero een paar weken moest missen, maar nu ik naar het gezicht van Clarice keek, besefte ik dat ik hem misschien nooit meer zou zien.

In haar kamer liep Clarice naar een kast om er een gouden florijn uit te halen.

'Breng deze naar het stalknechtje,' zei ze tegen Paola. 'Zeg dat hij tot het vijfde uur van de ochtend op zijn post moet blijven. Daarna moet hij de grootste hengst zadelen en hem door de achterdeur van de stallen naar de achterste muren van het terrein brengen. Als hij daar op ons wacht, breng ik nog een florijn voor hem mee.' Ze zweeg even. 'Als je hem vertelt dat de erfgenamen zijn verdwenen of er zelfs maar op zinspeelt, gooi ik je persoonlijk over het hek en mogen ze je aan stukken scheuren, want dan zou hij kunnen beseffen dat hij de rebellen ons geheim kan vertellen om zijn eigen huid te redden.'

Paola nam de munt aan, maar bleef bezorgd nog even staan. 'Er is geen enkele kans... zelfs niet op het grootste paard... dat we ongedeerd het hek kunnen passeren...'

Met haar blik legde Clarice haar het zwijgen op. Haastig maakte Paola een reverence en verdween uit het vertrek. Toen ze terugkwam, keek ze opgelucht: de jongen was er nog en wilde met alle plezier doen wat hem gezegd werd. 'Hij zweert op zijn leven dat hij de rebellen niets zal vertellen,' zei ze.

Ik vroeg me af wat Clarice van plan was. Ik had een paar keer te horen gekregen dat ik uiterlijk op het vijfde uur van de ochtend naar de eetzaal moest komen, omdat Capponi's generaal en zijn mannen een halfuur later voor de deur zouden staan om ons naar het Piazza te begeleiden. Wat ze ook had bedacht, het was haar bedoeling haar plan ten uitvoer te brengen voordat ze arriveerden.

Ik keek toe terwijl Paola het haar van Clarice opstak en haar het zwart-met-gouden brokaten gewaad aantrok dat Clarice bij de openbare vernedering van onze familie wilde dragen. Paola reeg net de eerste zware, met fluweel afgezette mouw aan het gewaad toen de kerkklokken de terts aangaven, het derde uur van de ochtend. Er waren drie uren verstreken sinds de dageraad, toen ik Leda ineengedoken op de grond had aangetroffen. Er zouden nog drie uren voorbijgaan tot de klokken de sext aangaven, het zesde uur, het begin van de middag, het moment waarop we op het Piazza della Signoria moesten arriveren.

Paola ging verder met haar taak, al maakten haar trillende vingers haar erg onhandig. Uiteindelijk was Clarice aangekleed, en ze zag er adembenemend uit. Ze keek in de spiegel die Paola voor haar omhooghield en trok zuchtend een lelijk gezicht. Er was haar een nieuwe zorg, een nieuw probleem te binnen geschoten, iets waar ze nog geen oplossing voor wist. Toch draaide ze zich met een geforceerde, holle opgewektheid naar me om.

'Zo,' zei ze, 'waarmee zullen wij ons de komende twee uren vermaken? We moeten iets doen om de tijd door te komen, jij en ik.'

'Ik wil graag naar de kapel,' zei ik.

Clarice liep langzaam en eerbiedig de kapel in, en ik kwam met tegenzin achter haar aan. Tegelijk met haar maakte ik een kniebuiging en sloeg ik een kruis, en daarna ging ik naast haar in de bank zitten.

Clarice sloot haar ogen, maar ik zag dat ze in gedachten met een nieuwe uitdaging worstelde. Ik liet haar peinzen, verschoof in mijn bank en strekte mijn nek uit om het fresco beter te kunnen zien.

Met een zucht deed Clarice haar ogen weer open. 'Ben je niet gekomen om te bidden, kind?'

Ik had irritatie verwacht, maar omdat ik alleen maar nieuwsgierigheid hoorde, gaf ik eerlijk antwoord. 'Nee. Ik wilde Lorenzo weer zien.'

Haar gezicht kreeg een zachtere uitdrukking. 'Ga dan maar naar hem kijken.'

Ik liep naar de houten koorbank onder de afbeelding van de menigte die achter de jonge magiër aan reed, en legde mijn hoofd in mijn nek.

'Ken je hen allemaal?' klonk de stem van Clarice achter me. Haar toon was zacht en een beetje verdrietig.

Ik wees naar het eerste paard achter de magiër. 'Dit is Piero de Jichtige, de vader van Lorenzo,' zei ik. 'En achter hem rijdt zijn vader, Cosimo de Oude.' Ze waren de sluwste, machtigste mannen die Florence ooit had gekend, tot Lorenzo il Magnifico hen beiden oversteeg.

Clarice stapte naar voren om naar een gezichtje in de buurt van Lorenzo te wijzen, iemand die in de menigte nauwelijks te zien was. 'En dit is Giuliano, zijn broer. Hij is vermoord in de kathedraal, wist je dat?

Ze probeerden Lorenzo ook te vermoorden. Hij was gewond en verloor bloed, maar hij wilde zijn broer niet achterlaten. Hij schreeuwde Giuliano's naam toen zijn vrienden hem wegsleepten. Niemand was loyaler aan zijn dierbaren dan hij.

Er ontbreken mensen die ook op het fresco hadden moeten staan,' vervolgde ze. 'Schimmen over wie je niet genoeg hebt gehoord. Mijn moeder zou erop moeten staan – je grootmoeder Alfonsina. Ze was getrouwd met Lorenzo's oudste zoon, een idioot die het volk meteen van zich vervreemdde en werd verbannen. Maar ze had een zoon – jouw vader – en ze leerde hem veel over politiek, zodat hij een redelijk goede heerser was toen onze familie terugkeerde naar Florence. Toen je vader naar de oorlog vertrok, regeerde Alfonsina heel kundig. Maar nu... nu zijn we de stad weer kwijt.' Ze zuchtte. 'Hoe fel onze sterren ook stralen, wij vrouwen van de familie de Medici zijn gedoemd om in de schaduw van onze mannen te staan.'

'Dat laat ik niet gebeuren,' zei ik.

Ze draaide haar hoofd abrupt opzij en keek me aan. 'Echt niet?' vroeg ze langzaam. In haar ogen zag ik een idee geboren worden, een idee dat het probleem verdreef waarmee ze net had geworsteld.

'Ik kan sterk zijn, net als Lorenzo,' zei ik. 'Ik wil hem graag aanraken. Mag dat? Eén keertje maar, voor we hier weggaan.'

Ze was geen grote vrouw, maar ik was ook geen groot kind. Met enige moeite tilde ze me op, waarbij ze haar gewonde pols probeerde te ontzien. Ze tilde me zo hoog op dat ik Lorenzo's wang net kon aanraken. Ik was nog een naïef kind en had verwacht dat ik de contouren en de warmte van zijn huid zou voelen. Tot mijn verbazing was de muur onder mijn vingertoppen plat en koud.

'Hij was niet op zijn achterhoofd gevallen,' zei ze, toen ze me weer had neergezet. 'Hij wist wanneer hij moest liefhebben en wanneer hij moest haten.

Toen zijn broer werd vermoord, toen hij zag dat de familie de Medici in gevaar was, haalde hij uit.' Ze keek me veelbetekenend aan.

'Begrijp je dat je een goed mens kunt zijn en toch je tegenstanders kunt vernietigen, Catharina? Dat je soms het bloed van anderen moet vergieten om je eigen bloed te beschermen?'

Geschokt schudde ik mijn hoofd.

'Als hier iemand binnenkwam die mij, Piero en jou wilde vermoorden, zou jij dan het nodige kunnen doen om die moord te verhinderen?'

Ik wendde mijn blik even af en probeerde me het tafereel voor te stellen. 'Ja,' antwoordde ik. 'Dat zou ik kunnen.'

'Je lijkt op mij,' zei Clarice goedkeurend, 'en op Lorenzo: gevoelig, maar wel in staat om te doen wat nodig is. De familie de Medici moet overleven, en jij, Catharina, bent onze enige hoop.'

Ze schonk me een onheilspellende glimlach en stak haar verbonden hand in de plooien van haar rok om er een smal, glanzend en uitzonderlijk scherp voorwerp uit te halen.

We liepen terug naar de vertrekken van Clarice, waar Paola op ons wachtte. Tijdens het uur daarna wikkelden we sieraden en gouden florijnen in zijden sjaals. Met hulp van Paola maakte mijn tante onder haar gewaad vier zware, zelfgemaakte draagbanden om haar middel vast. Een paar smaragden oorbellen en een grote diamant verdwenen in haar lijfje. Clarice hielp mee twee draagbanden op Paola's lichaam vast te maken, en daarna legde ze een gouden florijn opzij.

Vervolgens bleven we een halfuur wachten. Clarice was de enige die wist wat ons te wachten stond, en na een signaal dat zij als enige herkende, gaf ze de gouden florijn aan Paola.

'Breng deze naar de jongen,' zei ze. 'Zeg dat hij een paard moet zadelen en hem door de stallen naar de achterkant moet brengen. Daar moet hij op ons wachten. Daarna kom je naar de hoofdingang en voeg je je bij ons.'

Paola ging weg. Tante Clarice nam me bij de hand en leidde me mee naar beneden, waar we samen bij de voordeur gingen staan. Toen het dienstmeisje terugkwam, pakte Clarice haar bij de schouders.

'Blijf rustig,' zei ze, 'en luister heel goed. Catharina en ik gaan naar de stallen. Jij blijft hier. Zodra wij weggaan, tel je tot twintig, en daarna open je deze deur.'

Paola probeerde zich uit de greep van Clarice los te worstelen en begon te huilen, maar mijn tante schudde haar ruw door elkaar om haar tot zwijgen te brengen.

'Luister,' snauwde Clarice. 'Je moet heel hard schreeuwen om alle aandacht te trekken. Zeg dat de erfgenamen boven zijn, dat ze proberen te ontsnappen. Herhaal dat tot iedereen zich naar binnen haast. Daarna kun je naar buiten rennen en in de menigte opgaan.' Ze zweeg even. 'De sieraden zijn voor jou. Als ik je niet meer zie, wens ik je het allerbeste.' Ze stapte achteruit en keek de dienstmeid indringend aan. 'Zweer je bij

God de Almachtige dat je het doet?'

Paola trilde als een espenblad, maar fluisterde: 'Ik zal het doen.'

'Moge Hij je dan behoeden.'

Clarice greep mijn hand stevig beet. Samen renden we door het hele palazzo, door de gangen, over de binnenplaats en door de tuin, tot we de stallen zagen. Ze bleef abrupt in de beschutting van een hoge heg staan en tuurde om de hoek naar het inmiddels ontsloten ijzeren hek.

Ik gluurde ook om de hoek. Aan de andere kant van de zwarte spijlen hielden verveelde rebellensoldaten vóór de toegestroomde menigte de wacht.

Toen hoorde ik het, hoog en schril: Paola's gegil. Clarice bukte zich en trok haar muiltjes uit. Ik volgde haar voorbeeld. Ze wachtte tot alle mannen zich naar de bron van het lawaai draaiden, en toen ze allemaal in oostelijke richting renden, weg van het hek, haalde ze diep adem en rende ze in westelijke richting, waarbij ze mij meesleepte.

Er vlogen stofwolken omhoog toen we langs de wachtende koets van de erfgenamen stoven en onze eigen koets passeerden. De ingespannen paarden protesteerden hinnikend. We kwamen bij de stallen en renden eromheen, langs de plek waar ik had gelegen toen ik hoorde dat Piero bij me weg zou gaan. Daar, bij de hoge stenen muur, stonden een gezadeld paard en een verbaasde jongen – een pezige Ethiopiër met een wolk vederlicht haar, die nauwelijks ouder was dan ik. Er plakten strootjes aan zijn haren en aan zijn kleren. Zijn ogen waren groot en zorgelijk en wit, net als die van het paard. De enorme vos sprong schichtig opzij, maar de jongen haalde de teugel met gemak weer naar zich toe.

'Help me erop!' beval Clarice. Het geschreeuw op straat klonk inmiddels zo luid dat hij haar nauwelijks kon verstaan.

Mijn tante verspilde geen tijd aan zedigheid. Ze hees haar rokken op, waardoor twee witte benen zichtbaar werden, en zette haar blote voet in de stijgbeugel. Het paard was groot en het lukte haar niet om haar been over hem heen te slaan. De jongen gaf haar achterwerk een enorme duw, waardoor ze erin slaagde om in het zadel te klauteren. Terwijl ze schrijlings op het paard zat, pakte ze de teugels in haar goede hand en manoeuvreerde ze het paard zo dat haar been tussen de romp van het dier en de stenen muur kwam te zitten. Daarna keek ze onze jonge redder indringend aan.

'Je hebt op je leven gezworen dat je niets tegen de rebellen zou zeggen,' zei ze. Het was een beschuldiging.

'Ja, ja,' reageerde hij angstig. 'Ik zal zwijgen, ma donna.'

'Alleen mensen die van een geheim op de hoogte zijn, beloven het te bewaren,' zei ze. 'En vandaag is er slechts één geheim dat de rebellen willen horen. Wat zou het zijn? Ze zijn niet geïnteresseerd in een afwezige stalmeester en zijn vermoorde knechten.'

Zijn mond viel open, en hij zag eruit alsof hij elk moment kon gaan huilen.

'Moet je jezelf nu eens zien, helemaal bedekt met stro,' zei Clarice. 'Je hebt je verstopt omdat je te veel wist, net als de anderen. Ze wilden jou ook vermoorden. Jij weet waar de erfgenamen naartoe zijn gegaan, nietwaar?'

Zijn ogen werden groot als schoteltjes, en hij liet zijn hoofd zakken en staarde naar het gras. 'Nee, ma donna, nee...'

'Je liegt,' zei Clarice. 'En dat kan ik je niet kwalijk nemen. In jouw plaats zou ik ook bang zijn.'

Zijn gezicht vertrok en hij begon te huilen. 'Toe, donna Clarice, wees niet boos, alstublieft... Ik zweer bij God dat ik niemand iets zal vertellen... Ik had naar de rebellen kunnen gaan, ik had naar het hek kunnen rennen en alles kunnen vertellen, maar ik ben hier gebleven. Ik ben u altijd trouw geweest, en dat blijf ik ook. Maar wees alstublieft niet boos.'

'Ik ben niet boos,' suste ze. 'We nemen je mee. God weet dat de rebellen je anders zullen martelen tot je doorslaat. Ik geef je nog een florijn als je me vertelt waar ser Ippolito en de anderen naartoe zijn gegaan. Maar eerst moet je me het meisje aangeven.' Ze leunde voorover en stak haar armen naar me uit.

Hij was knokig, maar wel sterk. Hij greep me onder mijn ribben en zwaaide me als een baal hooi omhoog, in de stevige greep van Clarice.

Er beukte een golf van angst tegen me aan. Ik onderging hem lijdzaam tot hij zijn hoogtepunt had bereikt, afnam en alleen maar stilte en kalmte achterliet. Ik had een keuze: bibberen of me vermannen.

Ik vermande me.

Op het moment dat de jongen me overdroeg aan mijn tante, haalde ik de stiletto uit de schede die in mijn rokzak verborgen zat. Het mes sneed met gemak door de huid onder zijn kaak, met dezelfde grijnzende boog die Clarice met haar vinger op haar eigen keel had getekend.

Maar ik was een kind, en ik was niet erg sterk. De wond was ondiep, waardoor de jongen ineenkromp en terugdeinsde voordat ik mijn taak kon afmaken. Uit alle macht stak ik het wapen dieper in de zijkant van zijn nek. Hij klauwde naar de uitstekende dolk en liet een gurgelende gil horen. Zijn woedende, verwijtende ogen rolden bijna uit hun kassen.

Terwijl Clarice me stevig vasthield, schopte ze tegen de schouder van de jongen. Hij viel achterover en gilde nog toen Clarice me voor zich in het zadel zette.

Ik staarde naar hem, geschokt en geïntrigeerd door wat ik zojuist had gedaan.

Hij gaat toch dood, had mijn tante gezegd. *Maar de rebellen zouden hem vreselijk martelen tot hij bekende en hem daarna aan de menigte overleveren. Dat kun jij hem besparen.*

Zelfs wij kunnen beter niet weten waar Ippolito en de anderen naartoe zijn gegaan. Begrijp je dat, Catharina?

Terwijl ik naar de jongen keek, leek het helemaal niet of ik hem iets had bespaard. Hij lag spartelend in het verse gras, en het bloed uit zijn keel vormde tussen de grassprieten bij zijn schouder een plasje, karmozijnrood op lentegroen.

Opeens zagen we zijn spieren op een veelzeggende manier verslappen en stierf zijn gegil weg.

Hij zal doorslaan, had Clarice gezegd, *en vertellen waar de erfgenamen naartoe zijn gegaan. Dan zal de familie de Medici ophouden te bestaan. Maar hij zal niet op zijn hoede zijn voor een kind. Jij zult heel dicht bij hem kunnen komen.*

Clarice schreeuwde in mijn oor. 'Ga op het zadel staan, Catharina! Ga staan, ik zal zorgen dat je niet valt.'

Op wonderbaarlijke wijze slaagde ik erin om wankelend overeind te krabbelen. Ik was nu bijna even hoog als de muur naast me.

'Klim erop, kind!'

Ik hees me omhoog, terwijl Clarice duwde. Binnen een paar tellen zat ik op mijn knieën op de brede rand.

'Wat zie je?' wilde mijn tante weten. 'Staat er een koets?'

Ik keek uit over de smalle Via de' Ginori. Die was helemaal verlaten, afgezien van een boerenvrouw, die twee kleine kinderen meesleepte, en een roerloze koets met een paard ervoor, die bij de stoeprand stond.

'Ja,' riep ik. Daarna schreeuwde ik en zwaaide ik naar de koets. Langzaam tilde het paard zijn hoeven op, en de wielen begonnen te draaien. Toen hij eindelijk bij ons kwam, reed de koetsier zo dicht langs de muur dat de wielen langs de stenen schraapten.

Ik keek over het dak van de stallen omdat ik het hek hoorde piepen.

Het zwaaide wijd open en een groepje mensen stormde ons terrein op. Een man wees naar mij en schreeuwde, waarna de mensen in onze richting renden.

De koetsier, gekleed in gekreukte kleren vol olievlekken, ging op de bok staan en strekte zijn vuile handen naar me uit. 'Springen! Ik vang u wel.'

Achter me dook Clarice naar de muur, en ze greep de rand beet. Haar paard was in paniek geraakt en was een stap verder van de muur gaan staan. Ik probeerde haar omhoog te trekken, maar ik was er niet sterk genoeg voor.

Ik zoog mijn longen vol lucht en sprong. De koetsier ving me moeiteloos op en zette me naast zich neer. Daarna riep hij Clarice. Ik zag alleen haar vingers en de rug van haar handen, waarop haar fijne botten als ivoren koorden te zien waren. Haar rechterhand was paars en opgezwollen.

'Hou vol, ma donna, ik trek u eroverheen!'

Onze redder liep naar de rand van de bok en drukte zijn borstkas tegen de muur. Hij ging op zijn tenen staan, maar hij kon de vingertoppen van Clarice maar net raken.

'God sta me bij,' gilde Clarice, precies op het moment dat haar paard hinnikte. Aan de andere kant van de muur kon ik mannen horen schreeuwen.

'Grijp haar! Hou haar paard vast!'

'Laat haar niet ontsnappen!'

Wanhopig klom de koetsier op het dak van de koets, waar hij door zijn knieën ging en zich vooroverboog om over de rand te reiken en haar armen te pakken. Clarice wist hem met haar goede hand beet te grijpen, en toen hij overeind kwam, verscheen haar gezicht boven de rand van de muur.

Ze gilde weer, deze keer uit woede in plaats van uit angst: haar schouders verdwenen weer onder de rand toen de mannen aan de andere kant aan haar trokken. 'Ellendelingen! Ellendelingen! Laat me los!'

De koetsier wankelde en verloor bijna zijn evenwicht, maar daarna trok hij haar met zoveel brute kracht omhoog dat hij achterover op het dak van de koets viel. Tante Clarice buitelde achter hem aan. De koetsier boog zich over haar heen om te kijken of ze gewond was, maar ze ging rechtop zitten en gaf hem met haar linkerhand een klap.

'Rijden!' snauwde ze. Ze klauterde via de zijkant van de koets naar beneden en trok me naar binnen, zodat ik naast haar kon zitten. Ze hijgde en trilde van uitputting. Haar haren hingen piekend op haar schouders en de achterkant van haar gewaad was gescheurd, waardoor haar onderrok zichtbaar was.

Ze leunde naar buiten en schreeuwde: 'De stad uit, vlug! Ik vertel je straks wel waar we naartoe gaan!'

Ze liet zich op de bank achterovervallen en staarde naar haar gewonde pols, alsof ze verbaasd was dat die haar niet in de steek had gelaten. Daarna keek ze omhoog naar het vuile houten interieur van de koets. Ik keek nog een keer om, maar zij deed geen enkele poging om nog een glimp op te vangen van het huis dat ze achterliet.

'We gaan naar Napels, naar de familie van mijn moeder,' zei ze. 'Maar niet vandaag. Ze verwachten dat we daarheen gaan.' Ze keek me met haar felle ogen aan, trillend, maar vastberaden, verslagen, maar niet klein te krijgen. 'De familie Orsini helpt ons wel. Dit is niet het einde, hoor je? De familie de Medici krijgt weer de macht over Florence. Zoals altijd.'

Ik wendde mijn blik af. Aanvankelijk had ik het mes niet willen aannemen, maar het had me naar zich toe getrokken, net als de verdorvenheid in Cosimo Ruggieri's ogen. Nu staarde ik naar de hand die het mes had gehanteerd en zag ik dezelfde kwade machten in mezelf. Ik had mezelf wijsgemaakt dat ik het deed voor de familie de Medici, maar in werkelijkheid had ik het gedaan omdat ik nieuwsgierig was, omdat ik wilde weten hoe het was om iemand te doden.

Net als Lorenzo had ik al vroeg geleerd dat ik in staat was om te moorden, en ik vroeg me doodsbenauwd af waar dat vermogen toe kon leiden.

5

Poggio BETEKENT HEUVEL, EN DE VILLA DIE MIJN OVERGROOTVADER IN Poggio a Caiano bouwde, staat op een groene, glooiende heuvel op het Toscaanse platteland, drie uur van de stad. Het huis dat Lorenzo in 1479 in handen kreeg, was een eenvoudig, vierkant gebouw met drie verdiepingen en rode dakpannen, maar in de handen van il Magnifico werd het veel mooier. Op de begane grond liet hij rondom het huis een zuilengang met elegante bogen bouwen, die uitkwam op de binnenplaats aan de voorkant. Aan weerszijden van de middelste boog liet hij trappen bouwen, die met een kromming naar boven liepen en bij elkaar kwamen bij de imposante ingang op de eerste verdieping. Daar rustte een driehoekig fronton op zes enorme zuilen in de stijl van een Griekse tempel. Het gebouw stond majestueus en eenzaam in het landschap, omringd door glooiende heuvels en beekjes en het nabijgelegen Albano-gebergte.

Niemand zou op het idee komen om ons daar te zoeken, legde tante Clarice uit. Het huis lag namelijk ten noordwesten van de stad, en de rebellen zouden alle wegen naar het zuiden in de gaten houden. We zouden daar de nacht doorbrengen, en dan zou zij een plan bedenken om ons uiteindelijk veilig in Napels te krijgen.

We reden door de openstaande hekken, hoestend van het stof, en tuimelden verfomfaaid en op onze blote voeten uit de koets. De tuinman die naar ons toe kwam, was met stomheid geslagen. Ondanks onze uitputting waren we zo zenuwachtig dat we niet konden slapen of eten. Peinzend en met een afwezige blik ijsbeerde mijn tante door de geometrisch aangelegde, uiterst zorgvuldig onderhouden tuinen, terwijl ik voor haar uit rende in een poging om mezelf moe te maken. Boven ons pakten duifgrijze wolken zich samen. De bries werd koel en rook alsof er regen in aantocht was. Ik dacht aan de verraste, verwijtende blik van de staljongen. Ik had een fundamentele waarheid over moorden ontdekt: het lijden van het slachtoffer is kort en vluchtig, maar dat van de moordenaar duurt eeuwig.

Ik rende en rende die middag, maar slaagde er niet in om de staljongen achter me te laten. Clarice begon geen enkele keer over hem; ik denk werkelijk dat ze zo diep nadacht hoe ze onze sombere toekomst kon veranderen dat ze hem al vergeten was.

Die avond aten mijn tante en ik een bord vettige soep, en daarna gingen we naar boven. Clarice kleedde me zelf uit. Op het moment dat ze de veters van mijn lijfje losmaakte, viel de verstopte, gladde zwarte steen met een tik op de marmeren vloer, geluidloos gevolgd door het geplette kruidentakje. Ik boog me voorover om ze op te rapen en zette me al schrap voor haar boze woorden.

'Heb je die van ser Cosimo gekregen?' vroeg mijn tante zachtjes.

Ik knikte blozend.

Clarice knikte langzaam. 'Bewaar ze dan maar goed,' zei ze.

Ze stuurde me naar bed en bleef zelf in de antichambre zitten, waar ze ijverig bij het licht van een lamp brieven schreef. Ik legde het takje en de steen onder mijn kussen en viel in slaap bij het geluid van haar krassende, hortende ganzenveer op het papier.

Enige tijd later werd ik wakker van een harde klap van een houten voorwerp: een vroege, zomerse onweersbui was op een koude wind binnengedreven. Een dienstmeisje haastte zich naar binnen en sloot de klapperende luiken om de regen buiten te houden. Ik staarde naar de muur van de antichambre, waar ik de schaduw van tante Clarice door de dansende vlam van grootte zag veranderen, en luisterde naar het gedempte gekerm van de luiken.

Toen ik eindelijk in slaap viel, werd ik geplaagd door dromen – niet gevuld met beelden, maar met geluiden: Clarice die gilde dat de mannen haar rokken moesten loslaten, hinnikende paarden, rebellen die in spreekkoren onze ondergang verlangden. Ik droomde over hoefgetrappel, stromende regen, mannenstemmen en de rollende donder in de verte.

Het bewustzijn kwam als een bliksemflits terug, en mijn hart sloeg een slag over toen ik besefte dat het hoefgeklepper, de snerpende toon van Clarice en een lage mannenstem helemaal niet in een droom thuishoorden.

Ik sprong uit bed en haastte me naar de gesloten luiken. Het raam zat zo laag dat ik makkelijk naar buiten had kunnen kijken, maar de luiken waren vastgemaakt en ik kon niet bij de sluiting. Ik keek om me heen of ik een stoel zag, en op dat moment ging de deur open en kwam er een dienstmeisje binnen. Ze was niet veel ouder dan ik, maar ze kon bij de sluiting en ik beval haar ongeduldig om de luiken open te maken. Ze gehoorzaamde, stapte achteruit en keek met grote, bange ogen naar mij.

Ik tuurde naar buiten. Op het enorme, aflopende grasveld zag ik meer dan twintig ruiters met zwaarden, geformeerd in vier keurige militaire rijen.

Op dat moment brokkelde mijn vertrouwen in Ruggieri's magie af. De Vleugel van Corvus was hooguit een onschadelijk stukje git. Ik zou nooit opgroeien en macht krijgen – ik zou helemaal niet opgroeien. Ik liep achteruit, weg van het raam.

'Waar is ze?' vroeg ik fluisterend aan het meisje.

'Donna Clarice? Ze staat bij de voordeur met twee mannen te praten.

Ze zeiden dat ik u moest gaan halen.

Ze is woedend op hen,' vervolgde het meisje. 'Ze wilde niet dat ze u wakker zouden maken. Ze scheldt hen zo fel uit dat de mannen vast boos worden...' Ze drukte haar hand tegen haar mond, alsof ze moest overgeven, maar dwong zichzelf om weer kalm te worden. 'Gisteravond ontbood ze me en zei ze dat ik u veilig naar haar moeders familie moest brengen als haar iets overkwam.' Nerveus keek ze naar de deur. 'Als we niet gauw naar beneden gaan, komen ze u zoeken. Maar...'

Vragend trok ik mijn wenkbrauwen op.

'Maar we zouden ook de dienstbodetrap kunnen nemen,' vervolgde ze. 'Dan zouden ze ons niet zien. Er zijn hier plaatsen waar je je kunt verstoppen. Ik denk dat donna Clarice dat graag wil.'

Ik dacht ook dat Clarice dat wilde, en vermoedelijk wist ze dat de rebellen haar zouden martelen om achter mijn verblijfplaats te komen als ik niet kwam opdagen. Misschien zouden ze haar zelfs doden. Ik had een kans om te ontsnappen, maar die leek me erg klein, en mijn verdwijning zou Clarice beslist in levensgevaar brengen. Terwijl ik de mogelijkheden afwoog, liep ik langzaam naar het bed, waar ik mijn hand onder het kussen stak en de verborgen steen vond. Ik staarde naar de gladde buitenkant, een zwarte spiegel op mijn handpalm, en zag de reflectie van mijn tante: Clarice, die me optilde om Lorenzo's kinderlijke gezicht aan te raken. Clarice, die me optilde om me uit handen van de rebellen te houden, zelfs toen ze haar probeerden te verscheuren. Clarice, die met haar man en kinderen had kunnen vertrekken en ons, de erfgenamen, aan de rebellen had kunnen overlaten. Maar net als haar grootvader liet ze haar bloedverwanten niet in de steek, hoe erg die er ook aan toe waren.

Ik legde het waardeloze kleinood op het kussen, haalde het leren koord met de zilveren amulet van mijn hals en legde het opgerold naast de steen. Daarna keek ik naar het dienstmeisje.

'Mijn gewaad, alsjeblieft,' zei ik. 'Ik ga naar hen toe.'

DEEL DRIE

Gevangenschap
Mei 1527 - augustus 1530

6

De beelden van die dag staan in mijn geheugen gegrift: de lange wandeling naar beneden, Clarice in de hal, een loshangende sjaal over haar schouders om te verbergen dat er op haar rug een reep van haar goudkleurige gewaad was gescheurd. Door de helse pijn in haar pols, die nu in een draagdoek rustte, was haar gezicht bleek geworden. Hoewel haar gespreksgenoot ruim een kop groter was dan zij en door twee even lange adjudanten werd geflankeerd, leek zij de langste in het gezelschap. Ze gebaarde fel met haar vrije hand en ging net zo onverschrokken tegen hem tekeer als tegen Passerini toen hij kwam vertellen dat paus Clemens was gevlucht.

Terwijl ik de trap af kwam, trok ik de aandacht van de man die naar haar luisterde. Bij het zien van zijn ernstige, uiterst kalme gezicht moest ik denken aan iets wat Piero ooit had gezegd: een hond die niet blaft, zal waarschijnlijk eerder bijten. Zijn haar, baard en ogen kleurden bij zijn nieuwe bruine mantel. Het was Bernardo Rinuccini, de aanvoerder van het rebellenleger.

Ik weet nog dat hij grote ogen opzette toen hij me zag, en dat de mond van tante Clarice openviel toen ze verslagen en sprakeloos over haar schouder keek.

'Beloof me dat u haar niets aandoet en ik ga met u mee,' zei ik tegen de generaal.

Rinuccini staarde naar me. 'Ik heb geen reden om haar iets aan te doen.'

'Beloof het me,' herhaalde ik, terwijl ik hem strak aankeek.

'U hebt mijn woord,' zei hij.

Ik liep langs Clarice naar Rinuccini, en ik zag ontzetting in haar blik toen ze me onherroepelijk onder haar hoede vandaan zag glippen. Maar mijn ontzetting was heviger dan de hare, want ik zag een glimp van de trots achter haar ogen en het moment waarop die brak.

Ze namen me mee. Toen ik in de deuropening verscheen, begonnen de soldaten op het grasveld te juichen. Ik liep flink door, zodat ze pas reden hadden om me aan te raken toen ze me optilden om me bij een adellijke krijgsman in het zadel te zetten. Hij droeg geen zwaard, maar een wapen dat ik nog nooit had gezien: een haakbus, een instrument van hout en metaal dat was bedoeld om mensen vanuit de verte met loden kogels te raken, een soort miniatuurkanon dat je in je hand kon houden. Hij bekeek me met triomf en afkeer. Nooit eerder was een trofee zo gehaat of kostbaar geweest.

De opkomende zon verdreef de regen van de vorige avond, en tijdens de rit door het rustige landschap liepen de paarden door laaghangende mistbanken. Ik was verdoofd door de verstrekkende gevolgen van mijn beslissing en kon niet meer nadenken. Angstig zat ik met mijn rug tegen de borstkas van mijn begeleider.

Halverwege de ochtend waren we terug in de stad. We reden niet naar het imposante Piazza della Signoria en de galgen in het zuiden, maar naar het noorden. Omdat het druk was, trokken we veel aandacht, maar de meeste mensen hadden geen aandacht voor een meisje dat ineengedoken tegen een van de soldaten aan zat. Tegen de tijd dat een paar mensen me ontdekten, waren we al gepasseerd, en ik was niet bang voor hun halfhartige verwensingen, die net stenen waren die hun doel allang niet meer konden bereiken.

Onze optocht leidde naar een onbekende straat met stenen muren erlangs. Ze waren dik en hoog, slechts onderbroken door drie smalle deuren, die ver uit elkaar lagen.

We stopten bij een van de deuren, waarin twee ijzeren tralieroosters waren gemaakt. Achter het ene, dat zich op ooghoogte bevond, was een zwarte doek gehangen, en het andere was onbedekt en bevond zich ter hoogte van onze voeten.

Een adjudant steeg af en riep iets door het bedekte rooster, terwijl een andere soldaat me met een zwaai van het paard tilde. De deur ging naar binnen open, een adjudant duwde me naar binnen en iemand deed vlug de deur achter me op slot.

Struikelend kwam ik uit op een stenen patio in de schaduw van een groot gebouw, en ik keek omhoog naar de vermoeide, kleurloze vrouw die naast me stond. Ze was helemaal in het zwart gekleed, op een witte nonnenkap onder haar lange sluier na. Ze legde haar vinger op haar lippen om aan te geven dat ik stil moest zijn, en dat deed ze zo nadrukkelijk dat ik haar zwijgend naar binnen volgde. Het gebouw was al net zo onopgesmukt, oud en stil als zijzelf. Ze leidde me twee smalle trappen op en daarna langs een lange rij cellen. We kwamen uit in een piepklein kamertje met twee stoelen en een bed, dat tegen de muur tegenover het raam was geschoven.

Op de stoelen zaten twee jonge vrouwen in versleten bruine jurken. Nadat ze ook hun vinger op hun lippen hadden gelegd, lieten ze hun verstelwerk vallen en haastten ze zich naar me toe.

Onhandig begonnen ze me mijn gewaad uit te trekken. Ik betwijfel of ze ooit zoiets verfijnds hadden gezien, want ze wisten niet hoe ze de veters van mijn mouwen moesten losmaken. Uiteindelijk gleed mijn gewaad toch op de grond, en ik stapte eruit, een onzekere toekomst tegemoet.

7

Aan een van de benauwendste steegjes van Florence ligt het dominicanenklooster Santa-Caterina da Siena. De bewoonsters van het klooster waren felle tegenstanders van de familie de Medici en steunden de rebellen, ongetwijfeld omdat het klooster voedsel aan de armen verschafte. De zes kostgangers – meisjes van huwbare leeftijd of jonger, afkomstig uit gezinnen die hadden ontdekt dat het goedkoper was om hun dochters in het klooster te laten wonen – waren kinderen van de allerarmste arbeiders: de ververs, wevers, wolkaarders en zijdekammers, mannen die door hun werk gevlekte handen, vergroeide lichamen en beschadigde longen kregen. Het waren mannen die ziek werden, jong stierven en dochters achterlieten voor wie er geen eten meer was. Het waren ook de mannen die de banier van de familie de Medici naar beneden hadden getrokken en hem uit haat jegens rijke, weldoorvoede mensen in brand hadden gestoken.

Santa-Caterina stonk, omdat de stokoude afvoerbuizen en riolen in verval waren geraakt. Altijd zaten er nonnen op handen en knieën vloeren en muren te schrobben, maar de vieze lucht viel niet te maskeren. De bewoonsters waren allemaal mager en hongerig. Hier werden geen lessen Latijn gegeven, geen pogingen gedaan om de meisjes cijfers of letters te leren – hier moest gewoon gewerkt worden. De abdis, zuster Violetta, had geen energie om sympathie of walging voor me te voelen; ze had het te druk met haar pupillen in leven houden om zich druk te maken over politiek. Ze wist alleen dat de rebellen haar op tijd betaalden om voor mij te zorgen.

Ik deelde een cel – en een smerige strooien matras vol vlooien en een muizenfamilie – met vier andere kostgangers, die allemaal ouder waren dan ik. Een van hen had een grondige hekel aan me, omdat haar broer was gedood in een schermutseling met aanhangers van onze familie. Twee van hen keken nauwelijks naar me om, en dan was er nog de twaalfjarige Tommasa.

Tommasa's vader was een zijdekoopman, die de stad was ontvlucht om aan zijn oplopende schulden te ontkomen. Hij had het aan zijn vrouw en kinderen overgelaten om de zaken met de schuldeisers te regelen. Tommasa's moeder was ziekelijk, en Tommasa was ook een broos meisje. Ze had angstaanjagende aanvallen van benauwdheid en piepende longen, vooral als ze zich te veel inspande. Ze had de lange, fijne botten en delicate tint van een noorderling: blond haar, een blanke huid, ogen zo blauw als de hemel. Toch klaagde ze niet en werkte ze net zo hard als de anderen. Haar mondhoeken krulden altijd omhoog in een allervriendelijkste glimlach.

Ze behandelde me als een vriendin, al waren haar broers vurige aanhangers van de rebellen, zo vurig dat Tommasa hun nooit over mij vertelde.

Tommasa was mijn enige schakel met de buitenwereld achter de muren van Santa-Caterina. Haar moeder kwam elke week op bezoek en had altijd nieuwtjes. Ik hoorde dat het palazzo van mijn familie was geplunderd en dat de overgebleven schatten door de nieuwe regering in beslag waren genomen. Alle banieren met ons familiewapen waren naar beneden gehaald, en alle beelden en gebouwen waarop het wapen te vinden was, waren botweg met beitels bijgewerkt.

Ik vroeg natuurlijk naar tante Clarice, en ik probeerde niet te huilen toen Tommasa me vertelde dat ze nog leefde, maar dat niemand wist waar ze naartoe was gegaan. Het was ook niet bekend waar Ippolito en Alessandro waren.

Toen ik een opmerking maakte over het feit dat Tommasa zo aardig tegen me was, reageerde ze verrast.

'Waarom zou ik niet aardig tegen je zijn?' vroeg ze. 'Ze zeggen dat je familie het volk heeft onderdrukt, maar jij bent vriendelijk tegen mij en de anderen. Ik kan je niet straffen voor iets wat anderen hebben gedaan.'

Ik hield van haar om dezelfde reden dat ik van Piero hield: ze was te lief om te zien dat mijn hart een zwarte kant had.

Door mijn angst voor executie en mijn hoop op nieuws beleefde ik een ellendige zomer. Beide bleven uit, en tegen de tijd dat het herfst werd, bevond ik me in een roes van honger en verdriet. Ik verloor mijn wilskracht, viel af en stelde geen vragen meer aan Tommasa als ze de laatste roddels vertelde.

De winter bracht een ijzige kou. Onze kamer had geen haard en was steenkoud; ik rilde aan één stuk door. Het water bevroor in de piepkleine waskom die we met ons vijven deelden, maar we hadden het toch te koud om ons te wassen. Als ik al sliep, zorgden de vlooien ervoor dat ik vaak wakker werd. De kou nam niet af, maar werd nog bijtender.

Eind december liep ik op een ochtend met de andere meisjes naar de refter. Toen we een cel passeerden, droegen twee nonnen een derde naar buiten. Ze was helemaal stijf, en haar zusters tilden haar aan haar hoofd en voeten op alsof ze een houten plank was. De twee nonnen keken even streng naar ons om te voorkomen dat we vragen zouden stellen.

Toen ze voorbijliepen, sloeg Tommasa vlug een kruis, en wij volgden haar voorbeeld. We zwegen en bleven roerloos staan tot ze door de gang waren verdwenen.

'Zag je dat?' siste Lionarda, het oudste meisje.

'Dood,' zei een van de anderen.

'Bevroren,' zei ik. Maar toen we in de refter stonden te wachten tot onze kommen werden gevuld, zagen we dat een van de novices in de rij flauwviel en moest worden weggedragen. Ik stond er niet lang bij stil: ik veegde vloeren en verstelde versleten habijten, zonder een krimp te geven als ik met een naald in mijn verkleumde vingers prikte. Ik begon me pas zorgen te maken bij de vespers, toen ik zag dat de kapel halfleeg was.

'Waar zijn de andere zusters?' vroeg ik fluisterend aan Tommasa.

'Ziek,' antwoordde ze. 'Ze hebben koorts.'

Die nacht hoorde ik de nonnen maar liefst vijf keer door de gangen rennen. De volgende ochtend stonden vier van ons op van de matras. Lionarda niet.

Haar adem hing als een wit pluimpje in de ijskoude lucht boven haar gezicht. Ondanks de kou glom haar voorhoofd van het zweet. Een van de andere meisjes probeerde haar wakker te maken, maar ze reageerde niet op geschreeuw of gesjor. We riepen de nonnen, maar er kwam niemand. De cellen naast de onze waren leeg.

Tommasa en ik bleven bij Lionarda en stuurden de andere twee weg om hulp te halen. Een halfuur later kwam er een novice met een witte sluier en een zwart schort. Het was een tijdstip waarop de nonnen niet spraken, dus ze stak zwijgend haar handen onder Lionarda's nachthemd en streek vlug over haar hals, sleutelbeenderen en oksels. Daarna bevoelde ze het gebied rond Lionarda's kruis, en ze deinsde met een angstige beweging achteruit.

Toen ze een hoek van het nachthemd optilde, zagen we boven aan de dij van het meisje een buil ter grootte van een ganzenei, omringd door een donkerpaarse ring, die wel een perfecte concentrische blauwe plek leek.

'Wat is dat?' fluisterde Tommasa.

De mond van de novice vormde geluidloos een antwoord. Ik zag het te laat, maar Tommasa hapte naar adem en bracht haar hand naar haar keel.

'Wat is dat?' echode ik, kijkend naar Tommasa.

Ze draaide zich naar me toe. Door de kou liep het water uit haar ogen en neus toen ze fluisterde: 'De pest.'

Nadat ze Lionarda hadden weggedragen, liepen Tommasa en ik voor de ochtendmaaltijd naar de refter, en daarna gingen we naar de grote zaal. Daar deelde zuster Violetta op dit tijdstip altijd de taken uit, maar de zaal was inmiddels een ziekenhuis geworden, waar wel twintig vrouwen op de vloer lagen. Sommige vrouwen kreunden, andere waren onheilspellend stil. Een bejaarde zuster hield ons in de deuropening tegen en gebaarde dat we terug naar onze cel moesten gaan. Daar waren de twee andere kostgangers, Serena en Constantina, lijkwaden aan het naaien.

'Waar is Lionarda gebleven?' wilde Serena weten, en toen ik het uitlegde, zei ze: 'Vanochtend zag ik maar de helft van de zusters in de refter. Het is dus echt de pest.'

We gingen dicht bij elkaar op het bed zitten en praatten bezorgd met elkaar. Ik dacht aan tante Clarice, wier hart zou breken als ze hoorde dat ik in een vuile bouwval was gestorven, en aan Piero, die zou huilen als hij ontdekte dat ik dood was.

Na twee uur verscheen de bejaarde zuster in de deuropening om te vertellen dat Tommasa's broers voor de poort stonden. Ze waarschuwde Tommasa dat ze niets over de ziekte in het klooster mocht vertellen. Tommasa ging weg en kwam binnen een uur terug, met ogen die samenzweerderig glansden. Ze hield haar mond tot het middaguur, toen ze opstond om naar het gemak te gaan en stiekem wenkte dat ik haar moest volgen.

Toen we het stinkende kamertje betraden, haalde ze haar vuist uit haar zak en vouwde ze haar vingers open.

Op haar handpalm lag een zwart steentje, dat zo goed gepolijst was dat het glom. Ik graaide het uit haar hand en dacht aan de blik van tante Clarice toen de Vleugel van Corvus en het takje uit mijn gewaad waren gevallen. Ze had peinzend naar me gekeken toen ik me bukte om ze op te rapen.

Heb je die van ser Cosimo gekregen? Bewaar ze dan maar goed.

Alleen Clarice kon hebben geweten dat ik de steen in Poggio a Caiano had achtergelaten. Alleen Clarice kon hem hebben gevonden en hem naar me toe hebben gebracht, om me te laten weten dat ze me niet waren vergeten. Mijn hart zwol op.

'Van wie heb je die gekregen?' vroeg ik aan Tommasa.

'Een man,' antwoordde ze. 'Mijn broers gingen weg en ik had net de doek voor het rooster laten zakken. Waarschijnlijk heeft hij door het onderste rooster gekeken en de zoom van mijn rok gezien.'

'Wat zei hij?' wilde ik weten.

'Hij vroeg of ik een vriend of een vijand van de familie de Medici was,' antwoordde Tommasa. 'Toen ik zei dat ik geen van beide was, vroeg hij of ik een meisje kende dat Catharina heette. Ik zei dat je mijn vriendin was.'

Ze knikte naar de steen in mijn hand. 'Hij bood me geld als ik je die steen wilde brengen, maar hij zei dat ik er met niemand over mocht praten. Is het een familiestuk?'

'Hij was van mijn moeder,' loog ik. Het was duidelijk dat ik Tommasa kon vertrouwen, maar ik had al genoeg problemen zonder ook nog eens van hekserij beschuldigd te worden. 'Heeft hij verder nog iets gezegd?'

'Ik zei dat hij het geld door het onderste rooster in de kist met aalmoezen moest gooien, als gift aan het klooster. En toen ik vroeg of ik een boodschap aan jou moest doorgeven, zei hij: "Zeg dat ze nog even dapper moet zijn. Ik kom terug, zeg dat maar."'

Nog even... Ik kom terug. De woorden maakten me duizelig. Ik stopte de steen tussen mijn schort en mijn jurk, vlak bij de stoffen sjerp die als ceintuur diende.

Ik keek Tommasa aan. 'Hier mogen we het nooit meer over hebben, zelfs niet met elkaar. Dan zouden de rebellen me doden of weghalen.'

Ze knikte plechtig.

Ondanks de pest en de meedogenloze winter liep ik steeds opgewekter door de gangen van Santa-Caterina. Telkens wanneer ik mijn hand onder mijn schort liet glijden, voelde ik aan de steen, en de koude, gladde buitenkant werd de omhelzing van Clarice.

Toen wij, de vier overgebleven kostgangers, de volgende ochtend opstonden, ontdekten we dat de refter was gesloten. De kokkinnen waren ziek geworden, en de overgebleven gezonde zusters hadden hun handen meer dan vol aan de verzorging van de zieken. Er moesten ongetwijfeld nog meer lijkwaden worden genaaid, maar de dagelijkse routine van het klooster was verstoord en wij werden vergeten. We gingen terug naar onze cel, waar we hongerig, bang en bibberend op onze bobbelige stromatras zaten en elkaar probeerden af te leiden met roddelpraatjes.

Na een paar uur weergalmden er geluiden in de gang: de scherpe stem van een non, voeten die zich over stenen vloeren haastten, deuren die open- en dichtgingen. Ik tuurde de gang in en zag een zuster als een bezetene vegen, waardoor er stofwolken omhoogvlogen.

'Wat zijn ze aan het doen?' riep Serena. Ze zat in kleermakerszit naast Tommasa op het bed.

'Schoonmaken,' antwoordde ik verbaasd.

Er werden nog meer deuren gesloten, en het koortsachtige vegen hield op. In de verte hoorde ik zuster Violetta orders uitdelen, maar ik zag niemand. Na een poosje gingen wij verder met onze verhalen.

Opeens verscheen zuster Violetta in de deuropening.

'Meisjes,' zei ze bondig, en ze wenkte hen met haar vinger, ook al hoorden de zusters op dit tijdstip eigenlijk te zwijgen. 'Jij niet, Catharina. Jij blijft hier. De rest gaat met mij mee.'

Ze nam de andere meisjes mee. Ik wachtte doodsbang af. Misschien had een andere zuster de vreemdeling gezien die naar me op zoek was, of misschien had Tommasa het geheim verklapt. Nu zouden de rebellen me doden, of me naar een gevangenis brengen die nog erger was dan Santa-Caterina.

De seconden tikten voorbij, tot ik voetstappen in de gang hoorde – weergalmende voetstappen, het ongewone geluid van leren hakken op steen. Een rebel, dacht ik wanhopig. Ze komen me halen.

Maar de man die in mijn deuropening verscheen, leek helemaal niet op Rinuccini en zijn soldaten. Hij droeg een zware, roze, fluwelen mantel die was afgezet met hermelijn, en een bruine, fluwelen muts met een kleine witte veer. Zijn sikje was keurig bijgewerkt, en kunstig gedraaide lange zwarte krullen vielen op zijn schouders. Hij drukte een kanten zakdoek tegen zijn neus, en zelfs op die afstand rook hij naar rozen.

Naast hem zei zuster Violetta zachtjes: 'Dit is het meisje.' Daarna liep ze weg.

'Bah!' De woorden van de onbekende man werden gesmoord door het kant. 'Neemt u mij niet kwalijk, maar die stank! Hoe houdt u het vol?' Hij liet de zakdoek zakken om zijn muts af te nemen en maakte een buiging. 'Heb ik het genoegen te spreken met Catherine de Medici, *duchessa* van Urbino, dochter van Lorenzo de Medici en Madeleine de La Tour d'Auvergne?'

Hij noemde me Catherine, net als de man in mijn bloedige droom.

'Dat ben ik,' antwoordde ik.

'Ik ben – bah! – Robert Saint-Denis de la Roche, als ambassadeur in de republiek Florence aangesteld door Zijne Majesteit koning Frans I. Uw overleden moeder was een nicht van Zijne Majesteit, en het kwam ons gisteren ter ore dat u, duchessa – een bloedverwante – in de vreselijkste omstandigheden werd vastgehouden. Klopt het dat u gedwongen wordt om die kleren te dragen, en dat dit het bed is waarop u moet slapen?'

Mijn vuist, die verborgen was onder mijn schouderkleed en de Vleugel van de Raaf vasthield, begon zich langzaam te ontspannen.

'Ja,' zei ik.

Ik wilde met mijn vingers over de plooien van zijn fluwelen mantel strelen. Ik wenste dat ik mijn kriebelende wollen jurk voor een mooi gewaad kon verruilen en dat Ginevra mijn lijfje dichtreeg en me de mouwen van mijn keuze bracht. Ik wilde Piero terugzien. Boven alles wilde ik tante Clarice bedanken voor het feit dat ze me gevonden had, en bij die laatste gedachte barstte ik bijna in tranen uit.

De gelaatsuitdrukking van de ambassadeur werd zachter. 'Wat vreselijk voor u. U bent nog een kind. Het is hier ijskoud. Het is een wonder dat u niet ziek bent.'

'De pest heerst hier,' vertelde ik. 'De meeste zusters zijn ziek.'

Hij vloekte in zijn vreemde taal, en het kanten zakdoekje dwarrelde op de grond. 'Daar heeft de abdis niets van gezegd!' Hij had zijn temperament en angst vrijwel meteen weer in bedwang. 'Goed,' zei hij. 'Ik zal regelen dat u vandaag nog uit deze beerput vol vlooien wordt gehaald. Dit is geen omgeving voor een nichtje van de koning!'

'De rebellen laten me niet gaan,' zei ik. 'Ze willen me doden.'

Een van zijn zwarte wenkbrauwen ging sluw een stukje omhoog. 'De rebellen willen een stabiele republiek, en die hebben ze niet. Ze hebben de welwillendheid van koning Frans nodig, en die krijgen ze niet tot ze zijn bloedverwante met gepast respect behandelen.' Plotseling maakte hij weer een buiging. 'Ik zal niet dralen, duchessa – als de pest in dit gebouw heerst, moet ik nog meer haast maken. Geeft u mij een paar uur, dan breng ik u naar een onderkomen dat geschikter voor u is.'

Toen hij aanstalten maakte om weg te gaan, riep ik: 'Zeg alstublieft tegen mijn tante Clarice dat ik heel dankbaar ben voor uw komst!'

Hij stond stil en draaide zich met een verbaasde blik naar me om. 'Ik heb geen contact met haar gehad, maar ik zal zeker proberen uw boodschap aan haar door te geven.'

'Maar wie heeft u dan gestuurd?'

'Een oude vriend van uw familie heeft me gewaarschuwd,' zei hij. 'Hij zei dat u zou weten dat hij het was. Hij heet Ruggieri, als ik me niet vergis.' Hij zweeg even. 'Ik kan nu beter gaan, duchessa, want de pest verspreidt zich snel. Ik zweer bij God dat u hier geen nacht meer hoeft door te brengen. Probeert u opgewekt en dapper te blijven.'

'Dat zal ik doen,' zei ik, maar zodra hij in de gang verdween, barstte ik in tranen uit. Ik huilde omdat ser Cosimo, een man die ik nauwelijks kende, me had gevonden en medelijden met me had gekregen. Ik huilde omdat ik eigenlijk op tante Clarice had gerekend. Ik raapte het achtergelaten ragfijne stukje kant op om mijn ogen af te vegen, en snoof de geur van bloemen op.

Ik hield mezelf voor dat de Vleugel van de Raaf me zou beschermen tegen de pest en me zou bevrijden uit Santa-Caterina. Ik nam me heilig voor om de amulet voortaan altijd bij me te dragen.

Maar de Franse ambassadeur kwam me die ochtend niet halen, en 's middags kwam er ook niemand. Ik zat met de andere meisjes lijkwaden te naaien, zo opgewonden en afgeleid dat ik wel tien keer in mijn vingers prikte. Tegen de avondschemering was mijn opgewekte humeur verdwenen. Stel dat de rebellen koning Frans helemaal niet zo wanhopig te vriend wilden houden als monsieur de la Roche had gedacht...

Het werd avond. Ik weigerde me uit te kleden, maar lag naast Tommasa in bed en tuurde in de duisternis of ik iets zag bewegen. Er gingen uren voorbij, tot ik buiten het schijnsel van een lamp ontdekte. Ik haastte me naar de gang en trof zuster Violetta aan, die vluchtig glimlachte bij het zien van mijn enthousiasme en gebaarde dat ik haar moest volgen.

Ze nam me mee naar haar cel en trok me een nonnenhabijt en wintermantel aan.

'Waar ga ik naartoe?' vroeg ik.

'Dat weet ik niet, kind.'

Ze nam me mee naar buiten, naar de poort die op de straat uitkwam.

Een man aan de andere kant hoorde onze voetstappen en vroeg: 'Is ze bij u?'

'Ja,' zei zuster Violetta. Ze maakte de poort open.

De man aan de andere kant droeg een zware mantel, en ik zag het lange zwaard van een krijgsman aan zijn riem. Achter hem zaten vier mannen te paard te wachten.

'Kom,' zei de man. Hij stak zijn in een handschoen gehulde hand naar me uit. 'Bedek uw gezicht en ga vlug mee, maar geef geen kik. Als u problemen veroorzaakt, maakt u het alleen maar gevaarlijker.'

Ik stribbelde tegen. 'Waar brengt u me naartoe?'

Een punt van zijn snor boog omhoog. 'Daar komt u snel genoeg achter. Geef me uw hand. Dit is de laatste keer dat ik het vriendelijk vraag.'

Met tegenzin pakte ik zijn hand. Met een zwaai zette hij me op zijn paard, en daarna kwam hij achter me in het zadel zitten. In het gezelschap van zijn mannen reden we weg.

De nacht was maanloos en koud. We reden door lege straten, waarin het getrappel van de paardenhoeven weergalmde. Ik probeerde te zien waar we naartoe gingen, maar de gaasachtige wol beperkte mijn gezichtsveld.

De reis duurde slechts een kwartier. We stopten voor een houten deur in een brede stenen muur. Blijkbaar werd ik weer in een klooster opgesloten. Ik raakte in paniek en zocht onder mijn mantel en habijt naar de zwarte stenen amulet.

De man achter me steeg af en tilde me van het paard, terwijl een van zijn soldaten op het zware hout bonsde. Even later zwaaide de deur geluidloos open. Een van de mannen duwde me naar binnen en trok de deur ferm achter me dicht.

Het rook er zo scherp naar azijn dat ik een hand naar mijn neus bracht. De stof om mijn hoofd en gezicht gleed naar voren, waardoor ik niets meer zag. Een koele hand pakte de mijne en trok me een paar aarzelende stappen vooruit, weg van de geur. Toen de hand me losliet, trok ik de sluier naar beneden.

Twaalf nonnen stonden in een halve cirkel om me heen – lang, elegant, gesluierd en gekleed in zwarte habijten, waardoor hun contouren in de duisternis verdwenen. Ik zag alleen hun gezichten, verlicht door de lampen die drie van hen bij zich hadden – twaalf verschillende, vriendelijk lachende monden, vierentwintig zachtaardige ogen.

De langste van hen, een forsgebouwde, middelbare vrouw met een breed gezicht, kwam naar me toe.

'Lieve Catharina,' zei ze. 'Ik ben de abdis, moeder Giustina – een de Medici, net als jij. Sinds je geboorte ben ik je pleegmoeder. Welkom.'

Zonder enige angst voor de pest spreidde ze haar armen, en ik rende naar haar toe.

8

De Vleugel van Corvus had niet gefaald. Ik bevond me in de hemel, omringd door engelen: het benedictijnenklooster Santissima Annunziata delle Murate, de Allerheiligste Annunciatie van de Ommuurden, en de edelvrouwen die daar waren ingetreden. De meesten waren familie van ons, er waren er slechts een paar die de nieuwe republiek steunden.

Het klooster zelf was destijds gebouwd met geld van mijn familie, en ook nu werd het nog financieel door ons gesteund. Dat was goed te zien aan de brede gangen en elegante inrichting. Die nacht bracht moeder Giustina me naar mijn nieuwe verblijf. De angst had me uitgeput, en de enige details die tot me doordrongen, waren een groot bed met dikke dekens en een goedgevuld kussen. Ik bleef gehoorzaam stilstaan terwijl een dienstmeid me uitkleedde. Met de steen in mijn hand keek ik naar de zwijgzame, ernstige vrouw, die niets in de gaten had omdat ze druk bezig was om warm water in een kom te gieten. Ze waste me met een waslapje en trok daarna een schoon nachthemd van fijne, zachte wol over mijn hoofd. Ik stopte de zwarte steen in een van de zakken, terwijl zij op een dienblad met kaas en brood op het nachtkastje wees. Ik verslond het eten en liet me in bed vallen. De dienstmeid legde een opgewarmde baksteen bij mijn voeten en stopte de dikke dekens strak om me heen. Voor het eerst die winter hield ik op met rillen.

Ik sliep urenlang, met de Vleugel van Corvus in mijn hand geklemd. Toen ik de volgende ochtend wakker werd, zag ik dat ik me in een enorm vertrek met een marmeren haard en een bewerkte lambrisering bevond. Honinggeel licht filterde door het grote, gewelfde raam naar binnen en toonde me een grote tafel en royaal gestoffeerde stoelen, waarvan de donkergroene fluwelen bekleding bij de gordijnen en de sprei paste. Aan de muur tegenover me hing een groot, gouden kruis van filigraanwerk, waaronder een gestoffeerde bidstoel stond.

Aan de muur tegenover de haard zag ik een paar planken met boeken. Mijn oog viel op een exemplaar op de onderste plank, waarvan de omvang me bekend voorkwam. Het was gebonden in donkerbruin leer en de titel was er in goudkleurige letters op gedrukt. Ik vloog mijn bed uit en sjorde het zware boek van de plank.

Ficino. *De Vita Coelitus Comparanda*, *Leven verkrijgen door de sterren.* Het was het exemplaar dat ik op Piero's knieën had zien liggen. Ik herkende de krasjes in het leer en lachte hardop. Gestimuleerd door deze vondst liet ik mijn blik over de planken dwalen, in de hoop dat ik juweeltjes zou vinden die uit het Palazzo Medici waren gered. Die vond ik niet, maar ik ontdekte wel twee andere boeken die door Ficino waren geschreven.

Ik stond nog aandachtig naar de boeken te kijken toen er op de deur werd geklopt en er twee vrouwen en een non verschenen. De vrouwen droegen een bad, en de bejaarde non, die een bril droeg, glimlachte opgewekt naar me. Ze was rond en stevig, en haar houding en accent vertelden me dat ze van adellijke komaf was. In haar hand hield ze een blaadje met een glas en een schaaltje snoepjes.

'*Duchessina*!' zei ze opgeruimd. 'Ik zie dat u onze bibliotheek hebt ontdekt. Er is natuurlijk een grotere in de andere vleugel, maar we hebben hier een paar boeken neergelegd waarvan we dachten dat ze u zouden interesseren. Ik ben zuster Niccoletta, en als u iets nodig hebt, kunt u bij mij terecht. Ik heb wat lekkers en zoete wijn voor u meegebracht, om uw eerste trek te stillen voordat het ontbijt wordt geserveerd. U zult nog wel uitgehongerd zijn. Daarna gaan we zorgen dat u die vlooien kwijtraakt.'

Hertoginnetje. Ik glimlachte bij de respectvolle, maar hartelijke aanspreekvorm. Ik vergat hoe ik me hoorde te gedragen, legde mijn hand op Ficino's werk en vroeg: 'Hoe is dit boek in deze kamer terechtgekomen?'

Ze tuurde door haar dikke brillenglazen, die haar donkere ogen vergrootten. 'Ambassadeur de la Roche heeft gisteren wat spullen voor u afgeleverd. Het boek zal daar wel bij hebben gehoord.'

'Het is gered uit ons palazzo,' zei ik.

'God zij geloofd,' reageerde ze zonder enige interesse, en ze draaide zich om toen de ernstig kijkende dienstmeid van gisteravond binnenkwam met een grote ketel in elke hand. 'Mijn beste duchessina, onze dienstmeid Barbara is er. U kunt ook bij haar terecht als u iets nodig hebt.' Ze zette het blaadje op mijn nachtkastje en haalde een met was verzegelde brief uit een zak van haar habijt. 'Uw ontbijt wordt zo gebracht, maar in de tussentijd vindt u het misschien wel plezierig om deze brief te lezen.'

Bij het zien van haar veelbetekenende glimlach stak ik gretig mijn hand uit en verbrak ik het zegel. Het handschrift was van Clarice.

Ik drukte de brief tegen mijn hart. 'Zuster Niccoletta, vergeef me mijn onbeleefdheid, alstublieft. Het is zo lang geleden dat mensen aardig voor me waren dat ik ben vergeten hoe ik me moet gedragen. Bedankt voor alles.'

Ze straalde. 'U hebt juist keurige manieren! Na alles wat u hebt meegemaakt, hoeft u zich tegenover mij niet te verontschuldigen.' Ze maakte een kleine reverence. 'Geniet van uw brief, duchessina. Ik kom over een uur terug.'

Ademloos vouwde ik de brief open.

Mijn lieve Catharina,

We zijn geschokt door het nieuws van je gevangenschap en de barre omstandigheden waarin je moest leven. Ik hoop dat je je nieuwe omgeving aangenamer vindt. Vanaf dit moment zal ik met de Franse ambassadeur in contact blijven om te zorgen dat je nooit meer zulke ontberingen hoeft te doorstaan. De rebellen willen tegen elke prijs de steun van koning Frans I van Frankrijk behouden, en Zijne Majesteit wil dat er goed voor zijn verre familielid wordt gezorgd.

Ik moet zo voorzichtig zijn om over mijn huidige verblijfplaats te zwijgen, en ook zo verstandig zijn om je niet persoonlijk op te zoeken. Wees ervan overtuigd dat ik dag en nacht bezig ben om je vrijlating te bewerkstelligen. Paus Clemens is aan het verwoeste landschap van Rome ontsnapt. Hij en keizer Karel zullen zich binnenkort met elkaar verzoenen, en ik zal mijn uiterste best doen om deze hervonden welwillendheid te voeden, zodat de familie de Medici kan terugkeren naar Florence.

Ik ben je dapperheid niet vergeten. Hou vol en vergeet nooit voor welke taak je bent geboren.

Met warme genegenheid,
je tante,
Clarice de Medici Strozzi

PS *Hartelijke groeten van je oom en je neven. Van Piero moet ik schrijven dat hij je vreselijk mist.*

Toen ik het elegante handschrift van Clarice las, verlangde ik hevig naar haar, maar ik werd algauw afgeleid door een bord met worstjes en appels. Na het eten onderwierp ik me aan een wasbeurt in de dampende kuip. Barbara waste mijn haar, verdronk de laatste vlooien uit Santa-Caterina en kleedde me in een op maat gemaakt gewaad voordat ze me in fijne wollen sjaals wikkelde om me tegen de kou te beschermen.

Het leven in Le Murate bezorgde me op een plezierige manier afleiding. In de refter kregen de nonnen en ik 's ochtends en 's avonds goede wijn en lekkere maaltijden, vaak met vlees en taart. Zuster Niccoletta behandelde me alsof ik haar favoriete kleindochter was. Ze nam altijd kleine cadeautjes voor me mee, zoals gesuikerd fruit en noten of een felgekleurd lint voor mijn haar. Van haar en de andere nonnen mocht ik overal in het klooster rondlopen.

Ik maakte geen misbruik van hun vertrouwen. Ik woonde elke ochtend de mis bij en ging daarna met Niccoletta naar de naaikamer. Veel nonnen hielden zich bezig met fijn borduurwerk, een van de vaardigheden waarmee ze zichzelf onderhielden. Zonder hulptekens op de stof kon zuster Niccoletta een perfect lam met kruisvaan borduren, of de Heilige Geest die als een duif uit de hemel neerdaalde.

Op die eerste ochtend werd ik aan de andere naaisters voorgesteld: de lange, verstandige, bejaarde zuster Antonia, de rechterhand van de abdis, zuster Maria Elena, een Spaanse vrouw met een engelenstem die het koor leidde, en een kostganger, Maddalena, vijf jaar ouder dan ik, met kastanjebruin haar dat tot ver over haar schouders viel. Maddalena was een Tornabuoni – de familie die de moeder van Lorenzo il Magnifico had voortgebracht. Ik ontmoette zuster Rafaela, een kunstenares die door haar talent met verf en penseel de voltooide manuscripten in het scriptorium van schitterende illustraties kon voorzien, en zuster Pippa, een knappe jonge vrouw met roodgouden wenkbrauwen en lichtgroene ogen, kleurrijke verrassingen die een opvallend contrast vormden met de omlijsting van haar witte nonnenkap en zwarte sluier. Ze had een blos op haar wangen en nek toen we aan elkaar werden voorgesteld. Ik dacht dat ze verlegen was, tot ik de blik zag van de non die haar voortdurend als een schaduw volgde: in de ogen van de donker getinte zuster Lisabetta zag ik onverholen haat.

Die eerste ochtend zat ik op een kussen door de grote ramen naar de verdorde tuinen te staren. Ik luisterde naar het opgewekte knappen van het vuur terwijl Niccoletta me zijden draad, een naald en een schaar bracht. Ze gaf me een zakdoek waarop ik kon oefenen en leerde me hoe ik de draad door de naald moest halen en de eerste steekjes moest maken. Daarna begonnen de zusters van tijd tot tijd met elkaar te fluisteren. Ik vond het een prettig, troostend geluid, tot ik zuster Pippa bits hoorde vragen: 'Mag ze wel zo vrij rondlopen? Per slot van rekening is ze een gevangene.'

Lisabetta viel haar onmiddellijk bij. 'Er stond gisteravond geen wachter bij haar vertrek. Ze had heel makkelijk kunnen ontsnappen.'

Zuster Niccoletta liet de strook brokaat die ze aan het borduren was op haar schoot zakken en zei streng: 'Ze is een kind, een kind dat vreselijke dingen heeft meegemaakt. Daar hoeft ze beslist niet door jullie aan herinnerd te worden.'

Pippa's hals en wangen werden vuurrood, en er werd niet meer over de kwestie gesproken. Ik kwam er al vlug achter dat haar familie en die van Lisabetta bij de Volkspartij hoorden, de radicaalste factie binnen de nieuwe regering.

Ondertussen liet moeder Giustina me twee keer per week naar haar comfortabele cel brengen, waar ze me onder vier ogen het adellijke protocol bijbracht. Ze was niet vergeten dat ik hertogin was, en ook niet dat ik was voorbestemd om over Florence te regeren. Haar lessen herinnerden me eraan dat veel mensen in de stad de hoop niet hadden opgegeven dat de familie de Medici weer aan de macht zou komen. Ze leerde me tafelmanieren en de kunst van het converseren, en ook hoe ik koningen, koninginnen en mijn oom, paus Clemens, moest aanspreken.

Samen met Maddalena kreeg ik ook andere lessen. Zuster Rosalina leerde me Frans, omdat de Franse ambassadeur regelmatig op bezoek kwam om koning Frans op de hoogte te kunnen houden van mijn welzijn. Ik voelde me tijdens mijn eerste les niet op mijn gemak en begreep niet waarom, totdat zuster Rosalina me aansprak als 'Catherine' – de naam die Ruggieri eens onnadenkend had gebruikt, de naam waarmee de bebloede man me in mijn nachtmerrie had aangesproken.

In Le Murate kreeg ik weer last van nare dromen. Ik begreep er niets van, tot ik me ser Cosimo's woorden herinnerde: door de amulet zou ik ze beter kunnen onthouden.

Mars bevindt zich in uw Twaalfde Huis – het Huis van Verborgen Vijanden en Dromen.

Ik nam me heilig voor om de amulet altijd bij me te dragen, want ik schreef de gunstige verandering van mijn omstandigheden toe aan de steen en aan ser Cosimo.

Uw horoscoop bevat vele vreselijke beproevingen, waarvan dit de eerste is. Ik ben van plan te zorgen dat u dit overleeft.

Het lot had Ficino en de amulet bij me teruggebracht. Zulke geschenken mocht ik niet negeren, en 's avonds bestudeerde ik bij het licht van een lamp *De Vita Coelitus Comparanda*. Toen ik de boekenplank in mijn kamer beter bestudeerde, ontdekte ik nog een geschenk: rechts naast het genoemde boek stond een exemplaar dat er heel oud uitzag. Het heette *Instructies in de elementen van de kunst der astrologie* en was geschreven door een Arabier die al-Biruni heette.

De tekst was droog en taai voor een jong meisje als ik, maar ik had het idee dat mijn overlevingskansen ervan afhingen. Op mijn achtste leerde ik de twaalf tekens van de dierenriem, de twaalf huizen en de zeven planeten uit mijn hoofd.

In mijn nachtmerries riep een man mijn naam, en later lag hij aan mijn voeten, met een borrelende, karmozijnrode bron op de plaats van zijn gezicht.

Catherine...

Er volgde nog meer bloed: de Fransman riep mijn hulp in om de naderende slachtpartij te voorkomen. Het was aan mij om het gevaar te ontcijferen en af te wenden. Het lot gaf me een kans om mijn fouten goed te maken.

Ik bracht een genoeglijke winter door. In de lente kwamen er nog meer berichten van tante Clarice over paus Clemens: hij was inmiddels veilig in Viterbo, en keizer Karel had zijn excuses aangeboden voor de gruwelijke wandaden die zijn muitende troepen in Rome hadden gepleegd. In de lente kreeg ik ook brieven vol nieuwtjes van Piero: *Ik ben inmiddels zo lang dat je me niet zou herkennen!* De lucht was zwaar van de aangename geuren en mijn optimisme maakte me zorgeloos. Ik voelde me veilig en dacht dat ik dankzij mijn astrologische studie binnenkort controle over mijn wereldje zou hebben.

Toen werd het 11 mei 1528, precies een jaar nadat ik had gehoord dat paus Clemens uit het Vaticaan was verdreven. Toen zuster Niccoletta me die ochtend kwam halen voor de mis, was haar glimlach geforceerd en zag ik haar mondhoeken trillen. Ik voorvoelde een akelig geheim, en toen moeder Giustina aankondigde dat de Franse ambassadeur in de ontvangstkamer naar me toe zou komen, groeide dat gevoel.

Ik ging in de zonovergoten kamer zitten, en het duurde niet lang voordat ambassadeur de la Roche binnenkwam. Hij had zijn sikje afgeschoren en had nu een gladde kin en een heel dun snorretje onder zijn enorme neus. Met zijn lichtgroene brokaten farsetto en gele broek was hij duidelijk op de lente gekleed, en toen hij binnenkwam, maakte hij met een enorme zwaai van zijn arm een diepe buiging.

'Duchessa,' zei hij, terwijl hij rechtop ging staan. Hij glimlachte niet, en zijn toon was somber. 'Ik hoop dat het goed met u gaat.'

'Heel goed, excellentie,' zei ik. 'Met u ook?'

'Heel goed, heel goed, dank u.' Hij depte zijn neus met zijn zakdoek.

'Uw gezondheid laat dus niets te wensen over? En hoe gaat het met uw lessen?'

'Het gaat goed met mijn gezondheid en ik heb veel plezier in mijn lessen. Ik heb uitstekende leraressen.'

'Juist.' Hij knikte. 'Alleen maar goede berichten, dus.' Hij zweeg even.

'Toe.' Mijn stem werd opeens schor van angst. 'U komt me iets vertellen. Zegt u het maar meteen.'

'Mijn beste duchessa. Ik vind het zo erg voor u.' Zijn toon klonk meelevend toen hij uit de zak aan zijn riem een brief haalde. 'We hebben vreselijk nieuws gekregen. Clarice de Medici Strozzi is overleden.'

De woorden waren zo absurd dat ze aanvankelijk onzinnig leken. Ik was niet in staat om te spreken of te huilen. Ik kon alleen maar naar de Fransman in zijn belachelijk vrolijk gekleurde kleding kijken.

'Duchessa, het spijt me. U bent te jong om al zoveel zware klappen te moeten verwerken. Alstublieft.' Hij stak de brief naar me uit.

4 mei 1528

Lieve Catharina,

Tot mijn grote spijt moet ik je meedelen dat mijn vrouw, Clarice Strozzi, gisteren is gestorven. Ze had al een week koorts, maar ze stond erop om haar bed te verlaten en een bezoeker uit Rome te ontvangen.

De avond voor haar dood zat ze aan haar schrijftafel brieven te schrijven aan de mensen die haar het beste konden helpen. De volgende ochtend zat ze nog aan haar tafel, zo ziek dat ze niet meer kon opstaan. We hielpen haar naar haar bed en ontboden de dokter, maar tegen die tijd besefte ze dat ze stervende was.

Zelfs tijdens haar lijden vergat ze je niet. Ze gaf me opdracht deze brief te schrijven en je te vertellen dat je toekomst er binnenkort zonniger uit zal zien.

Vertrouw vanaf dit moment op ambassadeur de la Roche. Hij zal zorgen dat je verzorging en bescherming krijgt, want koning Frans blijft je trouwe bondgenoot.

Ik ben diepbedroefd.

Je oom,
Filippo Strozzi

Net als oom Filippo was ik ontroostbaar. Ik begroef mijn gezicht in de schoot van zuster Niccoletta toen ze haar armen om me heen sloeg. Ik voelde me verlaten: oom Filippo was geen bloedverwant, en mijn welzijn hing nu af van de koning van Frankrijk, die vanuit de verte enige belangstelling voor me toonde.

Twee dagen lang bleef ik in bed en weigerde ik te eten. Omringd door mijn boeken las ik als een bezetene over Saturnus, de voorbode van de dood, en zijn zware, koude attributen, en ik vroeg me af hoe hij op het sterfuur van Clarice in haar horoscoop had gestaan. Ik las de hele nacht en zat de volgende ochtend nog te lezen. Mijn ogen brandden van de inspanning toen zuster Niccoletta abrupt binnenkwam, op de voet gevolgd door haar zwijgzame dienstmeid Barbara.

'Duchessina,' zei ze, 'er is hier een man die u wil condoleren.'

Ik trok een lelijk gezicht. 'Wie is het?'

'Dat weet ik niet meer,' antwoordde Niccoletta, 'maar moeder Giustina kent hem en zegt dat u door het rooster met hem mag praten. Ik moet nu vlug terug naar de naaikamer, maar Barbara neemt u wel mee.' Ze wendde zich tot de dienstmeid. 'Zorg dat hij zich gedraagt en dat niemand het gesprek afluistert.'

Ik vroeg me af wie het zou zijn. Oom Filippo? Misschien had hij het gewaagd om naar Florence te komen. Of misschien – bij deze gedachte sprong mijn hart even op – was Piero erin geslaagd om naar me toe te komen. Vlug vroeg ik: 'Was die man jong of oud?'

Niccoletta keek me even wezenloos aan voordat ze zich omdraaide om weg te lopen. 'Dat heeft moeder Giustina niet gezegd.'

Barbara nam me mee naar buiten, naar de kloostermuur. Er hing een gordijntje voor het bovenste rooster in de deur, maar vlak bij de mand met aalmoezen – die naar de azijn rook die de verspreiding van de pest tegen moest gaan – bevond zich het onbedekte, lagere rooster, waarachter twee mannenlaarzen zichtbaar waren.

Barbara klopte op de deur en kondigde luidkeels aan: 'Het meisje is er, heer. Zorg dat uw gesprek niet opvalt.' In een halfhartige poging om ons ongestoord te laten praten, zette ze twee passen achteruit.

'Donna Catharina,' zei de man, met een stem die zo diep en welluidend was dat ik hem de woorden wilde horen zingen, 'ik wil u oprecht condoleren met het verlies van uw tante. Het zijn zware tijden voor u.'

Als ik lang genoeg was geweest, zou ik het gordijn opzij hebben getrokken en naar zijn lelijke gezicht hebben gekeken – naar de mottige, ziekelijk uitziende huid, de kromme neus en de veel te grote oren – om te zien of hij tijdens de chaotische maanden sinds onze laatste ontmoeting was veranderd. Ik ging op mijn tenen staan, omdat ik dichter bij hem wilde zijn.

'Ser Cosimo.' Mijn toon was verbaasd. 'Hoe hebt u me gevonden?'

'U denkt toch niet dat ik u ooit in de steek heb gelaten? In Santa-Caterina ben ik u de steen komen brengen. Ik dacht dat u wel zou weten wie hem had gestuurd. U hebt hem toch nog in uw bezit?'

'Jazeker. Ik heb hem altijd bij me.'

'Mooi zo.' Hij zweeg even. 'En de boeken die uit het palazzo zijn gered?'

'Hebt u dat gedaan?' Ik had ze dus niet aan Clarice, maar aan Cosimo Ruggieri te danken. 'Maar hoe hebt u de boeken uit handen van de rebellen gered? En ik heb de steen in Poggio a Caiano achtergelaten. Hoe kon u in vredesnaam weten dat...'

'Maakt u zich maar geen zorgen over de vraag hoe dat allemaal is gegaan, ma donna. U hoeft alleen maar te weten dat u nooit alleen bent geweest, en dat u dat ook nooit zult zijn.'

Er prikten tranen in mijn ogen, maar ik wist ze in bedwang te houden. 'Dank u. Maar hoe kan ik met u in contact treden als ik u nodig heb?'

'Via de Franse ambassadeur.'

'Waarom bent u zo goed voor me?'

'Dat heb ik u al eerder verteld. U en ik zijn door de sterren met elkaar verbonden. Ik bescherm simpelweg mijn eigen belangen.'

'De sterren,' zei ik. 'Daar wil ik zo veel mogelijk over leren.'

'U bent nog maar een meisje van negen,' wierp hij vlug tegen, maar hij voegde eraan toe: 'Al bent u wel erg vroegwijs.' Hij zuchtte. 'Lees Ficino dan maar. En al-Biruni is een bruikbare gids.'

'Ik móét er meer van weten,' zei ik. 'Ik moet weten wat er met me gebeurt, of de paus en keizer Karel tot overeenstemming kunnen komen en of ik ooit word gered.'

'De paus en de keizer zullen overeenstemming bereiken,' zei ser Cosimo rustig. 'Maar het heeft geen zin om op dit moment over de toekomst te piekeren. Onthoud maar dat ik tot uw beschikking sta wanneer u me nodig hebt.' Hij zette een stap naar achteren, waardoor zijn stem zachter klonk. 'Ik moet nu weg. Omwille van uw veiligheid kan ik het niet riskeren om gezien te worden. Moge God u behoeden.'

Ik luisterde naar zijn langzaam wegstervende voetstappen.

'Ser Cosimo,' zei ik, en ik duwde mijn handpalm tegen de deur. Ik bleef zo staan tot Barbara me bij mijn elleboog pakte en wegtrok.

De zomer ging zonder verdere incidenten voorbij, en de volgende herfst en winter ook. Ik groeide en ging steeds beter Frans spreken. 's Nachts vertelde ik de bebloede man in mijn dromen: *Je ne veux pas ces rêves, ik wil deze dromen niet.*

Toen het weer zomer werd, verheugde het mij en de meeste zusters in Le Murate om te horen dat de paus binnenkort naar Rome zou terugkeren. Clemens had beloofd dat hij Karel zou kronen, in ruil voor Karels steun aan de familie de Medici. De Franse koning, Frans, had te veel veldslagen tegen het keizerlijke leger verloren en had ook vrede gesloten met Karel. Hij had zijn steun aan de Florentijnse rebellenrepubliek ingetrokken.

Op een warme, plakkerige juniochtend zat ik samen met de zusters in de naaikamer en staarde ik door de open ramen naar dikke, antracietkleurige wolken, die ik aan de horizon zag opstijgen: buiten de stad stonden oogsten en schuren in brand, aangestoken door soldaten van de rebellenregering. Keizer Karel was in aantocht – of in elk geval zijn troepen, geleid door de prins van Oranje – en de rebellen wilden niet dat ze buiten de stadsmuren van Florence steun zouden vinden.

Buiten de kloostermuren van Le Murate vormde zich een burgerleger van tienduizend man. Als ik in de tuin of op de patio liep, hoorde ik de bondige uitroepen van commandanten die ongeoefende troepen probeerden te organiseren. Uit angst voor de naderende slag vluchtten honderden mensen weg uit Florence. Terwijl Maddalena op de uitkijk stond, klom ik in de els in de tuin en probeerde ik over de stadsmuren heen te kijken, maar ik zag alleen maar daken en de grijze nevel die boven de stad hing. Florence stonk naar rook, die aan onze kleren en haren kleefde en tot in elke hoek van het klooster doordrong.

In september kregen we goed nieuws: koning Frans had een verdrag met keizer Karel ondertekend. De rebellenrepubliek zou geen hulp krijgen van Franse troepen. In mijn hart juichte ik toen ik deze nieuwsberichten hoorde, maar tegelijkertijd was ik bang. Ik herinnerde me de grote plundering van Rome, toen de manschappen van de keizer hun orders hadden genegeerd en de Heilige Stad hadden belegerd. Ze hadden deuren van kloosters ingetrapt en nonnen verkracht.

Op 24 oktober zat ik tussen Maddalena en zuster Niccoletta in te naaien, zoals gewoonlijk. Ze keken allebei net zo ongerust als Pippa en Lisabetta, die zwijgend over hun werk gebogen zaten. Op het doorgaans zo serene gezicht van zuster Antonia stond een bezorgde frons.

Buiten was de hemel grijs door de rook en een dreigende herfststorm. De els had bijna al zijn bladeren verloren en stond met sombere, kale takken in de tuin.

Ik werkte aan een wit linnen altaarkleed, maar die ochtend zat ik te prutsen. De draad leek te dik, het oog in de naald te klein. Mijn eerste steken waren fout en moesten worden weggeknipt.

Mijn vingerhoed was dun geworden op de plaats waar ik het hardst duwde. Ik was afgeleid, reeg te veel stof aan de naald en moest hard op de vingerhoed drukken. De achterkant van de naald schoot dwars door de leren vingerhoed heen en drong tot diep in mijn duim.

Ik slaakte een kreet van schrik en sprong overeind, waarbij het altaarkleed op de grond viel. Alle nonnen hielden op met werken om naar me te kijken. Ik klemde mijn tanden op elkaar, pakte de naald ondanks mijn misselijkheid beet en trok er hard aan. Hij schoot uit mijn duim, en ik staarde naar de groeiende parel van bloed op mijn vinger.

'Hier,' zei Niccoletta. Ze pakte een pluk ongekamde katoen uit de naaimand en drukte die op mijn duim.

Op dat moment liet een luid gedonder in de verte de openstaande ramen trillen. Maddalena en zuster Pippa renden naar het raam en tuurden naar de opstijgende rookpluim in de verte.

'Aan het werk jullie, allemaal.' De stem van zuster Antonia was kalm. 'Zorg voor je werk en God zal voor jou zorgen.'

Ze had het laatste woord nog niet gesproken of er klonk een tweede dreun.

'Een kanon,' fluisterde Niccoletta.

Zuster Pippa bleef bij het raam staan staren, alsof ze op een of andere manier achter de kloostermuren kon kijken. 'Het leger van de keizer,' kondigde ze met stemverheffing aan. 'Zevenduizend man, maar wij hebben er tien.' Terwijl ze naar me keek, zag ik de haat in haar ogen blikkeren. 'Jullie kunnen nooit winnen.'

'Pippa,' berispte Antonia haar bars. 'Ga zitten en hou je mond.'

Het kanon klonk een derde keer, en tegelijkertijd kwam er een vierde dreun vanaf de andere kant. Florence was omsingeld. Lisabetta sprong overeind en haastte zich naar Pippa.

Pippa's wangen waren felrood van woede. 'Ze zullen je nooit laten gaan.'

'Pippa!' snauwde Antonia.

Pippa deed net of ze haar niet had gehoord. 'Weet je wat de republiek met jou van plan is?' vroeg ze snerend aan mij. 'Ze laten je in een mand over de stadsmuren zakken en laten de mannen van de keizer je aan flarden schieten.'

Nu sprong zuster Niccoletta op. 'Pippa, hou op! Hou op!'

'Of ze stoppen je in een bordeel, waar je de hoer voor onze soldaten kunt spelen. Dan zal Clemens je niet zo snel meer uithuwelijken om er zelf beter van te worden!'

Niccoletta dook naar voren en sloeg Pippa hard in het gezicht.

'Genoeg!' riep zuster Antonia, die tussen de twee vrouwen in ging staan. Ze was langer dan de twee anderen en zag er ontzagwekkender uit. Niccoletta kwam weer naast me zitten en sloeg een arm om mijn schouder.

Pippa staarde uitdagend naar zuster Antonia. 'U krijgt er spijt van dat u haar in de watten legt. Ze is een vijand van het volk, en ze zal slecht aan haar einde komen.'

Het gezicht, de ogen en de stem van zuster Antonia waren van steen. 'Ga naar je cel. Ga naar je cel en bid om vergeving voor je woede tot ik je laat halen.'

In de vijandige stilte die volgde, dreunde er weer een kanon.

Uiteindelijk draaide zuster Pippa zich om en verliet ze het vertrek. Na een vernietigende blik op Antonia ging Lisabetta weer op haar stoel zitten.

'En jij moet in de kapel straks ook om vergiffenis vragen,' zei zuster Antonia tegen Niccoletta, maar haar stem klonk al een stuk vriendelijker.

We namen allemaal plaats en gingen verder met ons werk. Ik was mijn duim vergeten, en in de opwinding was het plukje katoen van mijn duim gegleden. Toen ik het altaarkleed oppakte, besmeurde ik het linnen met bloed.

Het gebulder van de kanonnen duurde voort tot de avondschemering. Die middag kwam Maddalena's moeder in paniek naar het rooster, en zij bevestigde ons vermoeden: het keizerlijke leger was gearriveerd en had de stad omsingeld.

Die avond schreef ik een brief aan Cosimo Ruggieri. Mijn correspondentie met hem had zich tot nu toe beperkt tot astrologie, maar uit wanhoop stortte ik mijn hart bij hem uit.

Ik ben doodsbang en alleen. Ik was zo dom om te denken dat ik door de komst van de keizerlijke troepen veiliger zou zijn. Maar de oorlog heeft de haat van de mensen jegens mij weer opgerakeld. Ik ben bang dat de Vleugel van de Raaf niet voldoende is om me tegen dit nieuwe gevaar te beschermen. Kom alstublieft naar me toe, en stel me gerust.

Mijn waarde donna Catharina,

De oorlog zorgt voor gevaarlijke tijden, maar ik verzeker u dat de Vleugel van Corvus u goed heeft beschermd en dat ook zal blijven doen. Vertrouw op de amulet, en wat nog belangrijker is: vertrouw op uw eigen verstand. U bezit een intelligentie die niet vaak voorkomt bij een man en die buitengewoon is voor een vrouw.

Wacht geduldig af en laat de gebeurtenissen op hun beloop.

Uw dienaar,
Cosimo Ruggieri

Ik voelde me in de steek gelaten, verraden. Ik liet mijn boeken links liggen en deed geen moeite meer om te studeren. In de refter zat ik naast Niccoletta naar mijn pap te staren. Bij de gedachte aan eten werd ik misselijk, alles stond me tegen. Drie dagen lang at ik niets. Op de vierde dag kroop ik in bed en luisterde ik naar de schreeuwende soldaten en het gedreun van de artillerie.

Op de vijfde dag kwam de abdis bij me langs. Ze rook vaag naar de rook die in heel Florence hing.

'Mijn lieve kind, je moet eten,' zei ze. 'Waar heb je zin in? Ik zal zorgen dat het naar je toe wordt gebracht.'

'Dank u, maar ik wil niets eten,' zei ik. 'Ik ga toch dood.'

'Pas als je een oude vrouw bent,' reageerde Giustina scherp. 'Zoiets mag je nooit meer zeggen. Zuster Niccoletta heeft me verteld wat zuster Pippa tegen je zei. Vreselijke woorden, onvergeeflijk. Ze is op haar vingers getikt.'

'Ze sprak de waarheid.'

'Ze herhaalde dwaze geruchten, meer niet.'

Uitgeput wendde ik mijn gezicht af.

'Ach, Catharina toch...' Het bed bewoog even toen ze naast me kwam zitten. Ze pakte mijn vingers en hield die tussen haar eigen koele handen. 'Je hebt te veel meegemaakt, en dit zijn vreselijke tijden. Hoe kan ik je troosten?'

Ik wil tante Clarice spreken, wilde ik zeggen, maar die woorden waren zinloos en hartverscheurend.

Ik keek haar weer aan. 'Ik wil ser Cosimo spreken,' zei ik. 'Cosimo Ruggieri.'

Moeder Giustina zei dat het al heel wat was dat ze één bezoek van de astroloog had getolereerd en me had toegestaan om alles over astrologie te lezen, terwijl dat een ongepast studiegebied voor een vrouw was, laat staan voor een jong meisje. Ze had me de brieven van ser Cosimo alleen maar gegeven omdat hij een vriend van de familie was geweest. Maar er gingen geruchten dat hij met weerzinwekkende personen omging en zich met bepaalde zaken bezighield...

Ik draaide mijn hoofd weer naar de muur.

Giustina slaakte een bezorgde zucht. 'Misschien hadden we vroeger, voor de dood van je tante, beter ons best moeten doen... Maar zelfs toen al hielden de rebellen ons voortdurend in de gaten en lazen ze elke brief die je ontving. We hadden je nooit de stadspoorten uit gekregen. En nu...'

Ik weigerde haar aan te kijken. Uiteindelijk stond ze me toe met hem in contact te treden.

Binnen drie dagen – waarop ik in bed bleef, maar mezelf een paar hoopvolle slokjes bouillon toestond – stond zuster Niccoletta naast mijn bed. Ze kwam van buiten en was linea recta naar me toe gelopen. Een bijtende storm had hagel gebracht, en op de schouders van haar mantel zag ik piepkleine klompjes ijs smelten. In haar hand hield ze een opgevouwen vel ivoorkleurig papier. Nog voordat ze het naar me uitstak, wist ik van wie het afkomstig was.

Mijn waarde donna Catharina,

De goede abdis moeder Giustina heeft me laten weten dat u ziek bent. Ik bid tot God dat u snel opknapt en weer goede moed krijgt.

De enige remedies tegen deze angstige tijden zijn voorzichtigheid en nuchter verstand, maar ik wil u met alle plezier nog een amulet geven, als u daar troost uit put. Een amulet onder invloed van Jupiter zou het lot enigszins gunstig moeten stemmen, maar

Terwijl zuster Niccoletta met grote ogen toekeek, verfrommelde ik de brief tot een bal, en ik gooide hem in het vuur.

Daarna weigerde ik zelfs bouillon en water te drinken. Binnen een dag kreeg ik koorts. Buiten mijn raam ging het gebulder van de kanonnen verloren in de huilende wind. Als ik de lakens op mijn huid voelde, begon ik te klappertanden. Mijn lichaam deed pijn van de kou, maar van de dekens kreeg ik het niet warm. Het licht van het vuur deed pijn aan mijn ogen en liet ze tranen.

Ik begon mezelf te verliezen – ik verloor de muren en het bed en de loeiende wind. Ik reisde naar de stenen muur die de achterkant van het landgoed van mijn familie omsloot, en daar verscheen de staljongen, die wonderlijk genoeg nog leefde en met het gevest van de dolk in zijn nek rondliep. We ruzieden een poosje over de vraag of zijn dood noodzakelijk was geweest. De omgeving veranderde: ik stond op het slagveld waar mijn bebloede Fransman lag. Tijdens mijn lange, vage gesprekken met hem verzamelden zacht krassende kraaien zich voor de haardstede, waarbij ze lange schaduwen over het karmozijnrode landschap wierpen en onzin uitkraamden. Misschien riep ik om Clarice, misschien riep ik om Ruggieri.

Toen ik snikkend, krom van de pijn en onzeker ontdekte dat ik nog in mijn bed in Le Murate lag, was het nog halfduister. Het licht was nog steeds te fel, het vuur te koud, de lakens te pijnlijk op mijn huid.

Barbara keek op me neer, met een van mijn mooiste gewaden in haar armen.

'Je bent beter,' kondigde ze aan. 'Je moet een poosje rechtop zitten en je netjes aankleden.'

De suggestie was zo absurd dat ik in mijn zwakheid niet kon reageren. Ik probeerde te staan, maar dat lukte niet, en ik zat trillend op de stoel terwijl Barbara mijn lichaam in het gewaad hees en dat dichtreeg.

Mijn bed was te ver weg, mijn benen onbetrouwbaar. Ik liet me weer in de stoel zakken, niet in staat om me te verzetten tegen de kop die naar mijn mond werd gebracht. Kop en stoel en Barbara: op het eerste gezicht leken ze alle drie stevig en tastbaar, maar als ik te lang staarde, begonnen ze te flakkeren.

'Blijf hier,' beval Barbara. 'Ik ben zo terug.' Ze verliet het vertrek en deed de deur dicht.

Ik klemde me vast aan de armleuningen om te voorkomen dat ik van de stoel gleed en liet me verblinden door de violetkleurige, groene en helderblauwe vonken van het vuur.

De deur ging open en weer dicht. Er stond een raaf voor de haard – groot, in een mantel met een kap die naar voren was getrokken, zodat ik zijn gezicht niet kon zien. Langzaam trok hij de monnikskap naar beneden.

Ik was alleen in het vertrek met Cosimo Ruggieri.

9

IK KNIPPERDE MET MIJN OGEN, MAAR RUGGIERI'S GEDAANTE VERVAAGde niet. Hij zag er ouder uit, omdat hij een dikke, zwarte baard had laten staan die zijn pokdalige wangen verborg. In de oranje gloed van het haardvuur kreeg zijn huid een duivelse tint.

Mijn hoofd tolde en ik zat trillend op mijn stoel. Hij kon daar natuurlijk helemaal niet staan, want de nonnen zouden hem nooit in het klooster toelaten.

'Het spijt me als ik u aan het schrikken heb gemaakt, donna Catharina,' zei hij. 'De zusters vertelden me dat u ernstig ziek was. Ik zie dat ze de waarheid spraken.'

Mijn hoofd zakte achterover tegen mijn stoelleuning. Sprakeloos staarde ik hem aan.

'Blijf maar zo zitten,' zei hij. 'Beweeg u niet. U hoeft niet te spreken.' Hij liet de mantel van zijn schouders glijden en op de grond vallen. Alles was zwart, zijn kleren, zijn haar, zijn ogen – er was nergens kleur te ontdekken. Op zijn hart rustte een koperen amulet ter grootte van een munt, overduidelijk en openlijk een teken van magie. Hij liep naar het midden van de kamer, vlak voor mijn stoel. Met zijn gezicht naar het vuur haalde hij een dolk uit zijn riem, en hij drukte de platte kant van het lemmet tegen zijn lippen. Daarna tilde hij de dolk met beide handen hoog boven zijn hoofd, waarbij de punt naar de onzichtbare hemel wees.

Hij begon op zangerige toon iets voor te dragen. Het geluid was melodieus, maar de woorden klonken bars en waren volkomen onbegrijpelijk. Tijdens het zingen liet hij het lemmet zakken. Met de platte kant raakte hij zachtjes zijn voorhoofd aan, daarna de amulet op zijn hart, en daarna elke schouder, rechts en links. Vervolgens kuste hij de dolk weer.

Hij zette een stap naar voren, waardoor hij op armlengte van de haard kwam te staan. Met kracht doorsneed hij de lucht, en daarna stak hij het mes recht naar voren en gaf hij een bevel. Dat deed hij vier keer: hij sneed grote sterren en verbond ze met een cirkel aan elkaar. Ik zat ineengedoken in de stoel en keek gefascineerd toe. In mijn koortsachtige toestand verbeeldde ik me dat ik de vage, withete contouren van de sterren en de cirkel kon zien.

Ser Cosimo ging weer in het midden van de kamer staan en spreidde zijn armen, een levend kruisbeeld. Hij riep namen: Michaël, Gabriël, Rafaël.

Hij draaide zich om en knielde naast de armleuning van mijn stoel. 'Nu zijn we veilig,' zei hij op vriendelijke toon.

'Ik ben niet achterlijk,' zei ik tegen hem. 'U kunt me niet geruststellen met leugens.'

'U bent bang voor de toekomst,' pareerde hij. 'Bang dat u niet sterk genoeg bent om te overleven. Laten we daar samen iets uit leren.' Hij hief zijn kin op en keek me recht in de ogen. 'Een vraag. Formuleer uw angsten in een vraag.'

Ik voelde me niet op mijn gemak en vroeg: 'Een vraag aan wie?'

'Een geest,' antwoordde hij. 'Een geest die ik uitkies, want ik weet wie ik kan vertrouwen.'

De huid op mijn arm prikte. 'Een duivel, bedoelt u.'

Hij ontkende mijn woorden niet, maar bleef me rustig aankijken.

'Nee,' zei ik. 'Geen duivels. Stel de vraag aan God.'

'God onthult de toekomst niet. Een engel zou het misschien doen – maar engelen zijn te langzaam voor wat we vanavond in gedachten hebben.' Zijn blik dwaalde af naar de schaduwen die de westelijke muur in duisternis hulden. 'Er zijn echter anderen die ons misschien kunnen helpen...'

'Wie dan?'

Hij staarde weer naar me. 'De doden.'

Tante Clarice, wilde ik zeggen. Maar er welde iets rauws op in mijn hart, een verdriet dat zo diep begraven lag dat ik pas op dat moment merkte dat ik het bij me droeg.

'Mijn moeder,' zei ik. 'Ik wil haar spreken.'

De emotie van het moment gaf me kracht. Ik ging naast ser Cosimo staan en draaide me in de richting van de westelijke muur, tegenover de haard. Ser Cosimo haalde een afgesloten fiool tevoorschijn. Hij maakte hem open, stopte het topje van zijn wijsvinger erin en tekende een ster op mijn voorhoofd.

Ik rook bloed en deed duizelig mijn ogen dicht. Ik was te ver gegaan, ik had me weer laten afglijden naar de greep van het kwaad. 'Hier zit bloed in,' fluisterde ik, en ik deed mijn ogen open om naar zijn reactie te kijken.

Ruggieri's ogen waren groot en vreemd, alsof zijn geest plotseling was uitgedijd en een kracht groter dan hijzelf was geworden.

'Alles heeft zijn prijs,' antwoordde hij, en hij tekende een ster op zijn eigen voorhoofd, een donkerbruine vlek. Daarna ging hij aan mijn schrijftafeltje zitten.

'Papier,' commandeerde hij.

Ik pakte een leeg vel uit de la en legde het voor hem neer. Voordat ik mijn hand kon terugtrekken, pakte hij hem beet en prikte hij met de punt van de dolk in mijn middelvinger.

Ik slaakte een gil.

'Sst,' waarschuwde hij. Ik probeerde mijn hand terug te trekken, maar hij hield me vast en kneep in mijn vinger tot er een dikke bloeddruppel op het papier viel. 'Het spijt me,' mompelde hij, terwijl hij me losliet en ik de gewonde vinger naar mijn lippen bracht. 'Vers bloed is noodzakelijk.'

'Waarom?'

'Omdat ze het zal ruiken,' antwoordde hij. 'Het haalt haar naar ons toe.'

Hij legde de dolk neer, sloot zijn ogen en haalde diep adem. Zijn hoofd wiegde heen en weer.

'Madeleine,' fluisterde hij. Mijn moeders naam. 'Madeleine...' Zijn oogleden trilden. 'Madeleine,' zei hij, en toen kreunde hij luid.

Zijn bovenlichaam en armen verstijfden en begonnen een paar tellen lang te schokken. Daarna zakte hij onderuit in de stoel, en er ontsnapte onwillekeurig een schorre zucht aan zijn lippen.

Het leek wel of zijn rechterhand een eigen wil kreeg. Hij greep naar de ganzenveer en doopte de punt in de inkt. Een paar tellen bleef de pen boven het papier hangen, omdat de hand die hem vasthield krampachtig schokte. Opeens ontspande de hand zich en begon hij met een onmogelijke snelheid te schrijven.

Mijn mond viel open toen de letters op het papier stroomden. Het was een vrouwelijk handschrift, de tekst in het Frans – de moedertaal van mijn moeder.

Ma fille, m'amie, ma chère, je t'adore
Mijn dochter, mijn liefje, mijn schat, ik ben dol op je

Mijn ogen vulden zich met zwijgende tranen, puur en hartstochtelijk verdriet dat ontsprong uit een wond die ik nu pas ontdekte.

Een vrouw, maar de allergrootste van je familie
Je zult je weldoener ontmoeten
Een vraag

De pen bleef boven het papier hangen, en Ruggieri's hand trilde. Even gebeurde er niets, maar toen begon hij weer schokkerig te schrijven.

Een vraag

'Word ik gedood door de rebellen?' vroeg ik. 'Word ik ooit bevrijd?'

De hand aarzelde, schokte en begon te schrijven.

Wees niet bevreesd, m'amie, Silvestro zal zorgen dat je veilig terugkeert

De ganzenveer viel en liet een donkere vlek op het papier achter. Ser Cosimo's hand hing even helemaal slap en balde zich vervolgens tot een vuist.

'En verder?' riep ik. 'Er moet nog meer zijn.'

Ser Cosimo's hoofd hing slap op zijn schouders tot de kracht in zijn nek terugkwam. Zijn ogen gingen open – wezenloos en troebel – en werden langzaam helderder, tot hij me weer zag.

'Ze is weg,' zei hij.

'Roep haar terug!'

Hij schudde zijn hoofd. 'Nee.'

Ik staarde naar de onmogelijke zinnen. 'Maar wat betekent dit?'

'De tijd zal het leren,' antwoordde hij. 'De doden zien alles: gisteren, vandaag en morgen zijn allemaal hetzelfde voor hen.'

Ik pakte het papier van de schrijftafel en hield het tegen mijn hart. Opeens begonnen Ruggieri, de tafel en de vloer om me heen te draaien. Ik wankelde, de vloer leek te hellen en het werd zwart om me heen.

Ik werd wakker in mijn bed. Naast me zat zuster Niccoletta een klein psalter te lezen. Het licht dat door de ramen naar binnen stroomde, schitterde oogverblindend op een van haar brillenglazen. Ze keek even op en glimlachte warm.

'Je bent wakker, lief kind.' Ze legde haar boek weg en hield haar koele handpalm tegen mijn voorhoofd. 'God zij geloofd, de koorts is geweken! Hoe voel je je?'

'Ik heb dorst,' zei ik.

Ze draaide zich om en ging druk in de weer met een kan en een kop die vlakbij op een tafeltje stonden. Ik ging rechtop zitten en voelde haastig aan mijn ribbenkast, de plaats waar ik mijn moeders brief dacht te hebben verstopt, maar ik voelde alleen de zijden amulet met de ravenvleugel. Ik raakte in paniek. Was Ruggieri's bezoek slechts het bedenksel van een koortsachtige droom geweest?

Ik zette mijn handen achter me en steunde op mijn handpalmen. Ze gleden over de lakens en onder mijn kussen, waar mijn vingertoppen langs de scherpe rand van een vel papier streken.

Ik haalde het vlug tevoorschijn. Het was met de tekst naar binnen in tweeën gevouwen, waardoor ik de woorden niet kon lezen, maar ik herkende de grote, donkere inktvlek.

Ma fille, m'amie, ma chère, je t'adore

Toen zuster Niccoletta zich met de kop in haar hand omdraaide, schoof ik de brief onder de dekens.

'Ik heb ook honger,' zei ik tegen haar. 'Kan ik misschien iets te eten krijgen?'

Ik bewaarde mijn moeders brief onder mijn kussen en liet mijn hand daar elke avond onder glijden. Mijn handpalm rustte op het enige aandenken dat ik aan haar had, want verder hadden de rebellen ons alles afgenomen. Op die momenten voelde ik warmte, verdriet en een weemoedige golf van liefde. De brief bracht me meer troost dan een amulet ooit zou kunnen.

Kerstmis kwam en ging voorbij, en het nieuwe jaar onzes Heren 1530 brak aan. In februari kroonde paus Clemens Karel van Spanje tot keizer van het Heilige Roomse Rijk. Clemens had zich aan zijn afspraak gehouden, en nu was het tijd voor Karel om Florence weer in handen van de familie de Medici te geven.

In die beginmaanden zwegen de kanonnen. De keizerlijke commandant besefte dat het slimmer was om zijn aanval niet op Florence zelf te richten, maar op de plaatsen die de stad van wapens en voedsel voorzagen. In de zomer vóór de belegering, maanden voor de oogsttijd, waren alle gewassen buiten de muren van Florence al in brand gestoken, en al het vee was geslacht. Florence werd afhankelijk van mondvoorraden die vanuit Volterra naar de stad werden gesmokkeld. Ook voor goederen, nieuws en troepen was Florence van Volterra afhankelijk.

Toen het warmer werd, vielen de keizerlijke troepen onze vitale bondgenoot aan. Florence stuurde een garnizoen om onze zusterstad te verdedigen, en Volterra overleefde de eerste slag. Omdat onze garnizoens commandant tot de conclusie kwam dat het keizerlijke leger definitief verslagen was, ging hij – tegen zijn orders in – terug naar zijn comfortabele thuishaven. Toen de prins van Oranje dat hoorde, belegerde hij de stad voor de tweede keer.

Ik zat te borduren toen moeder Giustina in de deuropening van de naaikamer verscheen. Haar blik was bezorgd, maar heimelijk ook hoopvol.

'Volterra is gevallen,' zei ze.

De rebellenleiders, die de hulp van de Fransen waren kwijtgeraakt en nu ook zonder voedsel of wapens zaten, konden deze strijd al niet meer winnen.

Ik luisterde naar het bedroefde gemompel van de zusters en dacht diep na.

Mijn haar viel tot over mijn heupen, fijn en dun, de kleur van olijfboomschors. Die dag was het bijeengebonden in een groot net, dat zwaar op mijn nek drukte. Ik maakte het net los, schudde mijn haren uit, pakte de schaar en begon te knippen. Dat duurde heel lang, want de scharen waren bestemd voor borduurwerk en knipten slechts kleine beetjes tegelijk. Elke lange lok haar die ik afknipte, legde ik voorzichtig en netjes aan mijn voeten.

De verbijsterde zusters keken zwijgend toe; alleen moeder Giustina begreep wat ik deed. Ze wachtte in de deuropening tot ik al mijn haar had afgeknipt en zei vervolgens bondig: 'Ik zal een habijt voor je halen.'

Ik accepteerde de sluier, maar legde geen geloften af. Ik was een bedriegster, maar zelfs zuster Pippa klaagde niet.

Ondertussen begonnen de burgers wanhopig te worden. Zonder de graanpakhuizen van Volterra was er geen tarwe, en zonder de jachtbuit uit het woud achter de stadsmuren was er geen vlees. De armen werden het eerst en het zwaarst getroffen, en op straat bezweken mensen aan de honger. De pest tierde welig, wat moeder Giustina ertoe bracht om de mand met aalmoezen weg te halen en het onderste rooster met een houten plank af te dekken.

Begin juli ontving ik mijn laatste brief van ser Cosimo.

> *U zult lange tijd niets van me horen. Vanochtend zag ik mijn buurman met gesloten ogen rechtop tegen zijn voordeur zitten, alsof hij sliep. Ik dacht dat de honger hem had verzwakt. Gelukkig was ik nog ver uit zijn buurt toen ik de builen in zijn nek zag. Ik riep naar de mensen in het huis, maar kreeg geen reactie.*
>
> *Ik ben onmiddellijk naar huis gegaan en heb me gewassen met citroensap en rozenwater, een remedie die ik van harte aanbeveel. Als voorzorgsmaatregel moet u deze brief verbranden en uw handen wassen.*
>
> *Ik vertrouw erop dat we elkaar weer persoonlijk zullen treffen.*

In de avondschemering van 20 juli zat ik in de refter aan de gezamenlijke maaltijd, geflankeerd door Maddalena en zuster Niccoletta. Zoals gewoonlijk zwegen we tijdens het eten van onze minestra, waarin inmiddels geen vlees of deegwaren meer dreven.

Op de oostelijke muur van de refter was een fresco van het Laatste Avondmaal geschilderd. De daaraan grenzende muur werd onderbroken door een groot raam, dat uitkeek op de patio en de buitendeur van het klooster, waarvan de roosters nu met planken waren afgesloten.

Over mijn scapulier, het werkschort dat over het habijt werd gedragen, droeg ik een gouden kruis, maar onder het habijt droeg ik Ruggieri's zwarte amulet. Ik had mijn geboortehoroscoop ijverig bestudeerd tot ik de belangrijkste details uit mijn hoofd kende, en ik had de positie van de planeten en de sterren overdag en 's nachts gevolgd. Mars, de roodgloeiende krijger, stond conjunct met Saturnus, voorbode van dood en verderf, en ging over mijn ascendant – Leeuw, het koningsteken. Zo'n transit staat garant voor gevaar en een gewelddadig einde. En stilzwijgend was de duistere Saturnus mijn Achtste Huis binnengegaan, het Huis van de Dood. Net als de sterren van Florence voorspelden de mijne een rampzalige verandering.

Ik was nauwelijks verbaasd toen ik het gebons op de kloosterpoort hoorde. Even zaten alle vrouwen heel stil te luisteren naar de echo, die op de afgesleten kasseien weerkaatste.

Zuster Antonia keek veelbetekenend naar moeder Giustina. De abdis knikte, en Antonia stond op en verliet de refter, waarbij ze haar ogen neersloeg en mijn blik vermeed. Terwijl ze wegliep, hoorden we mannenstemmen bij de deur schreeuwen.

Ik legde mijn lepel neer. De muren die me tweeënhalf jaar hadden beschermd, vormden nu een val. Ik sprong op en wilde ontsnappen, maar ik wist dat ik nergens naartoe kon.

'Catharina,' waarschuwde moeder Giustina. Toen ik haar aanstaarde, beval ze streng: 'Ga naar de kapel.'

Bij de poort riep zuster Antonia: 'U mag niet binnenkomen. Dit is een nonnenklooster!'

Er ramde iets tegen de deur, iets wat zwaarder en dikker was dan een mannenvuist. Giustina sprong overeind.

'Ga naar de kapel,' herhaalde ze, en daarna rende ze met een wapperende sluier en flapperende mouwen naar Antonia. Halverwege de met kasseien bestrate patio riep ze naar de mannen achter de muur, maar de ram maakte zoveel lawaai dat haar woorden verloren gingen.

Zuster Niccoletta stond op en pakte me bij de arm. 'Kom.' Ze trok me mee naar de deur van de refter, en opeens werden we omringd door anderen – Maddalena, zuster Rafaela, Barbara, zuster Antonia en zuster

Lucinda – die met ons meegingen.

Lisabetta en Pippa bleven aan tafel zitten. 'Ze komen je halen,' zei Pippa vol leedvermaak. 'Ze zijn gekomen en God zal zorgen dat het recht zal zegevieren.'

Ik verdween uit het zicht tussen al die habijten. We haastten ons naar de gang, langs de overwelfde doorgang die op de patio uitkwam, langs de cellen van de nonnen.

Achter ons hield het kabaal plotseling op, om plaats te maken voor luide stemmen die over de muur een gesprek probeerden te voeren: de stem van moeder Giustina en die van een man. De geluiden stierven weg toen we langs het scriptorium dieper het klooster in liepen en aan de andere kant weer naar buiten kwamen. Buiten hulde de invallende duisternis de wolken aan de grijzer wordende, lilakleurige hemel in de roze en koraalrode tinten van de zonsondergang.

We staken de wandelgang over en gingen de kapel binnen, waar de kaarsen al waren aangestoken voor de vespers en waar de lucht heiig was van de wierook. De zusters brachten me naar de balustrade voor het altaar en gingen beschermend in een halve cirkel om me heen staan. Ik knielde trillend bij de balustrade; Saturnus drukte zo zwaar op mijn schouders dat ik moeite had om adem te halen. Ik pakte de rozenkrans aan mijn ceintuur en begon uit mijn hoofd te bidden, maar ik struikelde over de woorden. Mijn gedachten waren niet bij de kralen in mijn hand, maar bij de zwarte steen op mijn hart. Mijn gebeden waren eigenlijk niet aan Maria gericht, maar aan Venus, niet aan Jezus, maar aan Jupiter.

Het geschreeuw van Giustina filterde door de openstaande deuren naar binnen. 'Dat is heiligschennis! Ze is nog maar een kind, ze heeft niemand kwaad gedaan!'

Hakken hamerden op steen. Ik keek om en zag hen binnenkomen: mannen die hun hoofd niet bogen en geen kruisteken sloegen, alsof deze muren niet geheiligd waren.

'Waar is ze?' wilde een van hen weten. 'Waar is Catharina de Medici?'

Ik sloeg een kruisteken en stond op. Ik draaide me om en keek over de schouders van mijn zusters naar vier soldaten, die gewapend waren met lange zwaarden – alsof wij een gevaar vormden, alsof we zouden vechten.

De ogen van de jongste man, een zenuwachtige, lange slungel, waren net zo helder en groot als die van mij. Hij had zijn kin in de lucht gestoken en zijn hand lag op zijn gevest. 'Aan de kant,' zei hij tegen mijn zusters. 'Aan de kant. Op bevel van de republiek moeten we haar meenemen.'

Zwijgend bleven Niccoletta en de anderen op hun plaats staan. De soldaten trokken hun zwaarden en zetten een stap naar voren. Er ging een zucht door het groepje, en de vrouwen verspreidden zich.

Allemaal, behalve Niccoletta. Ze ging met gespreide armen voor me staan en zei op bitse toon: 'Waag het niet dit kind aan te raken.'

'Ga aan de kant,' waarschuwde de jonge soldaat.

Ik pakte Niccoletta bij de arm. 'Doe wat hij zegt.'

Niccoletta was onverzettelijk, en de soldaat was zo nerveus dat hij met zijn zwaard zwaaide. Toen de vlakke kant Niccoletta's schouder raakte, viel ze op haar knieën.

De zusters en ik gilden precies op hetzelfde moment als Niccoletta. Ik knielde bij haar neer. Ze kon geen woord uitbrengen, ze hijgde van de pijn, maar ik zag geen bloed en haar bril stond nog steeds op haar neus.

De andere, meer ervaren soldaten elleboogden de jongeman aan de kant voordat hij de zaak nog erger kon maken.

'Toe,' zei een van hen. 'Dwing ons niet tot geweld in Gods huis.'

Terwijl hij het zei, kwamen er nog twee soldaten binnen, gevolgd door een gezaghebbende, donkerharige man met zilvergrijze haren in zijn keurige baard. Hij was gekomen om me naar mijn dood te leiden.

Moeder Giustina liep berustend en met rode ogen naast hem.

Met een hand gebaarde ik naar mijn witte sluier. Toen ik mijn stem verhief, echode het geluid hard en duidelijk door de kapel. 'Welke geëxcommuniceerde duivel dringt een heiligdom binnen om een bruid van Christus met geweld uit haar klooster te halen? Wie waagt het om haar naar haar ondergang te slepen?'

De commandant kreeg geamuseerde lachlijntjes rond zijn ogen.

'Ik niet,' zei hij zo opgewekt dat de angstige sfeer doorbroken werd. De vrouwen, die hun handen hadden opgeheven om te protesteren, lieten langzaam hun armen zakken. De soldaten stopten hun wapens weg. 'Ik wil u gewoon naar een veiligere plek brengen, donna Catharina.'

'Het is hier veilig!' wierp moeder Giustina tegen.

De commandant wendde zich tot haar en zei beleefd: 'Veilig voor háár plannen, moeder, maar niet voor die van de republiek. Dit is een broedplaats van De Medici-aanhangers.' Hij richtte zijn blik weer op mij. 'U ziet dat we voldoende mankracht hebben om u mee te nemen, duchessa. Ik zou het werkelijk prettiger vinden als ik die niet hoef in te zetten.'

Ik keek hem een aantal tellen aandachtig aan voordat ik mijn hand uitstak om zuster Niccoletta's gezicht te strelen. Ze leunde met haar voorhoofd tegen het mijne en begon te huilen.

'Niet huilen,' zei ik zachtjes, en ik gaf haar een kus op haar wang. Haar rimpelige huid was zacht als poeder en smaakte naar bittere brem.

10

De commandant vroeg me het habijt af te leggen en een gewoon gewaad aan te trekken, maar dat weigerde ik. Hij vroeg het geen tweede keer. Er was haast geboden, en toen ik voor het eerst in tweeënhalf jaar buiten de muren van Le Murate kwam, begreep ik waarom.

Acht soldaten te paard stonden met hun rug naar ons toe in een halve cirkel rond de kloosterpoort. Vier van hen hadden toortsen, vier van hen zwaaiden met zwaarden naar een menigte van minstens vijfentwintig man, die gestaag groeide.

Terwijl de soldaten en ik door de poort kwamen, schreeuwde een man uit de menigte: 'Daar is ze!'

Ik kon de mensen achter de ruiters niet goed zien. Ik zag hier en daar een been, een arm of een glimp van een gezicht. Kleuren vervaagden in de avondschemering en lieten alleen maar zwart en grijs achter.

In het midden van het groepje soldaten hielden twee mannen de teugels van een paar gezadelde paarden en een ezel vast. Een van hen gaf zijn teugels aan de ander toen hij ons zag en haastte zich naar ons toe.

'Commandant,' zei hij verontschuldigend, 'ik weet niet hoe het nieuws is verbreid...'

Nee, ze is het echt, ik weet het zeker! Het nonnetje...

Het nichtje van de paus...

Al die tijd in een rijk klooster verwend terwijl wij van de honger omkomen!

Het gezicht van de commandant werd een onbeweeglijk masker, afgezien van een spier in zijn kaak die zich spande. Hij keek naar zijn mannen en zei zachtjes: 'Ik had jullie gekozen omdat ik dacht dat jullie je mond konden houden. Als ik erachter kom wie hiervoor verantwoordelijk is, laat ik hem ophangen. Het interesseert me niet hoe en waarom hij het heeft gedaan.'

Dood aan de familie de Medici! schreeuwde een vrouw.

Er werd een steen gegooid, die net binnen de ring van soldaten terechtkwam en kletterend tot vlak voor mijn voeten stuiterde.

Rotzakken! Verraders!

Geef haar aan ons!

De commandant keek naar de steen en daarna naar zijn adjudant. 'Zet haar in het zadel,' zei hij. 'Laten we vertrekken voordat het erger wordt.'

De soldaten renden naar hun paarden. De tweede, een grote, norse man, pakte me bij mijn elleboog alsof ik een weerspannige burger was en zette me met een zwaai op de ezel. Het dier keek verwijtend naar me om en liet zijn grote, gele tanden zien, die op het bit kauwden.

De commandant, die inmiddels op een lichtgrijze hengst zat, reed naar me toe en riep zijn mannen. We kwamen in beweging: de commandant en ik zij aan zij, allebei geflankeerd door een soldaat te paard. Vóór ons reden drie mannen naast elkaar, en achter ons ook.

Voordat alle mannen de juiste positie hadden ingenomen, doken drie oproerkraaiers tussen de lijven van de paarden door. Een van hen graaide naar me, en zijn vingertoppen streken over mijn been. Ik gilde. De commandant brulde en boog zich met zo'n felle blik naar hem toe dat de vuile jongen achteruitdeinsde en door een paard werd vertrapt.

Abbasso le palle! schreeuwde iemand. *Dood aan de familie de Medici!*

De soldaten sloten de gelederen en we reden op een stevige draf door de brede Via Ghibellina. De menigte rende een poosje achter ons aan, waarbij er verwensingen en een paar voorwerpen naar ons hoofd werden geslingerd. Ze konden ons al snel niet meer bijhouden, en we reden door naar een rustigere weg. We passeerden kloostermuren, kathedralen en huizen van rijke mensen, waarin geen licht brandde omdat de eigenaars voor het beleg waren gevlucht.

Ik klemde me vast aan de zadelknop en stuiterde stijf van angst op het ezelzadel. Voor vandaag was het te laat voor een openbare executie. Die zou moeten wachten tot morgen – tenzij me een vlugge dood zonder publiek wachtte.

De straten werden smaller. De dure huizen en tuinen maakten plaats voor winkels en huizen van ambachtslieden.

Op het moment dat we een bredere laan in reden, minderde onze stoet vaart. Vlak voor ons werd de weg versperd door zwarte gedaantes, die ons in de duisternis hadden opgewacht.

'Ik vervloek jullie!' riep de commandant tegen zijn mannen. 'God is mijn getuige: als een van jullie de verrader is, stuur ik hem persoonlijk naar de hel...'

Dood aan de familie de Medici, zei iemand in het donker aarzelend.

Dat leidde tot een hartstochtelijke, luide kreet: *Abbasso le palle! Weg met de ballen!*

Een regen van stenen volgde.

Naast me haalde de commandant de teugels van zijn stampende paard aan, en hij brulde: 'Deze gevangene wordt op bevel van de republiek naar een andere plaats gebracht! Iedereen die ons daarbij belemmert, is een verrader!'

'Jullie zijn de verraders,' riep een vrouw.

Ze stapte de lichtkring van de toortsen binnen, een uitgehongerde spookverschijning in vuile lompen. Onder haar uitstekende sleutelbeenderen was haar gescheurde lijfje naar beneden gerold om een borst te ontbloten, waaraan een zwakjes huilende zuigeling weigerde te drinken. Ze keek woedend naar mij, met ogen die wel wilde, zwarte gaten leken.

'Medici-teef!' tierde ze. 'Je doodt mij, je doodt mijn kind! Jullie soldaten hongeren ons uit terwijl jij dik wordt. Jíj moet sterven! Jíj!'

Jíj, echode de menigte. *Dood aan de familie de Medici!*

Twee jongens kwamen op een holletje uit de duisternis om de soldaat aan mijn linkerkant aan te vallen. De ene trok zijn hak uit de stijgbeugel en probeerde hem van zijn paard te sleuren, terwijl de andere hem met een knuppel sloeg. De soldaat viel zijwaarts en worstelde met de eerste jongen.

'Pak zijn zwaard!' riep iemand, en de menigte rukte op.

De commandant brulde een paar bevelen en trok zijn teugels aan tot zijn been tegen het mijne drukte. De gevallen soldaat was erin geslaagd om zijn zwaard te trekken en hield de jongens op afstand.

Een grijsharige bedelaar rende de lichtcirkel in, greep de rok van mijn habijt en begon er hard aan te sjorren. De ezel balkte, ik gilde. Mijn zadel verschoof en de wereld viel in een angstaanjagende werveling van dierenhuid, zwaarden en smerige ledematen op zijn kant.

Mijn benen raakten verstrikt in de stijgbeugels, en mijn schouder raakte bot en vlees. Halverwege mijn val zag ik de gapende grijns van de bedelaar, bezaaid met gebarsten en rottende tanden, maden in een etterend gat. Ik voelde zijn handen op me en gilde weer.

Opeens verdween hij. Ik schopte de stijgbeugels van me af en werd door sterke handen overeind geholpen. De commandant hield me met zijn rechterarm dicht tegen zich aan, zijn linkerhand zwaaide met zijn zwaard. Vóór ons lag de bedelaar bloedend op de kasseien. De soldaten vormden een cirkel om ons heen en hielden de inmiddels stil geworden meute op afstand.

De commandant wees met de punt van zijn zwaard op het hoofd van de bedelaar en donderde: 'De eerstvolgende die haar aanraakt, rijg ik aan mijn zwaard.' Zijn stem werd zachter. 'Ze is nog maar een kind. Een kind dat aan de genade van dezelfde politiek is overgeleverd als jullie arme drommels.'

Hij besteeg zijn hengst en gebaarde naar zijn adjudant, die me optilde zodat de commandant me op zijn zadel kon trekken. We kwamen weer in beweging. Met zijn armen aan weerszijden van mijn lichaam hield de commandant de teugels vast, en door de vaart van de stoet werd ik tegen zijn warme, harde borstkas gedrukt.

Af en toe rook ik een zweem van rauw vlees dat te lang in de zon had gelegen. De commandant haalde een linnen doek tevoorschijn en gaf hem aan mij.

'Hou die voor uw neus en mond,' zei hij. 'Er heerst pest in deze wijk.'

Ik hield de doek voor mijn neus en ademde de ontsmettende geur van rozemarijn in.

'U trilt nog steeds,' zei hij. 'Dat is niet nodig. Ik zal zorgen dat het gepeupel u geen kwaad kan doen.'

Ik liet de zakdoek zakken. 'Daar ben ik niet bang voor.'

Hij was even stil en zei toen zachtjes: 'We weten niet wat we met u aan moeten. Als het aan mij lag, zou ik u nu vrijlaten. Het is slechts een kwestie van tijd.'

Gretig en verlangend draaide ik me half naar hem om. 'Denkt u echt dat ik op vrije voeten kom?'

Hetzelfde spiertje in zijn kaak trilde. 'Dit is wreed tegenover een kind,' zei hij. 'Hoe lang houden we u nu al gevangen? Drie jaar? Met een beetje geluk leeft u veel langer dan ik, duchessa. Langer dan ik en al die arme kerels hier.' Hij gebaarde met zijn kin naar zijn mannen. 'Wij hebben inmiddels minder vrienden dan u.'

Ik voelde de hoop opbloeien. 'Lieg niet tegen me,' zei ik.

Zijn mond vertrok tot een cynische grijns. 'Ik durf met u te wedden dat onze rollen binnen twee maanden zijn omgedraaid.'

'Wat is de inzet van de weddenschap?' vroeg ik.

'Mijn leven.'

Op dat moment begreep ik zijn antwoord nog niet goed, maar ik zei: 'Afgesproken.'

'Goed, afgesproken,' zei hij.

Ik nestelde me weer tegen hem aan. Of hij nu had gelogen of niet, hij had me gerustgesteld.

Terwijl ik naar de winkelpuien en muren keek, die door de gele gloed van de toortsen werden verlicht, vroeg ik luchtig: 'Stel dat u de weddenschap verliest, om wiens hoofd moet ik dan vragen?'

Zodra hij zijn mond opendeed, wist ik wat hij zou zeggen.

'Silvestro,' zei hij. 'Silvestro Aldobrandini, een nederige soldaat van de republiek.'

Ik dacht aan mijn moeders brief, die onder mijn kussen in Le Murate lag en die ik voor altijd kwijt was.

Onderweg ondervonden we verder geen moeilijkheden meer, en we reisden vlug naar de noordelijke wijk San Giovanni. Eenmaal daar sloegen we de smalle Via San Gallo in en kwamen we bij een kloostermuur, waarachter zuster Violetta klaarstond om me te ontvangen.

Het was het klooster van Santa-Caterina, waar ik de eerste maanden van mijn gevangenschap had doorgebracht. Ser Silvestro had me veilig teruggebracht.

11

TERWIJL ZUSTER VIOLETTA DE HOUTEN POORT VOOR DE NEUS VAN SER Silvestro dichtdeed, legde ze haar vingen op haar lippen, net als de eerste keer. Haar lantaarn onthulde de tol die de afgelopen drie jaren hadden geëist: ze was nu nog uitgemergelder dan toen. Ze draaide zich om en nam me mee naar boven, naar mijn oude cel. Een jonge vrouw met goudblond haar zat op een stromatras, en toen de gloed van de lantaarn op haar scheen, tilde ze haar dunne arm op en kneep ze haar ogen samen tegen het licht. Net als Violetta had ze een mager, hongerig gezicht, maar zij begon te veranderen in een heel mooie vrouw.

'Tommasa?' vroeg ik.

Haar adem stokte toen ze me herkende, en ze sloeg haar armen om me heen. Zuster Violetta gebaarde weer dat we stil moesten zijn, draaide zich om en verdween door de gang.

Zodra de voetstappen van Violetta wegstierven, verbrak Tommasa de stilte. 'Catharina!' zei ze zachtjes. 'Waarom hebben ze je teruggebracht? Waar ben je geweest?'

Ik keek naar de smerige stromatras. Terwijl ik de stank van het riool rook, ging ik langzaam op de rand van het bed zitten. In Le Murate zat zuster Niccoletta nu waarschijnlijk te huilen, en ik wilde ook in tranen uitbarsten. Ik schudde mijn hoofd, te treurig om te praten.

Tommasa was te eenzaam om te zwijgen. De meeste zusters en alle kostgangers waren bezweken aan de pest, vertelde ze, en door het beleg waren de voorraadkamers van het klooster bijna leeg.

Die hele nacht lag ik klaarwakker op het harde, bobbelige stro naar Tommasa's zachte gesnurk te luisteren. Al die tijd dacht ik aan zuster Niccoletta, moeder Giustina en het leven dat ik in Le Murate had achtergelaten.

De volgende ochtend hoorde ik de nieuwe restricties van mijn gevangenschap: ik mocht geen karweitjes doen, niet in de refter eten, niet naar de kapel. Ik moest dag en nacht in mijn cel blijven.

Twee ellendige weken gingen voorbij. Er waren geen boeken in Santa-Caterina, en mijn vraag of ik de tijd met verstelwerk mocht doden, werd genegeerd. Ik viel af van de dunne haverpap. Mijn enige afleiding was Tommasa, die 's avonds terug naar de cel kwam.

Op een warme augustusochtend begonnen de kanonnen weer te bulderen, zo hard dat de vloer onder mijn voeten trilde. Zuster Violetta verscheen met holle ogen van angst voor mijn cel om te overleggen met de non die me bewaakte. Na een paar bezorgde blikken in mijn richting kwam Violetta naar voren om de deur van mijn cel dicht te doen. Als er een slot of een grendel op had gezeten, zou ze de deur op slot hebben gedaan. Vanaf dat moment bleef de deur dicht. Tommasa kwam niet terug, en ik lag 's nachts in mijn celtje op het kriebelende, zurig ruikende stro, heen en weer geslingerd tussen doodsangst en hoop.

De volgende ochtend werd ik weer wakker van dreunende kanonnen: de genadeloze aanval op de stadsmuren was begonnen. De zuster die mij bewaakte, bracht me geen eten. Toen het avond werd, hielden de gevechten en het gebulder op.

Op de tweede dag hoorde ik alleen maar kanonnen, dichterbij dan ooit, en op de derde dag was het stil toen ik wakker werd. Ik stond op en klopte op de deur. Er kwam geen reactie, en toen ik de deurklink pakte, begon er een klok te luiden.

Het was geen kerkklok die de tijd aangaf of de gelovigen tot gebed aanspoorde. Het was het lage, droevige gelui van de Koe – de klok in de toren van het Palazzo della Signoria, het Paleis der Heren, de klok die alle burgers naar het centrale plein van de stad riep.

Toen ik dolblij de deur opengooide, zag ik nog net een glimp van mijn bewaakster, die zich door de gang weghaastte. Ik liep achter haar aan. We kwamen andere zusters tegen, die allemaal naar de patio bij de kloostermuur renden. Daar beklommen ze een steile trap die aan de zijkant van het klooster was gebouwd. Ik elleboogde me een weg naar boven, naar het hellende dak, dat een duizelingwekkende vrijheid bood en waar ik de hemel en de stad kon zien. Ik spreidde mijn blote armen in de wind. Om me heen strekte Florence zich uit, omringd door glooiende heuvels die ooit groen waren geweest, maar nu waren veranderd in zwarte aarde, omgeploegd door de laarzen van de vijand en de wielen van de artillerie.

Door de hele stad verzamelden mensen zich op de daken. Sommigen wezen naar het zuiden, naar de stadsmuren aan de andere kant van de rivier en naar de oudste stadspoort, de Porta Romana. Daar, nog net binnen de stadsmuren, bewogen enorme witte, wapperende vlaggen zich in de richting van de poort. Zo dadelijk zouden ze naar buiten gaan, naar de wachtende vijand.

Onder ons zwermden mensen de straten op, en naast me lieten de nonnen hun tranen de vrije loop. Hun harten waren gebroken, maar het mijne zeilde op de wind met de vlaggen mee.

Zuster Violetta liet zich diepbedroefd op haar knieën zakken en staarde naar de opbollende witte boodschappers van de nederlaag.

'Zuster Violetta,' zei ik.

Met een wezenloze blik staarde ze me aan. Haar lippen bewogen even voordat ze in staat was om te zeggen: 'Denk met dankbaarheid aan ons terug, Catharina.'

'Dat zal ik doen,' zei ik, 'op voorwaarde dat u me de weg naar Santissima Annunziata delle Murate vertelt.'

Ze fronste haar wenkbrauwen en zag nu pas mijn slordige vlecht, het smoezelige, mouwloze nachthemd waarvan de zoom door de wind werd opgetild, en de contouren van het zwarte zijden buideltje, dat onder het versleten linnen tussen mijn borsten zichtbaar was.

'U kunt de straat niet op,' zei ze. 'U bent niet eens aangekleed. Er lopen soldaten rond. Het is niet veilig.'

Ik lachte, een geluid dat ik zelf niet meer herkende. Ik was onverschrokken, onstuitbaar. Mars had me zojuist uit zijn greep losgelaten en nu was Jupiter, de geluksbrenger, ascendant. 'Ik ga, of u me nu helpt of niet.'

Ze vertelde hoe ik moest lopen. Naar het zuiden en naar het oosten, over de Via Guelfa, langs de Duomo, naar de Via Ghibellina.

Ik haastte me de trap af, rende de patio over, schoof de grendel van de dikke kloosterdeur en liep de Via San Gallo op.

Ondanks het vroege tijdstip was het al erg heet, en de kasseien voelden warm aan onder mijn blote voeten. Overal op straat klonk lawaai: het lage gelui van de Koe, kletterende paardenhoeven, het geroezemoes van opgewonden stemmen. Ik had verwacht dat het volk zich binnen zou verschansen, zich bang zou verstoppen voor het leger dat Rome had geplunderd. In plaats daarvan stroomden de mensen hun huizen uit. Bij het zien van hun armoede voelde ik mijn lichtzinnige onverschrokkenheid wankelen. Ik kwam in botsing met goedgeklede kooplieden en uitgehongerde armen, wier kinderen opgezwollen buikjes van de honger hadden. Sommigen liepen net als ik naar de beierende Koe op het Piazza della Signoria, maar de meesten liepen naar het zuiden, naar de zuidelijke poort en het keizerlijke leger. Naar voedsel.

Soldaten van de republiek gingen tegen de stroom in. Sommigen verplaatsten zich te voet, anderen te paard, maar niemand keek naar mij. Hun hoofden waren gebogen, hun ogen neergeslagen terwijl ze vermoeid naar huis gingen om hun veroveraars en een wisse dood af te wachten.

Het zweet droop van mijn slapen en ik haalde mijn zachte voetzolen open toen ik onopgemerkt verder rende. De menigte ging steeds harder lopen, omdat er geschreeuw weerklonk.

De poorten zijn open! Ze komen binnen!

Toen ik me omdraaide, zag ik ser Silvestro met hangende schouders en gebogen hoofd langzaam in tegengestelde richting rijden. Hij hief zijn onbedekte kruin op bij het horen van het geschreeuw, maar berustte in het onvermijdelijke en liet zijn hoofd weer hangen.

Sommige mensen zouden het toeval of geluk noemen. Maar het was Jupiter, die ons zijn welwillendheid toonde en zorgde dat onze paden elkaar kruisten.

Ik holde naar hem toe. Zijn vermoeide paard keek niet eens opzij.

'Ser Silvestro!' riep ik onbezonnen. 'Ser Silvestro!'

Omdat hij me niet hoorde, legde ik mijn hand op zijn laars in de stijgbeugel. Hij schrok en keek nijdig naar beneden, klaar om te schreeuwen tegen de schelm die hem lastigviel, maar het volgende moment hield hij in en bekeek hij me beter.

'Duchessina!' riep hij verwonderd uit. 'Hoe is dit mogelijk?'

Zonder enige aarzeling stak hij zijn armen naar me uit. Ik pakte zijn handen en hij tilde me voor zich op zijn zadel.

Ik draaide me naar hem toe om hem aan te kijken. 'Herinnert u zich onze weddenschap nog?'

Hij schudde vriendelijk zijn hoofd.

'Dat is niet verstandig,' zei ik vermanend. 'De inzet was uw leven.' Hij leek me nog steeds niet te begrijpen. 'U zei dat onze rollen binnen twee maanden zouden zijn omgedraaid,' zei ik. 'Twee maanden, maar er zijn slechts drie weken verstreken sinds we elkaar hebben ontmoet.'

Over zijn gezicht gleed een flauwe, vreugdeloze glimlach. 'Nu weet ik het weer,' zei hij somber. 'Als er slechts drie weken zijn verstreken in plaats van acht, heb ik dus verloren.'

'Integendeel, u hebt gewonnen,' zei ik. 'U hoeft me alleen maar naar het klooster Le Murate te brengen om uw prijs in ontvangst te nemen.'

DEEL VIER

Rome
September 1530 – oktober 1533

12

Ik hield me aan mijn afspraak met ser Silvestro. Zijn kameraden vonden de dood op het hakblok of aan de galg, en hem zou hetzelfde lot hebben gewacht als ik de paus geen brief had gestuurd. Zijn vonnis werd omgezet in verbanning.

Toen de deur van Le Murate voor me openging, stortte ik me in de wachtende armen van zuster Niccoletta. We klemden ons aan elkaar vast, en ik moest lachen om de plasjes van tranen die zich op haar bril vormden. Binnen twee dagen arriveerden Romeinse gezanten met geschenken: kaas, taarten, lammeren, varkens, duiven en de beste wijn die ik ooit heb geproefd. Terwijl de rest van de stad om de nederlaag rouwde, vierden de bewoonsters van Le Murate mijn terugkeer met een feestmaal.

Gelukkig waren onze indringers anders dan de woeste, nijdige troepen die de inwoners van Rome op grote schaal hadden afgeslacht. De bezetting van Florence verliep ordelijk. De keizerlijke commandant die me groeten van de paus en keizer Karel overbracht, kuste mijn hand en noemde me duchessa.

Op de vierde ochtend na de overgave van de republikeinen bracht een koets me naar de villa van de familie Strozzi, waar ik in de ontvangsthal door twee mannen werd opgewacht. Een van hen was Filippo Strozzi, die grijs haar en ingevallen wangen had gekregen. Toen ik binnenkwam, omhelsde hij me geestdriftiger dan ooit. Hij had reden om blij te zijn:

Florence en Rome moesten allebei herbouwd worden, en Filippo, aangetrouwd familielid van de paus en een bankier die heel wat geld uit te lenen had, zou hoogstwaarschijnlijk schatrijk worden.

De andere man was jong, klein en forsgebouwd, en hij grijnsde van oor tot oor. Ik herkende hem niet, tot hij geëmotioneerd uitriep: 'Cat! Cat, ik had gedacht dat ik je nooit meer zou zien!'

Ik kon geen woord uitbrengen. Ik omhelsde Piero innig en wilde hem niet meer loslaten. Toen we uiteindelijk gingen zitten, zette hij zijn stoel naast de mijne en hield hij mijn hand vast.

Mijn vreugde over de keizerlijke overwinning werd enigszins overschaduwd door het besef dat ik Le Murate zou moeten verlaten, maar ik troostte me met de gedachte dat ik binnenkort met oom Filippo en Piero naar huis zou gaan, naar het Palazzo Medici.

'Duchessina,' zei Filippo, 'Zijne Heiligheid heeft je geschenken gestuurd.'

Hij haalde de cadeaus: een zijden damasten gewaad in een helderblauwe tint, en een parelcollier met een diamant ter grootte van een erwt eraan.

'Deze zal ik dragen als we weer samen dineren in het Palazzo Medici,' zei ik opgetogen.

'Paus Clemens wil dat je ze draagt als je in Rome naar hem toe gaat.' Filippo schraapte zijn keel. 'Het is de wens van Zijne Heiligheid dat de erfgenamen in Rome blijven tot ze klaar zijn om de heerschappij over te nemen.'

Natuurlijk moest ik huilen. Na ons afscheid moesten ze me letterlijk van Piero losmaken.

In Le Murate huilde ik bittere tranen. Ik schreef vurige brieven naar Clemens, waarin ik smeekte om in Florence te mogen blijven. Ze hadden geen zin. Aan het einde van de maand moest ik afscheid nemen van zuster Niccoletta, moeder Giustina en mijn geliefde Piero.

Ik was weer een wees.

Rome is gebouwd op zeven heuvels. Na uren van golvend groen landschap zag ik de eerste, de Quirinaal, uit het raam van de koets waarin oom Filippo, Ginevra en ik reisden. Filippo wees op een uitgestrekte muur, die steeds dichterbij kwam. De onopvallende stenen waren afgesleten en hier en daar zo ver afgebrokkeld dat er planten tussen groeiden.

'De Aureliaanse Muur,' zei hij eerbiedig. 'Bijna dertienhonderd jaar oud.'

Even later passeerden we de muur en reden we onder een moderne boog door: de Porta del Popolo, de Poort van het Volk. Daarachter reikte een enorme stad tot aan de horizon, met overal campaniles en kathedraalkoepels die boven de platte daken van de villa's uitstaken. Wit marmer glinsterde onder een warme septemberzon. Rome was veel groter dan Florence, veel groter dan in mijn stoutste dromen. We reden door volkswijken, langs winkels, eenvoudige huizen en markten in de open lucht. De armen verplaatsten zich te voet, de kooplieden op paarden, de rijken in koetsen, waarvan de meeste van kardinalen waren. Ook al waren er veel mensen op straat, het was nergens overvol. Een derde van alle gebouwen stond drie jaar na de verwoesting door de keizerlijke troepen nog altijd leeg. Rome likte nog steeds haar wonden.

Toen we in de rijkere wijken kwamen, zag ik meer tekenen van de plundering. De opzichtige villa's van de kardinalen en de meest vooraanstaande families van Rome waren beschadigd: stenen pinakels en kroonlijsten waren kapotgeslagen, houten deuropeningen waren zichtbaar toegetakeld. Beelden van goden misten ledematen, neuzen en borsten. Boven de ingang van een kathedraal hield een onthoofde Moeder Gods het kindje Jezus in haar armen.

Op alle straten weerklonken hamerslagen, en de helft van alle façades stond in de houten steigers. Ateliers van kunstenaars stonden vol klanten die over opdrachten redetwistten, leerjongens die edelstenen slepen en beeldhouwers die grote stukken marmer wegbeitelden.

Eindelijk minderde de koets vaart, en oom Filippo zei: 'Dit is het Piazza Navona, gebouwd op de restanten van het circus van keizer Domitianus.'

Het was het grootste plein dat ik ooit had gezien, zo breed dat er wel tien koetsen naast elkaar konden rijden. Het werd omringd door pasgebouwde, opzichtige villa's.

Filippo wees naar een gebouw aan de andere kant van het plein en kondigde trots aan: 'Het Romeinse Palazzo Medici, gebouwd op de thermen van Nero.'

Het nieuwe paleis, van lichtgekleurd stucwerk omrand door marmer, was in de populaire, klassieke stijl gebouwd: vierkant, met een plat dak, drie verdiepingen hoog. De koets reed de lange, bochtige oprit op en stond stil. De koetsier sprong van de bok om op de deur te kloppen. Ik had verwacht dat er een dienaar zou opendoen, maar in plaats daarvan verscheen er een edelvrouw.

Het was mijn oudtante Lucrezia de Medici, dochter van Lorenzo il Magnifico en zuster van de inmiddels overleden paus Leo x. Haar echtgenoot, Iacopo Salviati, was onlangs tot ambassadeur van Florence in Rome benoemd. Ze was elegant en slank en liep een beetje gebogen. Ze droeg een zwart-met-zilver gestreept zijden gewaad, dat perfect bij haar fluwelen hoofdtooi en haren paste.

Zodra ze zag dat oom Filippo me uit de koets hielp, riep ze glimlachend: 'Ik wacht al de hele ochtend! Wat heerlijk om je eindelijk te zien, duchessa!'

Tante Lucrezia bracht Ginevra en mij naar mijn nieuwe vertrekken. Ik was mijn kamer in Le Murate al luxueus gaan vinden, maar nu betrad ik een zonnige antichambre met zes gestoffeerde fluwelen stoelen, een Perzisch kleed, een eettafel en een grote kersenhouten schrijftafel. Aan de marmeren muren hingen schilderijen: een annunciatie, een portret van Lorenzo als jongeman en een van mijn moeder, een interessante jonge vrouw met donkere ogen en donker haar. Lucrezia had het portret voor mij uit de opslag laten halen.

Ze legde uit dat mijn oudoom Iacopo op dat moment bij Zijne Heiligheid was om een afspraak voor mijn audiëntie te maken. Ze liet me achter in het gezelschap van een naaister, die mijn maten nam om een paar mooie gewaden voor me te maken.

Voor het avondeten arriveerde Lucrezia's eigen hofdame. Met hulp van Ginevra reeg ze me in een narcisgeel brokaten damesgewaad. Een inzet van pure zijde, fijn als een spinnenweb, bedekte mijn huid vanaf het lage lijfje tot aan mijn hals. Mijn haar werd door een bruine fluwelen band met zaadparels naar achteren gehouden.

Ik voelde me een beetje schaapachtig in mijn voorname kledij en liep achter haar aan naar beneden, naar de privé-eetkamer van de familie. Bij de deur werd ik begroet door tante Lucrezia en oom Iacopo, een gezaghebbende, kalende oude man. Ze namen me mee naar binnen, naar mijn plaats aan de lange, glanzende tafel, en toen ik naar de andere kant keek, zag ik Ippolito en Sandro.

Ik had natuurlijk geweten dat ze in het paleis zouden zijn, maar ik had er niet lang bij stil willen staan, omdat ik hen beslist niet wilde zien. Ik zou hun nooit vergiffenis kunnen schenken, maar ze waren de enige familieleden die ik nog had.

De inmiddels negentienjarige Sandro leek meer dan ooit op zijn Afrikaanse moeder. De opvallendste kenmerken van zijn gladgeschoren gezicht waren zijn dikke, zwarte wenkbrauwen en zijn grote, donkere ogen, die door schaduwen werden omringd. Hij droeg een vaalbruine, ouderwetse *lucco*, de losvallende tuniek van een stadsbestuurder.

'Nicht,' zei hij formeel, en hij bewaarde afstand door aan de andere kant van de tafel een buiging te maken. Op datzelfde moment liep Ippolito met een brede grijns om de tafel heen.

Onder zijn aantrekkelijke haviksneus waren Ippolito's snor en baard vol en blauwzwart. Zijn grote ogen waren bruin en werden omzoomd door dikke wimpers. Hij was gekleed in een nauwsluitende groene farsetto, die zijn brede schouders en smalle middel accentueerde, en hij zag er rondweg adembenemend uit.

'Catharina, mijn lieve nichtje!' riep hij uit. De diamant op zijn linkeroor glinsterde. 'Ik heb je vreselijk gemist!'

Hij stak zijn armen naar me uit. In gedachten zag ik tante Clarice vol afgrijzen naar een hoopje haastig weggegooide broeken en tunieken kijken. Ik stak mijn hand omhoog om hem af te weren, maar hij boog zich voorover en gaf er een kus op.

'De duchessina is moe,' zei tante Lucrezia luid. 'Ze vindt het fijn om jullie te zien, maar ze heeft te veel meegemaakt. Laten we niet te veel van haar vragen. Ga zitten, ser Ippolito.'

We namen plaats. Het eten was verrukkelijk, maar de aanblik maakte me misselijk. Werktuiglijk nam ik kleine hapjes, maar ik had zin om te huilen als ik ze door moest slikken.

De conversatie was beleefd en werd gedomineerd door donna Lucrezia en ser Iacopo. De laatste vroeg wat ik van Rome vond, en ik gaf stotterend antwoord. Donna Lucrezia informeerde beleefd naar de studie van mijn neven, en Ippolito gaf als eerste antwoord. Tijdens de daaropvolgende stilte voelde ik dat Ippolito aandachtig naar me keek.

'We waren natuurlijk allemaal diep geschokt toen we hoorden dat de rebellen je gevangen hadden genomen,' zei hij zachtjes.

Ik schoof mijn stoel achteruit en rende door een paar openslaande deuren naar een balkon dat over de stad uitkeek. Duizenden ramen lichtten geel op in de duisternis. Ik kroop in het verste hoekje en deed mijn ogen dicht. Ik wilde het voedsel dat ik zojuist had gegeten uitbraken. Ik wilde de laatste drie jaar uitbraken.

Toen ik voetstappen hoorde, keek ik op. Ik zag Ippolito's silhouet, dat aan de achterkant werd verlicht door het schijnsel uit de eetkamer.

'Catharina...' Hij knielde bij me neer. 'Je hebt een hekel aan me, hè?'

'Ga weg.' Mijn toon was bits, rauw. 'Ga weg! Ik wil nooit meer met je praten.'

Hij slaakte een diepbedroefde zucht. 'Arm nichtje. Het moet vreselijk voor je zijn geweest.'

'Ze hadden ons kunnen doden,' zei ik verbitterd.

'Dacht je dat ik me niet schuldig voelde?' pareerde hij met een felle ondertoon. 'Probeer je nu eens in mij te verplaatsen: ik stond op het punt om te ontsnappen, maar dat was een gevaarlijke onderneming en ik had heel goed het leven kunnen laten. Ik heb het je niet verteld omdat ik jou niet in gevaar wilde brengen. We kleedden ons als gespuis van de straat. Onze handlangers waren dieven en moordenaars. Zelfs wij waren bang voor hen. Wat zouden ze een jong meisje hebben aangedaan?'

'Ze scheurden haar gewaad toen we over de muur klommen om te ontsnappen,' siste ik. 'Haar hart brak toen ze Florence kwijtraakte. Haar hart brak, en ze ging dood.'

Zijn gelaatstrekken, die door de duisternis schimmig waren geworden, vertrokken van verdriet. 'En mijn hart brak toen ik jullie tweeën moest achterlaten. Ik dacht dat de rebellen ons de schuld zouden geven, dat ze ons zouden achtervolgen en jullie tweeën vrij zouden laten. Dat zou terecht zijn geweest. Ik dacht dat ik jullie had beschermd door jullie niet in vertrouwen te nemen. Later hoorde ik dat je gevangen was genomen. En toen Clarice stierf...' Overmand door verdriet wendde hij zijn gezicht af.

Ik schrok er zelf van dat ik mijn hand naar hem uitstak, maar toen hij weer naar me keek, trok ik hem aarzelend terug.

'Lief nichtje,' zei hij. 'Misschien kun je me over een poosje vergiffenis schenken.'

Uiteindelijk nam Ippolito me mee terug naar de eetkamer. De maaltijd werd in een bedrukte stemming vervolgd. Na afloop ging ik naar mijn vertrekken, geschokt en tegelijkertijd opgelucht door het gemak waarmee Ippolito me had teruggehaald. Die nacht, toen ik in mijn zachte nieuwe bed moeite had om in slaap te vallen en Ginevra in de antichambre vol overgave hoorde snurken, dacht ik terug aan de spijt en het verdriet in Ippolito's stem toen hij het over Clarice had gehad. Ik vroeg me af wat er zou zijn gebeurd als ik mijn hand niet had teruggetrokken.

De volgende ochtend stapte ik met Filippo, Lucrezia en Iacopo in een vergulde koets, gekleed in het blauwe gewaad dat ik van Clemens had gekregen. Om mijn hals droeg ik de diamanten hanger. We reden over de Engelenbrug, genoemd naar het reusachtige standbeeld van de aartsengel Michaël op de nabijgelegen Engelenburcht, dat met zijn enorme vleugels de gewonde stad beschermde.

De brug overspande de rivier de Tiber, die de Heilige Stoel van de rest van de stad scheidde. Op de Tiber voeren zoveel koopvaardijschepen – wel duizend zeilen, zo dicht bij elkaar dat ze van één enorm, monsterlijk schip hadden kunnen zijn – dat ik nauwelijks iets zag van het troebele water, dat naar afval stonk.

De Engelenbrug bracht ons naar het plein voor de nieuwe Sint-Pietersbasiliek, die in de vorm van een Romeins kruis was gebouwd. De basiliek was zo groot dat de bedelaars en pelgrims, monniken en kardinalen op de brede marmeren trappen wel mieren leken. Net als de rest van Rome werd de Sint-Pieter gerenoveerd. Tijdens de plunderingen was de basiliek door de lutherse indringers als stal gebruikt, en nu stond het gebouw ook in de houten steigers die we overal zagen.

Onze koets stopte aan de noordzijde van de basiliek. Ser Iacopo ging voorop en Filippo, Lucrezia en ik passeerden zuilengangen, binnenplaatsen en fonteinen op weg naar het pauselijke paleis, dat werd omringd door de beroemde Zwitserse garde, gekleed in brede gele en blauwe strepen en met pluimen in Medici-rood op hun helmen. Toen de keizerlijke troepen de stad waren binnengevallen en Clemens op de vlucht hadden gedwongen, waren de Zwitserse soldaten die hem hadden verdedigd bijna allemaal gedood.

De wachters kenden ser Iacopo goed en gingen keurig aan de kant om ons doorgang te verlenen. We liepen een brede marmeren trap op, en donna Lucrezia fluisterde in mijn oor en wees me herkenningspunten aan terwijl we langs priesters, bisschoppen en kardinalen in rode gewaden liepen. Op de tweede overloop waren een paar gesloten deuren met een ketting verzegeld: de beruchte Borgia-vertrekken, hermetisch afgesloten sinds de dood van de crimineel ingestelde patriarch Rodrigo, in de rest van de wereld beter bekend als paus Alexander VI.

Even later arriveerden we in de suite die recht boven de Borgia-vertrekken lag. Deze vertrekken heetten de Stanze di Raffaello, genoemd naar de kunstenaar die de muren had beschilderd. In een nis die zich net naast de deur bevond, zat een broze, witharige kardinaal fronsend en aandachtig te luisteren naar een weduwe die op dringende toon fluisterde. Ser Iacopo schraapte zachtjes zijn keel. De oude kardinaal keek glimlachend naar hem op en zei enthousiast: 'Dag neef... Is dit het meisje?'

'Ja,' antwoordde ser Iacopo.

'Duchessina.' De oude man boog stijfjes. 'Mijn naam is Giovanni Rodolfo Salviati, tot uw dienst. Welkom in onze stad.'

Ik bedankte hem, en hij strompelde weg om te vertellen dat we waren gearriveerd. Even later kwam hij terug en wenkte hij ons met zijn kromgegroeide vinger. We liepen door een antichambre die aan alle kanten was beschilderd met fresco's. Het waren er zoveel dat ik niet alles in één keer kon zien.

De deur naar de aangrenzende kamer stond op een kiertje, en de kardinaal bleef op de drempel staan. 'Uwe Heiligheid? De hertogin van Urbino, Catharina de Medici.'

Ik wandelde een kunstwerk binnen. De vloer was van glanzend marmer, dat in diverse geometrische patronen was ingelegd, en de muren...

De muren. Drie ervan waren bedekt met geschilderde meesterwerken, omlijnd met verguldsel en gevat in marmeren lunetten. De vierde muur was vanaf de grond tot aan het plafond bedekt met sierlijk bewerkte boekenplanken. Daarop lagen honderden boeken en talloze stapels perkamentrollen, die door de eeuwen heen geel waren geworden. Op het plafond zag ik een overvloed aan weelderig marmeren lijstwerk, geschilderde allegorische figuren, goden en heiligen met aureolen, en in het midden bevond zich een koepeltje, waar vier mollige cherubijntjes het goud-met-karmozijnrode schild droegen waarop de pauselijke tiara en sleutels stonden.

Ik was opgegroeid in het Palazzo Medici, omringd door de kunst van de meesters – Masaccio, Gozzoli, Botticelli – maar het enige echte pronkstuk was de schildering op de kapelmuren geweest, die boven een donkere houten lambrisering was aangebracht om het schilderij nog beter te laten uitkomen. In Rome zag ik geen enkele lambrisering, geen centimeter ruimte die niet met een verbijsterende pracht was afgewerkt. Boven elke deur, boven elk raam, in elke hoek bevond zich een schitterend meesterwerk.

Het duizelde me, en ik legde mijn hoofd in mijn nek tot Lucrezia aan mijn mouw trok. Achter een magnifieke mahoniehouten schrijftafel zat mijn familielid paus Clemens, geboren als Giulio de Medici. Zijn achternaam had hem een kardinaalschap en daarna het pausschap bezorgd, ook al was hij nooit tot priester gewijd. In zijn rechterhand had hij een ganzenveer en in zijn linkerhand een document, dat hij op armlengte afstand hield en met samengeknepen ogen bekeek om het te kunnen lezen.

Sinds de plundering van Rome had Clemens zijn baard en haar niet meer geknipt, net als de oude profeten die in de rouw waren. Zijn weerbarstige baard raakte inmiddels zijn hart, en zijn golvende, zilvergrijs wordende haar hing tot over zijn schouders. Zijn rode zijden gewaad was niet verfijnder dan dat van de kardinalen, en alleen zijn witte satijnen kalotje wees op zijn status. In zijn ogen zag ik een onuitsprekelijke vermoeidheid, een uitputting die haar oorsprong vond in te veel verdriet.

Oom Filippo schraapte zijn keel, en Clemens keek op en ving mijn blik op. Meteen lichtten de treurige ogen op.

'Mijn kleine duchessina, ben je daar eindelijk?' Hij liet de ganzenveer en het papier vallen en spreidde zijn armen. 'Geef je oude oom een kus! We hebben jaren op dit moment gewacht!'

Ik was zorgvuldig geïnstrueerd door donna Lucrezia, dus ik liep naar voren en zocht wat onhandig naar zijn hand. Toen hij begreep wat ik wilde, hield hij zijn hand stil, zodat ik de robijnen ring van Petrus kon kussen. Maar toen ik knielde om zijn voeten te kussen, stak hij zijn armen uit en trok hij me ferm overeind.

'We hebben ervoor gekozen om je hier te ontvangen in plaats van tijdens een publieke audiëntie, omdat dergelijke formaliteiten dan achterwege kunnen blijven,' zei hij. 'We hebben te veel verschrikkingen meegemaakt, wij tweeën. Vanaf dit moment ben ik geen paus meer en jij geen hertogin. Ik ben je oom en jij mijn nichtje, herenigd na een lange, verdrietige periode. Geef me een kus op mijn wang, lief kind.'

Ik gaf hem een kus en hij pakte mijn hand. Toen ik rechtop ging staan, zag ik tranen in zijn ogen glinsteren.

'God heeft eindelijk mededogen met ons gehad,' verzuchtte hij. 'Je hebt geen idee hoeveel nachten we wakker hebben gelegen in de wetenschap dat jij in handen van de rebellen was. We zijn je nooit vergeten, nog geen dag, en we hebben altijd voor je gebeden. Nu moet je me oom noemen en me ook altijd zo beschouwen. Ik zal zorgen dat je de heerschappij over Florence krijgt.'

Hij keek me verwachtingsvol aan, en ik was zo overmand door emoties dat ik alleen maar kon uitbrengen: 'Dank u, oom.'

Hij glimlachte en gaf me een knoopje in mijn hand voordat hij me los liet. 'Moet je jezelf nu eens zien,' zei hij. 'Je draagt mijn geschenken. De kleur staat je goed, en de edelstenen ook.' Hij zei niet dat ik mooi was, want dat zou een leugen zijn. Ik was oud genoeg om in een spiegel te kunnen kijken en te zien dat ik lelijk was.

'Donna Lucrezia, hebt u leraren voor haar geregeld, zoals ik u had gevraagd?' vroeg hij.

'Jazeker, Uwe Heiligheid.'

'Mooi.' Hij gaf me een knipoog. 'Mijn nichtje moet vloeiend Grieks en Latijn leren spreken om de kardinalen niet te choqueren.'

'Ik spreek heel goed Latijn, Uwe Heiligheid,' zei ik. 'Ik leer de taal al vele jaren. En ik beheers ook een beetje Grieks.'

'Echt waar?' Hij tilde een sceptische wenkbrauw op. 'Vertaal dit dan eens voor me: *Assiduus usus uni rei deditus et...*'

Ik maakte de regel voor hem af. '... *ingenium et artem saepe vincit.* Dat is van Cicero.' *Een volhardende bestudering van een onderwerp overwint vaak intelligentie en vaardigheid.*

Hij lachte kort. 'Heel goed!'

'Als u het goedvindt, Uwe Heiligheid,' begon ik verlegen, 'zou ik mijn lessen Grieks graag willen voortzetten. En wiskunde.'

'Wiskunde?' Verbaasd trok hij zijn wenkbrauwen op. 'Je kunt toch wel tellen, meisje?'

'Jazeker,' antwoordde ik. 'En ik weet ook al wat van geometrie, trigonometrie en algebra. Ik zou heel graag les willen hebben van een leraar die veel van deze vakken weet.'

'Namens haar vraag ik u om vergeving,' kwam donna Lucrezia vlug tussenbeide. 'De zusters zeiden dat ze graag berekeningen maakt om de banen van de planeten te berekenen, maar dat is geen geschikte bezigheid voor een jongedame.'

Clemens keek niet naar haar, want hij was te druk bezig om mij met enigszins samengeknepen ogen te bestuderen. 'Aha,' zei hij uiteindelijk. 'Je hebt de rekenknobbel van de familie de Medici. Je zou een prima bankier zijn.'

Mijn oudtante en oudoom lachten beleefd. Clemens bleef me strak aankijken.

'Donna Lucrezia,' zei hij, 'geef haar alle lessen die ze wil. Ze is heel intelligent, maar wel inschikkelijk, denk ik. En ser Iacopo, praat veel met haar. U zou haar veel over de kunst van de diplomatie kunnen leren. Dergelijke vaardigheden heeft ze nodig om te kunnen regeren.'

Hij stond op, en hoewel zijn medewerkers protesteerden dat hij dringend een aantal zaken moest afhandelen, pakte hij me bij de hand en nam hij me mee door de Stanze di Raffaello. Bij elk kunstwerk dat mijn interesse wekte, stond hij stil om uitleg te geven, en in de Stanza dell'incendio del Borgo, het vertrek van de brand in de Borgo, wees hij op de vele afbeeldingen van mijn oudoom Leo x op de muren.

Clemens sprak weemoedig over de eenzaamheid van zijn positie, over zijn verlangen naar een vrouw en een gezin. Hij zou de wereld nooit een kind schenken, vertrouwde hij me verdrietig toe, en hij wenste dat ik als een dochter voor hem zou zijn, en dat hij voor mij de vader mocht zijn die ik nooit had gekend. Zijn stem stokte toen hij vertelde dat we samen niet veel tijd zouden krijgen. Veel te snel zou de tijd aanbreken dat mijn geboortestad klaar zou zijn om mijn echtgenoot en mij als rechtmatige regeerders te ontvangen. Hij, Clemens, kon alleen maar hopen dat ik met liefde aan hem terug zou denken, en dat ik hem zou toestaan om ooit met grootvaderlijke trots naar mijn kinderen te kijken.

Zijn woorden waren zo welsprekend, zo aangrijpend, dat ik ontroerd werd en op mijn tenen ging staan om zijn bebaarde wang te kussen. Ik, inschikkelijk meisje, geloofde het allemaal.

13

Die avond was er een klein gezelschap in het palazzo uitgenodigd om mijn aankomst officieel te vieren. Donna Lucrezia had gezorgd dat er minstens één afgevaardigde van elke vooraanstaande familie in de stad aanwezig was – Orsini, Farnese, delle Rovere en Riario.

Ik glimlachte die avond veel en vaak toen ik aan tientallen belangrijke mensen uit Rome werd voorgesteld. Oom Filippo, die de volgende ochtend zou vertrekken, kende iedereen goed en voelde zich duidelijk op zijn gemak in de gegoede Romeinse kringen. Sandro was in zijn omgang met de gasten veel opgewekter dan de vorige avond; hij grinnikte zelfs en maakte een paar geestige opmerkingen.

Terwijl we aan tafel plaatsnamen en er wijn voor ons werd ingeschonken, viel het op dat Ippolito er nog niet was. Ik was teleurgesteld, want ik had besloten hem te vertellen dat hij op mijn vergiffenis mocht rekenen. En ik vermoedde dat mijn blauwe gewaad er heel mooi uitzag.

Het avondmaal werd geserveerd. Zijne Heiligheid had een dozijn speenvarkentjes en een vat van zijn beste wijn gestuurd. In het begin was ik een beetje zenuwachtig, maar ik ging algauw op in mijn gesprek met de Franse ambassadeur, die me complimenteerde met mijn halfhartige pogingen zijn taal te spreken, en met Lucrezia's volwassen dochter Maria, een elegante vrouw. Ik genoot van het gezelschap, het eten en de wijn, en ik was Ippolito helemaal vergeten tot ik hem in de deuropening zag staan.

Hij droeg een wambuis van helderblauw fluweel, dezelfde tint als mijn gewaad, en de parelknoop aan zijn hals was los. Zijn donkere, korte haar was warrig. De gesprekken vielen stil toen de anderen hem in de gaten kregen.

'Mijn excuses aan alle aanwezigen,' zei hij met een sierlijke buiging. 'En aan onze dierbare gastvrouw, donna Lucrezia. Ik was de tijd vergeten.'

Hij ging vlug op zijn plaats zitten, recht tegenover Sandro en een flink stuk van mij af. Het gesprek werd hervat en ik richtte mijn aandacht weer op mijn bord en de Franse ambassadeur.

Vijf minuten later hoorde ik een schreeuw. Ippolito was zo snel overeind gesprongen dat hij zijn bokaal had omgegooid. Een granaatrode vlek verbreidde zich over de tafel, maar hij sloeg er geen acht op.

'Hoerenzoon,' zei hij hardop, terwijl hij Sandro met een verwilderde blik aankeek. 'Je weet heel goed waar ik het over heb. Waarom vertel je het niet aan hén?'

Aan de andere kant van de tafel verroerde zijn neef geen vin. 'Ga zitten, Lito.'

Ippolito maakte een weids armgebaar naar de anderen aan tafel. 'Vertel het maar aan iedereen, Sandro. Vertel maar dat je ambitieus bent – bijzonder ambitieus, zelfs – maar dat je te laf bent om daar openlijk voor uit te komen.'

Ser Iacopo stond op en zei met zijn doorgewinterde, gezaghebbende stem: 'Ser Ippolito, ga zitten.'

Ippolito moest zoveel moeite doen om zijn enorme haat te beheersen dat zijn lichaam stijf stond van de spanning. 'Ik ga pas zitten als Sandro openlijk de waarheid spreekt,' kondigde hij aan. 'Maak ons deelgenoot, beste neef. Vertel ons waar je toe bereid bent om mij te gronde te richten.'

Hij dook over de tafel om Sandro bij de hals van zijn tuniek te grijpen, waarbij de borden en het bestek rammelden en een kandelaar met een brandende kaars bijna omviel.

Binnen een seconde stond oom Filippo naast hem. 'Kom mee,' beval hij.

Hij greep Ippolito's elleboog en trok hem overeind. Ippolito trok woedend zijn lip op en rukte zich los. Ik dacht dat hij Filippo zou slaan, maar de woede ging abrupt over in norsheid en hij verliet met grote passen het vertrek.

Vanaf zijn stoel keek Sandro hem met een behoedzame blik na. Het diner werd vervolgd. In het begin praatten de mensen zachtjes, maar algauw werd de conversatie weer net zo levendig als voorheen.

Na de maaltijd en urenlange gesprekken over koetjes en kalfjes liep ik de trap op naar mijn vertrekken. Ginevra was vergeten een paar spullen van oom Filippo in te pakken, die vroeg zou vertrekken, maar ze had beloofd dat ze me binnen een uur zou komen uitkleden. Omdat ik de indeling van het huis nog niet kende, was er een armblaker aangestoken, die een scherpe schaduw over de nis bij mijn deur wierp. Uit de duisternis stapte een gestalte de lichtcirkel in.

Ik herkende Ippolito meteen. Als ik zelf niet zoveel wijn had gedronken, was het me misschien opgevallen dat zijn ogen rood waren, dat zijn woorden in elkaar overliepen en dat hij moeite had om overeind te blijven. Hij had zijn handen schuldbewust op zijn hart gevouwen.

'Catharina,' zei hij, 'ik wil je mijn verontschuldigingen aanbieden voor mijn gedrag tijdens het avondeten.'

'Je hoeft mij je excuses niet aan te bieden,' reageerde ik luchtig, 'maar wél aan donna Lucrezia.'

Hij glimlachte meesmuilend. 'Zij is pas tevreden als ik de rest van mijn leven boete doe.'

'Waarom was je zo boos op Sandro?'

Hij trok me naar de deur en was duidelijk van plan om me mee naar de antichambre te nemen. Ik stribbelde tegen. Ginevra kon elk moment terugkomen, en ook al was Ippolito mijn neef, ze zou het ongepast vinden als ze mij samen met een man in mijn vertrek zou aantreffen.

'Niet daarheen,' fluisterde ik op dringende toon, maar hij legde zijn vinger op zijn lippen en trok me het vertrek binnen.

De slaapkamer erachter was donker, maar de lamp op de schrijftafel in de antichambre was aangestoken. Ippolito kwam samenzweerderig dichtbij en pakte mijn handen. Ik trok mijn armen niet terug, wat ik volgens de fatsoensregels eigenlijk wel zou moeten doen. Ik was een beetje duizelig van de wijn en zijn aanwezigheid.

'Je was zo boos,' fluisterde ik. 'Waarom?'

Hij verstrakte. 'Sandro, de bastaard, vertelt vreselijke leugens over mij aan Zijne Heiligheid. En Zijne Heiligheid, die hem graag mag, gelooft ze.'

'Wat voor leugens?'

Zijn mondhoeken wezen naar beneden. 'Sandro probeert Zijne Heiligheid wijs te maken dat ik niets anders ben dan een dronkaard, een vrouwengek, dat ik op het gebied van mijn studies niets presteer...' Hij liet een zacht, verbitterd lachje horen. 'En nu ben ik ook nog eens zo dom om te veel wijn te drinken, omdat ik kwaad ben!'

'Waarom zegt Sandro zulke dingen?'

'Omdat hij jaloers is,' antwoordde Ippolito. 'Omdat hij Clemens tegen me wil opzetten. Hij wil in zijn eentje regeren.' Zijn blik werd nog dreigender. 'Als hij het waagt om iets lelijks over jou te zeggen tegen Clemens, dan...' Hij greep mijn handen nog steviger beet. 'Jouw jarenlange gevangenschap heeft je niet harder gemaakt, Catharina. Je hebt nog steeds hetzelfde zachte karakter.'

Hij zweeg en staarde diep in mijn ogen. In zijn blik zag ik hetzelfde vuur dat ik in de ogen van tante Clarice had gezien toen ze Leda voor het laatst kuste.

'Daarom hou ik van je,' zei Ippolito. 'Omdat je totaal niet op hem lijkt. Omdat je verschrikkelijk intelligent bent, maar tegelijkertijd heel onschuldig.' Hij bracht zijn gezicht naar het mijne. 'Kun je loyaal zijn, Catharina? Kun je van me houden?'

'Natuurlijk.' Ik wist niet wat ik anders moest zeggen.

Hij leunde tegen me aan, zijn heupen drukten tegen mijn lijf. Hij was lang, en ik kwam maar net tot zijn kraag. Hij legde een hand op mijn schouder en liet hem in mijn lijfje glijden. Zijn andere hand lag achter in mijn nek.

Ik besefte dat ik weg zou moeten rennen, maar zijn aanraking op mijn naakte huid bracht me in vervoering. Ik leunde achterover tegen zijn hand en liet me door hem kussen. We raakten hevig opgewonden, en intuïtief sloeg ik mijn armen om hem heen.

Hij kuste mijn oren en gesloten oogleden en drong met zijn tong mijn mond binnen. Hij smaakte naar de wijn van de paus.

'Catharina,' verzuchtte hij.

Op de overloop in de verte hoorde ik Ginevra's voetstappen, dus ik maakte me van hem los. Hij glipte nog net op tijd mijn antichambre uit voordat hij werd betrapt.

Het jaar daarna trok in een roes van banketten en bals aan me voorbij. Ik was ervan overtuigd dat ik met Ippolito zou trouwen en naar Florence zou terugkeren. Ik werd elke dag volwassener, en elke dag veroverde Ippolito met zijn complimenten en tedere blikken een nieuw stukje van mijn hart. Op mijn verjaardag gaf hij me een paar oorbellen, diamanten die in de vorm van een traan waren geslepen. 'Daarmee komt je prachtige hals beter uit,' zei hij. Ik had geen mooi gezicht, maar hij had andere uiterlijke kenmerken gevonden die hij oprecht kon prijzen: mijn lange hals, mijn kleine voeten en elegante handen.

Donna Lucrezia keek bedenkelijk. Het was een geschenk dat een man aan zijn minnares of verloofde zou kunnen geven, maar wij waren nog niet officieel verloofd. Ze had reden om bezorgd te zijn. Toen ik de week ervoor na een inspannende rit van mijn paard was gestapt, had ik gemerkt dat mijn onderrokken nat waren. Ik ging naar mijn slaapkamer en ontdekte tot mijn verbazing dat ze vol bloed zaten. Gewaarschuwd door het kamermeisje kwam donna Lucrezia me de onaangename feiten over de maandelijkse bloeding uitleggen. Daarna gaf ze me een lange preek over het belang van deugdzaamheid – zowel om politieke als om religieuze redenen.

Ik luisterde nauwelijks. Als Ippolito en ik samen waren, overlaadde hij me met kussen, die ik hartstochtelijk beantwoordde. Bij elke ontmoeting stond ik hem weer een andere vrijheid toe. Door de herinnering aan dergelijke vurige momenten zaten we 's avonds aan tafel naar elkaar te grinniken. Het gebeurde steeds vaker dat ik mijn eredame, donna Marcella, voor onbenullige taken wegstuurde en zelf stiekem wegholde naar de vertrekken waar Ippolito vaak kwam.

Eén keer vond ik hem in een gang bij zijn privévertrekken, en we vielen elkaar meteen in de armen. Op het moment dat zijn hand onder mijn rokken en onderrokken begon te wroeten, hield ik hem niet tegen. Toen hij zijn vingers tussen mijn benen liet glippen en mijn vlees daar streelde, kreunde ik. Opeens liet hij een vinger bij me naar binnen glijden, en toen was ik verloren. Ik drukte me met mijn volle gewicht op zijn hand toen de vinger begon te bewegen, eerst langzaam en onderzoekend, daarna sneller.

We gingen er zo in op dat we de voetstappen te laat hoorden. Daar stonden we dan: Ippolito, die zich tegen me aan drukte en zijn hand onder mijn rokken had, en Sandro, die met een strakke mond en grote ogen naar ons keek. Hij staarde naar ons en wij staarden naar hem, tot Sandro zich omdraaide en wegliep.

Ik duwde Ippolito weg, omdat mijn verlangen ineens iets slechts en misselijkmakends leek.

'Ik vervloek hem,' hijgde Ippolito, die nog steeds trilde. 'Dit zal hij tegen me gebruiken, dat weet ik zeker. Maar als hij het waagt om het tegen jou te gebruiken, breekt de hel los.'

Het duurde een hele tijd voordat de hel losbrak. In de tussentijd bleef ik Ippolito af en toe kort ontmoeten, maar ik bleef alert om te voorkomen dat we betrapt werden. Ippolito werd hartstochtelijker, zijn liefdesverklaringen werden vuriger, en omdat ik ervan overtuigd was dat we binnen een jaar getrouwd zouden zijn, gaf ik zijn vingers en lippen onbelemmerd toegang tot mijn lichaam.

Ippolito wilde méér, maar donna Lucrezia had me duidelijk uitgelegd dat ik nu in verwachting kon raken. Ik hield mijn hartstochtelijke neef op een afstandje, al kwam ik steeds vaker in de verleiding om hem te geven wat hij zo graag wilde.

Het werd winter – mild, zonnig en een vrolijk contrast met het koude, sombere Florence. Met Kerstmis woonden we een groot banket in het pauselijke paleis bij, dat werd gehouden in Rafaëls prachtige Stanza dell'incendio del Borgo. Toen de gasten na afloop pratend in de prachtige omgeving rondwandelden, nam Clemens me apart. Het geroezemoes van de gemoedelijke gesprekken om ons heen zorgde ervoor dat niemand zijn woorden kon horen.

'Ik heb gehoord dat je erg gecharmeerd bent van onze Ippolito,' zei hij.

Ik besefte dat Sandro alles had doorverteld. Met het schaamrood op mijn kaken staarde ik woedend naar de marmeren vloer, niet in staat om een coherent antwoord te formuleren.

'Je bent te jong om te zwijmelen van een schurk als hij,' waarschuwde Clemens. 'Daarnaast heb je de beroemde hersens en vasthoudendheid van de familie de Medici geërfd. Ippolito niet, en daarom is het aan jou, ook al ben je nog zo jong, om de verstandigste te zijn. Hij maakt je niet uit liefde het hof, maar omdat zijn jeugdigheid zijn bloed laat koken.

Blijf vanaf nu uit zijn buurt, zodat je zijn respect nog hebt als zijn hartstocht bekoelt. Doe je dat niet – en dat vertel ik je als een man die dergelijke dingen begrijpt – dan zul je merken dat je ernstig wordt misbruikt. Begrijp je dat, Catharina?'

'Dat begrijp ik, Uwe Heiligheid,' mompelde ik.

'Geef me dan je woord. Geef me je woord dat je je deugd zult bewaren en zijn omhelzing zult schuwen.'

'Dat beloof ik, Uwe Heiligheid,' zei ik.

Ik had nog de leeftijd om dwaas te zijn, de leeftijd waarop ik dacht dat mensen die ouder waren niet begrepen hoe bijzonder de liefde tussen Ippolito en mij was. En daarom loog ik tegen de paus, recht in zijn gezicht.

Laat op de avond liep ik met mijn eredame donna Marcella naar boven toen Sandro achter ons aan kwam.

'Goedenavond, Catharina,' zei hij met een ernstige terughoudendheid.

Ik keek hem vernietigend aan voordat ik hem de rug toekeerde.

'Donna Marcella,' zei Sandro zachtjes, 'ik zou mijn zuster graag onder vier ogen willen spreken.'

Marcella, een behoedzame vrouw die twintig jaar ouder was dan ik, aarzelde en bestudeerde Sandro. Hij was tenger, minder stevig gebouwd dan zijn neef, met een omberkleurige huid, zwarte krulletjes en de brede neus en volle lippen van zijn Moorse moeder. Ze zwichtte voor de autoritaire blik in zijn grote donkere ogen. Ze had plechtig beloofd dat ze mij altijd zou chaperonneren, maar aan onze gezichten zag ze wel dat er niets onbezonnens tussen ons zou voorvallen.

Ze keek naar mij. 'Ik zal in uw vertrekken op u wachten, duchessina.'

Toen ze weg was, zei Sandro: 'Ik weet dat je een hekel aan me hebt, maar uiteindelijk zul je begrijpen dat ik het beste met je voorhad. Ippolito gebruikt je zonder aan jouw gevoelens te denken.'

'Ik wil niet naar je leugens luisteren,' zei ik. 'Je hebt een hekel aan Ippolito omdat je jaloers bent.'

Hij zuchtte. 'Ik heb geen hekel aan hem,' zei hij geduldig. 'Lito heeft een hekel aan mij. Als er iemand jaloers is, is hij het.' Hij aarzelde weer. 'Ik ben van nature koelbloedig. Ik zie er anders uit dan jullie tweeën, daar ben ik me altijd van bewust. Toch lijken jij en ik meer op elkaar. Op dit moment ben je smoorverliefd, maar je hebt de benodigde intelligentie en afstandelijkheid om te regeren.'

Mijn stem klonk boos, beschuldigend. 'Waarom ben je dan met verhalen over ons naar de paus gegaan?'

'Omdat ik om je geef, wat je ook van me denkt, of wat Ippolito ook mag zeggen. En als mijn ogen me niet bedriegen, sta je hem toe om jou in gevaar te brengen. Zorg dat hij je niet kan schaden.'

'Hoe dúrf je.'

Ik draaide me om en liep verder naar boven. Hij liep een paar treden achter me aan.

'Hij houdt te veel van wijn en vrouwen,' zei Sandro. 'Of ben je zo gek op hem dat je dat niet ziet, net als die anderen?'

Toen ik mijn pas versnelde, deed hij een laatste, wanhopige poging om me te choqueren. 'Als hij weer bij je komt, vraag hem dan eens naar Lucia da Pistoia. Vraag hem naar Carmella Strozzi en Charlotte Montblanc.'

'Je liegt!' Ik weigerde me om te draaien.

'Je laat je bedotten, Catharina.'

Ik slingerde bitse, giftige woorden over mijn schouder, omdat ik hem net zo wilde kwetsen als hij mij had gekwetst. 'Je bent mijn broer helemaal niet.'

'Dat is zo,' beaamde hij zachtjes. 'Ik denk dat iedereen dat inmiddels wel weet.'

Ik begreep niet waar hij het over had, maar was te zeer van streek om hem om uitleg te vragen. Ik tilde mijn rokken op en rende naar mijn kamer. Alessandro kwam niet achter me aan, maar ik voelde zijn eenzame, afkeurende aanwezigheid achter me op de trap.

Het jaar 1532 brak aan, gevolgd door een vroege lente. Donna Marcella week zelden van mijn zijde, en Ippolito en ik konden niets anders doen dan tijdens het eten stiekem naar elkaar kijken. Uiteindelijk schakelde hij een van de kamermeisjes in, die zijn hartstochtelijke brieven naar me toe moest brengen en mijn verliefde antwoorden mee terug moest nemen.

Uiteindelijk schreef hij dat hij bij Clemens een verzoek had ingediend om zich met mij te mogen verloven, en dat Zijne Heiligheid te kennen had gegeven dat er een bevestigend antwoord zou komen. Een verloving was net zo bindend als een huwelijk: als onze huwelijksplannen officieel een feit waren, zou niemand ons nog kunnen scheiden, ook Clemens niet. Ik schreef haastig een brief terug, waarin ik schreef dat ik het nieuws ongeduldig afwachtte. Binnen een dag kreeg ik weer bericht.

Waarom moeten we op Clemens of een officiële ceremonie wachten? Ik zoek wel een manier om te zorgen dat we tot de dageraad ongestoord in elkaars armen kunnen liggen. Ik wacht alleen op de juiste gelegenheid.

Misselijk van opwinding staarde ik naar het papier in mijn handen. Als we werden betrapt, zou dat een schandaal voor donna Lucrezia betekenen en zou paus Clemens woedend zijn.

Ik had mijn best gedaan om Sandro's woorden uit mijn hoofd te zetten, maar nu weergalmden ze somber door mijn hoofd.

Vraag hem naar Lucia. En Carmella. En Charlotte...

Tijdens de weken daarna werd er vurig gecorrespondeerd. Begin april werd donna Marcella ziek en vertrok ze naar het platteland, waardoor ik werd overgedragen aan de zorg van een van de kamermeisjes, Selena. Die middag kamde Selena citroensap door mijn haar. In een onopvallend hoekje van de binnenplaats liet ik een deken op het gras uitspreiden en ging ik in de zon zitten, in de hoop dat ik mijn saaie haar wat blonder kon maken. Ik bleef een uur zitten en wilde net opstaan toen ik Ippolito's stem hoorde.

Hij en Sandro liepen langs, bezweet en verfomfaaid van de jacht, en ze gingen zo op in hun luchtige gesprek dat ze me geen van beiden zagen.

Gelukkig liep Ippolito aan mijn kant en zorgde zijn lichaam dat Sandro me niet kon zien. Ik waagde het om even verlegen naar hem te zwaaien. Ippolito bleef bij de ingang van het palazzo staan en excuseerde zich bij Sandro, die doorliep.

Voordat ik kon opstaan, zat Ippolito met een hoopvolle, stralende blik naast me op de deken.

'Vanavond, Catharina. Vanavond kom ik naar je slaapvertrek. Je hebt geen idee hoe moeilijk het vandaag voor me was om dit te weten en mijn opwinding voor Sandro en alle anderen te verbergen.'

Ik drukte een handpalm tegen mijn wang, die door de zon warm was geworden. 'Het is te gevaarlijk,' zei ik. 'We worden vast betrapt.' Mijn protest klonk zwak en terughoudend.

'Welnee.'

'En als ik nu in verwachting raak?'

Zijn ogen begonnen te glimmen. 'Dan zal Clemens ons nog veel eerder in de echt verbinden. Schenk me deze nacht, dan zal ik je je grootmoedigheid na ons huwelijk duizendmaal vergoeden.' Hij drukte zijn lippen op de binnenkant van mijn ene pols en daarna op de andere. 'Zeg dat je vanavond op me wacht.'

'Ik zal wachten,' zei ik, en mijn hart sprong op van verlangen en schuldgevoel.

14

HET WAS EEN KWELLING OM DIE AVOND VERWACHTINGSVOL IN BED TE liggen. Stel dat we werden ontdekt... Zou Clemens zo kwaad zijn dat hij ons het recht op Florence zou ontzeggen? Mijn angst verbleekte bij de herinnering aan Ippolito's bedreven tong en vingers. Toen er zachtjes op de deur van mijn antichambre werd geklopt, ging ik rechtop zitten. Ik hoorde Selena's lakens ruisen toen ze opstond. Vervolgens luisterde ik naar het geluid van haar blote voeten op de marmeren vloer en het gekraak van de deur.

Ippolito's silhouet verscheen in de deuropening van mijn slaapvertrek. 'Catharina,' fluisterde hij. 'Eindelijk.'

Hij kwam naar het bed, trok de dekens omhoog en kwam op zijn zij naast me liggen, steunend op zijn elleboog.

Ippolito, probeerde ik te zeggen, maar hij fluisterde dat ik stil moest zijn en streek loom met zijn vlakke handpalm van mijn nek naar mijn dij, heen en weer, met alleen het dunne batist van mijn nachthemd tussen ons in. Zijn mond hing open, hij ademde snel en rook naar wijn. Ik was in vervoering, maar de betovering werd verbroken toen hij bruusk zei: 'Ga rechtop zitten.'

Ik deed wat hij zei. Verbazend behendig trok hij het nachthemd over mijn hoofd en armen. Opeens was ik naakt en verlegen. Hij, daarentegen, stond in vuur en vlam, en terwijl ik zo zat, drukte hij zijn gezicht tegen mijn kleine borsten om eraan te zuigen.

Ik pakte zijn hoofd, begroef mijn gespreide vingers in zijn haar en wilde hem gegeneerd wegtrekken. Maar terwijl zijn tong en tanden mijn tepel bewerkten, was het alsof een onzichtbaar koord vanaf die gevoelige plek rechtstreeks naar mijn schoot liep en aan de spieren daaronder sjorde, waardoor ze op een verrukkelijke manier samentrokken. Toen hij er genoeg van had, beval hij: 'Ga liggen.'

Ik gehoorzaamde. Hij ging staan en trok zijn losvallende hemd over zijn hoofd. Daarna trok hij zijn broek uit, waarbij hij afwisselend op de ene voet en de andere balanceerde. Hij stond onvast op zijn benen en viel twee keer op de matras, maar uiteindelijk was hij naakt.

Op het eerste gezicht zien mannelijke geslachtsdelen er vreemd uit. Onder een dikke toef zwart haar in Ippolito's kruis stak een speer van vlees naar voren, die in een hoek van zo'n dertig graden naar boven wees. Ik schrok ervan, maar vond hem ook fascinerend. Terwijl ik op mijn rug ging liggen, kwam Ippolito naar de rand van het bed. Ik stak mijn hand uit en kneep hard in de speer. Die was hard als steen, maar voelde onder mijn vingers fluweelzacht aan. Hij bewoog hem, waardoor hij een keer, twee keer in mijn hand opveerde, en we moesten allebei zachtjes giechelen.

'Geef er een kus op,' zei hij. Dat idee was niet erg aanlokkelijk, om niet te zeggen weerzinwekkend, en ik stribbelde tegen. Hij pakte mijn vlecht ter hoogte van mijn nek en trok mijn hoofd ernaartoe. 'Geef er een kus op,' herhaalde hij. De woorden liepen in elkaar over, zijn ogen waren halfdicht. Het viel me nu pas op dat hij stomdronken was.

Hij trok weer aan mijn haar, zo hard dat het pijn deed, en ik gaf hem zijn zin. Ik gaf er vluchtig een kusje op, waarbij ik mijn neus optrok voor de kriebelende, stugge haartjes en zorgde dat ik me niet te snel wegdraaide van de muskusachtige geur. Hij had op meer gehoopt, maar hij besloot het erbij te laten en duwde mijn schouders tegen de matras.

Daarna spuwde hij in zijn handpalm en maakte hij de speer vochtig. Ik staarde naar dat vreemde, verleidelijke, glinsterende stuk vlees, en al vond ik het volslagen krankzinnig, ik wenste dat ik het in me voelde. Hij wrikte beide handen tussen mijn dijen, waardoor ik mijn benen wel moest spreiden en voor hem openlag, een verboden vrucht die klaar hing om geplukt te worden.

Hij liet zijn middelvinger diep in me glijden, bewoog hem heen en weer en stopte er een tweede vinger bij, waardoor ik scherp mijn adem inhield. Algauw volgde er een derde vinger. Ondanks mijn opwinding kreunde ik van de pijn, maar hij bleef zijn hand gestaag heen en weer bewegen tot ik me ontspande en stillag.

Terwijl hij zijn vingers met een vochtig, zuigend geluid terugtrok, glimlachte hij boosaardig en zei hij hardop: 'De gans is niet te jong. Ze is volledig gaar en sappig, klaar om te worden doorboord.'

Hij ging boven op me liggen en duwde zijn benen tussen de mijne. Terwijl hij op zijn ene hand steunde, spuwde hij in de andere en bracht hij weer een laag speeksel aan.

'Morgen kom ik weer, en de avond daarna ook,' zei hij, struikelend over zijn woorden. 'Steeds weer, totdat donna Marcella beter is. Laat me vanavond vele malen met je slapen, en denk erom dat je plat en stil moet blijven liggen als ik mijn zaad uitstort. Hoe sneller je in verwachting raakt, hoe sneller Clemens ons in de echt zal verbinden.'

Hij legde zijn vrije hand om de staaf, die hard en glad aanvoelde terwijl hij op mijn dij en tussen mijn benen naar de juiste plek zocht.

Ik denk dat ik op het laatste moment werd tegengehouden door Lorenzo's bloed, door zijn talent voor politieke manipulatie en het herkennen ervan in anderen. Misschien wierp ook ser Iacopo's zorgvuldige diplomatieke onderricht zijn vruchten af, want hij had me geleerd dat beleefde omgangsvormen vaak de verwerpelijkste politieke doelen maskeerden.

De waarschuwingen van Clemens en Sandro, en Ippolito's plotselinge haast om een kind te verwekken, vielen allemaal samen met het de Medici-talent om bedrog te bespeuren.

Ik probeerde mijn benen bij elkaar te klemmen, maar Ippolito's grote lichaam lag in de weg. Ik liet mijn hand tussen mijn onderbuik en zijn gezwollen vlees glijden.

'Hoe zit het met Lucia?' vroeg ik.

Zijn stokkende adem was tegelijkertijd een nerveuze lach, en hij steunde weer op beide handen. 'Ze liegt. Dat kind is niet van mij.'

In een flits werd de sluier van verliefdheid opgetild en zag ik hoe de vork in de steel zat: Ippolito had zich vóór zijn komst naar mijn kamer moed ingedronken. Nu ik erover nadacht, besefte ik dat onze wellustigste ontmoetingen altijd hadden plaatsgevonden wanneer hij dronken was. Kennelijk schrok hij van zijn eigen antwoord, want hij grinnikte er schaapachtig om en grijnsde naar mij.

'En wie is Carmella?' wilde ik weten. 'En Charlotte?'

'Catharina. Toe nou,' zei hij glimlachend. Zodra hij besefte dat ik razend was om zijn onbedoelde bekentenis en begreep dat hij me kwijtraakte, veinsde hij boosheid. 'Wie heeft je die leugens verteld? Sandro zeker. Hij probeert alles te ruïneren!'

'Ga weg,' zei ik. 'Je bent dronken en verachtelijk. Ga weg. Nu.'

'Je mag me dit niet ontzeggen,' siste hij dreigend. 'Dat kun je niet doen. Heel mijn leven heb ik recht op je gehad.'

'Niet waar,' pareerde ik even fel.

Hij greep mijn pols zo stevig beet dat ik het uitgilde. Met één hand legde hij mijn beide handen boven mijn hoofd, en met de andere greep hij de speer van vlees om hem in me te duwen.

In een enkele ademtocht ontstaan vele gedachten, en terwijl ik lucht naar binnen zoog, overdacht ik mijn opties. Ik kon hem zijn gang laten gaan, bidden dat ik niet in verwachting zou raken en de volgende ochtend bescherming zoeken bij donna Lucrezia. Ik kon me ook blijven verzetten, wat duidelijk geen resultaat zou hebben, of ik kon hard gaan gillen, waardoor Selena vanuit de antichambre zou komen aanrennen. Geen van de opties was erg aanlokkelijk, want ze gaven Ippolito allemaal genoeg tijd om me te ontmaagden. Omdat ik eerder met hem had geflirt, zou niemand geloven dat ik onschuldig was. Er zat dus niets anders op dan onderhandelen, maar Ippolito was zo opgewonden dat er geen gesprek mogelijk was.

Ik verzamelde zo veel mogelijk speeksel en spuwde het in zijn ogen. Hij gaf toe aan de natuurlijke reflex om het weg te vegen, waardoor hij even uit balans was. Dat gaf mij gelegenheid om mijn kostbare maagdelijkheid in de richting van de kussens te schuiven.

Voordat hij zich kon herstellen, zei ik: 'Ik werk niet mee. En ik ga gillen. En ik vertel de waarheid, dat je me hebt verkracht. Per slot van rekening ben je dronken.'

'Krengetje dat je bent.' Zijn toon was zacht en verrast.

'Sandro zal me steunen,' zei ik. 'Hij zal zeggen dat je alle reden hebt bang te zijn dat drank en vrouwen je reputatie hebben aangetast en Clemens tot nadenken hebben gestemd.'

Ik wilde geen gelijk krijgen. Ik wilde dolgraag dat Ippolito zachtjes zou lachen en mijn redenering aan de kant zou schuiven met een verklaring die veel logischer klonk. Maar zijn lange, schuldbewuste stilzwijgen verpulverde de fantasie dat hij stapelgek op me was, dat ik binnenkort een eigen huis en een gezin zou hebben. Per slot van rekening was ik een lelijk meisje en hij de knapste man op aarde.

Ik kroop zo ver mogelijk van hem weg en ging rechtop met mijn rug tegen het hoofdeinde zitten. Terwijl ik mijn armen om mijn benen sloeg, wenste ik dat mijn leven voorbij was, maar net als Sandro bleef ik uiterst kalm en verborg ik mijn verdriet.

'Zal ik verder gaan?' vroeg ik. 'Zal ik dan maar de enige logische conclusie trekken? Degene die met mij trouwt, zal worden gezien als de meest rechtmatige heerser over Florence.'

Hij ging rechtop zitten en staarde me aan. Hij was dronken, onbezonnen en wreed, maar hij was geen monster. Het vlees tussen zijn benen was verschrompeld tot een deerniswekkend, bungelend voorwerp. Als antwoord op mijn vraag schudde hij zijn hoofd.

Het gebaar was een teken dat hij zich gewonnen gaf, maar ik interpreteerde het verkeerd en reageerde woedend: 'Alessandro is mijn broer, dat klopt, maar hij is slechts mijn halfbroer. Als Clemens dispensatie zou geven, zouden we kunnen trouwen.'

Hij liet een vreugdeloos, verbitterd lachje horen. 'Je hebt het mis,' zei hij.

'Niet waar.'

'Je hebt het mis,' herhaalde hij. 'Sandro is je broer niet. Hij is een bastaard van Clemens, geboren toen Zijne Heiligheid nog kardinaal was en ons nog van alles in de maag kon splitsen. Misschien heb je nu meer begrip voor mijn bezorgdheid.'

Lange tijd staarden we elkaar hijgend aan. Ik vermoed dat hij overwoog om zich weer aan me op te dringen, maar hij had er geen zin meer in.

'Ik wil je geen kwaad doen,' zei hij uiteindelijk. 'Ik geef wel degelijk om je, en we winden elkaar op. Mag ik vannacht alsjeblieft bij je blijven? Clemens komt wel tot inkeer. Dan zegent hij ons huwelijk in en installeert hij ons in Florence, zeker als je een kind verwacht...'

'Nee,' zei ik.

Hij aarzelde en maakte aanstalten om zijn hand naar me uit te steken.

'Nee,' herhaalde ik. 'Pas op, want ik gil om Selena.'

Hij stond op en kleedde zich zwijgend aan. Ik wachtte tot hij de deur uit was en al een heel stuk door de gang had gelopen voordat ik begon te huilen.

Sandro had me een goede dienst bewezen. Drie maanden na mijn nachtelijke ontmoeting met mijn neef kondigde paus Clemens aan dat Ippolito kardinaal zou worden en als pauselijke gezant naar Hongarije zou gaan. Hij zou de juiste opleiding krijgen en binnen een jaar worden weggestuurd.

Kort na die aankondiging vertrok Alessandro naar Florence, om meer te leren over de politiek van de stad die hij binnenkort zou regeren.

Ik deed mijn best om op te gaan in mijn lessen. De nare afloop van mijn eerste romance had me gekwetst, maar ik vond troost in het feit dat ik Florence nog had. Ik streefde ernaar om de heerschappij over een stad waardig te zijn, om een passende partner voor Alessandro te zijn, die wijs en fatsoenlijk was gebleken.

In april stuurde Clemens me naar Florence, om aanwezig te zijn bij de plechtigheid waarbij Alessandro tot eerste hertog van Florence werd benoemd. Het was een titel die hij van keizer Karel had gekregen, als onderdeel van het verdrag dat Karel en Clemens na de plundering van Rome hadden gesloten. Gekleed in hermelijn en robijnen stond ik tijdens de plechtigheid trots naast mijn neef. Op dat moment vervaagde Ippolito tot een jeugdige onbezonnenheid.

De ceremonie werd gevolgd door een schandalig overdadig banket. Laat die avond stond ik in mijn slaapvertrek, waar donna Marcella de veters van mijn mooie, ingewikkelde kleding losmaakte. Ik was nog steeds opgewonden. Ik wilde nog niet slapen, en babbelde met Maria over de gebeurtenissen van die dag.

'Wanneer zou Zijne Heiligheid onze verloving aankondigen, denk je?' vroeg ik.

'Verloving?' De vraag leek haar oprecht te verbazen.

'Die van Sandro en mij, natuurlijk.'

Maria wendde haastig haar blik af, terwijl ze naar de juiste woorden zocht. 'Zijne Heiligheid heeft een paar geschikte huwelijkskandidaten voor je op het oog.'

Ik moest de woorden drie keer in mezelf herhalen voordat ik ze volledig begreep.

'Het spijt me vreselijk,' zei Maria. 'Hebben ze niets tegen je gezegd?'

'Nee,' antwoordde ik langzaam. 'Nee, ze hebben niets gezegd.'

Er trok een schaduw van medelijden over haar gezicht. 'Alessandro is sinds vorig jaar in het geheim verloofd met Margaretha van Oostenrijk, de dochter van de keizer. Zijne Heiligheid zal de verloving binnenkort officieel aankondigen.'

Ik voelde me vernederd en kookte innerlijk van woede, maar ik bleef in het openbaar naast Sandro verschijnen, me bewust van het feit dat ik daar niet stond als partner, maar als symbool. Ik was de geest van mijn vader – mijn vader, die bij zijn geboorte het recht op Florence had gekregen. Als zijn enige wettige erfgenaam had ik in mijn eentje de stad moeten regeren, maar ik was een meisje, politiek gezien een onvergeeflijke zonde.

Elke dag werd ik bezorgder over de toekomst. Als meisje van dertien had ik de huwbare leeftijd bereikt, maar als ik niet met Sandro zou trouwen, met wie dan wel? Maria bekende dat Clemens nadacht over een aanzoek van de hertog van Milaan, een oude, ziekelijke man wiens hoofd nog leger was dan zijn schatkist. Clemens was niet erg enthousiast over het aanzoek, maar hij was gedwongen om het in overweging te nemen omdat keizer Karel wel oren naar het huwelijk had, gezien het feit dat de hertog altijd een trouwe aanhanger van hem was geweest. Ik vond de gedachte zo walgelijk dat Maria me een uur lang tevergeefs probeerde te troosten.

'Als God het wil, zal de keuze niet op hem vallen,' zei ze. 'Ga er maar van uit dat hij onder aan de lijst staat. Er zijn andere kandidaten, van wie er een zo fantastisch is dat ik heb moeten zweren over hem te zwijgen. Zijne Heiligheid doet zijn uiterste best om een zo goed mogelijk huwelijk voor je te sluiten.'

'Zijn er ook kandidaten uit Florence bij?' Ik was iedereen kwijtgeraakt; mijn geboortestad was alles wat ik nog had.

Ze begreep niet hoe belangrijk het antwoord voor me was. Ze schudde haar hoofd en glimlachte ondeugend. 'We kunnen er maar beter over zwijgen, lieve Catharina. Het heeft geen zin om je te verheugen op iets wat misschien niet doorgaat.'

Te laat, wilde ik zeggen. Ik dacht aan mijn eerste ontmoeting met Zijne Heiligheid, aan zijn vraag om hem als een vader te beschouwen en zijn bekentenis dat het hem verdriet deed dat hij zelf nooit een kind zou hebben. Zelfs toen had hij al met keizer Karel onderhandeld over een goede bruid voor zijn zoon Alessandro, een vrouw die de nieuwe jonge hertog zo veel mogelijk aanzien zou geven. Ik was simpelweg een van de vele edelstenen in Clemens' kroon, een kostbaarheid waarmee hij kon onderhandelen, net zoals de rebellen dat destijds hadden gedaan. De omstandigheden van mijn gevangenschap waren aanzienlijk verbeterd, maar ik was nog steeds een gevangene van de politiek.

Ik worstelde me door een onplezierige herfst en Kerstmis heen. Een buitenstaander had me misschien wel benijd, want ik danste en dineerde in gouddraad en hermelijn met hertogen, prinsen en ambassadeurs. Het nieuwe jaar bracht weer een hele serie feesten. Eind januari 1533 arriveerden Iacopo en Lucrezia in hun vergulde koets vanuit Rome.

Ze hadden nieuws van Zijne Heiligheid: ik zag het aan Lucrezia's zelfvoldane, geheimzinnige glimlachje. De ochtend na hun aankomst ontboden ze ons in een ontvangstkamer. Alleen Iacopo, Lucrezia, Maria en ik mochten naar binnen – en Alessandro, natuurlijk, die zijn verplichtingen had opgeschort om erbij te kunnen zijn.

Ik zat tussen Maria en Lucrezia in, en ser Iacopo stond voor het knappende haardvuur. Een straaltje winterzon viel op zijn haar, dat wit als katoen was. Hij schraapte zijn keel en ik stierf duizend doden, omdat ik aan de hertog van Milaan dacht.

'Ik moet jullie iets vertellen,' zei hij. 'Het is vreugdevol nieuws, maar mijn woorden moeten angstvallig geheim worden gehouden. Niemand mag iets te weten komen, want anders loopt alles gevaar.'

'We kunnen alle mensen in dit vertrek vertrouwen, oom,' zei Alessandro ongeduldig. 'Vertel alstublieft verder.'

'Er is een verloving geregeld,' zei ser Iacopo. Er verscheen een dolblije grijns op zijn gezicht. 'Mijn lieve duchessina, je gaat trouwen met Hendrik, de hertog van Orléans!'

De hertog van Orléans. De titel kwam me bekend voor, maar ik kon de man niet plaatsen.

Donna Lucrezia, die de spanning niet meer kon verdragen, riep bij het zien van mijn wezenloze blik: 'De zoon van de Franse koning, Catharina! De zoon van koning Frans!'

Ik bleef zwijgend en beduusd op mijn stoel zitten, niet in staat om de implicaties van dit nieuws te begrijpen. Maria klapte in haar handen van vreugde, en zelfs Sandro glimlachte.

'Wanneer?' vroeg ik.

'Deze zomer.'

Van een tafel die vlakbij stond, pakte ser Iacopo twee kistjes. Ze hadden allebei een paarlemoeren inlegsel in de vorm van een koningslelie, en hij gaf ze aan mij. 'Je toekomstige schoonvader, Zijne Majesteit koning Frans, biedt je namens zijn zoon deze geschenken aan.'

Ik nam de kistjes aan. In het ene zat een gouden halssnoer met drie ronde saffieren hangers ter grootte van een kattenoog, in het andere een miniatuur van een sombere jongen met ingevallen wangen.

'Hij is nog jong,' zei ik.

Donna Lucrezia kneep enthousiast in mijn onderarm. 'Hendrik de Valois is in hetzelfde jaar geboren als jij.'

'Het was de bedoeling dat hij met Maria Tudor uit Engeland zou trouwen,' voegde Maria eraan toe. 'Totdat koning Hendrik haar moeder terzijde schoof, Catharina van Aragon. Dat betekende het einde van die onderhandelingen.' Ze boog zich naar me toe, greep mijn hand en klakte afkeurend met haar tong toen ze voelde dat mijn vingers slap hingen. 'Catharina, vind je het niet spannend?'

Ik gaf geen antwoord, maar keek kalm naar ser Iacopo en vroeg: 'Wat waren de voorwaarden voor de verloving?'

De vraag overdonderde hem. 'Er is natuurlijk over je bruidsschat gesproken. Dat is een aanzienlijk bedrag.'

'Dat is niet genoeg,' zei ik, ook al wist ik dat de rijkdom van Frankrijk na jarenlange oorlogen aanzienlijk was geslonken. Koning Frans kon het goud goed gebruiken. 'Ik ben niet van koninklijken bloede – nauwelijks een goede partij voor een prins. Er zijn meisjes met grotere bruidsschatten. Wat neem ik nog meer mee?'

Ser Iacopo keek me verwonderd aan, al had mijn vraag hem niet moeten verbazen, gezien het feit dat ik zijn ijverige leerlinge in de kunst van het politieke onderhandelen was. 'Land, hertogin. Koning Frans heeft altijd land in Italië willen hebben. Paus Clemens heeft hem Reggio, Modena, Parma en Pisa beloofd, en hij biedt Frankrijk ook militaire steun om Milaan, Genua en Urbino te veroveren. Deze voorwaarden zijn vertrouwelijk; zelfs het nieuws van de verloving zelf moet nog een poos geheim blijven. Keizer Karel zal het niet leuk vinden dat het aanzoek van de hertog van Milaan is afgewezen.'

'Dat begrijp ik,' zei ik. Ik liet mijn handpalm over de bovenkant van het kistje glijden en stopte bij de inleg van paarlemoer. Ik hield het kistje een beetje schuin, waardoor het paarlemoer glansde en gedempte, fluwelen ijsblauwe en roze tinten liet zien.

'Maar vind je het niet fijn, Catharina?' spoorde donna Lucrezia me hardop aan. 'Ben je niet blij?'

Ik deed het kistje weer open om naar de jongen erin te staren. Zijn gelaatstrekken – die zo regelmatig waren dat hij er goed, om niet te zeggen knap uitzag – hadden een hautaine uitdrukking gekregen om hem een strenge, koninklijke aanblik te geven.

'Ja, ik ben blij,' zei ik, maar er verscheen nog steeds geen glimlach op mijn gezicht. 'Koning Frans was familie van mijn moeder, dus ik zal hem graag mijn schoonvader noemen. Hij heeft gezorgd dat mijn barre omstandigheden werden verruild voor de veilige thuishaven van Le Murate, en daarvoor zal ik hem altijd dankbaar blijven.'

Ik zette het kistje neer, en meteen daarop overlaadden Maria en donna Lucrezia me met tranen en kussen. Lucrezia vertelde me verrukt dat paus Clemens de stijlvolste edelvrouw van heel Italië, Isabella d'Este, had benaderd om de stoffen en ontwerpen voor mijn bruidskledij en uitzet te kiezen. Ik zou een nieuwe leraar krijgen, vers van het Franse hof, die het tempo van mijn onderricht in de taal en de gebruiken van mijn nieuwe vaderland zou verhogen.

Ser Iacopo had namens Zijne Heiligheid dringende zaken te bespreken met Alessandro, en wij, de vrouwen, werden weggestuurd terwijl de mannen zich klaarmaakten om naar Sandro's werkvertrekken te gaan. In de deuropening bleef ik even staan. Ik gebaarde dat Lucrezia en Maria mochten voorgaan en wachtte tot Sandro in mijn buurt kwam. Voordat Iacopo de gang in liep, sloeg hij zijn ogen neer en zei hij: 'Ik zal op u wachten, ser Alessandro.'

Toen iedereen buiten gehoorsafstand was, zei ik tegen Sandro: 'Jij wist het. Een jaar geleden al, toen je me waarschuwde om uit de buurt van Ippolito te blijven. Zelfs toen wisten jij en Clemens het al.'

'Ik was er niet zeker van,' zei Sandro. 'Frans had net het aanzoek gedaan, maar we hadden geen idee of de onderhandelingen succesvol zouden verlopen. Ik had het je willen vertellen, maar ik had plechtig moeten beloven om het geheim te houden. De onderhandelingen zijn minder dan een week geleden afgerond.'

'Het is altijd je bedoeling geweest dat ik Florence nooit zou krijgen,' zei ik beschuldigend. 'Dit hebben jij en je vader beraamd.'

Hij schrok even terug van het venijn in mijn stem, maar reageerde rustig: 'Het besluit viel al toen Clemens je voor het eerst zag. Ik ben slim genoeg om over een stad te regeren. Maar jij... jij bent briljant. Ik hoop dat God de wereld bijstaat als jij eenmaal leert hoe je listig moet zijn! Ik heb geen vrouw nodig die intelligenter is dan ik. Ik kan Florence voor mijn vader zeker stellen. Maar jij...'

'Ik kan hem een heel land brengen,' vulde ik verbitterd aan.

'Het spijt me, Catharina,' zei Alessandro. Heel even vergat hij zijn kalmte en terughoudendheid, en ik zag dat hij het werkelijk meende.

Het was een lange dag met Lucrezia en Maria, en na een vroege avondmaaltijd ging ik naar bed. In mijn eentje probeerde ik na te denken over mijn nieuwe lot, maar het leek allemaal erg vaag en onwerkelijk. Hoe kon ik mijn vertrouwde wereldje en iedereen die ik kende en liefhad verlaten om in het buitenland te gaan wonen? De miniatuur van de afstandelijke, stroeve jongen in het houten kistje was niet bepaald bemoedigend. Uiteindelijk won de uitputting het van de bezorgdheid, en ik dommelde in.

Ik droomde dat ik op een open veld stond, starend naar de koraalrode stralen van de ondergaande zon. Voor de gigantische, zakkende schijf stond het zwarte silhouet van een breedgeschouderde, sterke man. Hij keek naar me en strekte smekend zijn armen naar me uit.

Catherine, ma Catherine...

Het kwam me niet meer barbaars voor om mijn naam in die buitenlandse taal te horen. Ik riep terug.

Je suis ici, je suis Catherine... Mais qui êtes-vous?

Catherine! riep hij, alsof hij mijn vraag niet had gehoord.

Mijn oren suisden. Op magische wijze veranderde het landschap tot hij kronkelend aan mijn voeten lag, met zijn gezicht nog steeds in de schaduw. Terwijl ik tevergeefs zijn gelaatstrekken probeerde te zien, welde er bloed op uit zijn gezicht, als water uit een borrelende bron.

Ik knielde bij hem neer. *Ah, monsieur! Comment est-ce que je peux aider? Wat kan ik doen?*

Zijn gezicht draaide krachteloos uit de schaduw. In zijn baard zat een steeds dikker wordende laag aangekoekt bloed, en zijn hoofd werd omlijst door een donkerrode stralenkrans. Zijn blik, verwilderd van de pijn, vond eindelijk mijn ogen.

Catherine, fluisterde hij. *Venez à moi. Aidez-moi.*

Kom bij me, help me.

Hij kreeg een stuiptrekking, zijn lichaam kromde zich als een boog. Toen de aanval voorbij was, liepen zijn longen met een hard, sissend geluid leeg en werd zijn lichaam slap. Zijn mond zakte open, zijn ogen waren opengesperd en zagen niets meer.

Tot mijn schrik zag ik iets vertrouwds aan zijn levenloze gelaatstrekken – iets wat ik niet herkende, iets wat ik maar al te goed herkende – en ik schreeuwde het uit.

Toen ik wakker werd, stond mijn eredame, donna Marcella, over me heen gebogen.

'Wie?' wilde ze weten. 'Over wie hebt u het?'

Verward staarde ik haar zwijgend aan.

'De man,' drong ze aan. 'U riep: "Breng hem onmiddellijk bij me!" Maar wie moet ik halen, duchessina? Bent u ziek? Hebt u een dokter nodig?'

Ik ging rechtop zitten en legde mijn hand op mijn hart, waar de Vleugel van Corvus lag.

'Cosimo Ruggieri, de zoon van de astroloog,' zei ik. 'Ik wil dat iemand hem morgen zoekt en bij me brengt.'

15

RUGGIERI WAS NERGENS TE VINDEN. OP ZIJN ADRES DEED EEN OUDE vrouw open, die zei dat ser Cosimo de dag na het beleg was verdwenen. Tweeënhalf jaar lang had niemand iets van hem gehoord.

'En dat is maar goed ook,' zei ze. 'Hij werd compleet krankzinnig. Hij raaskalde over verdorven, afschuwelijke dingen en weigerde te eten of te slapen. Het zou me verbazen als hij nog leefde.'

Dat nieuws bracht me danig van mijn stuk, maar ik had geen tijd om lang bij mijn teleurstelling stil te staan. Ik was niet langer Catharina, een dertienjarig meisje, maar iemand wier toekomst vastomlijnd was geworden: de hertogin van Urbino, de aanstaande echtgenote van de hertog van Orléans, de schoondochter van een koning. Als een kostbaar voorwerp werd ik voortdurend tentoongesteld.

In april werd er voor mijn veertiende verjaardag een receptie in het Palazzo Medici gehouden, bijgewoond door Zijne Heiligheid, die de lange reis vanuit Rome had gemaakt. Beladen met zware juwelen hield ik de hand van paus Clemens vast, terwijl hij me aan elke vooraanstaande gast voorstelde als 'mijn lieve Catharina, mijn kostbaarste schat'.

Er bestond vast niets kostbaarders dan de spullen waarmee ik werd overladen. Ik vermoedde dat Zijne Heiligheid half Rome en zijn pauselijke tiara had belegd om de kosten te kunnen dekken. Later hoorde ik dat Sandro – inmiddels hertog Alessandro – de burgers van Florence eerder belasting had laten betalen om mee te kunnen betalen.

Rollen brokaat, damast, kant en zijde arriveerden, persoonlijk uitgezocht door de stijlvolle Isabella d'Este. Bergen sieraden – robijnen, diamanten, smaragden, halssnoeren, gouden ceintuurs vol edelstenen en een paar oorbellen van peervormige parels die zo groot waren dat ik me afvroeg hoe ik mijn hoofd rechtop moest houden als ik ze droeg – werden ter bezichtiging voor me uitgespreid. Als ik niet bezig was om kostbare edelstenen, edelmetalen of fijne stoffen uit te zoeken, kreeg ik les van een leraar om mijn kennis van het Frans en het protocol aan het Franse hof te verfijnen. Ik leerde Franse dansen en oefende ze tot mijn benen pijn deden. Omdat ik hoorde dat koning Frans stapelgek op jagen was, besteeg ik een hengst en leerde ik over hindernissen springen. Als noodzakelijk uitvloeisel daarvan leerde ik ook hoe ik moest vallen. De leraar protesteerde als ik mijn dameszadel gebruikte. Hij vond het onbehoorlijk als ik op die manier reed, omdat mijn kuiten daardoor af en toe zichtbaar waren. Hij beval een belachelijk ding aan – een stoeltje dat zo wankel was dat de rijdster van haar paard gegooid zou worden als ze het dier aanspoorde om harder dan stapvoets te lopen. Ik wilde er niets van weten.

Ik moest talloze keren in het openbaar verschijnen. Voorheen had mijn aanwezigheid Alessandro's heerschappij rechtmatigheid gegeven, maar nu gaf ik haar een koninklijke uitstraling. Ik liep aan zijn arm, een glimmend politiek sieraad, en stond aan zijn zijde om zijn verloofde, Margaretha van Oostenrijk, in Florence te verwelkomen. Ik gaf haar een vriendelijke kus op haar wang.

Door die drukke, overvolle dagen was ik zo uitgeput dat ik geen tijd kreeg om na te denken. Voor ik het wist, was het zomer, al kreeg ik nog even respijt toen de datum en plaats van het huwelijk werden gewijzigd. In plaats van een junibruiloft in Nice zou het een oktoberbruiloft in Marseille worden.

Toch werd het onvermijdelijk 1 september, en ik vertrok in een luxueuze koets uit Florence, begeleid door een bonte stoet van edelen, dienaren, stalknechten en wel tien wagens vol met mijn eigendommen en geschenken voor mijn nieuwe familie. In mijn opwinding had ik er niet bij stilgestaan dat ik misschien nooit meer naar mijn vaderland zou terugkeren. Pas bij de oostelijke poort van de stad kreeg ik een brok in mijn keel en keek ik in paniek over mijn schouder naar de steeds kleiner wordende oranje koepel van de grote kathedraal en de meanderende, grijsgroene Arno.

Tante Clarice was dood, Ippolito was wispelturig en Sandro was geslepen – ik zou hen geen van allen missen. Maar terwijl Florence uit het zicht verdween, huilde ik bij de gedachte aan Piero en aan de jongen met de schrandere blik, Lorenzo, hoog op de kapelmuur van het Palazzo Medici.

Ik reisde over land naar de kust en van daaruit over zee naar Villefranche, waar ik op Zijne Heiligheid wachtte, die van plan was de kerkelijke ceremonie zelf te leiden.

Clemens had besloten dat mijn huwelijk met Hendrik, hertog van Orléans, een spektakel moest worden dat zijn weerga niet kende. Toen de pauselijke flottielje arriveerde, stapte ik aan boord van het schip van Zijne Heiligheid en zag ik dat het helemaal gestoffeerd was met goudbrokaat. We zeilden in twee dagen naar Marseille, en toen we daar voor anker gingen, bulderde het geluid van driehonderd kanonnen boven het vreugdevolle gebeier van kathedraalklokken en schallende trompetten uit.

Marseille was zonnig. De stad rook naar zout en werd omzoomd door een helderblauwe zee en lucht. Tussen rijen van juichende Fransen door reden we naar een plein dat het Place-Neuve heette. Aan de ene kant van de laan stond het indrukwekkende, koninklijke Palais des Comtes de Provence, aan de andere kant een tijdelijk houten landhuis voor de paus. De twee waren verbonden door een gigantisch houten vertrek, dat het hele plein besloeg. Hier zouden de banketten en recepties worden gehouden.

Ik maakte mijn entree in Marseille op een vos met een sjabrak van goudbrokaat. Ik kreeg de onhandige troon aangeboden die de Françaises gebruikten, maar ik weigerde de stoel en koos mijn eigen dameszadel. Als de juichende mensen het een schande vonden om een vrouw zo te zien paardrijden, verborgen ze dat goed.

Mijn bestemming was het houten pauselijke paleis op het Place-Neuve. Toen ik afsteeg, werd ik vlug naar de ontvangsthal geleid, waar driehonderd mensen waren verzameld, de vooraanstaande mannen en glinsterende vrouwen van het Franse hof. Ze kwamen me taxeren, alsof ik ook een edelsteen was die in de kroon van Zijne Majesteit zou worden gevat.

Ik liep langs zeshonderd ogen, langs de hooghartige vrouwen met kattenogen en onbeschaamde glimlachjes. Hun strakke lijfjes eindigden in een v-vorm ter hoogte van hun adembenemend ingesnoerde tailles. Ze waren allemaal mager, en vreemd genoeg waren ze daar trots op. Hun strakke mouwen zaten niet met veters aan hun gewaad vast, maar waren eraan vastgenaaid, met bolstaande plooitjes op de bovenarm. Ze droegen hoge, Spaanse kragen, net als de mannen, maar die van hen waren bij de keel open en doken in smalle v-vormen naar hun decolleté. Stijve, gebogen banden van stof liepen over het midden over hun hoofd om hun haar naar achteren te houden en bedekten hun achterhoofd met fluwelen of ragfijne sluiers. Ze waren mooi, uiterst verzorgd en zeer zelfverzekerd. Met mijn grote mouwen en losvallende gewaad was ik een onhandige, ouderwets geklede buitenlandse.

Ik liet hun starende blikken van me afglijden en keek recht voor me uit naar Zijne Heiligheid, die op een hoog podium op een gouden troon zat. Op een respectvolle afstand van hem stonden koning Frans I en zijn drie zoons: Hendrik, de elfjarige Karel en de vijftienjarige dauphin, de kroonprins, die net als zijn vader Frans was genoemd.

Het gezicht van Clemens straalde. Binnen zes jaar was hij van een gevangene in een geplunderde stad uitgegroeid tot marionettenspeler van een koning.

Op het moment dat mijn naam – *Catharina Maria Romula de Medici, duchessina van Urbino* – werd aangekondigd, keek ik naar de grond en hield ik mijn blik ingetogen.

'Catharina!' riep Clemens uit, dronken van zijn succes en vreugde. 'Mijn lieve nichtje, wat zie je er mooi uit!'

Ik besteeg drie van de vijf treden van het podium en knielde. Terwijl ik mijn bovenlichaam op de trappen legde, nam ik de muil met de voet van Clemens in mijn handen en drukte ik de fluwelen neus aan mijn lippen.

'Sta op, duchessina,' zei Clemens, 'en begroet je nieuwe familie.'

Een grote hand op mijn schouder hielp me overeind. Voor me stond een uitzonderlijk lange man met een korte donkere baard, die zo stug was dat hij als ongekamde katoen van zijn kaak af stond. Door zijn dikke nek leek zijn hoofd klein, en hij had een erg lange neus en kleine lippen en ogen. Bij het zien van zijn prachtige kleding – een tuniek van bronskleurig satijn, met inzetsels van zwart fluweel waarop krullende bladeren waren geborduurd – hield ik bewonderend mijn adem in. Toen hij naar me glimlachte, straalden zijn houding en bewegingen een zelfbewuste waardigheid en een enorme zelfverzekerdheid uit.

'Dochter,' zei koning Frans met geëmotioneerde stem, 'wat is je houding lief, wat ben je nederig! Ik ben ervan overtuigd dat ik in de hele christelijke wereld geen betere bruid voor mijn zoon had kunnen vinden!'

Hij omhelsde me onstuimig en drukte vochtige kussen op mijn mond en wangen.

'Majesteit.' Ik maakte een diepe reverence. 'Ik ben erg blij dat u me uit mijn ijzingwekkende gevangenis hebt gered. Ik ben blij dat ik u nu in eigen persoon kan bedanken.'

De koning wendde zich met een kritische toon tot zijn zoon. 'Dit is ware nederigheid, Hendrik. Je kunt nog heel wat van je bruid leren. Omhels haar voorzichtig en met liefde.'

Hendrik, die naar de grond had staan kijken, hief zijn ongelukkige blik naar me op. Hij was een onhandige jongen van veertien – zijn neus en oren waren te groot voor zijn ogen en kin, al zouden ze na verloop van tijd beter in proportie komen. Hij was mager en slungelig, met de smalle borstkas en rug van een kind, iets wat hij met de volle mouwen en opgevulde schouders van zijn satijnen wambuis probeerde te verbergen. Zijn bruine haar was kortgeknipt, als dat van een Romein.

Hij kon niet tippen aan mijn charmante, knappe Ippolito, maar ik glimlachte naar hem. Hij probeerde terug te lachen, maar zijn lippen trilden. Hij aarzelde zo lang dat er geroezemoes door de menigte ging. Gegeneerd sloeg ik mijn ogen neer.

De oudste zoon van de koning, de dauphin Frans, kwam tussen ons in staan.

'Ik moet haar het eerst kussen,' kondigde hij luid aan. Zijn stem klonk net zo beleefd als die van alle hovelingen, maar had een opgewekte ondertoon. Hij had ronde wangen, rood van de frisse buitenlucht en een goede gezondheid, en vlasblond haar.

'We willen dat ze zich welkom voelt,' voegde Frans er met een knipoog naar mij aan toe, 'maar ik vrees dat de bruidegom zo zenuwachtig is dat hij haar juist de stuipen op het lijf jaagt.'

De koning keek geërgerd bij deze onbehoorlijke gang van zaken, maar Frans gaf me vlug een kus en droeg me over aan zijn jongste broer Karel, een deugniet met blonde krulletjes.

Met een ondeugende grijns kuste Karel me op beide wangen. Daarbij maakte hij zulke overdreven, smakkende geluiden dat een paar van de aanwezigen giechelden.

'Maak je maar geen zorgen,' fluisterde hij. 'Ik zal je zo bewijzen dat hij kan lachen.'

Hij stapte achteruit en stak mijn handen uit naar Hendrik. De koning straalde. Blijkbaar kon het gedrag van Karel zijn goedkeuring wel wegdragen.

In paniek keek Hendrik naar zijn oudere broer, en de dauphin knikte hem bemoedigend toe. Hendriks ogen kregen een vastberaden blik toen hij zich weer naar mij draaide, maar ik zag doodsangst in zijn ogen toen hij naar voren boog om me een kus te geven. Zijn adem rook aangenaam naar venkelzaad.

'Hertogin,' begon hij. Het was duidelijk een toespraak die hij uit zijn hoofd had geleerd. 'Met heel mijn hart en met de goede wensen van mijn hele volk heet ik u welkom in het koninkrijk van mijn vader, en in...' Zijn stem stierf weg.

'En in onze familie, de Valois!' snauwde de koning. 'Heb je dan helemaal geen verstand? Je hebt die toespraak wel honderd keer geoefend!'

Met een stuurse, hatelijke blik keek Hendrik op naar zijn vader. Het onplezierige moment werd opeens onderbroken door een luide, knetterende wind. Ik dacht dat iemand uit het koninklijke gevolg zichzelf in verlegenheid had gebracht, tot ik de zelfvoldane grijns van de kleine Karel zag. Zijn tactiek werkte: er gleed een charmante glimlach over Hendriks gezicht en hij begon te giechelen. Koning Frans ontspande zich en gaf Karel een bestraffende, maar toegenegen por. De dauphin glimlachte, opgelucht voor zijn vader en zijn broer.

Hendrik vermande zich en zei op opgewektere toon: 'Catharina, welkom in onze familie, de Valois.'

Zijn stem was te laag voor een jongen, maar te onvast voor een man. Ook al had ik hem nog nooit eerder horen praten, ik herkende het geluid. Zijn stem en gezicht waren nog jong, maar door de jaren en de volwassenheid zouden ze veranderen. Ergens tussen de stem van mijn bruidegom en die van zijn vader, ergens tussen zijn gelaatstrekken en die van de koning, bevonden zich de stem en het gezicht van de man die me in mijn dromen had geroepen.

Catherine
Venez à moi
Aidez-moi

Die avond, in mijn vergulde, naar vers hout geurende vertrek aan het Place-Neuve, schreef ik weer een brief aan de magiër Ruggieri. Het enige nut daarvan was dat ik mijn wanhopige voorgevoelens kon verwoorden, want in het slechtste geval was Ruggieri dood, en in het beste geval was hij verdwaasd en verdwenen. Ik zat gevangen in een vreemd land en een bloederige droom die werkelijkheid dreigde te worden, maar hij kon me niet helpen.

Ik hield halverwege een letter de ganzenveer stil, legde hem neer en verfrommelde de brief voordat ik hem in het haardvuur gooide. Ik pakte een nieuw vel papier en adresseerde de brief aan mijn nicht Maria. Ik vroeg haar om me *De Vita Coelitus Comparanda* van Marsilio Ficino op te sturen, en de brieven van ser Cosimo Ruggieri over astrologie.

Toen het tijd werd om de brief te ondertekenen, dacht ik even na en schreef ik in zelfverzekerde letters

Catharina
Hertogin van Orléans

DEEL VIJF

Prinses
Oktober 1533 – maart 1547

16

Er volgden drie dagen vol festiviteiten – banketten, steekspelen en bals. Mijn verloofde deed met tegenzin overal aan mee. Ik nam ook halfhartig deel. De gedachte dat Hendrik de man in mijn nachtmerrie was, had me doodsbang gemaakt, en ik kon niemand in vertrouwen nemen. Ik had niemand die lachend zou kunnen zeggen dat ik moe en bezorgd was en mijn fantasie met me op de loop liet gaan.

Koningin Eleonora, mijn aanstaande schoonmoeder, fungeerde als mijn chaperonne. Drie jaar eerder was ze met Frans getrouwd, die net zoveel weerzin tegen dat huwelijk had gehad als zijn zoon nu tegen het onze. Frans had er zo naar gehunkerd om de Franse vlag op Italiaans grondgebied te planten dat hij zo onverstandig was geweest om het tegen de troepen van de keizer op te nemen. Bij Pavia had hij een verpletterende nederlaag geleden en was hij gevangengenomen. Hij had zijn vrijheid teruggekocht met honderdduizenden gouden écu's en de belofte dat hij met keizer Karels zuster Eleonora zou trouwen, die weduwe was.

Net als haar broer kwam Eleonora uit Vlaanderen. Ze sprak vloeiend Frans en had veel ervaring met de Parijse cultuur en gebruiken, maar ze leek totaal niet op de glinsterende, sluw kijkende vrouwen aan het hof van haar man. Haar kastanjebruine haar was op een onvergeeflijk ouderwetse, Spaanse manier gekapt, met een scheiding in het midden en opgerolde vlechten die in twee dikke cirkels haar oren bedekten. Ze was fors, had stevige ledematen en bezat geen enkele elegantie. Ze sjokte en had grote koeienogen.

Ik vond haar aardig. Haar stilzwijgen, geduld en deugd waren niet geveinsd. Ze had op een afstandje van haar man en zijn zoons staan wachten, en toen koning Frans me naar haar toe bracht, had ze met een adorerende blik naar hem gekeken. Hij keurde haar geen blik waardig en had met een verveelde onverschilligheid gezegd: 'Mijn vrouw, koningin Eleonora.' Ze had me oprecht omhelsd en voorgesteld aan de dochter van koning Frans, de tienjarige Margaretha. Een andere dochter, de dertienjarige Magdalena, had tuberculose en lag thuis in bed.

Op de dag van de seculiere ceremonie – de derde dag van mijn verblijf in het paleis aan het Place-Neuve – kwam koningin Eleonora 's ochtends vroeg naar mijn vertrekken, waar ik werd aangekleed.

Haar glimlach was vriendelijk en ongekunsteld, haar blik kalm. 'Je hebt geen moeder, Catharina. Heeft iemand openhartig de huwelijksnacht met je besproken?'

'Nee,' antwoordde ik, en op het moment dat ik dat zei, besefte ik dat ik ja had moeten zeggen. Ik had geen behoefte aan een preek over de beginselen van seksuele gemeenschap. Ik dacht dat ik door mijn ontmoetingen met Ippolito alles wist wat ik moest weten.

'Ach.' Haar blik was vriendelijk en meelevend. 'Het is niet echt onplezierig. Ik heb zelfs begrepen dat sommige vrouwen ervan genieten. De mannen zijn er in elk geval dol op.' Vervolgens vertelde ze me dat ik erop moest staan dat mijn man zijn zaad niet verspilde, maar alles moest uitstorten in de daarvoor bestemde ruimte, en dat ik na afloop minstens een kwartier plat moest blijven liggen.

'Het is belangrijk dat je zo snel mogelijk een kind baart, want ik denk dat ze pas van je gaan houden als je hun een zoon geeft,' zei ze. Ik hoorde de weemoedigheid in haar stem. Frans was gek geweest op zijn eerste vrouw, koningin Claude, de moeder van zijn kinderen, die nu al bijna tien jaar dood was.

Eleonora legde haar hand op de mijne. 'Je zult zien dat het allemaal goed gaat. Voordat het gebeurt, zal ik je wat wijn geven, zodat je je ontspant.' Ze tikte zachtjes op mijn hand en stond op. 'Je zult vele zoons baren, ik weet het zeker.'

Ik glimlachte bij de gedachte. Mijn aanstaande echtgenoot voelde op dit moment nog niets voor me, maar ik zou zijn kinderen baren – een familie die echt van mij was en van wie ik nooit gescheiden zou worden. En in tegenstelling tot die arme koningin Eleonora zou ik nooit hoeven wedijveren met een geest.

De verlovingsceremonie was simpelweg een kwestie van het gewichtige huwelijkscontract ondertekenen en zwijgend naast Hendrik staan terwijl de kardinaal de Bourbon ons monotoon zegende. Daarna werden we naar de grote hal gebracht waar ik aan de koning en zijn familie was voorgesteld. Hendrik en ik werden aangespoord om elkaar te kussen, en dat was het signaal voor de trompetten. We schrokken allebei van het lawaai.

Er werd een bal geopend. Ik danste met Hendrik en de koning, en daarna met Hendriks broer, Frans.

Het was duidelijk dat Hendrik en zijn oudere broer een goede band hadden. Doorgaans verscheen er een oprechte glimlach op het gezicht van mijn bruidegom als de dauphin aanwezig was. Van tijd tot tijd deelden ze een binnenpretje, waarvoor ze aan een blik al genoeg hadden. De goudblonde Frans – die ik liever de dauphin noem om verwarring met zijn vader te voorkomen – was spraakzamer dan Hendrik en was een hartstochtelijk liefhebber van boeken en kennis. Hij was ook dol op geschiedenis en legde me het ontstaan van zijn titel uit. Vijf eeuwen eerder had de eerste graaf die het departement Vienne in het westen van Frankrijk bestuurde een dolfijn op zijn wapenschild gehad, waardoor hij de Dauphin de Viennois werd genoemd. De naam was blijven hangen, zelfs tweehonderd jaar later, toen de titel overging op de oudste zoon van de Franse koning.

Terwijl de dauphin zo genoeglijk met mij zat te praten, merkte ik dat hij zich niet helemaal op zijn gemak voelde. Hij leek zich altijd een beetje ongemakkelijk te voelen, tenzij hij met zijn broer Hendrik alleen was. Het was het duidelijkst in het bijzijn van zijn vader, die geen enkele kans voorbij liet gaan om zijn twee oudste zoons te bekritiseren of zijn jongste zoon te prijzen. Hendrik liet ook geen enkele kans voorbijgaan om hatelijke blikken op zijn vader te werpen. Terwijl ik tijdens een bedaarde Spaanse pavane met de dauphin over de vloer schreed, vroeg ik me af of hij de koning was die de astroloog Ruggieri in mijn moedervlekken had gezien. Misschien trouwde ik wel met de verkeerde zoon.

Die avond keerde ik terug naar mijn tijdelijke suite, en Hendrik ging terug naar zijn vaders paleis. Ik werd drie uur voor zonsopgang wakker gemaakt, toen de vrouwen kwamen om me aan te kleden. Er gingen zeven lange, saaie uren voorbij voordat ze klaar waren en er bericht naar de koning werd gestuurd dat ik gereed was.

Op die dag kreeg ik meer pracht en praal te verduren dan je iemand ooit zou toewensen. Mijn arme schedel was al beladen met edelstenen toen een van de vrouwen de gouden hertogskroon erop zette, die zo zwaar was dat ik mijn hoofd nauwelijks recht kon houden. Gewaden van goudbrokaat, afgezet met paars fluweel en wit hermelijn en bezaaid met robijnen, hingen op mijn schouders. Ik zag ertegen op om er uren mee rechtop te moeten staan.

Eindelijk arriveerde koning Frans. Zijne Majesteit droeg wit satijn met piepkleine gouden koningslelies erop geborduurd en een gouden mantel. Hij was zeer uitbundig, maar tot mijn verbazing ook een beetje zenuwachtig. Toen hij mij zag trillen, kuste hij me en loog hij dat ik het mooiste wezentje was dat hij ooit had gezien.

Terwijl hij grapjes maakte en lachte om me op te monteren, leidde hij me de trap af naar de kapel, die in de buurt van de pauselijke vertrekken was gebouwd. Daar was bijna alle rijkdom van het land op de lichamen van de driehonderd gasten terug te vinden. De zonnestralen stroomden door de grote, gewelfde ramen naar binnen, en bij het altaar brandden tien grote kandelaars. Geïmponeerd klemde ik me aan de dikke onderarm van de koning vast, en ik paste mijn stappen aan zijn kalme tred aan.

Hendrik stond bij het altaar te wachten. Zodra hij ons zag, verscheen de tegenzin weer in zijn ogen. Of die blik nu voor mij of zijn vader was bedoeld, deed er niet toe: Hendrik vond het vreselijk om met me te trouwen.

Voordat de koning me aan zijn zoon overdroeg, kuste hij mijn wang en fluisterde hij: ‘Vergeet niet dat je nu mijn dochter bent, en dat ik de rest van mijn leven van je zal houden alsof je mijn eigen kind bent.’

Ik ging op mijn tenen staan om hem een kus te geven en ging daarna naast mijn echtgenoot staan.

Hendrik was niet zo voornaam gekleed als zijn vader, maar zag er toch heel indrukwekkend uit in een wit satijnen wambuis, een zwarte fluwelen broek en zwarte mouwen, die dusdanig waren ingesneden dat je zijn witte onderhemd kon zien. Hij droeg ook een hertogskroon en een goudkleurige mantel.

Toen ik hem naderde, verborg hij zijn vijandigheid. Zijn houding was elegant en trots, al kneep hij zijn handen zo strak dicht dat zijn knokkels wit werden. Op het moment dat ik naast hem kwam staan, draaide hij zich om en knielde hij op het paarse fluwelen kussen bij het altaar.

Ik volgde zijn voorbeeld en staarde omhoog naar paus Clemens. Omlijst door een paneel van licht zag zijn gezicht er ongezond en bleek uit, en zijn lippen waren grauw. Inmiddels had hij meer witte haren in zijn baard dan zwarte, maar zijn ogen straalden. Mijn huwelijk met Hendrik was de bekroning van zijn succes. Ik verfoeide hem, omdat hij me ertoe veroordeelde de rest van mijn leven in een ander land te wonen, met een onbekende die iets tegen mij had om dezelfde reden dat ik iets tegen hem had: we waren pionnen die aan elkaar werden opgedrongen.

De ceremonie leek eeuwig te duren, met veel staan en knielen en veel te veel gebeden. Mijn verloofde en ik spraken om beurten onze huwelijksgelofte uit en gaven elkaar een ring. Hendriks handen voelden koud aan. Paus Clemens declameerde veel Latijn, maakte vele kruistekens boven ons hoofd en toen was het voorbij. Met een zucht van verlichting draaiden we ons op zijn aandringen om naar de aanwezigen.

Hendriks ogen dwaalden over de eerste rij toeschouwers, gretig op zoek naar iemands blik. Tussen koningin Eleonora en haar stiefdochters in stond een edelvrouw met lichtblond haar. Ze bezat geen natuurlijke schoonheid, maar door haar serene, elegante houding en verfijnde botstructuur leek ze toch mooi. Ik had haar al eerder gezien, meestal aan de zijde van mijn echtgenoot, als ze hem de details van het protocol uitlegde. Ze was allang oud genoeg om Hendriks moeder te kunnen zijn, en ik schonk dan ook nauwelijks aandacht aan de verlangende blik waarmee hij naar haar keek terwijl we door het gangpad liepen, en ook niet aan de goedkeurende blik waarmee ze naar hem keek.

Maar terwijl we haar passeerden, leek haar gelaatsuitdrukking te veranderen. Misschien was het slechts de inval van het zon- en kaarslicht in haar kleurloze ogen, maar heel even leek ze zich te verkneukelen, berekenend naar me te kijken. Toen ik haar scherp aankeek, kregen haar ogen een zachtere uitdrukking en wendde ze haar blik nederig en gedienstig af.

Pas op dat moment zag ik haar gewaad. Ze droeg de kleuren van een weduwe, wit en zwart: een witsatijnen lijfje en ondergewaad, een zwarte bovenrok en zwarte mouwen, die dusdanig waren ingesneden dat het wit van haar ondergewaad erdoorheen scheen. Wit satijn en zwart fluweel, de stoffen die Hendrik voor zijn trouwdag had gekozen.

De ceremonie werd gevolgd door een banket. De koninklijke familie en ik aten op een podium, zodat de honderden gasten die in de grote hal waren gepropt ons goed konden zien. Ik was bevrijd van mijn zware kroon en mantel en zat tussen Hendrik en de dauphin in. Mijn kersverse echtgenoot zei nauwelijks iets tegen mij, maar praatte wel volop met zijn broer. In aanwezigheid van Frans veranderde Hendrik in een lachende, hartelijke jongeman.

Het feestmaal begon rond de middag en eindigde tegen de avondschemering. Ik verkleedde me in een groen gewaad, mijn officiële kleur. In mijn haar en op het zwarte brokaten masker dat de bovenste helft van mijn gezicht verborg, werden rode fluwelen corsages vastgezet. Ik was nog goed herkenbaar toen ik terugkeerde naar de banketzaal, waar al een gemaskerd bal was begonnen. Ik danste met de koning en de dauphin – waarbij we een verbaal steekspel uitvoerden alsof we elkaar niet meteen herkenden – en met mijn zwijgzame echtgenoot, die slechts opleefde in het gezelschap van zijn broers of de blonde weduwe.

Ik dronk die avond maar weinig wijn. Omdat ik wist wat er ging komen, kwam ik wel in de verleiding, maar ik redeneerde dat ik beter af zou zijn als ik mijn emoties volledig in bedwang had. Blijkbaar was ik slechts een van de weinigen die dat besluit hadden genomen, want tegen de tijd dat koningin Eleonora me kwam halen, was het zo rumoerig in de grote hal dat we zwegen omdat we toch niet boven het kabaal uit zouden komen. Ze nam me mee naar de gang, waar een gevolg van dames wachtte. Sommigen waren met me meegekomen vanuit Florence, anderen, onder wie de elegante, blonde vrouw in de zwart-met-witte rouwkleding, behoorden tot Eleonora's hofstoet. Haar parfum, de geur van lelietjes-van-dalen, dreef voor haar uit en bleef achter haar in de lucht hangen.

De dames escorteerden me naar de vertrekken van prins Hendrik, waar het ondanks het knappende haardvuur nogal kil was. Zijn enorme bed, dat op de vier hoeken werd ondersteund door bedposten van uitgesneden mahoniehout, was bedekt met Isabelle d'Estes modieuze zwarte lakens. Een dikke sprei van bont lag keurig opgevouwen op het voeteneinde. Rozenblaadjes, de laatste van het seizoen, waren met zorgvuldige hand op de zwarte zijde gestrooid.

Op de bedgordijnen – allemaal eerbiedwaardige tapisserieën in bos- en roodtinten met hier en daar een glinsterende gouddraad – stonden afbeeldingen van landelijke tafereeltjes, waarop vrouwen luit speelden, dansten en fruit uit bomen plukten. Op hun hoofd droegen ze hoge puntmutsen die aan de stoottand van een neushoornvis deden denken, herinneringen aan de mode van de vorige eeuw.

Terwijl ik bij het vuur stond, haalden de vrouwen mijn mouwen los en trokken ze me mijn lijfje en rokken uit. Gekleed in mijn ondergewaad stond ik stil, terwijl de vrouwen de edelstenen een voor een uit mijn kapsel haalden en mijn haar uitborstelden tot het over mijn rug golfde. Ik moest nog even stil blijven staan toen de zwart-witte weduwe mijn onderjurk over mijn hoofd trok.

Ik was zo naakt als Eva voor het oog van minstens vijf onbekende vrouwen – ik, die mijn eigen lichaam nauwelijks had bekeken en sinds de omhelzingen van Ippolito niet meer was aangeraakt. In die tijd was ik nog mager, ivoorkleurige knieschijven en heupen die een lichte, olijfkleurige huid omspanden. Ik drukte mijn rechterhandpalm op mijn linkerborst en bedekte mijn rechterborst met mijn onderarm. Met mijn linkerhand bedekte ik de driehoek van dun, goudbruin haar op de plaats waar mijn dijen bij elkaar kwamen, en zo strompelde ik onhandig naar het bed, terwijl de elegante weduwe het bovenlaken terugsloeg.

De zwarte zijde was zo koud dat ik huiverde toen de vrouwen mijn haren over het kussen uitwaaierden en het laken optrokken tot het net mijn borsten bedekte.

De weduwe trok zich terug. Koningin Eleonora boog zich over me heen en drukte haar lippen teder op mijn voorhoofd.

'Het is allemaal zo voorbij,' fluisterde ze. 'Wees maar niet bang.'

Ze trok de bedgordijnen dicht en liet me in mijn eentje in het donker achter. De vrouwen liepen naar de antichambre, en ik hoorde hen zachtjes lachen terwijl ze noten op de vloer strooiden om de geluiden te maskeren die het kersverse echtpaar straks zou maken.

Alle machtshonger van paus Clemens, de glorie waarop koning Frans had gehoopt, en alle pracht en praal van de afgelopen maanden waren niets anders dan een fantasie, een stralende, hectische droom. Nu ik van mijn edelstenen en zijden stoffen was ontdaan, was ik terug in de realiteit. Ik was gewoon een lelijk, bang meisje dat in het donker op een verdrietige, weerspannige jongen wachtte. Ik dacht aan Clemens en Frans, dronken van de wijn en de zelfgenoegzaamheid, en ik voelde de verbittering aan me knagen.

Er klonken voetstappen, gevolgd door de krakende deur van de antichambre. De luide stem van Zijne Majesteit was zo opgewekt dat hij de nog voelbare ernst van de koningin verdreef.

'Gegroet, dames! We zijn op zoek naar de vrouw van mijn zoon!' Aan zijn stem was te horen dat hij veel had gedronken.

Er klonken vrouwenstemmen, gevolgd door gedempt gegiechel toen de noten onder een paar koninklijke laarzen kraakten.

De deur van het slaapvertrek ging open, en er kwam iemand binnen. Aan de andere kant van de bedgordijnen hoorde ik stof ruisen, die met een zucht op de grond viel. De gordijnen werden zo abrupt opengeschoven dat ik het laken op mijn borsten vastklemde.

Hendrik stond naakt naast het bed. Razendsnel kwam hij naast me liggen en trok hij de dekens over zich heen, maar in het licht van het vuur had ik een glimp van een lang, slank bovenlichaam opgevangen, dat in het kruis uitliep op een dun plukje asbruin haar. Hij keek niet naar mij, maar staarde recht voor zich uit naar het groene fluwelen baldakijn boven ons hoofd.

Een paar tellen later kwam koning Frans binnen. Zijn hoofd was onbedekt, zijn haar was verward en hij leunde zwaar op de arm van de gerimpelde, witharige kardinaal de Bourbon. Beide mannen waren ademloos van het lachen om hun eigen, grove grappen, maar de koning stond stil toen hij ons, een paar naakte kinderen, in de gaten kreeg. Misschien zag hij ook onze gêne, want zijn blik werd zachter toen hij de onderarm van de oude man losliet. 'Zegen hen, Eminentie,' spoorde hij de kardinaal zachtjes aan. 'Zegen hen en verlaat het vertrek. Mijn woord zal voldoende zijn.'

De kardinaal vertrok. Toen hij weg was, wendde de koning zich tot zijn zoon.

'Ik herinner me de huwelijksnacht met je moeder nog goed, en ik weet nog hoe jong en bang we allebei waren,' zei Frans. 'De wet verplicht me om getuige te zijn van de gemeenschap, maar zodra alles achter de rug is, zal ik jullie met rust laten. Tot die tijd...' Zijn stem werd zachter. 'Kus haar, jongen, en vergeet dat ik hier ben.'

Hendrik en ik rolden op onze zij om elkaar aan te kijken. Hij legde zijn trillende handen op de rondingen van mijn schouders en drukte zijn lippen op de mijne – een plichtmatige, passieloze kus. Hij was net zo gevangen in zijn tegenzin als ik in de mijne, maar een van ons moest zich bevrijden.

Ik sloot mijn ogen en dacht aan de mond van Clarice, die de lippen van Leda had gekust, en aan Ippolito's vaardige tong en vingers. Ik nam

Hendriks gezicht tussen mijn handen, precies zoals Clarice dat bij Leda had gedaan, en drukte mijn lippen op de zijne voordat ik ze voorzichtig met mijn tong uiteen duwde. Hij verstijfde en zou zich hebben teruggetrokken als ik had geaarzeld, maar ik hield vol tot hij mijn kussen beantwoordde. Toen we meer zelfvertrouwen kregen, rolde ik hem boven op me. Ik liet mijn hand tussen zijn benen glijden en voelde zijn vlees tot leven komen.

Vlakbij voelde ik iets bewegen, en toen ik mijn ogen opendeed, zag ik koning Frans opdoemen. Hij trok het laken naar beneden tot de billen van zijn zoon te zien waren.

Toen Hendrik en ik allebei opkeken bij deze inbreuk, liet de koning het laken vallen en stapte hij enigszins geïrriteerd achteruit.

'Niet ophouden! Ik wil alleen maar zeker weten dat het daadwerkelijk gebeurt. Ik zal jullie niet meer storen.' Hij liep weg naar de haard.

Er verschenen rode vlekken op Hendriks wangen. Omdat ik het verplicht was, stak ik mijn hand tussen zijn dijen en streelde ik hem tot hij weer hard werd. Toen hij eenmaal opgewonden was, was hij verplicht om mijn dijen uit elkaar te duwen en ertussen te gaan liggen, net als Ippolito zo lang geleden, maar hier was geen sprake van tederheid, vuur of verlangen.

Op het moment dat hij bij me naar binnen drong, wankelden mijn voornemens en verkrampte mijn lichaam. Ik schreeuwde het uit van de pijn. Waarschijnlijk was Hendrik bang dat hij zijn zelfvertrouwen zou verliezen, want hij begon als een wilde te stoten. Ik klemde mijn kaken op elkaar en hield vol. Binnen een minuut bereikte zijn passie een hoogtepunt. Hij kromde zijn rug en ik zag zijn ogen achter zijn knipperende oogleden rollen. Tegelijkertijd liep er iets warms tussen mijn benen.

Hendrik trok zich terug en ging hijgend op zijn rug liggen.

'Bravo!' Koning Frans klapte in zijn handen. 'Beide ruiters hebben tijdens het steekspel hun dapperheid betoond!'

Ik trok de lakens omhoog en draaide mijn gezicht naar de andere muur. Nadat de koning maar al te verstaanbaar tegen zijn zoon had gefluisterd dat maagden na dergelijke gebeurtenissen vaak huilden, verliet hij het vertrek.

In de stilte die volgde, wist ik dat ik zou moeten liegen en Hendrik zou moeten complimenteren met zijn minnekunsten, maar ik was zo uitgeput dat ik me nauwelijks kon bewegen. Daarnaast voelde ik de spieren in mijn keel pijnlijk samentrekken, een duidelijke voorbode van de tranen waarover de koning het had gehad.

Zwijgend lag ik in bed, in de hoop dat Hendrik me met mijn zelfmedelijden alleen zou laten, maar met zijn blik op het plafond gericht zei hij zachtjes: 'Het spijt me.'

'Je hebt me geen pijn gedaan,' loog ik, zonder mijn hoofd naar hem toe te draaien. 'Ik schreeuwde alleen omdat ik schrok.'

'Daar had ik het niet over,' zei hij, 'al spijt me dat ook.' Hij zweeg even. 'Het spijt me dat ik niet vriendelijker ben geweest. Jij bent zo aardig. Mijn broers en zussen mogen je erg graag, en mijn vader ook.'

Ik staarde naar de tapisserie die voor me hing, naar de reflectie van de vlammen op de glinsterende gouden draden die tussen de bordeauxrode en mosgroene tinten waren geweven. 'En jij?' vroeg ik.

'Ik vind je charmant,' antwoordde hij verlegen. 'Waardig, maar hartelijk. Iedereen aan het hof is diep onder de indruk van je. Maar... ik weet dat ik niet zo opgewekt ben als mijn broers en dat mijn vader zich daaraan ergert. Ik zal beter mijn best doen.'

'Je hoeft je niet te verontschuldigen,' zei ik. 'Ik weet dat je niet met me wilde trouwen. Ik kom uit het buitenland, ik ben geen prinses en ik ben lelijk...'

'Op die manier mag je niet over jezelf praten!' riep hij verontwaardigd uit. 'Ik verbied het je. Je bent best leuk om te zien. Je hoeft niet mooi te zijn om er goed uit te zien.' Zijn woorden waren zo oprecht en onschuldig dat ik me naar hem toe draaide en hem aankeek.

'O, Hendrik,' zei ik, terwijl ik mijn armen naar hem uitstak, maar mijn bewegingen waren te onverwacht. Zijn gezicht vertrok en onwillekeurig deinsde hij zo vol afschuw achteruit dat ik meteen mijn armen terugtrok. Onze blikken kruisten elkaar, maar hij zag me niet: in plaats daarvan staarde hij naar iets achter me, iets walgelijks. Ik zag de nauwelijks verhulde afkeer in zijn ogen en schrok ervoor terug.

Hoe kan ik je ooit over mijn bloederige droom vertellen als je niet van me kunt houden, dacht ik.

Hij sloeg zijn ogen neer. 'Toe, ik... Het spijt me, Catharina, werkelijk waar. Ik ben gewoon doodmoe.'

'Ik ben ook moe,' reageerde ik gespannen. 'Ik denk dat ik wil slapen.' Ik keerde hem de rug toe.

Hij aarzelde – misschien probeerde hij wel woorden te bedenken die me konden troosten – en draaide zich uiteindelijk van me af. Hij lag nog een poosje wakker, maar uiteindelijk viel hij in slaap.

Als er in mijn nieuwe huis een plaats was geweest waar ik alleen kon zijn, zou ik erheen zijn gegaan, maar het vertrek in het tijdelijke paleis waar ik mijn laatste maagdelijke dagen had doorgebracht, zat vol bedienden, en de gangen waren vol mensen die plezier maakten. In onze antichambre hielden vrouwen de wacht; als ik was opgestaan of me had bewogen, zouden ze het hebben geweten. Ik bleef de hele nacht op de plaats waar ik juist niet wilde zijn – in Hendriks bed.

Daar, in de uren voor zonsopgang, wekte een onheilspellende gedachte me abrupt op uit mijn lichte slaap.

Misschien was Hendrik niet vanwege zijn gehate vader of een ongewenst huwelijk vol walging voor me teruggedeinsd. Misschien had deze onschuldige en gevoelige jongen wel dieper kunnen kijken en de zwarte vlek op mijn ziel gezien.

17

Tijdens de weken daarna kwam Hendrik niet één keer naar mijn vertrekken, en hij ontbood me ook niet in de zijne. Hij besteedde zijn tijd aan jagen, steekspelen en tennissen met zijn broer. Vaak zat ik met de kamerheren in de grote overdekte galerij naar Hendrik en Frans te kijken. Een van de broers hield de bal in zijn linkerhand, tilde hem hoog op en brulde dan: '*Tenez!* Ik heb 'm!' Dat was een waarschuwing voor zijn tegenstander dat hij op het punt stond om de bal tegen de hoge stenen muur te slaan. Dat ze geen van beiden ooit werden geraakt door het krankzinnig rondstuiterende projectiel – of de hersens van een van de toeschouwers insloegen – bewees dat ze wisten wat ze deden.

De jonge Frans, die met zijn lichte huid en goudblonde haar totaal niet op zijn donkere broer leek, kreeg het publiek op zijn hand. Hij lachte om zijn eigen fouten en boog onmiddellijk voor zijn toeschouwers als er voor hem werd geapplaudisseerd. In zijn aanwezigheid kwam Hendrik tot leven. Hij was atletisch, in tegenstelling tot Frans, die kleiner, zwaarder en niet zo lenig was. Hendrik had makkelijk elke wedstrijd kunnen winnen, maar hij maakte vaak met opzet fouten om zijn broer de overwinning te gunnen.

Als Hendrik niet aan sport deed, bracht hij veel tijd door met de blonde weduwe uit koningin Eleonora's hofstoet. De jonge Frans, daarentegen, vond het leuk om met zijn zusters te dineren en gebruikte vaak het middagmaal met ons.

Tijdens een van die maaltijden vroeg ik hem naar de weduwe. Ze heette Diane de Poitiers en was de weduwe van Lodewijk de Brézé, een zeer machtige oude man die de grootbaljuw van Normandië was geweest. Haar grootmoeder was een de La Tour d'Auvergne geweest, waardoor we achternichten waren. Op haar veertiende was madame de Poitiers als hofdame van koningin Claude, de eerste echtgenote van de koning, naar het hof gekomen. Tijdens de twintig jaren daarna had ze de naam gekregen waardig en gematigd te zijn. Ze kleedde zich keurig en meed de witte gezichtscrème en rouge die door de andere vrouwen werd gebruikt. Als vrome katholiek vond ze het een schande dat protestanten het hof infiltreerden.

'Op welk terrein onderricht ze mijn echtgenoot?' vroeg ik aan Frans.

Ik prikte een stuk wild aan mijn vork en wachtte even voordat ik een hap nam. Ik had uit Italië een eigen vork meegenomen, en werd door de Fransen nog steeds vreemd aangekeken omdat ik zo'n exotisch instrument gebruikte.

De jonge Frans hield zijn vlees in zijn handen en nam een grote hap voordat hij antwoord gaf. 'Protocol, manieren en politiek,' antwoordde hij met zijn mond vol. 'Ze heeft van alle drie verstand.' Hij slikte de hap door en keek even nieuwsgierig naar me opzij. 'Je hoeft niet jaloers te zijn. De dame is beroemd om haar deugd. En ze is ruim twintig jaar ouder dan Hendrik.'

'Natuurlijk ben ik niet jaloers,' zei ik met een lachje.

Frans veegde de gedachte meteen met een ontspannen lach van tafel. 'Weet je, Hendrik was pas vijf toen onze moeder stierf. Hij was erg aan haar gehecht, dus het verlies viel hem het zwaarst. Madame de Poitiers zorgde voor hem en probeerde als een moeder voor hem te zijn. Daarom vindt hij haar goedkeuring nog steeds belangrijk.'

Frans was niet de enige dierbare vriend die ik in mijn nieuwe familie kreeg. De zuster van de koning, Margaretha, de koningin van Navarra – dat piepkleine landje ten zuiden van Frankrijk en ten noorden van Spanje, dat wordt begrensd door de Pyreneeën – woonde met haar vijfjarige dochter Johanna aan het hof. Margaretha en ik waren meteen dol op elkaar, en onze warme vriendschap werd versterkt toen we ontdekten dat we allebei erg van boeken hielden. Margaretha was lang, hartelijk en bruisend, en ze had zulke vooruitstekende wangen dat je haar ogen niet goed meer zag als ze glimlachte.

Net als haar broer was ze geboren in Cognac, niet ver van de Franse westkust, een plaats waar Italiaanse kunst en brieven zeer werden gewaardeerd, en ze had erop gestaan dat koning Frans de oude Florentijnse meester Leonardo da Vinci naar Frankrijk zou halen en hem royaal zou betalen – 'al was hij te oud en te blind om veel te kunnen schilderen,' voegde ze er met milde, wrange humor aan toe. Hij had een aantal van zijn beste werken meegenomen, waaronder een klein, beeldschoon portret van een glimlachende, donkerharige vrouw, een van mijn favorieten, dat nog steeds in het kasteel van Amboise hangt.

'Maar je moet de koning niet geloven als hij zegt dat Leonardo in zijn armen is gestorven,' waarschuwde Margaretha. 'Mijn broer vergeet graag dat hij ten tijde van het stervensuur van de meester niet in Amboise was.'

Ze sprak ook met trots over haar broers inspanning om in het kasteel van Blois de grootste en volledigste bibliotheek van Europa samen te stellen. Ik beloofde dat ik er een kijkje zou nemen zodra ik de kans kreeg.

In de tussentijd had ik op het eerste gezicht een fantastisch leven. We verruilden de zonnige kust van Marseille voor het winterse binnenland, omdat koning Frans rusteloos werd als hij langer dan twee maanden op dezelfde plek verbleef.

Vóór mijn aankomst in Frankrijk had ik gedacht dat ik met zoveel personeel een luxueus leven leidde, maar dat bleek luxe op kleine schaal te zijn. In Italië was de macht verbrokkeld en had elke heerser maar weinig onderdanen. Milaan werd geregeerd door de familie Sforza, Florence door de familie de Medici, Ferrara door de familie d'Este. Honderd verschillende baronnen regeerden over honderd verschillende steden. Rome viel onder het gezag van de paus, Venetië was een republiek. Maar Frankrijk was een land met één vorst, en ik besefte pas hoe bijzonder dat was toen ik voor het eerst met het hof van Frans I op reis ging. Eigenlijk was het geen hof meer, maar een stad van duizenden mensen.

De meeste koninklijke personeelsleden waren werkzaam in de kamer, de kapel of de hofhouding. In de kamer zwaaide de grootkamerheer de scepter over de garderobe en het onderhoud ervan, het ritueel om de koning te kleden en alle activiteiten rondom diens persoonlijke verzorging. Het personeel van de kamer telde onder anderen kamerdienaren, kamerheren, hofschenkers, hofmeesters, barbiers, kleermakers, naaisters, wasvrouwen, kamermeisjes en narren.

Het domein van de kapel, geleid door de grootaalmoezenier, bestond onder meer uit de biechtvader van de koning, tientallen kapelaans, aalmoezeniers, koren en de voorlezer van de koning.

Het domein van de hofhouding, geleid door de grootmeester, zorgde dat de koning en zijn enorme gevolg te eten kregen. Er waren ook andere, minder belangrijke domeinen, waaronder dat van de stallen, waartoe de koninklijke boodschappers behoorden, dat van de jacht, dat voor de honden en vogels zorgde, en het domein van de kwartiermeester, dat de uiterst lastige taak had om het hof en al zijn eigendommen van de ene locatie naar de andere te verplaatsen. Verder waren er nog raadsheren, secretarissen, notarissen, boekhouders, pages, apothekers, artsen, chirurgen, musici, dichters, schilders, edelsmeden, architecten, lijfwachten, boogschutters, kwartiermakers, lastdieren en schildknapen.

En dat waren alleen nog maar de mensen die in dienst van de koning waren. Er waren ook mensen die moesten zorgen voor zijn familie – zijn zuster, kinderen, neven en nichten, voor de buitenlandse hoogwaardigheidsbekleders, de ambassadeurs en alle vrienden wier opgewekte gezelschap de koning op prijs stelde.

Ik verliet Marseille in een weelderig ingerichte koets en keek om naar de bochtige karavaan van wagens, paarden en zwaarbeladen muildieren achter me. Twintigduizend paarden, vijfhonderd honden, evenveel haviken en valken en een lynx en een leeuw reisden met ons circus mee. We overnachtten op diverse plaatsen – meestal kastelen van edelen die de vorst maar al te graag ontvingen – tot we de Loire-vallei in reden.

Het koninklijke kasteel in Blois was prachtig en tegenstrijdig. Aan de ene kant bevond zich een kasteel van rode baksteen, gebouwd door Lodewijk XII, de voorganger van Frans I, en geërfd door zijn dochter Claude. Hier was Jeanne d'Arc door de aartsbisschop van Reims gezegend voordat ze met haar troepen ten strijde trok. Het kasteel was Claude dierbaar geweest, en toen ze met Frans trouwde – waardoor zijn aanspraak op de troon werd veiliggesteld – voegde hij er een modern paleis van vier verdiepingen aan toe.

Het paleis leek niet op de Italiaanse palazzi. De vertrekken werden niet met andere ruimtes verbonden door gangen, maar door wenteltrappen. Tijdens mijn eerste dagen in Blois was ik voortdurend buiten adem, maar binnen een week rende ik trappen op en af zonder erbij stil te staan. De koning was zo dol op wenteltrappen dat hij in het midden van de gevel een enorme, dramatische wenteltrap liet bouwen, versierd met standbeelden in gotische stijl.

De vertrekken van de koning en koningin bevonden zich op de eerste verdieping. Ook de vertrekken van Frans' minnares, madame d'Étampes, bevonden zich daar, wat een flagrante breuk met de traditie was. De vertrekken van de kinderen bevonden zich allemaal op de tweede verdieping. Minder belangrijke mensen hadden vertrekken op de begane grond, waar de eetzalen, keuken en het wachthuis zich bevonden. In de talloze bijgebouwen werden kardinalen, klerken, hovelingen, boekhouders, artsen, leraren en talloze anderen ondergebracht.

Het was al donker tegen de tijd dat ik had gegeten en mijn koffers had laten uitpakken. Ik was met een lamp naar mijn ruime vertrekken gebracht, die naast die van Hendriks zusters lagen. De koning werd de volgende ochtend verwacht en zou zijn intrek in zijn eigen vertrekken nemen. Ik was gewend om een slaapvertrek en een antichambre te hebben, maar nu had ik een slaapvertrek, een antichambre, een garderobe die zo groot was dat ik er al mijn kleren en een bed voor een dienstmeisje in kwijt kon, en een kabinet, een eigen werkkamertje. Op de bakstenen boven de haard in mijn slaapvertrek prijkte de gouden afbeelding van een salamander – het persoonlijke symbool van koning Frans – en daaronder het motto *Notrisco al buono, stingo el reo*, 'ik voed me met het goede en vernietig het kwade'.

Ik stuurde alle Franse dienaren weg en ontbood een van mijn eigen hofdames, madame Gondi, om me uit te kleden.

Marie-Catherine de Gondi was een beeldschone vrouw van dertig, met verfijnde zwarte wenkbrauwen en haar dat al heel vroeg zilvergrijs was geworden. Ze had een vlekkeloze huid, met uitzondering van een zwart moedervlekje vlak boven haar mondhoek. Ze was goed opgeleid, intelligent en bezat een natuurlijke gratie, die op geen enkele manier gekunsteld was.

Ze was Française, maar met een geruststellend verschil: ze had vele jaren in Florence gewoond voordat ze zich bij mijn gevolg voegde, met als resultaat dat ze vloeiend Toscaans sprak. Ik had die avond geen zin om Frans te spreken, en het gesprek met haar troostte me. Nadat ze me had uitgekleed, vroeg ik haar om me voor te lezen en gaf ik haar een van tante Margaretha's gedichten, 'Miroir de l'âme pécheresse', spiegel van de ziel van een zondares.

Ze las een poosje tot ik haar naar bed stuurde, want de arme vrouw was uitgeput na een lange dag reizen. Ik was nog steeds rusteloos en herinnerde me wat tante Margaretha me over de koninklijke bibliotheek had verteld. Ik bedekte mijn lichaam zedig met een mantel en liep met een lamp in mijn hand de wenteltrap naast mijn vertrekken af.

De indeling van het kasteel was verwarrend, maar nadat ik een paar keer verkeerd was gelopen, vond ik de trap naar de bibliotheek. Het enorme vertrek was op die maanloze nacht zo donker als een grot met een hoog plafond. Ik hield mijn dappere lampje vlak bij me, en stak mijn hand uit om te voorkomen dat ik tegen muren of meubilair aan zou lopen.

Omdat ik voelde dat ik in het donker iets naderde, strekte ik mijn arm uit. Ik voelde de gladde rand van een houten lijst en met zijde bedekte boekruggen – een boekenplank. Gretig kwam ik dichterbij. Ik tilde de lamp op en zag een houten boekenkast, die van de vloer tot het plafond reikte. In de schaduwen zag ik nog meer kasten, die zich tot in het oneindige leken uit te strekken. De boeken hadden allemaal dezelfde maat en waren in verschillende kleuren moiré gebonden. Zoals te verwachten viel, stonden er exemplaren van Dantes *Commedia*, Petrarca's *Trionfi* en *Canzoniere* en natuurlijk Boccaccio's *Decamerone*.

Er stonden ook titels die ik nog nooit eerder had gezien: een nieuw exemplaar van *Pantagruel*, door Rabelais, *Utopia* van sir Thomas More en een verbazende bundel van Boccaccio, *De claris mulieribus*, *Over beroemde vrouwen*.

Algauw stuitte ik op nog grotere schatten: een exemplaar van *Theologica Platonica de Immortalitate Animae*, *Platonische theologie van de onsterfelijke ziel*, door Marsilio Ficino. Ik haalde het natuurlijk onmiddellijk uit de kast en had mijn zoektocht meteen kunnen staken, maar deze ontdekking smaakte naar meer. Er ging een rilling door me heen toen ik *De Occulta Philosophia Libri Tres* van Cornelius Agrippa zag staan. Ik was op de occulte verzameling van de koning gestuit, en toen ik mijn lamp optilde, zag ik rijen boeken over astrologie, alchemie, kabbala en amuletten staan.

In gedachten hoorde ik de magiër zeggen: *De Vleugel van de Rijzende Raaf, uit Agrippa, gecreëerd onder aegide van Mars en Saturnus.* Intuïtief legde ik mijn hand op mijn borsten, waartussen de amulet hing.

Ik interpreteerde het feit dat deze werken van Ficino en Agrippa plotseling mijn pad kruisten als teken van de voorzienigheid: als Hendrik de bebloede man in mijn droom was, had ik alle geheime wijsheid nodig die ik kon vinden.

Deze gedachte vervulde me met een griezelige opwinding, en ik opende Agrippa's boek en begon te lezen. Ik werd zo door de woorden meegesleept dat ik de krakende deur niet hoorde opengaan. Toen de koning opeens in het duister verscheen – met ongekamd haar, een nachthemd onder een kamerjas van goudbrokaat – snakte ik dan ook naar adem alsof ik een geest had gezien.

Koning Frans lachte, en het gele licht van de lamp in zijn hand wierp een spookachtige gloed op zijn lange gezicht.

'Niet bang zijn, Catharina. Nu ik oud ben, word ik 's nachts veel te vaak wakker van mijn avondeten.'

'Majesteit.' Ik sloeg het boek dicht en maakte een onhandige reverence. 'Ik moet u complimenteren met uw bibliotheek. Ik ben diep onder de indruk van de titels die u in uw bezit hebt, en mijn verkenningstocht is nog maar net begonnen.'

Hij liet de lamp zakken en grinnikte gevleid. Daarna keek hij naar de boeken in mijn hand.

'Hm, Agrippa. Dat is een zeldzaam manuscript – het moet nog officieel gepubliceerd worden – maar ik had het geluk dat ik een van de exemplaren kreeg die in omloop waren. Voor een jongedame zijn neoplatonisme en astrologische magie tamelijk esoterische keuzes. Wat vind je van Agrippa?'

Ik gaf niet meteen antwoord. Veel priesters keurden dergelijke studiegebieden af, sterker nog: velen vonden dat ze godslasterlijk waren. Ik bedacht dat het feit dat de koning ze in zijn koninklijke bibliotheek had opgenomen nog niet automatisch betekende dat hij het met de inhoud eens was, of dat hij wilde dat ik ze las.

'Ik vind zijn boek fascinerend,' antwoordde ik dapper. 'Ik bestudeer de astrologie en aanverwante studieterreinen, en ik ben dol op Ficino. Ik heb zelfs een van zijn werken meegenomen uit Florence, *De Vita Coelitus Comparanda*.'

Zijn ogen werden groter en begonnen te stralen. 'Dat is het derde deel...'

' ... van *De Vita Libri Tres*, ja. Ik zal mijn familie in Florence schrijven en om de eerste twee delen vragen. En ik zal ze alle drie aan uw bibliotheek schenken.'

Hij dook op me af en gaf me vlug twee kussen op mijn wangen. 'Lieve schat! Ik kan geen beter geschenk bedenken! Maar ik kan je niet vragen een van de nationale schatten van je eigen land weg te geven.'

'Ik ben nu Française,' zei ik. Voor mij waren het geslacht de Medici en het koninklijke Huis van Valois één geworden.

Hij omhelsde me met oprechte warmte. 'Ik zal je royale geschenk accepteren, mijn dochter. Maar laat de boeken maar niet hierheen sturen, want hier blijven we hooguit een maand of twee. Laat ze maar naar Fontainebleau sturen, in de buurt van Parijs. Tegen de tijd dat de boeken arriveren, zijn jij en ik daar en kunnen we er meteen van genieten.' Hij zweeg even. 'Je hoeft de boeken niet hier te lezen, kind. Neem ze maar mee naar je kamer en hou ze zolang je wilt.' Hij liep terug naar de planken. 'En nu wil ik nog iets te lezen hebben.'

Hij tilde de lamp op en keek met samengeknepen ogen naar de titels.

'Juist,' zei hij uiteindelijk. 'Hier.' Hij haalde een boek van de plank. De titel was in het Frans, maar het ging over Italiaanse architectuur. 'Ik denk erover om in Fontainebleau nog meer te bouwen.'

Ik kwam naast hem staan en zag opeens een verhandeling over Brunelleschi staan, de man die de enorme koepel voor de kathedraal van Florence had ontworpen. Ik haalde het boek uit de kast en sloeg het open.

Hij keek abrupt opzij toen hij zag wat mijn interesse had gewekt. 'Zo,' zei hij, 'dus jij houdt van filosofie én architectuur? Doorgaans geen vakgebieden die vrouwen interesseren.'

Waarschijnlijk bloosde ik, want ik voelde mijn wangen en hals opeens warm worden. 'Dit gaat over Brunelleschi, Sire, en ik kom uit Florence. Maar ik zou denken dat iedereén wil weten hoe zo'n enorme koepel zonder zichtbare steun overeind kan blijven.'

Er verscheen een brede, goedkeurende lach op zijn gezicht. 'Ik wil dat je morgen op het derde uur na de middag naar de koninklijke stallen komt en met me gaat paardrijden over het platteland.'

'Ik ben vereerd met uw uitnodiging, Majesteit,' zei ik, terwijl ik weer een reverence maakte. 'Ik zal zorgen dat ik op tijd ben.'

Tegen de tijd dat ik eindelijk in mijn bed in slaap viel, met het boek van Agrippa opengeslagen op mijn schoot, had ik een besluit genomen: als ik Hendrik niet voor me kon winnen, zou ik zijn vader voor me winnen en proberen of ik hen met elkaar kon verzoenen. Ik hoopte natuurlijk ook dat Hendrik zich daardoor met mij zou verzoenen.

Toen de dames me onder leiding van madame Gondi de volgende ochtend aankleedden, vroeg ik haar om een Franse kap voor me te halen. Ik droeg mijn haar zoals de Italiaanse getrouwde vrouwen het droegen, opgestoken en met broches erin, maar alle Franse vrouwen droegen kappen tot op hun schouders – in feite sluiers, die waren vastgemaakt aan stijve, gebogen banden van fluweel of brokaat die op het midden van hun hoofd hun haar naar achteren hielden. Ik had tegen koning Frans gezegd dat ik nu Française was, en de kap zou laten zien waar mijn loyaliteit lag.

Binnen een paar minuten verscheen madame Gondi met een witte sluier aan een duifgrijze band. Het voelde vreemd om hem te dragen, alsof ik een vermomming op een gemaskerd bal droeg.

De dagen aan het hof verliepen volgens een voorspelbaar patroon, gebaseerd op de bezigheden van de koning. Nadat de koning was opgestaan, voerde hij besprekingen met zijn secretarissen en adviseurs. Om tien uur ging hij naar de kerk, en om elf uur gebruikte hij het middagmaal in zijn ontvangsthal. Hij zat als enige aan tafel, terwijl edelen, petitionarissen en bedienden plechtig in de houding stonden. Vaak las een bisschop hardop een tekst voor die Zijne Majesteit had uitgekozen. Daarna gaf de koning audiënties of aanhoorde hij klachten. 's Middags kwam hij naar buiten voor wat lichaamsbeweging – een rit te paard, een jacht, een wandeling, een spelletje tennis.

Die dag volgde ik de koning op de voet in de hoop dat ik Hendrik zou tegenkomen, maar hij en zijn oudere broer waren ergens anders.

Tegen de middag was de novemberlucht grijs en bewolkt, een teken dat het zou gaan miezeren. Toch was mijn stemming opgeklaard. Mijn favoriete paard, Zeus, een grijsbruine ruin met zwarte manen, was met me mee naar Frankrijk gereisd. Ik miste hem en het paardrijden vreselijk. Ik hoopte ook dat mijn man mee zou rijden.

Toen ik op het afgesproken tijdstip in de stallen arriveerde, was Hendrik echter nergens te bekennen. De dauphin en de kleine Karel ook niet, en ook geen edelen van het hof. Met uitzondering van de stalknechten – van wie er een de teugels van het grote, rusteloze zwarte ros van de koning vasthield – was Zijne Majesteit de enige aanwezige man.

Hij werd nogal afgeleid door zijn gezelschap van vijf mooie vrouwen, die als felgekleurde, prachtige papegaaien lachten en kwetterden – op één na, die net naast haar wachtende merrie op een krukje was gestapt om op de gestoffeerde, troonachtige zitplaats te stappen die de Franse dames als zadel gebruikten. Ze stond met haar rug naar de anderen toe, wat de koning in de verleiding bracht om zich te misdragen. Hij sloeg zijn armen om het middel van een vrouw die naast hem stond en trok haar wellustig tegen zich aan. Vervolgens liet hij met een schandalige behendigheid zijn hand in haar lijfje glijden om in haar borst te knijpen. De vrouw geneerde zich niet, zelfs niet toen ze haar gezicht ophief en mij zag.

'Sire!' riep ze met gespeelde verontwaardiging, en koket gaf ze hem een speels tikje op zijn hand. Ze had donker haar, een mollig lichaam, een preuts mondje en kuiltjes in haar wangen. 'Majesteit, u bent erg ondeugend!'

'Dat klopt,' bekende de koning vrolijk, 'en alleen de kus van een vrome christenvrouw kan me redden. Marie, mijn lieveling, red me!'

Marie, die duidelijk wilde voorkomen dat de vrouw op het paard haar zag, gaf hem vlug een kusje op zijn lippen en gebaarde met haar hoofd naar mij.

Ik maakte een reverence. 'Majesteit,' zei ik hardop.

'Dochter!' riep de koning met een glimlach uit, en hij pakte me bij de hand. 'Wat zie je er modieus en Frans uit! Welkom in ons groepje! Dames, dit is mijn lieve dochter Catharina. Catharina, dit zijn madame de Massy, de hertogin van Montpensier, madame Chabot en madame de Canaples.'

Ik keek hen een voor een aan en knikte naar hen. Madame de Massy, een jaar of achttien en de onzekerste van het groepje, had lichtblond haar en zulke fijne, kleurloze wenkbrauwen dat je ze bijna niet zag. Naast haar zat de hertogin van Montpensier, een knappe vrouw met een vierkante, mannelijke kaak, al te paard. Vanaf haar zadel maakte ze een beleefd buiginkje, maar ze slaagde er niet helemaal in om haar valse lachje te verbergen, een reactie op mijn gêne toen ik de koning met zijn hand in een vrouwenlijfje had gezien. Madame Chabot, de vrouw van een admiraal, glimlachte flauwtjes, alsof ze zich verveelde en hier allemaal ver boven stond. Madame de Canaples – Marie, zoals de koning haar had genoemd – keek me met zelfvoldane, halfgesloten ogen aan.

De koning gebaarde naar de vrouw die net op de grijze merrie was gestapt toen ik kwam aanlopen. 'En dit is mijn dierbare Anne, ook wel bekend als de hertogin van Étampes.' Met een dwaze, verliefde grijns keek hij even naar haar opzij.

Alle andere vrouwen volgden zijn blik, om te kijken hoe zij zou reageren. De hertogin zat op haar zadeltroontje, met haar voeten op de hoge voetsteun. Ze moest haar knieën buigen om te zorgen dat haar rokken haar benen bedekten. In deze houding kon ze niet bij de teugels, maar ze vouwde haar gehandschoende handen terwijl een stalknecht te paard naar haar toe kwam om de teugels voor haar te pakken.

Ze was een broos wezentje, heel klein, met grote, goudbruine ogen en rood gemaakte lippen die vol en verbazend beweeglijk waren. Het kostte haar geen moeite om ze vals lachend te laten krullen, minachtend te vertrekken of neerbuigend te tuiten. Haar koperrode haar was bij haar slapen tot zachte, kroezende wolkjes gekruld en ze droeg een strenge scheiding over het midden van haar hoofd. De band van haar Franse kap was van goud filigraan, dat zo gemaakt was dat het op een tiara leek. Vanaf haar kin tot aan de punt van haar rijlaarzen was ze in een jas met een hoge kraag gehuld, hetzelfde model en hetzelfde bont als die van de koning. Ze accepteerde de adoratie van de koning alsof die haar toekwam, en keek slechts heel even glimlachend naar hem opzij.

Toen ik dichterbij kwam, draaide ze nadrukkelijk haar hoofd om me beter te kunnen bekijken. Ze leek wel een kat die haar prooi bestudeert, en ze liet haar blik over mijn verschijning dwalen. Daar stond ik dan, in mijn sobere, vormeloze mantel en de malle, Franse kap, die mijn zeer Italiaanse haar bedekte, en met mijn onvergeeflijk olijfkleurige huid en uitpuilende ogen.

'Madame de Massy,' zei ik beleefd en met een knikje. 'Madame Chabot. Madame de Montpensier. Madame de Canaples.' Ik wendde me tot de hertogin en zei eenvoudigweg: 'Uwe Doorluchtigheid.'

De mond van de hertogin werd bij haar glimlachje zo klein als een rozenknop, alsof ze moeite moest doen om niet te lachen om mijn zware accent.

'Hoogheid.' Haar stem klonk lager dan ik uit die kleine keel had verwacht. 'We zijn vereerd dat u vandaag met ons meegaat.'

Op dat moment werd mijn eigen paard, Zeus, naar buiten gebracht, en hij snoof enthousiast om me te begroeten. Ik rende naar hem toe en streelde zijn donkere neus, terwijl ik fluisterde dat ik hem vreselijk had gemist.

'Wat is dát in vredesnaam?' vroeg de hertogin met een knikje naar mijn dameszadel.

De koning stelde een soortgelijke vraag, maar dan beleefder.

'Dat is mijn eigen ontwerp, Majesteit,' antwoordde ik. 'Daarmee kan ik zonder assistentie opstijgen en in alle zedigheid paardrijden.' Ik deed het hem voor. 'Ik stap met mijn linkervoet in de stijgbeugel, hier, en dan pak ik de zadelknop beet...' Met een zwaaitje stapte ik op Zeus en ging ik op het zadel zitten. Daarbij waren slechts heel even mijn kuiten te zien, die bedekt waren met witte kousen. 'Ik leg mijn rechterbeen over het uitsteeksel bij de knop. Dat uitsteeksel houdt mijn rechterknie vast, ziet u, waardoor ik niet val.' Ik pakte de teugels en wuifde de stalknecht weg die ze voor me wilde pakken.

'Briljant!' zei de koning. 'Maar je kunt vast niet zo hard rijden als een man.'

'Dat kan ik wel, Sire.'

'Maar als u met zo'n hoge snelheid rijdt, zijn uw benen vast zichtbaar,' zei Marie de Canaples.

'Het zou jammer zijn om de aandacht van de koning van zo'n mooi gezichtje af te leiden,' merkte de hertogin vals op.

Marie grinnikte. Haar hoektanden waren scherp als die van een vos.

Ik bloosde bij het horen van die belediging en keek naar de koning, maar hij bood me geen bescherming. Net als de anderen was hij benieuwd hoe ik zou reageren.

'Majesteit,' zei ik vriendelijk, 'zullen we gaan paardrijden?'

De koning nam ons mee naar het zuiden, weg van het kasteel en de hoge heuvels, en leidde ons naar de brede rivier.

Ons tempo was ondraaglijk langzaam. De merries van de vrouwen vonden het prima door de stalknechten te worden geleid, maar de hengst van de koning en mijn ruin popelden ervandoor te gaan. Om de saaiheid te doorbreken, vertelde Marie een verhaal over een listige jonge vrouw, die nog maar net aan het hof was en haar paramour op een groot banket had uitgenodigd. Terwijl haar echtgenoot vlakbij dineerde, kroop haar minnaar onder de tafel om haar tijdens het eten te plezieren, verborgen door haar volumineuze rokken.

We reden over de lange houten brug, wat een paar minuten duurde. Toen ik omkeek over de rivier, waarvan het blauw hier en daar door gouden zandbanken werd onderbroken, zag ik de huizen, kerktorens en heuvels achter ons, en het grote, witte, rechthoekige koninklijke kasteel, dat de stad domineerde.

De koning begon zich te vervelen en richtte zijn blik op het dicht beboste gebied aan de andere kant. Zodra we de overkant bereikten, ging hij over in draf. De stalknechten voerden hun tempo een beetje op, waardoor de vrouwen op hun zadels stuiterden.

'Majesteit!' riep de hertogin met onverholen irritatie. 'De dokter had gezegd dat u vandaag helemaal niet mocht rijden. U moet zich niet te veel inspannen!'

De reactie van Zijne Majesteit bestond uit een lach, die overging in een hoestje. Grijnzend keek hij over zijn schouder naar mij. 'Catharina! Laat maar eens zien of je een man werkelijk kunt bijhouden!'

Ik grijnsde terug en duwde mijn hak in de flank van Zeus.

Ik had verwacht dat de koning een wedstrijdje over het open veld bij de rivier zou houden, maar in plaats daarvan galoppeerde hij rechtstreeks de dichtbegroeide bossen in. Ik haalde diep adem en volgde hem, waarbij ik net als hij geen acht sloeg op de waarschuwingen van de vrouwen. Ik reed onbesuisd het woud van kale berken, eiken en geurige naaldbomen in. Gelukkig waren de bomen allemaal minstens een eeuw oud, met takken die zo hoog zaten dat ik niet meteen van mijn paard werd geslagen. Toch moest ik diep bukken om een aantal takken te vermijden, wat niet meevalt als je in volle galop te paard zit.

Koning Frans slaakte een vreugdekreet toen hij besefte dat ik de achtervolging had ingezet, en hij spoorde zijn hengst aan om nog harder te lopen. Ik genoot van de bijtende koude lucht op mijn wangen en volgde hem dwars door de dichte begroeiing, waarbij de hazen en vogels alle kanten op stoven. Opeens maakte hij een bocht, en hij reed het bos uit en galoppeerde langs een keurig onderhouden wijngaard. Ik volgde hem op de hielen, maar ik kon hem uiteindelijk niet inhalen. Zeus maakte kortere passen dan het enorme paard van Frans. Toch weigerde ik om de afstand tussen ons te vergroten.

Toen hij een bocht maakte om weer terug door het bos te rijden, volgde ik hem en spoorde ik Zeus aan om zo hard te lopen als hij durfde. Ik bukte voor een laaghangende tak van een naaldboom, en toen ik opkeek, zag ik de koning scherp afbuigen. De hertogin en de anderen waren het bos in gereden en kwamen recht op ons af.

Direct nadat de koning van koers was veranderd, bukte hij zich omdat het zwarte paard over een hindernis sprong.

De gespleten stam van een stokoude eik was omgevallen en versperde de weg. De kale vingers van de bovenste takken waren aan die van een boom ernaast blijven haken, waardoor de stam een flink eind boven de grond hing.

Ik zag de hindernis pas toen ik mijn paard niet meer van de omgevallen boom en het groepje naderende ruiters kon afwenden. Ik kende de beperkingen van Zeus en wist dat ik hem al ernstig op de proef had gesteld, maar er was geen tijd meer om een beslissing te nemen. Ik had geen keuze.

De spieren van het paard spanden zich, de toeschouwers hielden geschrokken hun adem in. Zoals zo vaak bij een val ging het allemaal zo snel dat ik geen tijd had om bang te zijn. De wereld draaide om me heen toen mijn lichaam in contact kwam met de schuimende flank van Zeus, de scherpe houten splinters en de koude, vochtige aarde.

Heel even kon ik niet ademhalen, maar net zo abrupt hapte ik vervolgens hoorbaar naar lucht.

Koning Frans boog zich over me heen, en zijn lange gezicht leek nog langer omdat zijn mond openstond. 'Mijn god! Catharina, ben je ongedeerd?'

De hertogin stond naast hem, met een open mond die een kleine, ronde o vormde. De andere dames zaten nog te paard.

Mijn rokken waren omhooggeschoven tot mijn heupen, waardoor mijn onderrok, in kousen gevatte kuiten en knielange onderbroek zichtbaar waren. Dat laatste kledingstuk was gemaakt van fijne Italiaanse kant en hoorde bij de verfijnde uitzet die door Isabella d'Este was uitgekozen. Ik gaf hoorbaar uiting aan mijn ergernis toen ik rechtop ging zitten en vlug mijn rokken fatsoeneerde.

Zodra de hertogin doorhad dat ik ongedeerd was, zei ze zachtjes: 'Zo. U bent er inderdaad in geslaagd om de aandacht van de koning van uw mooie gezicht af te leiden. Wat een bevallige benen.' Achter haar werd er op de paarden stiekem gegiecheld. De ogen van de koning glinsterden geamuseerd, maar hij doofde de glans snel, zoals het hoorde.

Ik duwde de uitgestoken handen van de stalknecht weg en krabbelde overeind. Zeus stond vlakbij. Hij ademde zwaar, maar hij had genoten van de snelle rit, en zijn teugels werden vastgehouden door de jongste stalknecht.

'Er is niets aan de hand, Majesteit,' zei ik.

Ik veegde dode bladeren en splinters van mijn mantel. De afgebroken tak, die dikker was dan mijn dij, had mijn rechterschouder geraakt en had dwars door de wol heen geprikt. Als de dikke stof me niet had beschermd, zou de tak mijn gewaad hebben opengereten en een ernstige wond hebben veroorzaakt. Nu had ik alleen maar een pijnlijke, blauwe schouder. Mijn Franse kap was volledig van mijn hoofd getrokken, en de doorboorde sluier wapperde als een witte vlag van een overwonneling aan de ellendige tak. Een van de stalknechten haalde hem eraf alsof het een trofee betrof. Omdat de sluier gescheurd was, zei ik dat hij hem vast moest houden.

De koning pakte me bij de hand. 'Ik vind het ongelooflijk dat je over die boom probeerde te springen. Je moet echt voorzichtiger zijn.'

'Mijn paard kan goed springen, Majesteit,' zei ik. 'Onder betere omstandigheden zou hij eroverheen zijn gesprongen.'

Hij keek me bevreemd aan en hield zijn hoofd schuin. Om een van zijn mondhoeken speelde het begin van een lachje. 'Kun je springen?'

'Jazeker. Ik heb het in elk geval gedaan voordat ik naar Frankrijk kwam. Hebt u nog nooit een vrouwelijke ruiter over een heg zien springen?'

Hij lachte zachtjes. 'Ik wist niet dat dat kon, al zegt mijn zuster altijd dat vrouwen beter zouden jagen dan mannen als ze de kans kregen.' Hij zweeg even. 'Misschien neem ik je wel een keertje mee op jacht.'

'Niets zou me meer genoegen doen, Sire.'

Toen we weggingen, bleef hij naast me rijden, en we verlieten het bos weer in ons oude, lage tempo. De hertogin zat zwijgend te mokken en negeerde Maries pogingen om een gesprek te beginnen. Zodra we het bos achter ons lieten, reden we naar de open, met gras begroeide rivieroever. De koning leidde ons terug naar de brug, maar de hertogin maakte daar bezwaar tegen.

'Ik stel voor dat we in korte galop langs de oever rijden, Majesteit,' zei ze met gemaakte vrolijkheid. 'Dan kunnen we een wedstrijd houden wie u het beste kan bijhouden.'

De koning draaide zich in zijn zadel om haar aan te kijken. 'Doe niet zo mal, Anne.'

De hertogin wendde zich tot de stalknecht die de teugels van haar paard vasthield en wees met haar vinger. 'Verhoog het tempo. Die kant op, langs de oever.'

De stalknecht keek onzeker naar de koning, die geen teken gaf, en keek daarna weer naar de hertogin. Vervolgens leidde hij haar paard met een stevige draf weg van de groep.

'Kom, Majesteit!' riep ze. 'Zet de achtervolging in!'

'Anne,' zei de koning weer, maar ze was al buiten gehoorsafstand. Hij had een enigszins gekwelde blik op zijn gezicht toen hij zijn paard aanspoorde en achter haar aan ging.

Ik wilde geen wedstrijd met Anne aangaan, en ik volgde langzaam toen de koning in een korte galop overging en zonder enige moeite haar merrie inhaalde. Toen hij zich eenmaal had laten overhalen om een wedstrijd met haar te houden, deed hij dat met jongensachtige overgave.

'Harder!' spoorde ze haar stalknecht aan. 'Harder!'

De andere vrouwen reageerden op haar uitroep. Er begon een belachelijke wedstrijd, waarbij de hertogin een heel stuk achter de koning reed en de andere dames haar volgden. Op hun troontjes stuiterden ze alle kanten op. De hertogin was niet tevreden met de stevige draf en stond erop dat het tempo nog verder werd verhoogd, totdat de nerveuze stalknecht uiteindelijk in een korte galop overging. Terwijl hij dat deed, leunde ze naar voren om de witte manen van haar merrie beet te grijpen.

Het gevolg was zeer voorspelbaar. Ik spoorde Zeus aan tot galop en bereikte de groep net op het moment dat de stalknecht doorhad dat hij een paard zonder berijdster leidde. De koning, die helemaal in het paardrijden opging, galoppeerde nog vrolijk verder.

Ik schreeuwde, steeg af en haastte me naar de hertogin. Ze lag op haar zij, en haar omhooggeschoven helderrode rokken en onderrok onthulden dunne witte benen – en nog veel meer. Toen madame Gondi nog maar net mijn hofdame was, had ze een opmerking gemaakt over mijn lange onderbroek, niet alleen over het fijne kant en het borduursel, maar ook over het feit dat Franse vrouwen zoiets niet droegen. Nu zag ik daarvan het bewijs. De hertogin van Étampes ging rechtop zitten, ontdekte dat ze zich letterlijk aan ons blootgaf en trok haar rokken omlaag. Ik onderdrukte een glimlach. Van nature was haar haar niet koperrood, maar saai bruin, net als het mijne.

Ze was ongedeerd en haar kap zat nog op zijn plaats, maar ze wilde pas opstaan toen ze zeker wist dat de koning haar val had opgemerkt. Terwijl de anderen naar ons toe reden, stak ik mijn hand naar haar uit.

'Zo,' zei ik hardop, 'ik zie dat u ook hebt besloten om de aandacht van de koning van uw mooie gezichtje af te leiden.'

Frans en zijn dames giechelden. Terwijl Anne mijn hand pakte en opstond, zag ik woedende vonken in haar ogen, die werden getemperd door haar waardering voor het feit dat mijn stekelige opmerking een schot in de roos was geweest. Om het effect ervan te verzachten, mompelde ik dat ze moed had getoond en zorgde ik tijdens de rit over de brug dat ik een heel eind achter de koning bleef rijden, zodat de hertogin haar plaats naast hem kon innemen.

Op dat moment besefte ik namelijk al dat ik de gunst van de koning zou verliezen als ik bij Anne uit de gratie raakte. Als dat gebeurde, raakte ik alles kwijt.

18

DIE AVOND GAF DE KONING EEN INTIEM FAMILIE-ETENTJE. ONDER DE gasten waren zijn kinderen, zijn zuster Margaretha, haar dochter Johanna en de grootmeester, de saaie, grijsharige Anne de Montmorency, die er bijna altijd bij was omdat aan hem de sleutels van de koninklijke residentie waren toevertrouwd. Koningin Eleonora kwam met de hofdame die haar het meest na stond – Hendriks lerares, madame de Poitiers. Mijn echtgenoot arriveerde laat en wisselde een vijandige blik met zijn vader voordat hij tussen zijn tante Margaretha en mij in ging zitten. Ik begroette Hendrik enthousiast, maar hij wendde zijn blik af.

De koning begon te spreken. Hij was diep onder de indruk geweest van mijn moed toen ik een moeilijke sprong had gewaagd, en van de elegantie waarmee ik mijn val had geaccepteerd. Hij maakte het verhaal nog mooier en een stuk grappiger, waarbij hij tot in de komische details het wanhopige gestuiter van de hertogin en haar val beschreef. Hij noemde haar simpelweg 'een van de dames' om de koningin niet in verlegenheid te brengen.

Hendrik begreep echter meteen over wie hij het had, en terwijl de anderen om zijn vaders amusante verhaal moesten lachen, fronste hij zijn wenkbrauwen.

Vervolgens beschreef de koning mijn zadel, en hij zei dat hij op aandringen van 'een van de dames' de stalmeester opdracht had gegeven om een paar kopieën te laten maken, 'zodat de vrouwen van het rijk hun vorst konden bijhouden'.

Koningin Eleonora, madame de Poitiers en grootmeester Montmorency lieten met hun bevroren glimlachjes allemaal zien dat ze dat geen goed idee vonden, maar ze durfden niet openlijk afkeurend te lijken. Hendrik trok echter een lelijk gezicht bij het verhaal, en het was me duidelijk dat hem iets hevig dwarszat. Ik probeerde hem met amusante verhalen af te leiden, maar hoe meer ik zei, hoe chagrijniger hij werd.

Na het eten zag ik hem op de binnenplaats van het kasteel, bij de trap die naar onze afzonderlijke vertrekken leidde. Hij treuzelde, en ik hoopte dat hij dat deed omdat hij mij onder vier ogen wilde spreken. Nadat koningin Eleonora en de koningskinderen ons over de verschillende trappen waren gepasseerd, sprak ik hem aan.

'Ik heb de indruk dat ik iets verkeerds heb gedaan,' zei ik zachtjes. 'Heb ik je beledigd?'

Hij groeide zo hard dat hij er elke dag anders uitzag. Hij was al groter dan op de dag van onze ontmoeting, en zijn kaak was langer en vierkanter geworden, waardoor zijn neus minder prominent was en zijn gezicht bijna knap was geworden. Zijn haar was destijds heel kortgeknipt, maar sinds onze bruiloft had hij het laten groeien, waardoor het nu op zijn kraag viel. Zijn baard was nog allesbehalve vol, maar hij was erin geslaagd om een respectabele snor te laten groeien.

Ik verwachtte dat hij zou blozen, stotteren en vlug de benen zou nemen. In plaats daarvan sprak hij me woedend aan. 'Die lichtekooi, die hoer – hoe kon je vriendschap met haar sluiten? Ze is een adder, een giftig wezen!'

Verbijsterd knipperde ik met mijn ogen. Ik had hem nog nooit boos meegemaakt of scheldwoorden horen gebruiken.

'Madame d'Étampes?' vroeg ik. 'Denk je dat ik vriendschap met haar heb gesloten?'

'Je hebt met haar paardgereden.' Zijn toon was kil, beschuldigend.

'De koning nodigde me uit voor een rit. Ik heb haar gezelschap niet gezocht.'

'Je hebt haar overeind geholpen toen ze viel.'

'Wat had ik dan moeten doen?' pareerde ik. 'Op haar moeten spugen toen ze op de grond lag?'

'Mijn vader is een dwaas,' zei hij trillend. 'Hij staat toe dat ze hem gebruikt. Je hebt geen idee... Bij de kroning van koningin Eleonora volgde mijn vader de rit door de stad vanachter een groot raam, waar iedereen hem kon zien. En zij...' Hij kon zich er niet toe zetten om de naam van de hertogin uit te spreken. ' ... zij kreeg hem zover dat ze naast hem aan het raam mocht zitten. Ze verleidde hem, ze liet hem walgelijke, wellustige dingen doen terwijl iedereen toekeek, ook de passerende koningin.' Hij zweeg en keek nors naar me.

'Bedoel je dat ik niet meer met Zijne Majesteit mag paardrijden als hij me uitnodigt? Is dat een bevel?'

Hij draaide zich abrupt om en liep in de richting van de trap.

'Nee, natuurlijk niet,' riep ik hem na. 'Voor een bevel zou je een echtgenoot moeten zijn. Dan zou je iets om me moeten geven.'

Ik duwde mijn vuist tegen mijn mond om de volgende nijdige opmerking te onderdrukken en rende een andere trap op, naar mijn vertrekken. Zonder iets tegen mijn hofdames te zeggen, liep ik naar mijn slaapvertrek, waar ik de deur dichtgooide en me op het bed liet vallen.

Een paar tellen later werd er op de deur geklopt. Omdat ik dacht dat het madame Gondi was, riep ik scherp dat ik niet gestoord wilde worden.

De stem bij mijn deur was echter afkomstig van de zuster van de koning. 'Catharina, ik ben het, Margaretha. Mag ik binnenkomen?' Toen ik geen antwoord gaf, voegde ze er zachtjes aan toe: 'Ik zag je daarnet met Hendrik praten. Misschien kan ik je helpen.'

Ik deed de deur een stukje open om te voorkomen dat ik mijn stem moest verheffen. 'Je kunt niets doen,' zei ik. 'Hij heeft een hekel aan me, daar valt niets aan te veranderen.'

'Welnee, Catharina.' Haar stem klonk zo verstandig en meelevend dat ik haar binnenliet. Ze nam me mee naar het bed en ging naast me op de rand zitten.

'Ik had net zo weinig over dit huwelijk te zeggen als Hendrik,' zei ik boos. 'Maar dat betekent nog niet dat ik aan iemand een hekel heb. Ik weet dat hij knap is en dat ik lelijk ben. Daar kan ik niets aan doen.'

'Zoiets vreselijks wil ik je nooit meer horen zeggen,' zei ze streng. 'Je ziet er prima uit. Het heeft niets met jou te maken – niet met jou persoonlijk.'

'Waarom loopt hij dan voor me weg?'

Margaretha haalde diep adem, omdat ze aan een lang verhaal wilde beginnen. 'Je weet dat de hertogin van Milaan onze overgrootmoeder was. Daarom is koning Karel Italië binnengevallen, en zijn opvolger koning Lodewijk ook, om eigendommen op te eisen die wettelijk gezien van Frankrijk waren.'

Ik knikte. Net als de meeste Italianen was ik opgevoed met het idee dat ik door die invasies een hekel aan de Franse koningen moest hebben. Nu was ik verplicht om mijn sympathieën te heroverwegen.

'Het is ook de reden waarom mijn broer Italië negen jaar geleden is binnengevallen. Het was een erekwestie.' Ze zweeg even. 'Frans is een dappere man, maar soms is hij overmoedig. Toen hij bij Pavia tegen het leger van keizer Karel vocht, leidde hij een aanval in het open veld. Hij dacht dat de vijand zich terugtrok, maar dat was een pijnlijke vergissing. Zijn mannen werden allemaal gedood, en hij werd gevangengenomen. Een jaar lang kwijnde hij in Spanje weg, tot er afspraken werden gemaakt over zijn vrijlating.

Mijn broer moest vele dingen opgeven om zijn vrijheid terug te krijgen. Eén daarvan was Bourgondië. Een ander was zijn zoons – de dauphin Frans, en Hendrik.'

Ik zette grote ogen op. 'Zijn ze gevangengehouden?'

Margaretha staarde met een verdrietige blik in de verte. 'Frankrijk verkommerde vreselijk toen de koning er niet was. Daarom ging hij akkoord met vele onplezierige concessies: hij zou met Karels zuster Eleonora trouwen, die weduwe was, hij zou Bourgondië afstaan... en hij zou zijn zoons overdragen.'

Ze zweeg. Ik herinnerde me de ochtend in Poggio a Caiano, toen ik wakker was geworden en een rij rebellen te paard op het grote grasveld had zien staan. Ik dacht aan de nacht waarin ik met ser Silvestro door de straten van Florence had gereden, uitgejouwd door een woedende menigte.

Margaretha vervolgde haar verhaal. 'Hendrik was nauwelijks zeven jaar oud toen hij en de dauphin hun vaders plaats als gevangene van de keizer innamen. Vierenhalf jaar werden ze in Spanje vastgehouden. Toen Hendrik Frankrijk verliet, was hij een vrolijk jongetje – een beetje verlegen, en soms verdrietig om zijn moeders dood, maar over het algemeen een blije jongen. In gevangenschap veranderde dat. De koning heeft vaak gezegd dat de Spanjaarden waarschijnlijk een ander jongetje hebben teruggestuurd.'

'Dus het feit dat zijn vader land in Italië wilde hebben, leidde ertoe dat Hendrik en zijn broer werden opgesloten,' zei ik langzaam. 'En ons huwelijk heeft plaatsgevonden omdat de paus de koning dat land heeft beloofd.'

Margaretha knikte verdrietig. 'Misschien begrijp je nu waarom de jongste zoon, Karel, de lieveling van de koning is. De dauphin heeft zijn vader vergiffenis geschonken, al is die periode hem natuurlijk wel bijgebleven. Hendrik kan niets vergeven of vergeten. Zijn haat jegens de koning is in de loop der jaren niet afgenomen, maar lijkt juist te zijn gegroeid, vooral nu jullie getrouwd zijn.' Ze zuchtte. 'Ik weet dat dit niets aan je situatie verbetert, maar misschien is alles draaglijker als je Hendrik begrijpt.'

Ik bracht Margaretha's grote, gladde hand naar mijn lippen. 'Dank je,' zei ik. 'Ik vind het nu al draaglijker. En misschien heb je me wél geholpen om de situatie te verbeteren.'

De volgende dag zette ik mijn gekwetste trots opzij. Vroeg in de ochtend verzocht ik madame Gondi om een Frans astronomisch jaarboek voor me te halen. Ik wist wat Hendriks geboortedatum was – 13 maart 1519, hetzelfde jaar als ik – en besloot zelf zijn geboortehoroscoop op te maken, zodat ik zijn karakter beter zou begrijpen.

Na afloop volgde ik de koning op de voet. Ik ging net als hij om tien uur naar de kerk en stond om elf uur tijdens zijn middagmaal te wachten, luisterend naar de bisschop, die uit Thomas van Aquino voorlas. Dat deed ik niet alleen om een hechte band met de vader te krijgen in de hoop dat ik hem met de zoon kon verzoenen, al was dat nog steeds voor een deel mijn doel. Ik wilde meer over regeren weten, inzicht krijgen in de krachten die naties vormgaven en kinderen van hun vaders scheidden.

Tijdens zijn middagmaal kreeg de koning me in de gaten, en hij nodigde me uit om die middag met hem te gaan paardrijden. Toen ik om drie uur bij de stallen stond, vond ik het erg grappig om de hertogin op haar merrie te zien zitten, die was gezadeld met een haastig in elkaar gezet dameszadel. De andere dames werden door hun stalknechten voortgeleid en moesten wel langzaam rijden, maar Anne en ik draafden naast de koning en maakten plannen om een jacht te organiseren. Ik kan niet zeggen dat ze warmte uitstraalde, maar ze had me geaccepteerd, want ze betrok me bij luchtige verbale steekspelletjes. Ik behoorde nu tot de vriendenkring van de koning.

Die avond kwam de familie weer bij elkaar voor het avondeten. Tante Margaretha keek veelbetekenend naar mij terwijl ze plaatsnam. Ik ging naast haar zitten.

Hendrik was weer een paar minuten te laat. Deze keer was hij heel gedwee, want hij verontschuldigde zich bij zijn vader en ging vlug zitten. Ik was erg opgelucht toen mijn begroeting vriendelijk werd beantwoord.

Na het eten liepen we naar de binnenplaats, die werd verlicht door de flakkerende toortsen die boven de wenteltrappen naar onze vertrekken hingen. Het was een koude, bijzonder heldere avond, en afgezien van het gemompel van de andere gasten, die elkaar goedenacht wensten, was het helemaal stil. Hendrik noemde zachtjes mijn naam, en toen ik me omdraaide, zag ik dat hij moed verzamelde door zijn blik naar de met sterren bezaaide hemel te richten.

'Het spijt me dat ik gisteravond zo onaardig was,' zei ik.

'Je hoeft je nergens voor te verontschuldigen, Catharina,' zei hij. Zijn ogen bleken gitzwart te zijn. Tot dat moment had ik gedacht dat ze donkerbruin waren. 'Ik ben degene die spijt heeft. Sinds je hier bent, ben ik alleen maar egoïstisch en onaardig geweest.'

Zijn oprechtheid bracht me van mijn stuk, en ik zocht naar de juiste woorden om iets terug te zeggen. Opeens dreef Magdalena's lachende stemgeluid via de trap naar beneden. Ze liep samen met haar zuster naar hun vertrekken, vergezeld door hun nichtje Johanna. Achter ons riep Montmorency iets naar de koning terwijl ze de eetzaal verlieten.

Hendrik keek vlug in beide richtingen en daarna weer naar mij. 'Mag ik je naar je vertrekken begeleiden? Ik wil je graag onder vier ogen spreken.'

'Ja,' zei ik vlug. 'Ja, natuurlijk.'

In een ongemakkelijke stilte liepen we de trap op. Hendrik liep niet verder dan mijn antichambre en ging bij het haardvuur zitten. Ik gebaarde naar mijn hofdames dat ze ons alleen moesten laten.

Toen ze weg waren, schraapte Hendrik zijn keel en staarde hij in de haard. 'Het spijt me dat ik boos werd. Madame d'Étampes manipuleert mijn vader schaamteloos en heeft veel andere hovelingen gekwetst. Gisteravond dacht ik alleen maar aan mijn eigen gevoelens en hield ik geen rekening met de jouwe.'

'Ik ben Catharina,' zei ik. 'Ik ben Italië niet.'

Geschrokken deinsde hij terug, en zijn wangen werden rood. 'Dat begrijp ik nu ook. Ik heb ook gezien hoe onaardig mijn vader koningin Eleonora behandelt. Hij negeert haar, ook al verlangt ze hevig naar zijn aandacht. Als ze ergens binnenkomt, doet hij alsof ze lucht is.' Hij schudde zijn hoofd. 'Zo wreed wil ik niet zijn.'

'Ze komt uit het buitenland en ze is niet mooi,' zei ik. 'En je vader is een slachtoffer van politieke omstandigheden. Hij wilde niet met haar trouwen.'

'Zijn eigen hebzucht heeft hem ertoe verplicht,' pareerde Hendrik. Zijn toon klonk opeens fel. 'Die hunkering naar land in Italië – het is een krankzinnig trekje van hem. Hij heeft de koninklijke schatkist ervoor geplunderd en is er bij Pavia bijna voor gestorven. Als een dwaas reed hij voor zijn mannen uit de strijd in.'

In een poging om zijn bitterheid te verbergen, wendde hij zijn gezicht af.

'Hendrik, als je niet oppast, wordt deze woede je ondergang,' zei ik. Ik zweeg even. 'Ik heb gisteren pas gehoord dat je in Spanje gevangen hebt gezeten.'

Abrupt draaide hij zijn hoofd weer naar me toe. 'Heb je ook gehoord dat mijn vader ons heeft verraden toen hij ons eenmaal aan de keizer had overgedragen? Dat hij zijn eigen zoons achterliet om weg te rotten, te sterven, te...' Verbitterd brak hij zijn zin af.

'Nee,' mompelde ik. 'Nee, dat heb ik niet gehoord.'

Hendrik keek naar zijn handen, balde ze tot vuisten en staarde in het vuur. Hij kreeg een afwezige blik in zijn ogen.

'De uitwisseling vond plaats bij een rivier,' zei hij. 'Mijn moeder was toen al dood, en alleen madame de Poitiers kwam afscheid nemen. Ze gaf me een kus op mijn hoofd en zei dat ik snel thuis zou zijn, dat ze de dagen zou aftellen. Mijn broer en ik werden in een bootje gezet. De Spanjaarden stonden op de andere oever te wachten, maar we konden hen niet zien. Het was vroeg in de ochtend en er hing een dikke mist, maar ik hoorde het water klotsen. Net toen we ons van de kant afzetten, ving ik een glimp op van mijn vader, een geest in de mist, die vanaf de boeg van een nabijgelegen schip naar ons zwaaide. Hij stak op hetzelfde moment over.'

Hij slaakte een diepe, beverige zucht. 'In het begin behandelden de Spanjaarden ons goed. We verbleven in het paleis bij de zuster van de keizer, koningin Eleonora. Maar toen werden we opeens naar een vesting gestuurd, waar we in een smerig, raamloos kamertje met een vloer van aangestampte aarde werden gestopt. Als we ook maar één woord Frans durfden te spreken, werden we geslagen. We mochten alleen maar Spaans praten. Toen ik eindelijk genoeg woorden had geleerd om de wachter te vragen waarom we zo slecht werden behandeld, vertelde hij dat mijn vader zich niet aan de voorwaarden voor zijn vrijlating had gehouden. Hij had beloofd dat hij na zijn vrijlating naar Bourgondië zou gaan om een vreedzame overname door de keizerlijke troepen voor te bereiden.

In plaats daarvan bouwde hij in Bourgondië vestingwerken om zich op een oorlog voor te bereiden. Hij was nooit van plan geweest om het gebied aan de keizer af te staan. Desondanks had hij mijn broer en mij aan de Spanjaarden overgeleverd.'

Ik hield geschrokken mijn adem in. Ik begreep heel goed dat dit een uitgekookte politieke zet was geweest: koning Frans had erop gegokt dat de keizer zijn zoons niet zou doden, en hij begreep heel goed dat een groot keizerlijk bolwerk in Bourgondië – het hart van de natie – een bedreiging voor heel Frankrijk zou vormen. Toch maakte dat zijn besluit niet minder gruwelijk, niet minder wreed. Ik kwam uit mijn stoel, ging naast Hendrik op mijn knieën zitten en stak mijn hand uit naar zijn gebalde vuist. Hij ging zo in zijn herinnering op dat hij van mijn aanraking schrok. Toch stond hij toe dat ik zijn hand voorzichtig openvouwde en zijn handpalm kuste.

'Hendrik,' zei ik zachtjes, 'we hebben veel met elkaar gemeen, jij en ik.' Toen ik een nieuwsgierig lichtje in zijn blik zag opvlammen, legde ik uit: 'Ik ben drie jaar door de Florentijnse rebellen gevangengehouden.'

Zijn mond ging open en hij knipperde verbaasd met zijn ogen. 'Dat heeft niemand me verteld,' zei hij. 'Niemand durft met mij over mijn gevangenschap te praten, dus misschien durfden ze ook niets te zeggen over de jouwe.'

Hij greep mijn hand en kneep erin. Toen hij naar me keek, zag hij voor het eerst mij, Catharina, en niet het nichtje van de paus, de buitenlandse, de gehate verplichting.

'Catharina, het spijt me vreselijk. Ik wens het niemand toe...' Hij maakte zijn zin niet af. 'Was het heel erg?'

'Soms wel. Ik vreesde altijd voor mijn leven. Ik ben ook verraden, door mijn eigen neven. Ze ontsnapten en lieten me achter in de wetenschap dat ik gevangengenomen zou worden. Een van hen regeert nu over Florence. Maar ik vind het een verspilling van mijn tijd om een hekel aan hen te hebben.'

'Ik heb mijn best gedaan om geen hekel aan mijn vader te hebben,' zei hij. 'Maar als ik hem zie, word ik weer zo kwaad...'

'Je hebt hem nodig,' zei ik zacht. 'Hij is je vader, en hij is de koning.'

'Dat weet ik.' Hij sloeg zijn ogen neer. 'Ik heb alleen maar een hekel aan hem omdat ik zoveel van mijn broer hou. Voor de Spanjaarden was het martelen van de dauphin hetzelfde als de koning martelen, omdat ze wisten dat hij ooit over Frankrijk zou regeren. Daarom werd hij hun doelwit. Ze onteerden hem.' Bij die laatste twee woorden brak zijn stem.

'Soms kwamen ze wel met vijf mannen – altijd 's nachts, als ze veel wijn hadden gedronken. We zaten op een geïsoleerde plek, in de bergen, waar ik de enige was die hem kon horen schreeuwen.' Zijn gezicht was vertrokken toen hij me aankeek, en zijn zwarte ogen waren vochtig. 'Ik probeerde hen tegen te houden. Ik probeerde te vechten, maar ik was te klein. Ze lachten en schoven me aan de kant.'

Er ontsnapte een schorre snik aan zijn keel. Ik stond op en sloeg mijn armen om hem heen. Terwijl hij zijn gezicht tegen mijn boezem drukte, gaf ik hem een kus op zijn hoofd.

Zijn woorden klonken gesmoord. 'Hoe kunnen mensen zo verdorven zijn? Wie wil een ander nu zoveel pijn doen? Mijn vriendelijke, goedhartige broer kan hun allemaal vergiffenis schenken, maar ik niet... En onze vader heeft een hekel aan ons, omdat hij aan zijn daad wordt herinnerd als hij naar ons kijkt.'

'Sst,' zei ik. 'Je broer Frans wordt elke ochtend opgewekt wakker. Hij heeft alle ellende lang geleden van zich af laten glijden. Omwille van hem moet jij dat ook doen.'

Hij hief zijn hoofd op om naar me te kijken, en ik hield zijn warme, vochtige gezicht tussen mijn handen. 'Je bent net als hij, goedhartig en verstandig,' zei hij. Hij stak zijn hand uit en streek met zijn vingertoppen over mijn wang. 'Je hebt zo'n mooi karakter dat alle vrouwen aan het hof naast jou afzichtelijk zijn.'

Ik hield mijn adem in. Zijn charmante woorden waren zeer welkom. Ik weet niet wie van ons de eerste stap zette, maar opeens kusten we elkaar hartstochtelijk en vielen we neer bij het vuur. Ik tilde mijn rokken en onderrok op, en toen ik mijn lange onderbroek uittrok en hem zo achteloos weggooide dat het kledingstuk op zijn hoofd belandde, moest hij lachen.

Deze keer was ik er klaar voor toen hij me nam. Ik vrijde wild en wanhopig met hem, en het feit dat ik me volledig liet gaan, leidde tot een spectaculair resultaat. Niemand had me verteld dat vrouwen net zoveel plezier aan de daad konden beleven als mannen, maar op die dag ontdekte ik tot mijn verbazing en vreugde dat het wel degelijk kon. Ik denk dat mijn kreten nogal hard klonken, want ik weet nog dat Hendrik ondeugend lachte terwijl ik in de greep van een ondraaglijk genot was.

Na afloop liet ik mijn dames komen om me uit te kleden, en madame Gondi haalde een kamerdienaar om Hendrik uit zijn kleren te helpen. Nadat de bedienden waren vertrokken, lagen we naakt in mijn bed.

Ik stond mezelf toe om te doen wat ik al wilde sinds ik in Frankrijk was: ik streek met mijn handpalmen over de contouren van mijn mans lichaam. Hij was heel lang, net als zijn vader, met lange, welgevormde benen en armen. En hij streelde mij – mijn borsten, mijn stevige, welgevormde benen – en zei dat ze perfect waren.

'Je bent heel dapper en lief,' zei hij. 'Je hebt je gevangenschap doorstaan, je bent naar Frankrijk gekomen, een vreemd land, en je hebt geduld met me gehad...' Hij rolde zich op zijn zij om me aan te kijken. 'Ik wil net zo zijn als jij, maar soms denk ik dat ik gek word.'

'Je bent ongelukkig,' wierp ik tegen. 'Dat is niet hetzelfde.'

'Maar ik herinner me alle vreselijke dingen die mijn broer heeft ondergaan, en dan word ik bang dat er weer zoiets gebeurt. Zo bang dat ik niemand meer vertrouw, dat ik niet eens aardig tegen jou kan zijn terwijl ik...' Gekweld keek hij de andere kant op.

'Het gebeurt niet meer,' zei ik. 'Dat ligt achter je.'

'Hoe weet je dat zo zeker?' wilde hij weten. 'Als vader weer gevangen wordt genomen – als er iets met Frans gebeurt... Misschien gebeurt er niet hetzelfde, maar iets wat nog erger is.'

Hij liet zich achterovervallen op het kussen, zijn ogen opengesperd bij de gedachte. Ik sloeg mijn armen om hem heen.

'Er zal niets akeligs met je gebeuren,' fluisterde ik, 'want dat sta ik niet toe.' Ik gaf hem een kus op zijn wang. 'Laat me je kinderen schenken, Hendrik. Laat me je gelukkig maken.'

De spanning gleed van zijn gezicht af en maakte plaats voor vertrouwen. Ik smolt toen ik dat zag. Ik legde mijn hoofd op zijn schouder toen hij fluisterde: 'O, Catharina... ik zou van je kunnen houden. Ik zou heel makkelijk van je kunnen houden...'

In die houding viel hij in slaap. En ik, duizelig van verliefdheid, genoot van zijn warme vlees tegen het mijne. Met een hoofd vol gelukkige gedachten dommelde ik in.

Midden in de nacht werd ik in blinde paniek wakker, en ik tilde mijn hoofd van Hendriks schouder om naar hem te staren. In het schemerdonker borrelde er uit zijn gezicht bloed omhoog – het gezicht van de onbekende, de man uit mijn droom.

Catherine. Venez à moi. Aidez-moi.

Op dat ene, glasheldere moment begreep ik wat het doel van mijn leven was.

'Ik heb je ver weg in Italië gehoord, mijn lief,' fluisterde ik hartstochtelijk. 'Je riep me, en ik ben naar je toe gekomen.'

Hendrik werd wakker van mijn stem en staarde me aan. Zijn ogen waren net zo zwart en verontrustend als de Vleugel van de Raaf.

Hij bleef de rest van de nacht naast me slapen, maar toen ik bij het ochtendgloren wakker werd, was hij vertrokken.

19

Toen ik zag dat Hendrik was weggegaan, stond ik zachtjes op om madame Gondi niet wakker te maken, die in de aangrenzende kleedkamer lag te slapen.

In de bibliotheek van de koning had ik drie boeken van Cornelius Agrippa over astrologische magie ontdekt, die ik allemaal mee naar mijn kabinet had genomen. Ik liep naar het piepkleine werkkamertje, haalde het eerste boek van de plank en begon het door te bladeren. Ik geloofde niet meer in een samenloop van omstandigheden. Het was geen toeval dat ik de magiër had ontmoet, net zomin als het toeval was dat ik bij Hendrik terecht was gekomen of Agrippa's meesterwerk in de bibliotheek van Zijne Majesteit had aangetroffen.

Tot die ochtend had ik het niet aangedurfd om zelf een amulet te maken. Ik betwijfelde of de boeken alle benodigde informatie bevatten om met de immateriële wereld om te gaan. Maar door het feit dat Hendriks behoefte samenviel met de ontdekking van Agrippa's boeken raakte ik ervan overtuigd dat ik was voorbestemd om dit te doen.

In het tweede boek vond ik wat ik zocht: Corvus de Raaf is een gesternte in de buurt van Cygnus de Zwaan. De sterren van de Raaf worden geregeerd door de sombere Saturnus en de bloeddorstige Mars, maar in combinatie met de ster Gienah 'verschaffen ze het vermogen om kwade geesten te verdrijven', schrijft Agrippa, en beschermen ze tegen 'de boosaardigheid van mensen, duivels en stormen'. Als er over het gesternte een raaf wordt getekend, glittert Gienah op zijn vleugel.

De vereiste afbeelding moest een raaf zijn. De vereiste steen was zwarte onyx, het kruid narcis, klis of smeerwortel, het dier een kikker – vooral de tong. Op een nacht dat de rijzende Gienah een gunstig aspect met de maan vormde, moest ik de steen van een symbool voorzien, met behulp van rook zuiveren en wijden.

Dat werd dus mijn taak. Ik moest een ring zien te krijgen die om Hendriks vinger paste, een afbeelding van een raaf maken, de steen, een kruid en een kikker verzamelen en het ritueel uitvoeren. Eerst moest ik echter weten waar Gienah stond, de baan bestuderen en vaststellen wanneer de ster tijdens de komende maanden conjunct de maan opkwam.

Die dag had ik het gevoel dat ik een doel had, en ik geloofde dat ik de bloederige last die ik al zo lang op mijn schouders droeg binnenkort zou kwijtraken. Ik had nooit kunnen dromen dat ik in plaats daarvan dichter bij het hart van de sinistere, groter wordende kring van de magiër kwam.

In de tussentijd ging het steeds beter met mij en steeds slechter met Florence. Ik kreeg een brief van mijn lieve neef Piero, die inmiddels met zijn vader, Filippo, en zijn broers in Rome woonde. Ze waren uit Florence gevlucht. Kennelijk was Sandro een moordzuchtige tiran geworden, die zijn familieleden zwaar wantrouwde. Hij had Piero er zelfs van beschuldigd dat hij samenzwoer om de stad in handen te krijgen. Anderen die Alessandro's achterdocht hadden gewekt, waren geëxecuteerd, vergiftigd of simpelweg verdwenen.

Het is maar goed dat jij en Ippolito niet bij hem in de buurt wonen, schreef Piero, *want anders hadden jullie het niet overleefd.* Er waren zoveel bange en misnoegde mensen uit Florence weggegaan dat het gerucht ging dat er een leger werd verzameld om de stad weer in handen te krijgen.

Ik schreef Piero meteen terug en nodigde hem en zijn familie uit om naar Frankrijk te komen. Ik wilde hen graag zien, maar eerlijk gezegd wilde ik ook laten zien dat ik gelukkig was.

In koning Frans had ik de vader gevonden naar wie ik altijd had verlangd. Tot mijn grote genoegen nodigde hij me uit om 's ochtends zijn besprekingen met zijn adviseurs bij te wonen, zodat ik kon zien hoe een land werd geregeerd. Ik leerde hoe de koning met het parlement, zijn minister van Financiën en zijn Hoge Raad samenwerkte.

Als de koning het middagmaal gebruikte, wilde hij dat ik in zijn buurt zat, een bijzondere eer. Als de voorlezer van de koning zweeg, bespraken we Zijne Majesteits bouwplannen voor Fontainebleau, de vraag welke Italiaanse kunstenaar hij voor een bepaald project moest inhuren of een literair werk dat we allebei hadden gelezen.

Hij behandelde me net zo hartelijk als zijn eigen dochters, bij wie hij regelmatig op bezoek ging. Hij trok ze allebei op zijn schoot, al pasten ze daar eigenlijk al niet meer op. Als hij glimlachend naar ons zat te kijken, ving ik een glimp op van de intelligente, liefdevolle jongen die ik in mijn Hendrik had gezien. Tegelijkertijd kende hij in de raadzaal geen mededogen; het welzijn van het land ging boven individuele belangen.

En al hoorde ik veel over zijn onverzadigbare lust, zijn familie werd daarvan afgeschermd, al kwam het wel eens voor dat ik hem betrapte met zijn hand in het lijfje of onder de rokken van een hovelinge. Madame Gondi vertelde me dat Zijne Majesteit haar kort na haar komst naar het hof in een hoek had gedreven. Hij had haar gestreeld en gezegd dat hij niet zonder haar liefde kon leven.

'Bent u gezwicht?' vroeg ik geschokt.

'Nee,' antwoordde ze. 'De zwakheid van Zijne Majesteit is zijn liefde voor vrouwen, en als een vrouw huilt, wordt hij volkomen hulpeloos. Zo houdt de hertogin van Étampes hem onder de duim. Ik begon dus te huilen, en ik zei dat ik van mijn man hield en hem niet kon bedriegen. Zijne Majesteit accepteerde mijn verklaring en trok zich met een verontschuldiging terug.'

Dergelijke verhalen zaten me dwars, maar omdat ik erg veel van hem hield, was ik bereid veel door de vingers te zien.

Het allerfijnste was het gevoel dat mijn liefde voor Hendrik wederkerig was. Hij glimlachte nu verlegen naar me en durfde me aan te kijken, al was het dan met een vertederende beschroomdheid. En hij kwam vaak – maar niet vaak genoeg naar mijn zin – naar mijn slaapvertrek.

Ik was tot over mijn oren verliefd op hem. Ik begreep zijn verdriet inmiddels: zijn woede was geboren uit liefde en de behoefte om te beschermen. Zijn ogen schoten vuur als er over een veldtocht tegen Italië werd gesproken, maar dat was alleen omdat hij vreesde dat een nieuwe oorlog kwalijke gevolgen voor zijn broer zou hebben.

Uiteindelijk maakte de koning alle details van onze huwelijksvoorwaarden openbaar: paus Clemens had inmiddels al de helft van mijn exorbitant hoge bruidsschat betaald, en Clemens en koning Frans benoemden Hendrik allebei tot hertog van Urbino, omdat hij met mij was getrouwd. Milaan werd ook van ons, en Piacenza en Parma ook. Zijne Heiligheid de paus bevestigde ons recht op deze gebieden en zou extra troepen leveren om ons bij het veroveren ervan terzijde te staan.

Ter voorbereiding begon koning Frans een leger te verzamelen.

Ondertussen reisde het hof met de koning van de Loire-vallei naar het noordelijker gelegen Parijs. Deze stad was niet zo uitgestrekt als Rome, maar wel tien keer zo druk. De smalle straten waren altijd overvol en de vakwerkhuizen waren naast elkaar gepropt. Maar de lente bracht betoverende, heerlijk geurende bloesems en een milde temperatuur, al kon er uit een hemel die even daarvoor nog rustig had geleken opeens een regenbui vallen. De Seine, grijsgroen op grauwe dagen en van kwikzilver in het zonlicht, was zo ondiep dat er geen schepen op konden varen. Soms zag ik zoveel gouden zandbanken dat ik het idee had dat ik gewoon naar de overkant kon lopen. De rivier sneed de stad in tweeën, en middenin lag het eiland Île de la Cité, waarop de enorme, indrukwekkende kathedraal Notre-Dame stond. Op dit eiland bevond zich ook de hemelse, sierlijke Sainte-Chapelle met zijn vurige, rondlopende glas-in-loodramen.

Door de hoge, smalle ramen van het Louvre kon ik hun torens zien. Van alle koninklijke verblijven was dit mijn minst favoriete – het was oud, krap en had piepkleine vertrekken. Door de eeuwen heen was het hof enorm gegroeid, maar het Louvre, dat op de oever van de Seine lag, had geen ruimte om uit te breiden. De kamers verkleinen was de enige manier geweest om het aantal vertrekken te vergroten. De binnenplaats, een pleintje met kasseien, kon niet tippen aan de grote groene velden van de kastelen op het platteland.

Ik was dol op de stad zelf. Parijs was niet zo verfijnd als Florence, maar ook niet zo blasé. De stad had iets opwindends, wat de beste kunstenaars van heel Europa aantrok. Dankzij de vastberadenheid van koning Frans om de beste kunstenaars, architecten en goudsmeden naar Frankrijk te halen, waren er veel Italianen. Overal waar ik kwam, zag ik steigers en hoorde ik ten minste twee Italianen ruzie maken over de beste manier om een bepaald deel van het oude paleis mooier te maken of te verbouwen.

In mijn benauwde kabinet in het Louvre tekende ik met zwarte inkt een raaf op wit perkament. Een Parijse juwelier had me een gepolijste, gefacetteerde onyx geleverd. Een apotheker voorzag me van vermalen cipressenhout, passend bij Saturnus, en de giftige helleboruswortel, geregeerd door Mars. Ik kreeg een loopjongen zover dat hij een kikker doodde en de tong er uitsneed zonder onbehoorlijke vragen te stellen. Ik legde de tong naast de steen en de wierook in een van de geheime compartimenten in de houten lambrisering vlak bij mijn schrijftafel, waar hij bruin werd en verschrompelde.

Ik bracht in kaart hoe Gienah zich langs de nachtelijke hemel verplaatste, en berekende wanneer de ster conjunct de maan zou opkomen. Het zou nog maanden duren voordat het gunstigste moment aanbrak.

Cosimo Ruggieri had mijn steen dus ruim van tevoren voor me klaargemaakt – weken eerder, misschien wel langer. Hij had al die tijd geweten dat ik hem nodig zou hebben, en had slechts gewacht op een gelegenheid om hem aan me te overhandigen.

In die lente van 1534 bleven we niet lang in Parijs. Net als ik had de koning een hekel aan het onderkomen, en hij verruilde het al snel voor het kasteel in Fontainebleau, ten zuiden van de stad.

Als het Louvre het kleinste van de koninklijke verblijven was, was Fontainebleau beslist het grootste. Het enorme, vier verdiepingen tellende stenen paleis was gebouwd als een ellipsvormige ring met een binnenplaats. Er kon een heel dorp in worden ondergebracht, maar het was te klein voor het hof van koning Frans, waardoor er een westelijke vleugel en een verbindingsgang moesten worden gebouwd. Frans huurde de beroemde Fiorentino in om muurschilderingen te maken, die randen van verguld lijstwerk kregen. Op aanwijzingen van de koning begon het kasteel dankzij de beroemde goudsmid Cellini te glimmen.

Ik ontbood Cellini in mijn kabinet en toonde hem een schets van een gouden ring met een gat, waarin een steen kon worden gevat. Toen hij mijn opdracht had uitgevoerd, beloonde ik hem vorstelijk en legde ik de ring op een geheime plek.

Terwijl de lente overging in de zomer en de zomer plaatsmaakte voor de herfst, greep de koning elke gelegenheid aan om te gaan jagen. Daarbij werd hij vergezeld door *la petite bande*, zoals hij ons damesgroepje noemde. We hadden inmiddels allemaal een dameszadel, en we waren allemaal vastbesloten om de koning bij te houden.

Op een middag aan het einde van september achtervolgden we een mannetjeshert. Ik was die dag gelukkig, blij met mijn nieuwe leven. Het was heerlijk weer, met een aangenaam briesje en een zonnetje, en ik maakte plezier met Anne terwijl we achter de koning aan galoppeerden.

Opeens begon er een klok te luiden: een belangrijke persoon was gestorven. We bliezen de jacht af en reden bedrukt en nieuwsgierig terug. De stalmeester had geen idee wat er was gebeurd.

Ik steeg af en liep terug naar mijn vertrekken, waar madame Gondi me met behuilde ogen in de deuropening opwachtte. Haar tranen hadden een deel van haar blanketsel weggespoeld en spoortjes roze door het krijtwit getrokken. De andere dames en de dienstbodes liepen allemaal te huilen.

'Wat is er aan de hand?' wilde ik weten.

Ze sloeg een kruis. 'Hoogheid, ik vind het heel erg dat ik het u moet vertellen. Uw oom, de paus, is overleden.'

Ik was geschokt en verdrietig, maar ik huilde niet. Voor gelovigen is het vreselijk als een paus sterft, en hij was ook nog eens familie van me. Ik nam het hem echter nog steeds kwalijk dat hij zijn eigen onwettige zoon, Alessandro, had aangewezen om Florence te regeren.

Toen ik eenmaal van de schok bekomen was, begon ik me ongemakkelijk te voelen. Clemens had nog maar de helft van mijn bruidsschat betaald, en hij had zijn beloftes om koning Frans militair te steunen nog niet gestand gedaan. In de kapel bad ik dat zijn opvolger Frankrijk en mij gunstig gezind zou zijn, maar ik wist dat God nooit naar me luisterde.

Zeven nachten nadat de paus was gestorven, kwam de maan op met de ster Gienah vlak in zijn buurt. Drieënveertig minuten na middernacht liep ik naar mijn raamloze kabinet en maakte ik de geheime schuilplaats met een sleutel open.

Ik had mijn schrijftafel tijdelijk in een altaar veranderd en had in het midden een wierookvat uit de kapel neergezet, vóór mijn tekening van de raaf. Nadat ik de kooltjes in het wierookvat had aangestoken, verkruimelde ik het cipressenzaagsel en de gedroogde helleboruswortel boven het vuur. Onmiddellijk walmde er een scherpe wolk rook omhoog. Mijn ogen begonnen te tranen, maar ik pakte een graveerpen van een juwelier en de gepolijste onyx. Op de achterkant van de steen etste ik het symbool van Gienah, en daarna hield ik de steen in de rook en herhaalde ik de naam van de ster. Met een van Cellini's fijne tangetjes zette ik de steen in de ring en drukte ik de gouden tandjes aan tot de onyx vastzat.

Het was een eenvoudig proces, waaraan niets bovennatuurlijks te ontdekken was. Zeven nachten lang herhaalde ik het ritueel van wierook aansteken en Gienah aanroepen, exact om drieënveertig minuten na middernacht. Ik was bang geweest dat ik er niet aan zou denken om op dat tijdstip op te staan, maar uiteindelijk bleek dat ik het niet kon vergeten.

Binnen twee weken werd Alessandro Farnese tot paus gekozen, en hij nam de naam Paulus III aan. Ik weet niet of koning Frans zich ongemakkelijk voelde na die verkiezing, maar Zijne Majesteit liet me nooit iets merken en was even hartelijk als altijd. Op de laatste dag van oktober, de vooravond van Allerheiligen, gebruikten we samen het middagmaal en voerden we een levendige conversatie over het oeuvre van Rabelais en de vraag of zijn boeken ketterse werken waren. Ik was vrolijk toen ik die middag naar de stallen ging, klaar om met de koning en zijn groep uit te rijden.

Toen ik naderde, haastten de dames – met uitzondering van Anne – zich met angstige gezichten terug naar het kasteel. Marie de Canaples gebaarde koortsachtig naar me, maar ik begreep pas later dat ze me had willen waarschuwen.

In de stallen leidden staljongens onrustige paarden terug naar hun plaats. Bij de ingang stonden drie mensen: grootmeester Montmorency, de hertogin van Étampes en de koning. De hertogin was zwijgzaam en van streek, Montmorency zag er waardig en onverzettelijk uit en had zijn ogen neergeslagen.

De koning liep te tieren en doorsneed de lucht met zijn rijzweep. Toen ik dichterbij kwam, haalde hij ermee uit naar een staljongen, die in zijn ogen niet hard genoeg doorliep. De jongen slaakte een kreet en versnelde zijn tempo.

Ik bleef op een afstandje staan. De hertogin zette grote ogen op en deed ook vergeefse pogingen om me met handgebaren weg te wuiven.

'Niets!' schreeuwde de koning, terwijl er speeksel uit zijn mond vloog. Hij doorkliefde de lucht nog een keer en sloeg vervolgens met zijn zweep op de grond, waardoor er plukken gras omhoogvlogen. 'Ze brengt me niets! Niets! Ze is naakt naar me toe gekomen, dat kind!'

Ik deinsde achteruit, en mijn beweging trok de aandacht van Frans. Hij draaide zich razendsnel naar me om en nam een dreigende houding aan.

'Poedelnaakt, hoor je me?' Zijn stem brak van de heftige emoties. 'Poedelnaakt.'

Ik hoorde hem maar al te goed. Ik maakte een nederige, diepe reverence, draaide me om en liep met alle geveinsde waardigheid die ik kon opbrengen terug naar het kasteel.

Mésalliance: de Fransen gebruiken het woord voor een koninklijk huwelijk dat beter niet had kunnen plaatsvinden. Het lag op de lippen van iedere hoveling en iedere dienaar, al durfde niemand het hardop in mijn bijzijn uit te spreken.

Het Franse volk had me altijd getolereerd, maar nooit van me gehouden. Voor hen was ik een noodzakelijk kwaad geweest – een burgermeisje dat had beloofd de schatkist van een failliet land met goud te vullen en extra troepen te leveren om de Italiaanse gebieden te veroveren waarvan Frans altijd had gedroomd. Nu bleek dat ik mijn beloftes niet had waargemaakt. Het zou heel eenvoudig zijn om me aan de kant te schuiven, want ik had nog geen kinderen gebaard.

Madame Gondi, mijn goede, ijverige spionne, biechtte nu de waarheid op: de Fransen hadden een hoge dunk van de Florentijnen vanwege hun kunst, fijne stoffen en literatuur, maar ze hadden ook een hekel aan ons. Verraders, noemden ze ons, gifmengers die door hun aangeboren voorliefde voor moord zelfs gevaarlijk waren voor vrienden en familieleden. Veel mensen aan het hof zagen me graag vertrekken. Voordat ik was gearriveerd, hadden velen van hen plechtig gezworen dat ze liever hun knieën lieten breken dan dat ze voor het kind van buitenlandse kooplieden door de knieën zouden gaan.

Maar ik hield met heel mijn hart van Hendrik; ik had een nieuw leven in Frankrijk gekregen en kon me geen ander bestaan meer voorstellen, vooral omdat Florence niet meer van mij was.

De volgende ochtend ging ik met de koning naar de kerk en liep ik achter hem aan naar zijn middagmaal. 's Middags ging ik met opgeheven kin naar de koninklijke stallen.

Daar trof ik de koning aan, en de slanke, elegante hertogin en de mollige Marie de Canaples. Ze glimlachten allemaal naar me, maar hun warmte was afgekoeld tot een afstandelijke beleefdheid. Weer was ik iemand tot last geworden.

Kort daarna was Hendriks ring met de amulet van Corvus klaar. Ik besloot hem het sieraad te geven toen we op een avond met elkaar hadden geslapen. Hendrik stapte uit bed en trok zijn broek aan. Ik was nog naakt en zat op het bed naar hem te kijken. Mijn haar hing los en viel tot op mijn middel.

Nog voordat hij de bel kon pakken om zijn kamerdienaar te ontbieden, zei ik: 'Ik heb een geschenk voor je.'

Hij hield zijn hand stil en keek me met een nieuwsgierig glimlachje aan. Ik liep vlug naar mijn kast, haalde er een fluwelen doosje uit en gaf het aan hem.

Zijn glimlach werd breed en blij. 'Wat attent van je.' Toen hij het doosje openmaakte, zag hij mijn cadeau, gewikkeld in een stukje paars fluweel.

'Een ring,' mompelde hij. Hij deed zijn best om blij te blijven kijken, maar er verscheen ook een rimpeltje tussen zijn wenkbrauwen. Het was een heel eenvoudige gouden ring met een kleine onyx – een onopvallend sieraad, meer geschikt voor een koopman dan voor een prins. 'Heel mooi. Dank je, Catharina.'

'Je moet hem altijd dragen,' zei ik. 'Zelfs als je slaapt. Beloof het me.'

'Om me te herinneren aan je toewijding?' vroeg hij luchtig.

Dom als ik was, reageerde ik niet lachend en plagerig. Dat had ik natuurlijk wel moeten doen om hem te overtuigen, maar ik aarzelde.

Er trok een schaduw over zijn gezicht. 'Is dit soms een vorm van magie?'

'Er steekt niets kwaadaardigs in,' antwoordde ik vlug. 'Hij zal je alleen maar goeds brengen.'

Wantrouwig hield hij hem tegen het lamplicht. 'Waar dient hij voor?'

'Bescherming,' zei ik.

'Hoe is hij gemaakt?'

'Ik heb hem zelf gemaakt, dus ik kan je zweren dat er niets kwaads in zit. Ik heb de macht van een ster gebruikt. Je weet dat ik de hemel graag bestudeer.'

Een van zijn mondhoeken krulde zich tot een sceptisch glimlachje. 'Catharina, vind je dat zelf geen bijgeloof?'

'Draag hem om mij een plezier te doen. Toe, ik wil alleen maar dat er niets met je gebeurt.'

'Ik ben jong en gezond. Ik wil je niet kwetsen, maar dit is onzin.' Hij legde de Vleugel van de Raaf weer in het doosje en zette het op de tafel.

'Ik droom over je,' drong ik aan. Ik was van streek. 'Ik droom vaak over je, zorgelijke dromen. Misschien heeft God ze gestuurd. Misschien heeft God me hierheen gestuurd om te zorgen dat jou niets overkomt. Doe de ring om, Hendrik, ik smeek het je. Ik heb heel veel moeite gedaan om hem te maken.'

Hij slaakte een zucht. 'Goed, ik zal hem wel dragen, als je er zoveel belang aan hecht.' Hij haalde de ring weer uit het doosje, deed hem om zijn vinger en hield zijn hand in het lamplicht. 'Het zal wel geen kwaad kunnen.'

'Dank je,' zei ik, en intens opgelucht gaf ik hem een kus. Mijn taak zat erop. Wat er met mij gebeurde, deed er niet meer toe. Hendrik was nu veilig.

Het ene jaar vloeide over in het volgende. De koning werd steeds afstandelijker, en de hertogin en haar dames begonnen in mijn bijzijn in elkaars oren te fluisteren. Als ik een kamer binnenkwam, was dat al voldoende om een gesprek te laten stilvallen.

In oktober 1535 stierf de hertog van Milaan zonder een erfgenaam achter te laten, waardoor zijn stad als een rijpe vrucht op een plukkende hand hing te wachten. Ondanks het feit dat koning Frans niet door de paus werd gesteund, kon hij zo'n sappige pruim niet laten hangen. Hij stuurde zijn nieuwe leger naar Milaan.

Als vergelding viel keizer Karel de Provence binnen, gelegen in het zuiden van Frankrijk.

De koning wilde dolgraag zelf tegen de keizerlijke indringers vechten, maar grootmeester Montmorency bracht hem op andere gedachten, waarbij hij zo discreet was om niet te zeggen dat de koning bij zijn vorige optreden als bevelhebber gevangen was genomen. Tot ieders opluchting benoemde de koning de ervaren, voorzichtige Montmorency tot luitenant-generaal en bevelhebber van de strijdkrachten.

Maar Frans wilde wel in de buurt van het strijdtoneel zijn om advies te kunnen geven. In de zomer van 1536 gingen zijn oudste zoons en ik met hem mee, slechts gevolgd door de hoognodige hovelingen. We verbleven eerst in Lyon, reisden daarna naar Tournon en vervolgens naar Valence, in de Midi, zoals de Fransen het mediterrane zuiden noemen. Parallel aan de troepen reisden we op veilige afstand mee.

De dauphin bleef in Tournon achter omdat hij verkouden was – een overdreven voorzorgsmaatregel, maar de koning was onverzettelijk. De jonge Frans maakte er natuurlijk grappen over, en ik lachte toen onze koetsen wegreden.

In Valence reed ik naast madame Gondi door bossen met pijnbomen en gombomen. Ik snoof de geur van wilde lavendel op, die onder de hoeven van de paarden werd vertrapt. Ik reed nooit lang en kwam ook niet te dicht bij de oever van de Rhône, waar de meeste muggen zaten. De zon en de rivier spanden samen om het weer meedogenloos drukkend te maken. We verbleven op een landgoed op een rotsplateau, dat een weids uitzicht over de vallei en rivier bood. Laat in de middag, als de hitte afnam, ging ik met mijn borduurwerk in de grote ontvangstkamer naast de vertrekken van de koning zitten. Ik nam dan plaats voor een raam dat over de rivier uitkeek.

In zijn kabinet voerde de koning urenlange besprekingen met zijn raadgevers, waarbij hij tot mijn verbazing ook Hendrik uitnodigde. Hendrik en zijn vader leefden in afzondering, aten niet met ons, gaven geen audiënties en gingen zelfs niet naar de kerk. De kardinaal van Lotharingen, een van zijn raadgevers, onderbrak de lange vergaderingen om de koning de zegen te geven en hem het sacrament toe te dienen.

Zo ging er een week voorbij, tot ik op een ochtend wakker werd van hartverscheurend gejammer. Ik trok haastig mijn kamerjas aan en rende de trap af, naar de bron van het geluid.

Ik stond stil op de drempel van de ontvangstkamer naast de koninklijke vertrekken, waar ik de kardinaal van Lotharingen zag. Hoewel de dag nog maar nauwelijks begonnen was, was hij al gekleed in zijn scharlakenrode gewaad en kalotje. Hij had zich echter niet geschoren, want in de eerste zonnestralen lichtten de grijze stoppels op zijn wangen op. Toen hij me hoorde naderen, draaide hij zich om. Zijn blik was mat van ontzetting.

Naast hem zat de koning op zijn knieën bij de vensternis waar ik graag borduurde. Hij was slechts gekleed in zijn nachthemd en kamerjas, en zijn haar was niet gekamd. Opeens greep hij zijn hoofd beet, alsof hij de ellende daarin wilde vermorzelen, maar hij liet het net zo abrupt weer los en hees zich op het fluwelen kussen. Hij knielde en spreidde zijn armen uit naar de rivier en de hemel.

'God,' riep hij, 'God, waarom hebt U mij niet genomen? Waarom niet?'

Hij barstte in tranen uit.

Ik begon ook te huilen. Dit was niet de spijt van een commandant, maar het verdriet van een vader. Arme, lieve Magdalena, dacht ik. Ze was altijd ziekelijk geweest. Ik wilde naar Zijne Majesteit toe lopen, maar de kardinaal hield me met een vinnig handgebaar op afstand.

De koning zat nog altijd gebogen, maar hij tilde zijn hoofd zover op dat we hem konden verstaan. 'Hendrik,' kreunde hij. 'Haal Hendrik.'

De kardinaal verdween, maar zijn missie was niet nodig geweest. Een paar seconden later kwam Hendrik al binnen, volledig aangekleed en voorbereid op een noodgeval. Hij had de koning ook horen huilen. Toen hij over de drempel stapte, raakten onze schouders elkaar. Hij wierp me een vragende blik toe, maar ik had geen antwoord voor hem.

Zodra Hendrik de huilende, verslagen koning zag liggen, rende hij naar hem toe.

'Wat is er?' wilde hij weten. 'Vader, wat is er gebeurd? Is Montmorency dood?'

Hij legde zijn hand op de schouder van de koning, en de oude man ging op zijn knieën zitten.

'Hendrik...' De trillende stem van de koning was schor. 'Mijn zoon, mijn zoon. Je oudste broer is dood.'

Frans, mijn glimlachende vriend met het goudblonde haar. Het vertrek draaide om me heen. Ik greep me aan de deurpost vast en kon niet meer tegen mijn tranenstroom vechten.

'Nee,' snauwde Hendrik. Hij hief zijn arm op om zijn vader te slaan. Voordat hij hem kon raken, greep de koning zijn onderarm beet. Hendrik duwde uit alle macht tegen zijn vaders hand, tot ze allebei beefden. Abrupt liet Hendrik zijn arm zakken, en hij begon te schreeuwen. 'Nee! Nee! Zulke dingen mag je niet zeggen! Het is niet waar, het is niet waar!'

Hij stak zijn hand uit naar een stoel en gooide hem met zoveel kracht om dat hij over de stenen vloer stuiterde. Hij stak zijn handen ook uit naar een grote, zware tafel, maar toen hij die niet kon omgooien, liet hij zich op de vloer zakken.

'Je mag hem niet van me afpakken,' zei hij snikkend. 'Ik laat niet toe dat je hem van me afpakt...'

Ik rende naar hem toe om hem in mijn armen te nemen.

Hij hing slap. In zijn ogen zag ik een diepgeschokte leegheid, een bodemloze wanhoop – een blik die ik nog maar één keer eerder had gezien. Zijn geest was geknakt, en ik had niet de middelen om hem te herstellen.

Ik bracht hem naar zijn vader en ging weer op de drempel staan om hen rust te gunnen. Ik was een nieuwkomer, een indringer in hun verdriet.

Toen de koning eenmaal zo rustig was geworden dat hij weer kon praten, zei hij: 'Mijn zoon, nu ben jij de dauphin. Je moet net zo goed en aardig worden als je broer Frans, want dan zul je net zo worden bemind als hij. Nooit mag iemand het betreuren dat jij nu de troonopvolger bent.'

Op dat moment vond ik het alleen maar wreed en onnadenkend van Zijne Majesteit om zulke dingen tegen zijn indroevige zoon te zeggen.

Hoe kon hij over politieke zaken spreken nu zijn eigen zoon dood was? Die mening bleef ik dagenlang toegedaan, tot we die arme Frans naar een tijdelijk graf brachten.

Tot een middag kort daarna, toen madame Gondi over iets onbelangrijks begon en me aansprak als *madame la dauphine*.

De klank van die woorden benam me de adem – niet omdat ik hunkerde naar de macht die ik als koningin zou krijgen, of er bang voor was, maar omdat ik besefte dat de astroloog en magiër Cosimo Ruggieri vanaf het begin alles goed had voorspeld.

20

Ik schreef weer een brief aan Cosimo Ruggieri, waarin ik uitlegde dat mijn omstandigheden veranderd waren. Ik vroeg hem naar het hof te komen en mijn hoofdastroloog te worden, maar ik had weinig hoop. Ruggieri was dood of krankzinnig, maar ik wist niet tot wie ik me anders moest wenden. Meer macht betekende meer kwetsbaarheid. Net als Hendrik had ik het gevoel dat ik maar weinig mensen kon vertrouwen. Een van hen was Ruggieri, die lang geleden zijn loyaliteit aan mij had bewezen.

Ik voelde me slecht op mijn gemak, en daar bleek ik reden voor te hebben.

Ik zette geen vraagtekens bij de dood van de jonge Frans, maar de koning en veel van zijn adviseurs en hovelingen wél.

Frans was in Tournon achtergebleven en leek snel van zijn verkoudheid te herstellen. Hij voelde zich zelfs zo goed dat hij op een van de warmste middagen van die ellendige augustusmaand een van zijn kamerdienaren had uitgedaagd voor een inspannend wedstrijdje tennis. De dauphin had moeiteloos gewonnen.

Na afloop kreeg hij het vreemd genoeg benauwd. Omdat hij dacht dat het aan de hitte lag, droeg hij de hofmeester, Sebastiano Montecuculli, op om hem een glas koud water te brengen. Vlak nadat de dauphin dat had leeggedronken, zakte hij in elkaar. Hij kreeg hoge koorts en er liep vocht in zijn longen. De ene dokter zei dat het pleuritis was, de andere had zijn twijfels. Geen van beiden konden ze hem redden.

Misschien kwam het doordat Montecuculli Florentijn was en als lid van mijn hofhouding naar Frankrijk was gekomen, maar Hendrik kon het nauwelijks verdragen om me aan te kijken en kwam niet meer naar mijn vertrekken.

De koning zocht een zondebok voor zijn enorme verdriet. Montecuculli was de voor de hand liggende keuze, vergif een voor de hand liggende beschuldiging – per slot van rekening was de man een Italiaan. Toen hij werd gearresteerd en zijn eigendommen werden onderzocht, werd er een boek over scheikundige stoffen aangetroffen, waarvan er een aantal voor misdadige doelen konden worden gebruikt. Er werd ook een document gevonden waarin hem een vrijgeleide door keizerlijke bolwerken werd gegarandeerd. Zijn dood was onvermijdelijk.

Omdat Montecuculli wist dat koningsmoordenaars doorgaans werden gemarteld, wilde hij snel geëxecuteerd worden. Hij bekende onmiddellijk schuld en beweerde dat hij een spion was die in opdracht van keizer Karel had gehandeld. Volgens hem zou de koning zijn volgende doelwit zijn geweest.

Op 7 oktober stond er geen wolkje aan de blauwe hemel. Ik besteeg de naar naaldhout geurende treden van het in allerijl gebouwde podium, achter koningin Eleonora en Diane de Poitiers aan. Margaretha, die toen nog niet eens dertien was, volgde mij en trok bezorgd aan mijn rokken. We waren naar Lyon gegaan, zo dicht bij Valence dat de koning belangrijk nieuws over de oorlog kon ontvangen, maar zo ver van het strijdtoneel dat we zeker wisten dat iedereen veilig was.

Op het podium werden we opgewacht door meer dan tweehonderd hovelingen. Ze droegen allemaal zwart – net als de vier steenkoolkleurige hengsten die onrustig over het lege plein voor ons liepen en waren opgetuigd met sjabrakken in dezelfde kleur. Madame de Poitiers was de enige die het zwart van haar kleding had afgezwakt met een witte onderrok en een grijze band op haar kap. In mijn ogen leek het wel of madame niet in de rouw was. Haar parfum, dat naar lelietjes-van-dalen rook en die ochtend nog sterker leek dan anders, was naar mijn smaak totaal misplaatst bij deze sombere gebeurtenis.

De leden van de koninklijke familie en madame de Poitiers hadden gestoffeerde stoelen vóór alle anderen gekregen. We liepen naar onze plaats, maar bleven in afwachting van de koning en zijn twee overlevende zoons staan.

De veertienjarige Karel beklom als eerste het podium. Het afgelopen jaar was hij flink gegroeid, en nu was hij nog maar een halve kop kleiner dan de koning. Net als zijn overleden broer had hij goudblond haar, blauwe ogen en een rond, knap gezicht, een geschenk van zijn moeder.

Achter hem liep zijn vader. De afgelopen twee maanden waren er grote grijze plekken op de slapen van de koning verschenen, en de kringen onder zijn ogen waren donkerder geworden. Het gerucht ging dat zijn ingewanden aan het wegrotten waren en dat hij een abces in zijn genitaliën had. Ik hoopte vurig dat dat niet waar was, want ik hield heel veel van hem. Toen hij eenmaal het podium had beklommen en in zijn stoel was gaan zitten, staarde de koning recht voor zich uit, maar hij was zo verblind door zijn verdriet dat hij niets zag.

Op een bepaalde manier was ik opgelucht dat hij niet naar mij keek, want ik was bang dat ik verwijten in zijn ogen zou zien. Twee weken eerder had keizer Karel woedend gereageerd op de beschuldiging dat hij de moord op de dauphin had bevolen. 'Jaren geleden heb ik vader en zoon allebei in mijn macht gehad. Als ik hen had willen doden, had ik dat destijds moeiteloos kunnen doen,' had hij verklaard. Zijn agenten aan het Franse hof verspreidden het gerucht dat ik, een op macht beluste de Medici, Montecuculli had overgehaald om de dauphin te vergiftigen, daarbij gesteund door mijn echtgenoot.

Koning Frans hield van me en geloofde de beschuldiging niet, maar toch deed het verhaal hem pijn. Vanaf de dag dat het gerucht bekend werd, ging hij me nog meer uit de weg. Hij ontweek mijn blik en mijn vragen, tot ik voor hem net zo'n stilzwijgend, onzichtbaar wezen werd als voor mijn echtgenoot.

Hendrik, inmiddels de dauphin, kwam als laatste het podium op. Zijn verdriet was zo intens, zo diep, dat hij sinds zijn broers dood had geweigerd bezoekers te ontvangen. Er glom die ochtend geen kille, wraakzuchtige glans in zijn ogen, en ook geen grimmige voldoening, alleen maar onzekerheid en een zweem hernieuwd verdriet. Hij putte geen vreugde uit de gedachte aan nog meer lijden, nog meer dood.

Ik glimlachte niet toen hij op het podium stapte, maar keek hem met al mijn liefde aan. Toen hij dat zag, wendde hij meteen zijn blik af, alsof hij het niet kon verdragen om me aan te kijken. De ring met de zwarte steen, de Vleugel van Corvus, die hij trouw had gedragen sinds hij hem had gekregen, was verdwenen. Zijn vinger was naakt.

Die kleine gebaren – de afgewende blik, de ontbrekende ring – raakten me diep in mijn hart. Ik liet mijn hoofd hangen en keek niet op toen de kleine Margaretha, die dacht dat ik om haar overleden broer rouwde, in mijn hand kneep en zei dat ik niet verdrietig moest zijn.

Toen de koning en de dauphin eenmaal hadden plaatsgenomen, volgden wij hun voorbeeld. Er klonk een schreeuw van een wachter op het plein, een man van de koninklijke Schotse garde, die in zijn kilt naast de vier stalknechten en hun rusteloze zwarte hengsten stond.

Na de sommering liep een plechtige groep naar het midden van het plein. Voorop liepen de in het scharlakenrood geklede kardinaal van Lotharingen en de kapitein van de Schotse garde, Gabriel de Montgomery, die er ondanks zijn kilt en lange kastanjerode haar bijzonder mannelijk uitzag. Achter hen liepen twee wachters, die een gevangene flankeerden.

Dat was Sebastiano Montecuculli, de ongelukkige ziel die de dauphin een glas koud water in zijn zwetende handen had gegeven. Montecuculli was een graaf, een zeer verzorgde, goed opgeleide, intelligente man. De dauphin was zo gecharmeerd van hem geweest dat hij hem onmiddellijk de enige beschikbare positie in zijn hofhouding had aangeboden, hofmeester, wat betekende dat Montecuculli de prins diens beker moest brengen. Ik wist dat de jonge Frans ontzet zou zijn als hij zou zien hoe wreed zijn arme dienaar werd bejegend.

Montecuculli was een knappe, levendige man van een jaar of dertig geweest. Nu liep hij voorovergebogen en waren zijn benen krom. Door de ijzeren boeien rond zijn enkels en polsen was zijn tred moeizaam en hortend. Hij was onherkenbaar geworden: zijn gezicht was paars en opgezet en zijn neusbrug was verbrijzeld. Er waren flinke plukken lange haren van zijn hoofd gerukt, waardoor er grote plekken naakte hoofdhuid met opgedroogd bloed zichtbaar waren. De enige bedekking die zijn gevangenbewaarders hem nog hadden gegund, was een nachthemd, dat vol vlekken van bloed en uitwerpselen zat. Het kwam maar net tot zijn knieën, en bij het minste of geringste briesje waaide het op en ontblootte het zijn genitaliën.

De kardinaal van Lotharingen en de kapitein liepen naar het podium, terwijl de wachters Montecuculli in de richting van de koning sleepten. De hofmeester viel op zijn knieën, deels als smeekbede, deels uit zwakte. Met luide stem verzocht de kardinaal hem dringend om zijn zonden te bekennen.

Montecuculli had zijn eerdere bekentenis al ingetrokken. Toen hij werd gemarteld, bekende hij meteen, maar toen men daarmee stopte, zei hij onschuldig te zijn. Hij keek naar de koning en probeerde zijn trillende, geboeide armen naar hem uit te steken, maar hij kreeg ze niet omhoog.

'Genade, Majesteit!' De woorden werden niet goed uitgesproken en waren nauwelijks te verstaan, omdat hij sinds zijn arrestatie vele tanden was kwijtgeraakt. 'Ik hield van uw zoon en wilde hem geen kwaad doen! Ik zweer bij God en de Heilige Maagd dat ik onschuldig ben en van hem hield!' Hij barstte in tranen uit en viel voorover op de kasseien.

Iedereen keek naar de koning, die secondelang roerloos bleef zitten. De enige beweging kwam van een aangespannen spiertje in zijn kaak, tot hij abrupt een neerwaarts gebaar met zijn hand maakte.

De kapitein knikte naar zijn mannen. De wachters probeerden Montecuculli overeind te trekken, maar de arme man kon niet meer op zijn benen staan. Hij werd teruggesleept naar de plaats waar de paarden wachtten. Terwijl de wachters hem op de kasseien duwden, begon hij te schreeuwen: '*Ave Maria, gratia plena, Dominus tecum...*'

Zijn wachters maakten zijn boeien los en scheurden zijn smerige nachthemd van zijn lijf, waardoor een huid vol rode, paarse, groene en gele plekken zichtbaar werd. Montecuculli bleef bidden, zo koortsachtig en vlug dat de woorden in elkaar overliepen.

'*Mater Dei, ora pro nobis peccatoribus, nunc et in hora mortis nostrae...*'

Moeder van God, bid voor ons zondaars, nu en in het uur van onze dood.

Op een teken van de kapitein brachten de stalknechten de vier hengsten in positie rond de naakte, op zijn rug liggende man. Ze wezen naar het noorden bij zijn rechterhand, naar het zuiden bij zijn linkerhand, naar het noordwesten bij zijn rechtervoet en naar het zuidwesten bij zijn linkervoet. Een leren riem – gevlochten, versterkt en zo dik als mijn arm – werd met een aantal zware gespen aan het tuig van elk paard vastgemaakt. Aan het uiteinde van elke riem zat een boei van ijzer en leer.

Toen een van de wachters Montecuculli's pols in een boei probeerde vast te maken, begon de ongelukkige gevangene te schreeuwen, tegen te stribbelen en met zijn ledematen te maaien. Er waren twee mannen nodig om hem in bedwang te houden, terwijl vier anderen vlug de boeien aanbrachten, straktrokken en stevig vastgespten: één om elke pols en elke dij, vlak boven de knie. Nadat de Schotten hun werk hadden gedaan, gingen ze vlug met hun kapitein op veilige afstand staan.

Eén man – de beul, die een lange zweep in zijn hand had – bleef achter. Hij praatte zachtjes tegen de gevangene, ongetwijfeld zijn traditionele verzoek om vergeving, maar Montecuculli was zo in de greep van de doodsangst dat hij niet kon ophouden met schreeuwen. De beul keek op en gaf een bevel aan de stalknechten, die hun paarden bestegen. Elk paard zette één stap in een van de vier richtingen, waardoor Montecuculli, armen en benen gespreid als een zeester, een stukje van de grond werd getild.

Naast me begon de kleine Margaretha zachtjes te huilen.

De beul – een knappe jonge Schot met een korte, goudblonde baard en een emotieloze blik op zijn gezicht – keek naar de koning. Frans zuchtte diep en knikte langzaam één keer met zijn hoofd.

De beul liep van de paarden weg, ging zo ver mogelijk van de gevangene af staan en gaf de dieren de zweep. Aangespoord door de zweep en hun berijders galoppeerden de paarden op volle snelheid weg.

Een fontein van bloed, karmozijnrood vuurwerk. Binnen één seconde, twee, waren Montecuculli's armen van zijn schouders gerukt, waren zijn benen bij zijn kruis afgescheurd en waren de lange dijbeenderen uit de heupkommen getrokken. Door de kracht rolde de achtergebleven romp een paar keer om tot hij uiteindelijk met het gezicht naar boven bleef stilliggen. Wat overbleef, was een angstaanjagend, onmenselijk ding. Uit elk van de vier gapende, met afgescheurd vlees omzoomde gaten spoot bloed, en uit het grootste glibberde een glinsterende darm naar buiten. De romp lag stuiptrekkend op de kasseien, als een vis op het droge.

Hij leefde nog. Montecuculli leefde nog.

Even verderop waren de teugels van de paarden aangehaald, en de ruiters en paarden kwamen langzaam terug. Elk paard sleepte een ledemaat achter zich aan om het aan de gevangene te laten zien. Een van hen draafde naar de man en legde de bebloede stomp van het nog samentrekkende been, waaruit aan de bovenkant de ivoren bal van het dijbeen stak, naast het gezicht van de stervende man.

In de groep achter me begon een hoveling te kokhalzen.

Ik bleef kalm en stil zitten, met mijn hand op de schouder van de kleine Margaretha, die snikkend op mijn schoot lag. Ik keek elke helse, oneindig durende seconde tot Montecuculli ophield met schreeuwen, tot zijn verminkte lichaam ophield met stuiptrekken en zijn lijk ophield met bloedspuwen.

Kennelijk was Zijne Majesteit tevreden. Hij stond op, en tegelijk met de anderen volgde ik zijn voorbeeld. Ik keek naar mijn man en zag nog net zoveel verdriet op zijn gezicht. Deze dag leek zijn last zelfs nog zwaarder te hebben gemaakt. Ik keek ook lang en aandachtig naar de blik van koning Frans. Dit was niet meer het gezicht van de liefhebbende vader, dit was het gezicht van een meedogenloze heerser wiens honger naar wraak nog niet was gestild.

Na de executie ging de koning naar de kerk, waar hij zonder aarzeling te communie ging. Als hij al wroeging over de dood van de hofmeester voelde, was die niet ernstig genoeg om erover te biechten.

Na de mis trokken we ons allemaal terug in onze vertrekken. Ik ging naar mijn kabinet en ging verder aan Hendriks geboortehoroscoop.

Saturnus is een kille, zwartgallige, troosteloze planeet, die zorgen en verlies voorspelt en melancholie veroorzaakt. Een geboortehoroscoop die sterk door Saturnus wordt beïnvloed, duidt op een ongelukkig leven en de voortijdige dood van dierbaren. Van elke planeet die in het huis of dierenriemteken staat waarin hij heerser is, worden de eigenschappen sterk uitvergroot. En de Saturnus van mijn arme Hendrik stond in het teken waar hij overheerst, Steenbok.

Toen ik dat zag, en nadacht over alle wonden die deze dag had geslagen, besloot ik iets brutaals en onbezonnens te doen. Ik verliet mijn vertrekken en ging naar die van mijn man. Ik repeteerde niet wat ik wilde zeggen, ik wilde hem alleen maar troosten of hem misschien met een aangenaam gesprek afleiden. Eerlijk gezegd hoopte ik dat dergelijke troost hem terug in mijn armen zou brengen.

Het was inmiddels laat in de middag, maar Hendrik was niet in zijn vertrekken. Zijn kamerdienaar beweerde niet te weten waar hij was. Nadat ik de man opdracht had gegeven om me te waarschuwen als zijn meester terugkwam, ging ik terug naar mijn kabinet.

Ik at in mijn eentje en vertelde madame Gondi na afloop dat ik gewaarschuwd wilde worden als Hendrik zich voor de nacht terugtrok. Er gingen uren voorbij, maar ik weigerde me uit te laten kleden. Ik begon me inmiddels zorgen te maken.

Het was al heel laat toen ik hoorde dat hij naar zijn vertrekken was gegaan. Ik ging bezorgd naar hem toe en klopte op zijn deur.

Er werd opengedaan door een andere dienaar, die verbaasd was dat hij me zag staan. Hendrik was binnen, en hij had zijn kraag losgemaakt en zijn broek uitgetrokken. Hij was uitgeput, al was hij in een beter humeur dan eerder die dag. Toen hij me volledig gekleed in de deuropening zag staan, trok hij bezorgd zijn wenkbrauwen op.

'Catharina! Is er iets mis?'

Eindelijk was hij bereid me aan te kijken.

'Er is niets aan de hand.' Ik wendde me tot de dienaar. 'Monsieur, wacht alstublieft buiten tot ik u roep.'

Na een nerveuze blik op Hendrik, die knikte, liep de dienaar de gang in.

Mijn man gebaarde dat ik naast hem mocht komen zitten. Toen ik dat deed, zag ik hoe krachtig de lijnen van zijn gezicht waren geworden, dat prachtig werd omlijst door zijn donkere baard, en hoe perfect zijn zwarte ogen het haardvuur weerspiegelden. Het feit dat ik met hem alleen was, zo dicht bij hem, was al voldoende om me vriendelijk te stemmen. Het riep herinneringen op aan de dag dat hij me bij de haard had genomen. Ik keek naar mijn handen en voelde vanuit mijn onderrug een warme gloed opstijgen.

'Het was niet mijn bedoeling om je nog zo laat te storen. Vergeef me,' zei ik. 'Ik wilde alleen zeggen dat ik weet dat dit een moeilijke dag voor je is geweest.'

'Dank je,' zei hij met een spoortje wrevel in zijn stem. Hij was moe en wilde dat ik wegging. In zijn hand hield hij een zakdoek, waarin hij bleef knijpen.

Omdat ik besefte dat hij me elk moment kon wegsturen, trok ik de stoute schoenen aan. 'Ik heb je gemist, Hendrik,' zei ik. 'Ik heb me veel zorgen om je gemaakt. Ik zie dat je slecht eet en ben bang dat je jezelf ziek maakt.' Ik vroeg niet naar de ring, want ik wilde hem niet te snel in de verdediging dwingen. 'Ik... Ik wil... Mag ik je omhelzen? Gewoon als lid van de familie, om mijn liefde en bezorgdheid te tonen?'

Hij kwam te snel overeind uit zijn stoel. 'Natuurlijk, Catharina,' zei hij. Nerveus wilde hij zijn blik afwenden.

Hij was heel lang. Ik sloeg mijn armen om hem heen en drukte mijn wang tegen zijn borst. Ik omhelsde hem voorzichtig en deed mijn ogen dicht, in de hoop dat mijn rust hem zou ontspannen. Vrijwel meteen vlogen ze abrupt weer open.

Hij stonk naar lelietjes-van-dalen.

Vol afgrijzen maakte ik me van hem los. Hij droeg de kleding die hij ook naar de executie had aangehad: een zwart wambuis met zwarte fluwelen mouwen, die waren ingekeept zodat het witte satijn van zijn onderhemd erdoorheen kon worden gehaald. Wit, net als de onderrok van madame de Poitiers. Op de tafel naast hem lag zijn zwarte fluwelen muts, met één grijze veer – dezelfde kleur als de band op madames kap.

'Diane,' fluisterde ik. 'Je bent bij haar geweest. Heb je daarom mijn ring afgedaan?'

Zijn gezicht werd vuurrood. Hij staarde naar de vloer, te beschaamd om me aan te kijken. Toen hij zijn hand openvouwde, zag ik een verfrommelde zakdoek, witte zijde met een zwarte rand en een grote D erop geborduurd. Bij wijze van bekentenis gooide hij hem op tafel.

'Jij,' zei ik, 'jij, die een hekel aan je vader had omdat hij onaardig was tegen de koningin. Nu ben je verplicht een hekel aan jezelf te hebben.'

'Het was niet mijn bedoeling, Catharina,' zei hij zachtjes en met trillende stem. 'Ik heb je nooit pijn willen doen.'

'Ze wil je gewoon gebruiken,' zei ik fel. 'Nu je de dauphin bent, biedt ze je haar eer aan. Ze lokt je.'

'Nee.' Hij schudde zijn hoofd. 'Ze hield van me toen ik door niemand anders werd bemind. Ze hield van Frans en mij alsof ze onze moeder was, zelfs toen vader ons overdroeg aan de Spanjaarden. Toen ze hoorde dat Frans was gestorven, ging ze er bijna aan onderdoor. Ze hield net zoveel van hem als ik. Niemand begrijpt zo goed wat het voor mij betekende om hem kwijt te raken.'

Ik probeerde hem te kwetsen. 'Een moeder troost haar zoon niet door haar benen voor hem te spreiden.'

Hij wendde abrupt zijn hoofd af, alsof ik hem had geslagen.

'Uit genegenheid voor jou heb ik zo lang mogelijk tegen de verleiding gevochten,' zei hij hees. 'We hebben er allebei tegen gevochten... tot het verdriet onze weerstand uiteindelijk brak. Vandaag hebben we voor het eerst gezondigd, en God heeft me al gestraft door jou hierheen te sturen en me te laten zien dat ik je vreselijk heb gekwetst.' Voor het eerst keek hij me diep in de ogen. 'Ik heb mijn uiterste best gedaan om van je te houden, Catharina, maar ik hield al van haar voordat jij hier kwam. Ik weet dat het zondig is, en als dat betekent dat ik verdoemd ben, dan is dat maar zo. Ik kan niet meer zonder haar leven.'

Terwijl ik sprakeloos naar hem staarde, haalde hij een voorwerp uit zijn nachtkastje, dat hij in mijn handpalm duwde. Het was de ring met de amulet.

'Hier,' zei hij. 'Het is een walgelijk bijgelovig, goddeloos ding. Ik had nooit moeten zeggen dat ik hem zou dragen.'

Ik vouwde mijn vingers om het ongewenste geschenk. Een dolk zou me minder pijn hebben gedaan. De tranen stroomden over mijn wangen, en ik was niet in staat ze tegen te houden. Ik was niet mooi en niet gewenst. Het enige wat ik ooit had gehad, was mijn waardigheid, en nu was ik die ook kwijt.

Ik draaide me om en rende snikkend terug naar mijn vertrekken. Ik hield zelfs niet op met huilen toen madame Gondi de hofdames wegstuurde, zelfs niet toen ze de rug van mijn handen kuste, zelfs niet toen ze haar armen om me heen sloeg en ook begon te huilen.

Vanaf die dag droeg Hendrik alleen nog maar Dianes kleuren, wit en zwart. Misschien was Zijne Majesteit jaloers op zijn zoon, want tegen het advies van zijn arts in ontbood de verveelde, wellustige koning zijn minnares.

Op de ochtend na haar aankomst ging ik paardrijden met de hertogin van Étampes en haar onafscheidelijke metgezellin met de kuiltjes in de wangen, Marie de Canaples. De laatste was nog molliger geworden, maar de hertogin was tijdens de lange afwezigheid van haar minnaar magerder en scherper geworden. Toen ik de stallen naderde, stonden de twee dames achter hun hand te fluisteren, maar ze gingen snel rechtop staan toen ze me in de gaten kregen. De hertogin glimlachte naar me, maar ze perste haar lippen strak op elkaar, alsof ze een duif had ingeslikt. Madame de Canaples grinnikte met haar scherpe vossentandjes naar me. Tijdens de rit verliep ons gesprek moeizaam, want beide vrouwen waren terughoudend en afstandelijk. Na de rit liep ik weg, maar nog voordat ik buiten hun gezichtsveld was, hoorde ik hen achter mijn rug fluisteren en lachen. Ik besloot dat ik niet meer met hen zou paardrijden.

Dom genoeg dacht ik dat ze me meden omdat ze het verhaal over mijn huilbui bij Hendrik hadden gehoord. Mijn mans affaire met madame de Poitiers was ongetwijfeld bij alle hovelingen bekend, en het zou me niets verbazen als ik de laatste was die erachter was gekomen.

Maar er zat meer achter de sluwe grijns van de hertogin. De keren dat madame Gondi me voor het avondeten kleedde, had ik beter naar haar cryptische opmerkingen moeten luisteren, dat er mensen aan het hof waren die tegen me samenspanden. Achteraf begrijp ik dat ze me probeerde te waarschuwen, maar ik wuifde haar woorden weg.

Die avond gaf de koning in het kasteel een klein banket, dat werd bijgewoond door veel leden van de familie de Guise. Die familie stamde af van het koninklijke Huis van Anjou, dat ook in de lijn der troonopvolging zat. Het betaamde de koning om goede relaties met hen te onderhouden, en die avond ontving hij de hertog, diens vrouw en hun dochters Renée en Louise. Renée was nog jong, maar Louise was van huwbare leeftijd. Ze was een schoonheid met donkere ogen, en de jonge Karel, die sinds een jaar oog voor meisjes begon te krijgen, was duidelijk weg van haar.

Zodra ik me kon excuseren, trok ik me terug in mijn vertrekken, te mismoedig om deel te nemen aan de genoeglijke gesprekken na de maaltijd. Om mezelf af te leiden, werkte ik verder aan Hendriks geboortehoroscoop. Na een poosje nam het verdriet af en ging ik helemaal op in mijn werk. Ik ging tot diep in de nacht door en hield alleen maar op om me door madame Gondi en een hofdame uit te laten kleden en mijn haar te laten borstelen.

In het benauwde kabinet bestudeerde ik aan mijn schrijftafeltje Hendriks horoscoop. Hij was een Ram – een koppig teken, geregeerd door Mars – en net als bij mij stond zijn ascendant in Leeuw, een duidelijke aanduiding van koningschap.

Die nacht bestudeerde ik het Vijfde Huis van onze horoscopen, het Huis van Kinderen. Ik hoopte daar goed nieuws aan te treffen, het vooruitzicht op erfgenamen. Maar bij Hendrik – en griezelig genoeg ook bij mij – was dat huis verstoken van planeten en viel het in het teken Schorpioen, heerser van geheimen en leugens, verborgen zaken en de zwartste magie.

Dat verpletterde de ijdele hoop die ik de uren daarvoor had gekoesterd. Er ontbraken niet alleen kinderen, dat gedeelte van ons leven werd ook nog eens geregeerd door bedrog en duistere machten. Ik werd bang en probeerde mezelf wijs te maken dat ik de onheilspellende aard van Schorpioen in relatie met het Vijfde Huis verkeerd had geïnterpreteerd. Ik had Agrippa's boeken mee naar Lyon genomen en besloot er een te raadplegen, in de hoop dat ik iets kon vinden wat een zonniger toekomst zou voorspellen. Op de plaats waar we verbleven, was een kleine bibliotheek, en daar was mijn grote hutkoffer met boeken neergezet. Ik trok mijn kamerjas aan en glipte naar buiten.

Mijn vertrekken bevonden zich op de tweede verdieping. Een wenteltrap aan de buitenkant verbond ze met een binnenplaats op de eerste verdieping, waaraan de vertrekken van de koning en koningin en de bibliotheek lagen. Met een lamp in mijn hand haastte ik me stilletjes de trap af. Het was eind november, een heldere, rustige, met sterren bezaaide nacht met een enorme wassende maan, die schaduwen op mijn pad wierp. Mijn kamerjas hield me nauwelijks warm, en de stenen trapleuning was ijskoud onder mijn blote hand. Tegen de tijd dat ik op de binnenplaats van de eerste verdieping kwam, liep ik te klappertanden.

Ik haastte me door de grote ingang, die werd geflankeerd door twee grote jeneverbesstruiken, en knikte naar de wachters, die inmiddels gewend waren aan mijn nachtelijke uitstapjes. Nadat ik even tussen de boeken in de bibliotheek had gesnuffeld, slaagde ik erin om het tweede deel van Agrippa te vinden. Ik stopte het onder mijn arm en liep met de lamp in mijn andere hand de nacht weer in.

Ik kwam niet ver. Voordat ik langs de jeneverbesstruiken aan weerszijden van de ingang kon lopen, hoorde ik lachende stemmen door de stille avond drijven. Ze kwamen van de loggia, die op een terras achter de vertrekken van de koning uitkwam. Het terras keek uit op het deel van de binnenplaats dat ik moest oversteken.

Intuïtief liet ik de lamp zakken en wachtte ik in de schaduw van de jeneverbesstruiken. Het geluid zwol aan toen een vrouw, scherp afgetekend tegen het licht van de maan, het terras op kwam rennen.

Een mannenstem riep haar vanuit de loggia na. 'Anne! Anne, wat doe je nu?' De verontwaardiging van de koning werd afgezwakt door zijn enigszins dronken, vrolijke stemming. 'Het is ijskoud!'

Ze spreidde haar armen en draaide rondjes, een donker silhouet dat niets anders droeg dan een hemd dat nog niet eens tot haar heupen kwam. Vanaf haar middel was ze naakt. Haar loshangende haar waaierde over haar schouders. 'Het is heerlijk! Ik fris weer helemaal op! Je hebt me zo laten zweten.'

'Anne...' De stem van Zijne Majesteit werd humeurig.

'Frans.' Ze imiteerde zijn toon en begon te lachen. 'Kom hier en neem me buiten, onder de maan.'

Hij kwam naar haar toe en dook opeens met een brul op haar af. Zijn zwarte gedaante was groot en breed, de hare klein en elfachtig. Eerst rende ze voor hem weg, maar bij de rand van het terras liet ze zich zonder enige moeite vangen. Ze legde haar handpalmen op de heup-hoge stenen balustrade, met haar rug naar de koning toe.

'Majesteit, eis uw beloning op.'

Met zijn handen op haar heupen ging hij achter haar staan, klaar om bij haar naar binnen te dringen, maar ze trok zich los, opeens gespeeld verlegen. 'Alleen als je belooft mijn advies op te volgen.'

Hij kreunde. 'Vrouw, kwel me niet zo...'

'Louise is een mooi meisje, vind je niet?'

'Jij bent mooier.' Hij legde zijn handen om haar middel en zette haar op het puntje van haar tenen in de hoop dat hij haar kon penetreren, maar ze wrikte zich los en draaide zich naar hem om.

'Hij heeft zoveel verdrietige dingen meegemaakt,' zei ze, plotseling ernstig. 'Hij verdient een mooie vrouw van koninklijken bloede.'

'Kwel me niet, Anne. Ik wil niets met de familie de Guise te maken hebben. Hendriks nicht Johanna heeft bijna de huwbare leeftijd bereikt en brengt de kroon van Navarra mee. Zij past veel beter bij hem. Maar Catharina is een lief meisje. Geef haar nog wat tijd, en laten we het er een andere keer over hebben...'

'Het moet Louise worden,' wierp ze ferm tegen. 'Zij zou je kleinkinderen geven die het Huis van Guise met het Huis van Valois zouden verenigen. Dat zou het einde zijn van hun strijd om de kroon.'

Frans zuchtte enigszins geërgerd, en zijn donkere silhouet bleef roerloos staan. 'Dit is allemaal erg voorbarig. Ik heb nog niet eens een besluit genomen.'

'Maar je móét haar verstoten,' zei Anne vlug. 'De mensen vinden haar niet aardig, Hendrik kan haar niet uitstaan... Wat heb je aan haar? Ze stelt je alleen maar teleur.'

'Genoeg!' commandeerde Frans.

Hun silhouetten versmolten in een kus, tot de koning haar abrupt met haar rug naar zich toe draaide en haar bovenlichaam naar voren duwde. Ze greep de stenen balustrade beet terwijl hij bij haar naar binnen drong en begon te stoten.

Ze hield even scherp haar adem in, maar toen begon ze te lachen. Haar adem steeg op en bleef boven haar hoofd hangen, mist in de koude nachtelijke lucht. 'Frans! Je lijkt wel een stier!'

Ik blies mijn lamp uit en wendde mijn blik af. Een paar kwellende seconden bleef ik naar hun passie luisteren, maar algauw begon ik onbedwingbaar te huiveren, en niet alleen van de kou.

21

Die nacht kwam ik er niet aan toe om Agrippa's boek over astrologie te lezen, want na alles wat ik had gehoord, waren mijn hoofd en hart zo onrustig dat ik me nergens anders op kon concentreren. In plaats daarvan lag ik klaarwakker naar het baldakijn van tapisserie boven mijn hoofd te kijken.

Zonder kinderen en zonder Hendriks hart had ik geen verdedigingsmiddel en geen medestanders. Koning Frans zou bij de paus een petitie indienen om ons huwelijk nietig te laten verklaren, met als reden dat ik onvruchtbaar was. Het zou niet de eerste keer zijn dat een koninklijk huwelijk op die manier eindigde. Ik zou verbannen worden – naar Italië, nam ik aan, maar ik kon nooit naar Florence terugkeren zolang Alessandro aan de macht was.

En Hendrik – mijn geliefde, trouweloze Hendrik – zou mij niet meer naast zich hebben om hem te beschermen, wat mijn taak was. Zonder mij zou hij sterven, net als in mijn droom, bebloed en hulpeloos.

Omdat ik al vroeg in mijn leven had geleerd dat het universum niet veilig of rechtvaardig is, had ik niet zo'n goede band met God, maar ik bad tot Hem, de heerser over sterren en planeten. Ik beloofde dat ik er alles voor overhad, zelfs mijn laatste restje trots, als ik in de buurt van mijn lieve Hendrik kon blijven.

De volgende ochtend stond ik uitgeput, maar resoluut op. Ik schreef een kort briefje aan Zijne Majesteit, waarin ik om een audiëntie onder vier ogen vroeg. In tegenstelling tot mijn vijanden was ik niet van plan mijn toevlucht tot een fluistercampagne te nemen, waarin ik alle gunstelingen van de koning om steun zou smeken. Frans had me zijn dochter genoemd, hij had beweerd dat hij mijn vader en mijn vriend was. Als ik niet rechtstreeks met hem kon praten, wilde ik met niemand praten.

Het antwoord liet niet lang op zich wachten. De koning zou me direct ontvangen na zijn dagelijkse kleedritueel.

Ik droeg die ochtend geen sieraden, slechts zwarte rouwkleding voor de dauphin. Zijne Majesteit ontving me in zijn eentje in zijn kabinet, waar je alleen mocht komen als je door hem persoonlijk was uitgenodigd. Het vertrek was klein, maar wel mooi. De muren waren bedekt met glanzende, kersenhouten panelen met houtsnijwerk, die een paar compartimenten verborgen waarin geheime documenten konden worden opgeborgen. Het opvallendste meubel in de kamer was een grote, glanzende mahoniehouten schrijftafel, waarop een landkaart lag. Ik vermoedde dat het een kaart van de Provence was, waar werd gevochten, maar omdat de kaart was opgerold, kon ik niet zien wat erop stond. Blijkbaar moesten staatsgeheimen voor mij verborgen blijven.

Frans zat achter de schrijftafel. Zijn lange gezicht vertoonde tekenen van zijn losbandige levensstijl. Zijn wangen waren rond en zwaar, zijn ogen opgezet. De witte plekken die na de dood van de dauphin op zijn slapen waren verschenen, glinsterden nu ook in zijn donkere baard. Aan zijn eenvoudige kleding, een onversierd zwart wambuis, was te zien dat hij zich vandaag met zijn werk bezighield in plaats van met vertier.

'Catharina. Neem alsjeblieft plaats.' Zijn mond glimlachte, maar zijn ogen waren behoedzaam.

'Als u het goedvindt, Majesteit, blijf ik staan,' zei ik. Ik hoopte dat mijn kwelling snel voorbij zou zijn.

'Zoals je wilt,' zei hij. Omdat hij wist wat ik kwam bespreken – en dacht dat we heel verschillende meningen hadden – was hij uiterst koninklijk. Hij was bereid zich als een koning te gedragen om te doen wat het beste voor Frankrijk was. Voor dat doel had hij zelfs zijn eigen vlees en bloed aan zijn vijanden overgedragen. Ik, een nieuwkomer en een buitenlandse, maakte geen schijn van kans.

Ik draaide er niet omheen. Ik zei: 'Majesteit, ik hou van u. En ik hou van uw zoon. Ik weet dat ik een last voor u beiden ben geworden, en daarom...' Mijn stem brak, en in stilte verwenste ik mezelf om mijn zwakte. Toen ik me had vermand, keek ik weer naar Frans. Zijn blik was hard, behoedzaam.

'Daarom zal ik geen bezwaar maken tegen de verstoting. Ik accepteer dat u moet doen wat politiek gezien het beste uitkomt, en ik neem u niets kwalijk.'

Zijn mond zakte een stukje open. Mijn onverwachte woorden ontwapenden hem.

'Ik wil u alleen maar...' Omdat ik een brok in mijn keel kreeg, bleven de woorden erin steken. Ik herhaalde de woorden, en toen ze tegelijk met een stroom tranen naar buiten kwamen, boog ik mijn hoofd om mijn verdriet te verbergen en dwong ik mezelf om door te gaan. 'Ik wil u alleen maar vragen of ik als dienares mag blijven. Het maakt niet uit welke onbelangrijke functie u en uw zoon in gedachten hebben. Stuur me niet weg. Ik dien met alle plezier de vrouw die Hendriks echtgenote wordt. Ik wil zo graag blijven...'

Ik liet me op mijn knieën zakken, en ik bedekte mijn gezicht met mijn handen en liet mijn tranen de vrije loop. Ik vernederde mezelf, maar dat kon me niet schelen. Ik dacht aan Hendrik, die bloedend zou sterven omdat ik was weggestuurd en er niet in was geslaagd om hem te redden.

Toen ik eindelijk hikkend en met een behuild gezicht opkeek, stond Frans kaarsrecht achter zijn schrijftafel. Hij werd overmand door een hevige emotie, die zijn diepliggende ogen langzaam opende en zijn ademhaling versnelde. Ik had geen idee of hij woede, angst of walging voelde. Ik kon alleen maar knielen, mijn tranen wegvegen en wachten tot de storm zou losbarsten. Terwijl ik daar zo ineengedoken zat, had ik een hekel aan mezelf en was ik boos dat mijn lot niet in mijn handen lag, of zelfs maar in die van God, maar in de handen van mannen: de opstandelingen, de paus, de koning.

Een spiertje in Frans' kaak spande zich, net als op die heldere oktoberdag dat we Montecuculli uiteengereten hadden zien worden.

'Catharina,' fluisterde hij, en er gleden verschillende emoties over zijn gezicht. Twijfel en verdriet maakten plaats voor vastberadenheid. Hij liep om de schrijftafel heen en hielp me voorzichtig aan mijn schouders overeind.

'Geen heilige is zo nederig geweest als jij,' zei hij. 'We kunnen allemaal een voorbeeld aan je nemen. Het is Gods wil dat je mijn zoons vrouw en mijn dochter bent. Ik zal zorgen dat er aan mijn hof niet meer over verstoting wordt gesproken.'

Hij gaf me een kus op mijn wang en nam me in zijn armen.

Als ik hem had willen manipuleren – naar hem toe was gegaan, krokodillentranen had geplengd en mijn woorden niet met heel mijn hart had gemeend – had hij me vast weggestuurd, en dat had hij waarschijnlijk ook gedaan als ik had gesmeekt of ik Hendriks vrouw mocht blijven. Maar op de dag van onze ontmoeting was Zijne Majesteit van me gaan houden vanwege mijn nederigheid. Daar had hij alleen maar aan herinnerd hoeven worden.

Ik was veilig – maar niet voor altijd. Tot ik Hendriks kind baarde, bleef ik kwetsbaar. De hertogin zou haar campagne tegen mij niet zomaar staken, en Louise de Guise was nog erg jong.

Ik was hevig opgelucht toen koning Frans Johanna besloot uit te huwelijken aan een Duitse hertog, die een ongehoorde bruidsschat wilde betalen. De oorlog was een kostbare aangelegenheid, en op dat moment had Frans dringender behoefte aan geld dan aan erfgenamen. Als jonge vrouw was Johanna niet mooi: ze had een lange, stompe neus, en haar lippen en kin waren te klein. Maar ze was heel intelligent, net als haar moeder, en haar schuinstaande, door dikke wimpers omzoomde groene ogen waren beeldschoon. Ik nam afscheid van haar toen ze in de koets naar Düsseldorf stapte en dacht dat we elkaar nooit meer zouden zien.

Hendrik vroeg of hij in de Provence mocht meevechten, misschien wel omdat hij het niet prettig vond dat ik niet op korte termijn zou worden verstoten. De koning gaf eerst geen toestemming, met als reden dat hij net een zoon had verloren en het leven van de tweede niet wilde wagen. Maar Hendrik was zo vastbesloten dat hij uiteindelijk zijn zin kreeg en zich in het zuiden bij luitenant-generaal Montmorency aansloot.

Toen Hendrik weg was, had ik tijd om eens goed over mijn lastige positie na te denken. Mijn man was van nature trouw, en nu hij zijn hart en lichaam aan Diane de Poitiers had geschonken, zou hij het ongetwijfeld weerzinwekkend vinden om een van tweeën met een andere vrouw te delen. Maar als ik in verwachting wilde raken van een erfgenaam, moest Hendrik na zijn terugkeer uit de oorlog vaak het bed met me delen.

Niet lang na mijn onderhoud met de koning vroeg ik aan koningin Eleonora of ik haar hofdame Diane de Poitiers een uurtje mocht lenen.

De koningin gaf me hoffelijk toestemming, maar zij en haar gevolg begrepen heel goed dat mijn verzoek bijzonder vreemd was. Madame de Poitiers en ik waren uiterst vriendelijk als we in elkaars gezelschap moesten verkeren, maar op alle andere momenten ontliepen we elkaar, en iedereen wist waarom.

Madame de Poitiers reed schrijlings, als een man, zonder zich voor haar kuiten en enkels te generen. Net als ik wilde ze niet geleid worden, en ze hield haar teugels met stevige hand vast. Haar paard was wit, misschien wel zorgvuldig uitgekozen om bij haar weduwedracht te passen. Het was een kleurloos tafereeltje op die onkarakteristiek koude dag in de Midi: Diane in haar zwart-met-witte kleding, het berijpte gras, de loodgrijze hemel. Ondanks het gure weer had ik gevraagd of ze mee ging paardrijden. Ik leidde haar ver weg van het paleisterrein en nieuwsgierige oren. We werden op een afstandje gevolgd door een stalknecht, omdat we een wild zwijn zouden kunnen tegenkomen. Toen het tijd werd voor een ernstig gesprek, hief ik mijn gehandschoende hand op om te zorgen dat hij ver achter ons bleef rijden. Wij, de twee vrouwen, draafden weg tot hij niet groter dan een erwt leek. Ik wilde niet dat hij de blikken op onze gezichten kon zien.

Diane de Poitiers was bijna veertig, en haar goudblonde lokken werden verzacht door zilvergrijze haren. Maar haar huid was nog stevig, behalve rond haar ogen, waar in het sombere licht fijne rimpeltjes zichtbaar waren. Ze had een gave huid, zonder de vlekken of gesprongen adertjes die een voorliefde voor wijn verraadden.

Terwijl ik naar haar staarde en mijn best deed om te doorgronden waarom mijn man zoveel van haar hield, keek ze me kalm en onverstoorbaar aan. Ze was niet bang aangelegd – ongetwijfeld balsem voor Hendriks angstige, onzekere ziel. Op dat moment verachtte ik haar, bijna net zo hevig als ik mezelf verachtte.

Ik glimlachte naar haar en zei luchtig: 'Wat dacht u van een gesprek?'

Haar glimlach was net zo breed als de mijne. 'Natuurlijk, madame la dauphine,' antwoordde ze. 'Eerst wil ik u graag bedanken voor de gelegenheid om met u te gaan paardrijden. Ik had zin in lichaamsbeweging, maar niemand van de oudere dames wilde met me mee, omdat ze denken dat de kou ongezond is.'

'Het genoegen is geheel aan mijn kant.' Mijn glimlachje verflauwde. 'We hebben veel met elkaar gemeen, madame. We hebben dezelfde grootmoeder en we houden allebei van paardrijden. We houden zelfs van dezelfde man.'

Haar blik bleef kalm en sereen, terwijl ze me afwachtend aankeek.

'Louise de Guise is een mooi meisje, vindt u niet?' vervolgde ik. 'Levendig en jong. Elke man zou blij zijn met zo'n beeldschone bruid.'

'Zeker, madame la dauphine,' antwoordde ze plichtsgetrouw.

Mijn zwarte hengst ging ongeduldig in telgang lopen. Ik trok de teugels aan.

'Maar ik heb gehoord dat ze nogal opvliegend en veeleisend is,' merkte ik op. 'Misschien zou ze voor een man geen gemakkelijke echtgenote zijn.'

'Ja madame, dat heb ik ook gehoord.' Haar ogen waren spiegels waarin ik mezelf zag, en ze gaven niets prijs van de emoties die onder hun gladde oppervlak verborgen lagen.

'Ik hoor van anderen dat ik geduldig ben,' zei ik. 'Ik heb er nooit genoegen aan beleefd om het anderen moeilijk te maken. Ik kan alleen maar hopen dat mijn kinderen net zo inschikkelijk zullen zijn.'

'Ik bid van wel, madame la dauphine. En ik bid dat het er veel mogen zijn.'

Haar gezicht, haar ogen en haar zachte, vriendelijke toon veranderden niet, alsof ze slechts een opmerking over het weer maakte. Het kon zijn dat ze zeer oprecht was, maar het was ook mogelijk dat ze loog. Ik probeerde me voor te stellen hoe een vrouw die zo weinig gevoelens toonde zoveel passie in mijn echtgenoot kon losmaken.

'Ik zal helemaal geen kinderen krijgen als mijn man niet naar mijn bed komt,' zei ik. Ik kreeg een dikke brok in mijn keel en wachtte tot ik mezelf weer helemaal in bedwang had.

Misschien voelde ze iets van mijn verdriet, want voor het eerst werd haar blik onzeker. Ze keek naar een bosje kale bomen achter mij.

'Als hij niet bij me komt, moet ik weg. Dat weet u net zo goed als ik,' zei ik. Mijn toon werd openhartig. 'Ik hou van hem. Alleen om die reden zal ik het hem en de fortuinlijke mensen die zijn liefde ontvangen nooit moeilijk maken, al doet het me nog zoveel verdriet. De wil van de dauphin moet gerespecteerd worden.'

Er verscheen een fronsje op haar voorhoofd, en ze keek me met enige aarzelende nieuwsgierigheid aan.

'Een prijzenswaardige houding,' zei ze.

'Louise de Guise zou niet zo vriendelijk zijn.'

Vlak bij ons hoorden we het kreupelhout kraken, en een troep kwartels vloog op. Kraaien gingen op de zilvergrijze takken zitten en scholden op de onzichtbare boosdoener onder hen. In de verte ging onze chaperon meteen alert rechtop zitten, maar het bleef verder rustig en de kraaien werden stil. Diane en ik keken even naar de vogels voordat we ons weer tot elkaar wendden.

De vage lijntjes op haar voorhoofd gleden weg toen ze een besluit nam. 'Het Huis van Valois moet erfgenamen krijgen,' zei ze, en heel even was ik bang dat ze verwees naar mijn onvermogen om kinderen te krijgen en dat ze het eens was met de mensen die me wilden verstoten. Maar toen voegde ze er zachtjes aan toe: 'Hij zal naar uw bed komen, madame.'

'Ik neem mijn afspraken met anderen altijd heel serieus,' zei ik. 'En ik heb gehoord dat u te vertrouwen bent.'

'U hebt mijn woord, madame.'

We reden zwijgend terug naar het paleis. Ik was niet in de stemming om luchtige gesprekken te voeren nu mijn vernedering compleet was.

Onderweg voelde ik iets vederlichts en kouds op mijn wang prikken. Ik keek omhoog naar de dreigende lucht en zag iets wat in de Midi eigenlijk onmogelijk was: er dwarrelden sneeuwvlokken naar beneden, zacht en wit en geluidloos.

Na een poos kwam Hendrik terug uit de oorlog. Als dauphin was hij opperbevelhebber van de Franse troepen in de Provence, maar omdat hij wist dat hij weinig ervaring had, raadpleegde hij voor elke manoeuvre zijn luitenant-generaal, grootmeester Montmorency. Zijn eerbiedigheid wierp vruchten af: ons leger bracht de keizerlijke indringers een doorslaggevende nederlaag toe. Het gevolg was dat Hendrik en Montmorency goede vrienden werden en bij hun thuiskomst als helden werden verwelkomd. De koning had alleen maar goede woorden voor hen over.

De oorlogsbeproevingen hadden Hendrik in een man veranderd en hem zelfvertrouwen gegeven. Na de oorlog was hij ook vastbesloten zijn verhouding met madame de Poitiers niet meer geheim te houden. Hij droeg trots haar kleuren, wit en zwart, en koos als embleem de wassende maan – het symbool van Diana, de godin van de jacht.

Maar binnen een paar dagen na zijn terugkeer verscheen Hendrik in de deuropening van mijn slaapvertrek. Zijn stemming was berustend, niet vreugdevol, maar hij was ook niet wrokkig. Ik was ervan overtuigd dat Diane hem alles had verteld, en ik dacht dat hij opgelucht was dat ik het hun niet lastig zou maken.

Hij was afstandelijk, maar wel aardig. Bij de aanblik van zijn lichaam – dat inmiddels echt een mannenlichaam was geworden, met een brede, gespierde rug en borst – voelde ik een steek van verlangen door me heen gaan. Telkens wanneer ik met hem sliep, maakte ik mezelf wijs dat ik deze keer wel iets zou doen of zeggen waardoor ik zijn hart zou veroveren, en telkens wanneer hij te vlug uit mijn bed opstond, keek ik hem verzadigd, maar intens verdrietig na. Nog nooit eerder had genoegen zoveel pijn gedaan.

Er ging een jaar voorbij, twee, drie, vier, en ik raakte niet in verwachting. Ik raadpleegde de astrologen van de koning en had braaf op de geadviseerde momenten gemeenschap met Hendrik. Ik sprak heidense spreuken en bezweringen uit. Madame Gondi legde een alruinwortel onder mijn matras, en ik volgde het advies van Aristoteles op en at kwarteleitjes, andijvie en viooltjes tot ik er misselijk van werd. Op advies van

Agrippa maakte ik een amulet van Venus voor vruchtbaarheid en legde die naast de alruin. Het mocht allemaal niet baten.

Anne, de hertogin van Étampes, begon weer in het oor van haar minnaar en iedereen die maar horen wilde te fluisteren. Het hof werd in twee kampen verdeeld: de mensen die achter de oude koning en zijn sluwe paramour stonden, en de mensen die naar de toekomst keken en Hendrik en Diane de Poitiers steunden. De hertogin was uitzonderlijk jaloers; ze zag Diane als haar rivale en wilde haar te gronde richten. Ze dacht dat ze dat het snelst voor elkaar kon krijgen als Hendrik een nieuwe echtgenote kreeg – een koppige, eigenzinnige vrouw die Hendriks minnares niet zo minzaam zou accepteren als ik. En als ze mij daarbij zou schaden, de vrouw die in een veel te goed blaadje bij de koning stond, was dat alleen maar meegenomen.

Door de onvruchtbare dagen, maanden en jaren heen zag ik de glimlach van Zijne Majesteit steeds flauwer worden en merkte ik dat de warmte in zijn ogen en omhelzing geleidelijk aan verkoelden. De amuletten, de artsen, de astrologen... niets had geholpen. Toch bleef ik in gedachten teruggaan naar de nacht waarin mijn overleden moeder tot me had gesproken. Haar woorden waren griezelig nauwkeurig gebleken, en omdat ik de levenden niet kon vertrouwen, besloot ik mijn vertrouwen in de doden te stellen.

Ik was erg ziek geweest op de avond dat de magiër haar had opgeroepen, dus ik wist niet precies meer welke gezangen en gebaren hij had gebruikt. Ik wist alleen nog dat Ruggieri ons had gezalfd met iets wat op oud bloed leek.

Ik bewaarde wat paarszwart menstruatiebloed, waarmee ik op een kille dag in maart 1543 in de beslotenheid van mijn kabinet mijn voorhoofd zalfde. Daarna prikte ik met een borduurnaald in mijn vinger.

Er was vers bloed nodig, had Ruggieri gezegd. De doden zouden het ruiken.

Aan mijn schrijftafel kneep ik in mijn vinger en liet ik een paar dikke, rode druppels op een stukje papier vallen. Ik doopte mijn ganzenveer erin en schreef een boodschap:

Geef me een kind.

Ik gooide het papier in het haardvuur, dat oplaaide toen het vel vlam vatte. De buitenste randen werden zwart en krulden naar binnen toen de vlam zich razendsnel naar het midden verspreidde.

'*Ma mère*,' fluisterde ik. '*M'amie, je t'adore*... Moeder, verhoor mijn gebed en geef me een kind. Zeg wat ik moet doen.'

De as viel op de gloeiende blokken. Er braken stukjes af, die ronddwarrelden voordat ze het rookkanaal in vlogen.

Terwijl ik naar de dansende vlammen keek, herhaalde ik mijn smeekbede. Ik richtte me niet alleen tot mijn moeder, de doden, God of de duivel. Ik richtte me tot iedereen die maar luisteren wilde. Mijn hart ging open tot het één werd met de kracht die het heelal gaande houdt. Met mijn wilskracht en verlangen greep ik die kracht, en ik wilde hem niet meer loslaten.

Op dat moment ging de hemel open – of de hel, ik weet het niet. Ik wist alleen dat ik ergens contact mee had gelegd, dat mijn smeekbede werd gehoord.

De volgende ochtend liet ik me leiden door het dagschema van de koning, maar 's middags moest ik audiënties verlenen. Als dauphine kreeg ik veel petitionarissen op bezoek, vooral Florentijnen die hulp nodig hadden. Vanaf mijn troon luisterde ik naar al hun droevige verhalen.

Het eerste was afkomstig van een oude weduwe, die Tornabuoni heette en door haar huwelijk familie van mij was geworden. Ze had de villa van haar overleden echtgenoot bewoond tot Alessandro's trawanten haar het huis hadden afgepakt. Ze hadden haar zulke hoge, onrechtmatige belastingen opgelegd dat ze failliet was gegaan, en ze had de stad met lege handen verlaten. Ik gaf haar genoeg geld voor een aangenaam leven in een van de betere kloosters buiten Parijs.

Er kwam ook een bankier, die zijn vrouw en zes kinderen had meegebracht en lang geleden bij oom Filippo Strozzi in de leer was geweest. Dat laatste was al voldoende geweest om zijn leven in gevaar te brengen. Hij was met zijn gezin uit Florence gevlucht en had al zijn eigendommen achtergelaten. Ik beloofde dat ik hem een baan bij de Schatkist zou bezorgen.

Er waren er nog een paar, en na een paar uur werd ik moe.

Madame Gondi zei: 'Ik zal tegen de anderen zeggen dat ze morgen terug moeten komen, maar er is één bezoeker, madame – een nogal vreemd uitziende heer – die u per se vandaag wil spreken. Hij zegt dat u hem kent en dat u blij zult zijn om hem te zien.'

Ik wilde net vragen hoe die onbeleefde bedelaar heette toen ik begreep wie het was. Even was ik sprakeloos, maar zodra ik mijn stem had hervonden, vroeg ik madame Gondi om hem bij me te brengen.

Zijn kleding was rood met zwart, de kleuren van Mars en Saturnus. Hij was inmiddels een volwassen man, maar hij was nog steeds broodmager, en zijn gestreepte wambuis slobberde om zijn knokige lichaam. Zijn gezicht was uitgemergeld en vormde een ziekelijk bleek contrast met zijn blauwzwarte wenkbrauwen en haar. Zodra hij me zag, nam hij zijn muts af en maakte hij een diepe buiging.

'Madame la dauphine,' zei hij. Ik was vergeten hoe mooi en diep zijn stem klonk. 'Eindelijk ontmoeten we elkaar weer.'

Ik kwam van mijn troon. Toen hij rechtop ging staan, nam ik zijn koude handen in de mijne.

'Monsieur Ruggieri,' zei ik. 'Ik heb vurig gebeden dat u zou komen.'

22

IK BENOEMDE COSIMO RUGGIERI TER PLEKKE TOT MIJN HOFASTROLOOG. Hij had geen eigendommen bij zich, alsof hij zonder geldbuidel, koffer, vrouw of gezin uit de lucht was komen vallen.

Ik nam hem meteen mee naar mijn kabinet en vroeg hoe het met hem ging. Hij was vanuit Florence naar Venetië gereisd en had op de dag van zijn aankomst de pest gekregen. Vanuit Venetië was hij doorgereisd naar Constantinopel en Arabië, al wilde hij niet zeggen waarom of wat daar was gebeurd. Ik vertelde hem dat ik erg blij was geweest toen ik tijdens mijn gevangenschap het boek van Ficino en de Vleugel van Corvus had gekregen. Ik zei ook dat mijn moeders woorden waren uitgekomen en dat een man die Silvestro heette me van een vijandige menigte had gered. Ik vertelde hem op welke manier ik mezelf meer over astrologie had geleerd en dat ik had geprobeerd geboortehoroscopen te trekken.

Als delen van mijn lange verhaal hem verbaasden, liet hij dat niet merken. Niet één keer herinnerde hij me aan zijn voorspelling dat ik koningin zou worden.

Uiteindelijk zei ik: 'Sinds u me de Vleugel van de Raaf hebt gegeven, heb ik last van een droom die steeds terugkomt. Ik droom over een man wiens gezicht helemaal onder het bloed zit. Hij roept me in het Frans.

Hij is stervende, en het is mijn plicht om hem te helpen, maar ik weet niet hoe.' Verdrietig sloeg ik mijn ogen neer. 'Het is Hendrik. Dat wist ik zodra ik hem ontmoette. Ik voel me verplicht om hem van een vreselijk lot te redden.'

Hij bleef uiterst kalm. 'Is dat alles? Ziet u alleen Hendrik in uw dromen?'

'Nee,' antwoordde ik. 'Er liggen ook anderen op het veld – misschien wel honderden of duizenden, maar ik kan hen niet zien. Het bloed... Het bloed zwelt aan als een golf in de oceaan.' Ik bracht mijn vingers naar mijn slaap en wreef erover, alsof ik de herinnering los kon masseren en kon laten verdwijnen.

'Dit is uw lotsbestemming,' zei hij. 'U hebt de macht om die golf te laten vloeien... of tegen te houden.'

Opeens wilde ik in tranen uitbarsten. 'Maar Hendrik... Er gebeurt binnenkort iets ergs met hem. Als ik dat kan voorkomen, gaan de anderen misschien niet dood. Vertel me wat hem te wachten staat en wat ik kan doen om het te voorkomen. U bent magiër – er moet een bezwering zijn om hem te beschermen. Ik heb het geprobeerd, ik heb zelf een amulet gemaakt, een tweede Vleugel van Corvus, maar die wilde hij niet dragen.'

'Een eenvoudige amulet en een eenvoudige bezwering zouden nooit genoeg zijn,' zei hij.

Ik viel woedend tegen hem uit. 'Het was genoeg voor mij toen ik in handen van de rebellen was.'

'Het gevaar dat u bedreigde, kon worden overwonnen en bood nog een kans op een lang leven. Maar prins Hendrik...' Er was spijt in zijn blik te lezen. 'Er zal te snel een einde aan zijn leven komen, een rampzalig einde. U hebt zijn horoscoop vast bestudeerd.'

Zijn woorden benamen me de adem. Ik had de sinistere aanwijzingen gezien, maar had mezelf nooit toegestaan ze te geloven.

'Als gewone magie niet afdoende is, wat dan wel?' drong ik aan. 'Neem mijn leven in ruil voor het zijne. Daar hebt u vast de kennis voor.'

Hij schrok terug voor mijn suggestie. 'Ik heb er de kennis voor, maar er zijn toch ook anderen in uw droom? Hoe moet het dan met hen?'

'Dat interesseert me niet,' antwoordde ik ongelukkig.

'Dan zal Frankrijk worden verscheurd,' antwoordde hij. 'De Fransen zijn net zozeer onderdeel van uw verantwoordelijkheid en lotsbestemming als prins Hendrik.'

'Dan zijn zij ook een reden waarom ik moet blijven,' zei ik. 'Maar er zijn mensen aan het hof die me terzijde willen schuiven en willen zorgen dat Hendrik met een ander trouwt. Zonder mij is hij onbeschermd. Ik moet een kind van hem krijgen. Het móét.' Mijn gezicht verstrakte. 'Zeg me dan alleen wat ik moet doen om Hendrik in leven te houden en zijn kind te baren.'

Hij dacht daar lang over na en antwoordde: 'We kunnen het lot niet eeuwig te slim af zijn. Maar we kunnen Hendrik meer jaren geven dan hij anders zou hebben gehad.' Hij zweeg even. 'Is dat werkelijk wat u wilt? Het kind van de dauphin baren?'

Het leek een belachelijke vraag. 'Natuurlijk. Ik wil er alles voor doen. Ik héb er al alles voor gedaan. Ik heb amuletten gemaakt, bezweringen uitgesproken, walgelijke brijomslagen gedragen en urine van een muildier gedronken. Ik weet niet wat ik nog meer kan doen.'

Hij liet mijn woorden op zich inwerken en zei langzaam: 'En het kind moet van de dauphin zijn.'

Het was een verklaring, maar ik hoorde de vraag die erin opgesloten lag. Mijn gezicht werd rood. *Hoe durft u*, wilde ik zeggen, maar ik had Ruggieri tegenover me, dus fatsoen deed er niet toe. Geen enkel geheim was verborgen voor hem, geen onderwerp te zondig om besproken te worden.

Ik bloosde en zei: 'Ja, dat moet. Hij is mijn man. En... ik hou van hem.'

Hij hield zijn hoofd schuin toen hij de wanhoop in die laatste vier woorden hoorde. 'Dat is jammer,' zei hij zachtjes. 'Dat maakt de zaak ingewikkelder.'

'Waarom?'

'U hebt vast wel bestudeerd wat uw geboortehoroscoop over kinderen zegt,' antwoordde hij. 'U hebt vast ook gekeken naar die van prins Hendrik. Schorpioen regeert in uw Vijfde Huis, en in dat van uw man,' vervolgde hij. 'U bent veel te intelligent om de gevolgen niet te zien: onvruchtbaarheid – of, als u dat wilt, leugens en bedrog. De keuze is aan u.'

'Ik wil niet kiezen,' wierp ik tegen. 'Er moet een derde manier zijn.'

'Die is er altijd.' Hij leunde naar voren, en zijn huid stak ziekelijk wit af tegen zijn blauwzwarte haar. 'Maar het hangt er volledig van af waartoe u bereid bent.'

Ondanks zijn kromme neus en mottige wangen waren zijn stem en houding onweerstaanbaar, betoverend. Onder een ijzige oppervlakte vloeide een hete stroom, een stroom waarin ik zou verdrinken als ik hem op de proef durfde te stellen.

'Ik ben overal toe bereid,' zei ik. 'Ik wil alleen niet met een andere man slapen.'

Hij knikte langzaam. 'Dan waarschuw ik u, madame la dauphine, dat u bloed moet geven om bloed te krijgen.'

Bij het horen van die woorden ging er een onaangename huivering door me heen: hij had het over de allerzwartste magie. Anderzijds had ik altijd al gedacht dat mijn ziel verloren was.

'Ik wil het tot de laatste druppel geven om Hendrik te redden,' zei ik.

Zijn blik gaf niets prijs. 'Tja, madame. Dan hebt u een sterke wil en een sterke maag nodig, want we hebben het niet over uw eigen bloed.'

Ik verzette me er wekenlang tegen. Ik sprak Ruggieri dagelijks, waarbij ik hem over onbeduidende zaken raadpleegde en hem smeekte me de kunst van de magie bij te brengen. Dat laatste weigerde hij: ik wist te weinig, hij te veel. Het was veiliger voor hem om op mijn verzoek bezweringen uit te spreken.

'Het is genoeg dat één van onze zielen gevaar loopt,' zei hij.

Tijdens die weken maakte ik me ernstig zorgen. Madame Gondi vertelde dat de familie van de huwbare Louise de Guise in het geheim bij de koning was geweest om weer over een huwelijkscontract met Hendrik te spreken. Dat was al bijna voldoende om me open te stellen voor Ruggieri's suggestie dat ik me door een andere man kon laten bevruchten.

Maar al had Hendrik mij verraden, ik kon hem niet bedriegen. Het Huis van Valois was nu van mij, en ik verlangde naar een zoon met Valois-bloed, die de troon zou erven. Ik had een thuishaven gevonden en wilde daar niet uit weggestuurd worden.

Uiteindelijk zwichtte ik voor het ondenkbare. Midden in de nacht pakte ik mijn ganzenveer en luisterde ik naar de krassende punt toen mijn hand onmogelijke, barbaarse dingen opschreef.

Ik ontbood Ruggieri de volgende ochtend vroeg en ontving hem in mijn kabinet. Achter de afgesloten deur gaf ik hem het papier, in achten gevouwen, alsof dat mijn zware misdaad op een of andere manier minder erg maakte.

'Ik heb er goed over nagedacht,' zei ik, 'en dit zijn mijn voorwaarden.'

Het papier knisperde in zijn vingers. Hij bestudeerde fronsend mijn boodschap en keek me vervolgens met zijn donkere ogen aan.

'Als ik me hieraan hou, kan ik niet zeggen welk effect ze op het resultaat zullen hebben,' zei hij.

'Als we maar succes hebben,' zei ik.

Terwijl hij me bleef aankijken, vouwde hij het papier weer op en stopte hij het in zijn borstzak. Zijn ogen waren zwart, net als die van mijn Hendrik, al was er geen enkel licht in te bespeuren. Zijn mondhoeken gingen langzaam omhoog.

'O, we zullen zeker succes hebben, Catharina.'

Ik vond het niet onbeleefd dat hij me bij mijn voornaam noemde. Op een gruwelijke manier waren we nu gelijken. Ik had Hendrik mijn hart geschonken, maar alleen Ruggieri wist hoe verdorven het was.

Madame Gondi was de enige die ik de taak kon toevertrouwen om rechtstreeks afspraken met de stalmeester te maken. Ze liet haar eigen paard zadelen en naar de andere kant van de stallen brengen, waar het vanuit het paleis niet gezien kon worden. Het was onfatsoenlijk als een vrouw in haar eentje tegen de avondschemering ging rijden, dus de stalmeester ging er ongetwijfeld van uit dat er sprake was van een ongeoorloofd rendez-vous. Dat was ook zo.

Madame Gondi reed van de stallen weg en leidde haar paard langs de tuinen naar het dichtstbijzijnde bosje. In de schaduw van de bomen verruilden zij en ik van plaats. We droegen allebei zwart, en iemand die vanaf een afstandje toekeek, zou denken dat de vrouw die het bos in reed de persoon was die uit de stallen was vertrokken.

Die ochtend had de lentehemel er heel vreemd uitgezien. Het was een sombere, bewolkte dag, met een heiige, koraalrode gloed op de plaats waar de zon had moeten staan. Nu, in de avondschemering, was die gloed achter de horizon verdwenen. De lucht was koel en rook naar regen. Ik liet het bos een flink eind achter me. Een paar keer hield ik mijn geleende paard in en overwoog ik terug te keren, maar bij de gedachte aan Hendrik reed ik weer verder.

Uiteindelijk kwam ik bij een slecht onderhouden wijngaard, die werd geflankeerd door een boomgaard vol stervende perenbomen. Op hun knoestige takken zaten zwakke, zwoegende bloesems. Aan de andere kant van de boomgaard hield een zwarte gedaante een lantaarn omhoog. Toen ik dichterbij kwam, zag ik Ruggieri's gezicht, fosforescerend in de gele gloed. Hij draaide zich om en liep langs de bomen langzaam naar een bouwvallig huisje met een rieten dak. Door de spleten in de gesloten luiken scheen een zwak kaarslicht.

Ik steeg af. Ruggieri zette de lantaarn op de grond en hielp me van mijn paard, waarbij hij mijn beide handen beetpakte. Een paar tellen staarde mijn medeplichtige me indringend aan, zoekend naar iets wat hij niet kon vinden.

Hij had me er vanavond niet bij willen hebben. Dat was niet nodig, zei hij, en er was altijd een kans op gevaar, zowel op magisch als op praktisch gebied. Ik had het idee dat hij me een akelig tafereel wilde besparen, dat hij niet wilde dat ik zou walgen als ik met eigen ogen zag waartoe hij in staat was. Toch had ik erop aangedrongen dat ik erbij mocht zijn. Ik stond op het punt om een misdaad te plegen, en ik wilde niet dat die ver van me af zou staan, dat het een verhaal zou worden zonder de bijbehorende bloedige werkelijkheid.

Ik wilde voorkomen dat ik in staat zou zijn om nog eens zoiets te doen.

De plotselinge kou in zijn blik benam me de adem, en de klauwachtige greep van zijn vingers, die nota bene door twee lagen handschoenen van de mijne gescheiden waren, verkilde me tot op het bot. Hij was in staat om dingen te doen die erger waren dan moord, en ik was alleen met hem, op een plaats waar niemand me kon horen schreeuwen.

Ik dacht erover om me los te trekken, op madame Gondi's paard te springen en weg te rijden. De ogen van de magiër waren echter krachtig, dwingend. Met de lome hulpeloosheid van een slaapwandelaar volgde ik hem naar de deur van het huisje.

Op het moment dat Ruggieri de rottende deur opensmeet, zag ik één enkele kamer met een vloer van aangestampt zand, die half werd bedekt door een groot stuk leisteen. De bleke muren waren besmeurd met uitwerpselen van duiven, en de haard was zo lang niet gebruikt dat er groene schimmel op de stenen stond. Iemand had een perfecte zwarte cirkel op de leisteen geschilderd, die zo groot was dat er met gemak twee mannen achter elkaar in konden liggen. Vier manshoge koperen kandelaars stonden op gelijke afstand van elkaar rond de cirkel. De kaarsen waren niet aangestoken.

Op een muurtafeltje onder het raam met de gesloten luiken stond een lantaarn, die liet zien wat er nog meer in de kamer stond: twee krukjes, een plank met een stuk of vijf boeken en een paar instrumenten, waaronder een dolk met twee scherpe kanten, een wierookvat, een beker, een ganzenveer, een inktpot, perkament en een paar kleine fiolen met stoppen erin. Naast het wierookvat lagen een zilveren ketting met een grote parel en een gepolijste onyx. De tafel en krukjes rustten op de zandvloer, het plankje op de lei, net binnen de cirkel en vóór een van de lange kaarsen.

Een jonge vrouw zat met haar rug naar ons toe aan het tafeltje. Haar dikke, golvende haar – zo'n lichte goudblonde tint dat het bijna zilver leek – hing zwaar tot op haar middel. Ze besteedde geen aandacht aan ons, maar ging verder met het eten van een geroosterde eend. Onze schaduwen vielen op de muur naast het tafeltje. Toen het meisje ze zag, legde ze de half opgegeten eendenbout neer en keek ze om.

Ze was pas twaalf of dertien jaar oud. Haar gezicht was abnormaal breed, en haar blauwe ogen waren kleine, schuinstaande amandelen die ver uit elkaar op een bleke ondergrond stonden. Haar neusbrug was plat, het puntje van haar tong stak tussen haar lippen door. Zodra ze me zag, liet ze een geagiteerd gegrom horen en gebaarde ze naar Ruggieri.

Hij schudde zijn hoofd en zwaaide zijn arm afwijzend naar beneden, maar ze bleef me met een doffe, troebele blik aanstaren. Ik had wel eerder zulke kinderen gezien, meestal in de armen van oudere moeders.

'Ze is doofstom,' zei Ruggieri. 'En als imbeciel geboren.'

Hij glimlachte vriendelijk naar haar en gebaarde dat ze naar hem toe moest komen. Ze stond op en draaide zich naar ons toe, waarbij we borsten zagen die veel te rijp waren voor haar leeftijd. Ze puilden boven haar strak ingeregen lijfje uit om ze nog groter te laten lijken. Daaronder had ze een opgezwollen buik, die zo hard tegen de taille van haar gewaad aan duwde dat de naad was gesprongen. Ze leek over de helft van haar zwangerschap te zijn.

Misselijk en in paniek draaide ik me naar Ruggieri. 'Ze is te jong!'

'Hoeveel jaren wilt u kopen?' vroeg hij koeltjes en uitdagend. 'Ze is een ervaren prostituee; ze was de bron van inkomsten voor haar voogd tot haar zwangerschap zichtbaar werd. Nu is ze verstoten en zwerft ze rond. Ze zal zeker verhongeren of verkracht en vermoord worden. Zelfs als het kind geboren wordt...' Hij liet een geluid horen dat zijn walging weergaf. 'Wat voor leven zullen ze hebben als ik haar op straat laat rondzwerven? U zei dat we iemand moesten gebruiken die we een dienst zouden bewijzen. In haar geval is dat zo.'

Ik zette een stap achteruit en dacht aan het slaphangende gezicht en de lege ogen van het meisje. 'Ik kan het niet,' fluisterde ik.

Ruggieri's zwarte ogen schoten vuur, en zijn kalme stem kreeg een ondertoon vol ingehouden woede. 'Ga dan maar,' zei hij. 'Uw Hendrik zal sterven voordat u hem zoons kunt geven.'

Ik bleef als aan de grond genageld staan, niet in staat om daar iets op te zeggen.

Tegen die tijd had het meisje de eend bijna helemaal opgegeten en richtte ze haar aandacht op Ruggieri. Zonder aankondiging of enige vorm van tact trok ze zijn wambuis omhoog en wroette ze met haar hand in zijn broek. Hij zette een stap achteruit en pakte haar pols.

'Ze is onverzadigbaar,' zei hij, terwijl hij haar onaangedaan en afstandelijk bestudeerde. 'Ze had net een heer geplezierd toen ik haar ontdekte, en het heeft me de grootste moeite gekost om haar avances te vermijden.' Hij hield de pols van het meisje stevig vast tot ze zich wilde loswrikken. Op dat moment keek hij over zijn schouder naar mij. 'Ga in de cirkel staan.'

Ik ging in het midden van de cirkel staan. Er was een wind opgestoken, die koude vlagen door gaten in het rieten dak en de rammelende luiken naar binnen joeg, maar opeens had ik het misselijkmakende gevoel dat ik niet genoeg lucht kon krijgen.

Ruggieri liet de pols van het meisje los en kneep glimlachend en plagerig in haar wangen. Daardoor ontspande ze zich, maar toen hij het bord met de eend buiten haar bereik zette, raakte ze van streek. Hij ging naast haar zitten, sloeg zijn arm om haar heen en bracht een beker wijn naar haar lippen. Steeds opnieuw spoorde hij haar aan om te drinken, wat ze zonder enige aarzeling deed.

Abrupt begon het meisje op haar kruk heen en weer te wiegen, en ze zou zijn gevallen als Ruggieri haar niet had opgevangen. Hij tilde haar op en droeg haar naar de cirkel, waar hij haar volledig verslapte lichaam op de leisteen legde. Haar glinsterende ogen waren open, haar ademhaling was oppervlakkig en langzaam.

'Blijf staan,' fluisterde Ruggieri schor tegen mij. 'U mag niets zeggen en zich nergens mee bemoeien. Maar het allerbelangrijkste is dat u niet buiten de cirkel mag stappen.'

Hij pakte een metalen kom en een opgevouwen, vergeeld linnen laken van de plank, vouwde het laken uit en sleepte het meisje erop.

Net als op de avond dat hij mijn moeders geest had ontboden, haalde hij de stop uit een fiool en zalfde hij zijn eigen voorhoofd en het mijne. Daarna stak hij de wierook in het vat aan. De loom opkringelende rook had de harsachtige geur van mirre en iets anders, iets wat aardser, sterker en enigszins verrot rook. Met de lantaarn stak hij de kaarsen aan, waarbij hij begon met de kaars achter het geïmproviseerde altaar en met de klok mee liep tot alle kaarsen brandden. Daarna blies hij de lantaarn uit.

Tegen die tijd was het buiten helemaal donker geworden. Ondanks de tocht liet de nevelige lucht de randen van alle voorwerpen vervagen en zag ik het tafereeltje niet scherp. Ruggieri's mantel en wambuis versmolten met de duisternis, waardoor zijn gezicht, albast naast zijn baard en ogen, leek te drijven.

Het leek allemaal heel onwerkelijk – het slappe lichaam van het meisje aan mijn voeten, de kringelende rook die de gloed van de kaarsen versluierde, de instrumenten van de magiër op de boekenplank – en de ernst van onze misdaad leek ver van me af te staan. Ruggieri pakte een dolk met een zwart gevest en een vlijmscherp lemmet dat aan twee kanten sneed. Terwijl hij de dolk met twee handen vasthield, stak hij hem met kracht boven zijn hoofd, alsof hij de lucht wilde doorboren, en hij sprak op zangerige toon een bezwering uit terwijl hij de dolk liet zakken en met de platte kant zijn hart en schouders aanraakte. Hij leek letterlijk te groeien, almachtig, meer dan menselijk. Toen zijn ogen openvlogen, fel en geconcentreerd en onpersoonlijk, dacht ik dat ik naar een god stond te kijken.

Abrupt begon hij de cirkel rond te lopen, over en parallel aan de zwarte streep op de lei, waarbij hij bij elke kaars stilstond om met de dolk een symbool te snijden. Bij elke kaars stak hij de dolk naar voren en riep hij luidkeels een naam, tot hij weer voor het altaar stond.

Hij ging op een knie naast het meisje zitten en liet zijn arm onder haar schouders glijden om haar bovenlichaam tegen zijn borst te trekken. Toen haar hoofd naar voren zakte, draaide hij haar dikke, goudblonde haar om zijn linkerhand en trok hij haar hoofd naar achteren om haar blanke keel bloot te leggen.

Het meisje was nog wakker en zette grote ogen op toen ze het mes zag. Ze begon te jammeren, en er ging een huivering door haar heen toen ze tevergeefs haar ledematen probeerde te gebruiken.

Uiterst gezaghebbend en grenzeloos zelfverzekerd riep Ruggieri een woord in een andere taal, bits en vol sisklanken, en daarna maakte hij met de dolk een sneetje onder het oor van het meisje. Ze kermde als een kat toen er een donkere stroom over haar hals en tussen haar hoge, volle borsten liep.

De magiër bulderde het woord nog een keer.

Het licht van de kaarsen zwakte af en laaide weer op. De rook werd dikker en begon te wervelen. Ik had het idee dat zich in het midden een gedaante vormde, dat er iets vreselijk kouds en zwaars en wreeds het vertrek was binnengekomen. Ik kreeg kippenvel op mijn armen.

Ruggieri benoemde luidkeels de voorwaarden voor de overeenkomst: het leven van deze vrouw voor dat van Hendrik, haar kind voor een erfgenaam.

Terwijl hij haar haren vasthield, hield hij haar keel boven de kom. Hij stootte de punt van de dolk naar binnen en sneed snel en zelfverzekerd onder haar kaak naar haar andere oor. Het bloed kwam als een waterval naar buiten en maakte een klaterend geluid in de kom. Ruggieri vernauwde zijn ogen toen hij de fontein zag, maar de rest van zijn gezicht bleef onbeweeglijk, en zijn mondhoeken wezen grimmig en vastberaden naar beneden.

Dit was een betere manier geweest om de staljongen te doden. Ik staarde naar het bloed, dat ik minder angstaanjagend vond dan de wetenschap dat ik dit zo achteloos kon bevelen, dat ik hiernaar kon kijken zonder van streek te raken. Vooraf was ik erg zenuwachtig geweest, maar op het moment van de moord herinnerde ik me dat het eigenlijk heel makkelijk was. Een flits van Ruggieri's mes, en ze was dood.

Toen het bloed ophield met stromen, trok hij het hoofd van het meisje omhoog. Het viel naar achteren, tegen zijn borstkas, waardoor de rauwe, gapende grijns onder de kaak zichtbaar werd. Hij liet haar haren en bovenlichaam los en liet haar levenloos op de vloer vallen. Haar gezicht was krijtwit, haar hals zwart van het bloed. Haar blik was strak op de verte gericht.

Ruggieri boog zich geknield over haar heen, alsof hij wilde gaan bidden, maar in plaats daarvan liet hij de dolk onder haar strakke lijfje glijden en sneed hij het door. De dunne stof scheurde makkelijk. Ze droeg geen onderhemd. Haar borsten waren rond en heel stevig, haar huid prachtig en wit als de volle maan, zo doorschijnend dat ik hier en daar een ader naar de grote, roze tepels zag lopen. Haar lichaam was weliswaar ongewassen, maar wel jong, perfect en mollig.

Ruggieri streek met zijn hand over haar buik, alsof hij met zijn vingers een kaart probeerde te lezen. Met de finesse van een ervaren chirurg stak hij de punt van de dolk onder haar borstbeen. Over de bult met het ongeboren kind trok hij een keurige streep naar haar schaambeen.

Het mes liet een rood spoor achter, dat onscherp werd toen haar gewaad het bloed absorbeerde. Ze bloedde minder hevig dan ik had gedacht. Hij legde het mes opzij en probeerde het vlees met zijn vingers open te trekken, maar het gaf niet makkelijk mee, omdat ze een flinke vetlaag had. Hij pakte het mes weer op en sneed haar zorgvuldiger open. Ik bedekte mijn neus bij de geur.

Te midden van een brij van lillend vet, bloederige spieren en glinsterende ingewanden kwam iets bloot te liggen: de ronde lijn van een piepklein rood schedeltje, de hoek van een paarse schouder met huidsmeer. Ruggieri wroette met zijn vingers dieper in de schoot van de vrouw en trok. Het zwijgende kind kwam met een zuigend geluid naar buiten, zijn bloederige streng nog intact. Ik kon zijn gezicht niet zien, en de magiër maakte het niet schoon. Hij legde het naast zich op het laken, een treurig uitziend, ongeboren lijkje met een groot hoofd en broze ledematen, nog verbonden met zijn moeder.

Ik keek op toen Ruggieri zachtjes zijn adem inhield. Zijn handen verdwenen weer in het dode meisje, en toen ze naar buiten kwamen, droegen ze een tweede rode kluwen van vlees en bot, kleiner dan de eerste. Zijn handen verdwenen weer en haalden nog een kind tevoorschijn.

'Een drieling,' zei hij verwonderd. 'Het lot is je gunstig gezind, Catharina.'

Vier levens om dat van Hendrik te kopen, en drie zoons.

'Nooit meer,' fluisterde ik. 'Nooit meer.'

De magiër begreep heel goed wat ik bedoelde, en door mijn woorden veranderde zijn plotselinge luchtigheid in iets heel duisters.

'Hoe vaak heb ik die woorden zelf niet uitgesproken,' zei hij.

Van het ritueel daarna herinner ik me weinig. Ruggieri liet een druppel van het bloed van het meisje op de onyx vallen, en daarna een druppeltje bloed van elk kind op de parel. Toen de cirkel werd verbroken, lieten we de lichamen op de leisteen liggen, en Ruggieri stak de lantaarn aan. Terwijl we op de krukjes zaten, legde hij uit dat ik zo snel mogelijk met mijn echtgenoot moest slapen. Daarna gaf hij me de twee besmeurde stenen. De parel was voor mij, de onyx voor Hendrik. Ik moest de onyx verstoppen op de plaats waar mijn man het merendeel van zijn tijd doorbracht. Ik moest de parel altijd dragen en nooit uit het oog verliezen.

Terwijl de magiër aan het woord was, roffelde de regen op het dak en de stenen buiten. Hij zette de luiken zo ver open dat we de stortbui en de rollende donder in de verte konden horen.

'Het paard van madame Gondi,' zei ik. Het was absurd dat ik me zorgen maakte dat het paard nat kon worden nu mijn bloederige slachtoffers vlak bij me lagen.

'Blijf zitten,' beval Ruggieri. 'Ik leid het wel onder de beschutting van de dakrand. Jij moet hier blijven tot de storm voorbijtrekt.'

Hij duwde de deur open en verdween in het donker.

Ik ging bij het raam staan, al kon ik door de duisternis en de regen niets zien of horen. Hij bleef zo lang weg dat een verlammende angst me opeens de adem benam: in het donker wachtte iets ouds en sluws en kwaadaardigs op me.

Cosimo Ruggieri was een onmenselijke duivel, daarvan had ik het bewijs zojuist gezien. Hij had ooit gezegd dat hij me beschermde omdat hij daar zelf belang bij had. Wat waren op dit moment zijn belangen?

Het begon nog harder te regenen. Als een klein kind riep ik hem, al wist ik dat hij me niet kon horen. Ruggieri verscheen abrupt in de deuropening, alsof het uitspreken van zijn naam hem dwong tevoorschijn te komen.

Er lagen plasjes water op zijn schouders en er stroomden druppels regen van zijn wangen. Ik trilde nog steeds, maar ik probeerde mijn angst voor hem te verbergen door te sneren: 'Arme man. Huilt u nu om haar en haar kinderen?'

Hij stapte naar binnen. De randen van zijn oogleden en neusgaten waren rood. Hij huilde echt.

'Zeg niet dat u spijt hebt,' zei ik.

Hij keek me aan met een gezicht dat ik nog nooit had gezien, een gezicht met Ruggieri's gelaatstrekken, maar jonger en opgejaagd door vele geesten. In de ogen zag ik een zelfhaat die aan krankzinnigheid grensde.

'Voor niemand anders, Catharina,' zei hij schor. 'Voor niemand anders.' Er welden woorden omhoog die in zijn keel bleven steken, bittere dingen die hij niet over zijn lippen kon krijgen.

Ik hoorde hem, maar weigerde hem te begrijpen. Ik schudde mijn hoofd en deinsde achteruit. 'Nee. Nee, dat is niet waar. Dit is niet de eerste keer dat u zoiets vreselijks hebt gedaan. Als meisje heb ik al over uw misdaden gehoord.'

'Hoe denk je dat ik je heb beschermd toen je in handen van de rebellen was?' siste hij. 'Hoe denk je dat ik wist dat er gevaar dreigde?'

De amulet, wilde ik zeggen. *De amulet heeft me beschermd.* Ik deed mijn ogen dicht en voelde de harde steen op mijn hart, die de verdorvenheid eronder verborg. Ik wilde niet weten wat hij had gedaan om de steen macht te geven.

Hij boog zijn hoofd, en de woorden die hij zo graag had willen inslikken, tuimelden eindelijk over zijn lippen. 'Altijd alleen maar uit liefde, Catharina.'

De verminkte lichamen van het meisje en haar ongeboren kinderen lagen in de cirkel. De kaarsen waren uit. Het licht van de lantaarn verjoeg elk idee van onwerkelijkheid en liet de sobere realiteit achter. Geschokt tot op mijn botten liet ik me op het krukje zakken, het krukje waarop het meisje had gezeten toen Ruggieri haar vergiftigde wijn had gegeven.

Liefde.

Zeg niet dat je dit voor mij hebt gedaan. Opeens begreep ik hoe mijn man zich zou voelen als ik mijn misdaad zou bekennen. De woorden die de magiër ruim tien jaar geleden had uitgesproken, kwamen me voor de geest.

We zijn met elkaar verbonden, Catharina Maria Romula de Medici.

Ontzet zei ik: 'Ik hou alleen maar van Hendrik. Hij is de enige van wie ik ooit zal houden.'

Zijn gezicht vertrok van verdriet, zijn stem was verpletterend bedroefd. 'Dat weet ik, madame la dauphine. Ik heb uw horoscoop bestudeerd.'

23

Het bleef niet lang regenen. Als verdoofd reed ik terug, en vlak bij het paleis gaf ik de teugels van het paard weer aan madame Gondi, die het dier terugbracht naar de stallen. Ik wisselde geen woord met haar, maar zelfs in de duisternis moet de ontzetting aan me te zien zijn geweest.

Ik liep rechtstreeks naar mijn vertrek en ging niet naar beneden voor het souper. Ik was nog te geschokt om charmant en spraakzaam te zijn. Met trillende handen hing ik de parelhanger om mijn hals.

Ondanks mijn onrust moest ik die nacht met Hendrik slapen. Ik liet een kamermeisje wachten terwijl ik een briefje aan mijn man schreef, waarin ik hem dringend verzocht om direct na het eten naar mijn vertrekken te komen. Ik deed het voorkomen of er sprake van een noodgeval was.

Een van de hofdames ontkleedde me tot op mijn onderhemd en ging weg terwijl madame Gondi mijn haar uitborstelde, dat nog vochtig was van de rit naar huis. In haar ogen zag ik vele vragen, maar ze kwam en ging in stilte.

Na een poosje klopte Hendrik op de deur van mijn slaapvertrek. Ik deed zelf open, maar hij bleef aarzelend op de drempel staan. Zijn gezicht was gebruind door de jacht, en er stond een frons tussen zijn wenkbrauwen. Het was niet moeilijk om de blik in zijn ogen te lezen: hij had niet willen komen, maar Diane had hem gestuurd.

'Voelt u zich niet goed, madame la dauphine?' vroeg hij formeel. Hij hield zijn bruine fluwelen muts een beetje nerveus in beide handen.

Vóór zijn komst had ik gedacht dat mijn zenuwen het zouden begeven, dat ik niet in staat zou zijn om hem in mijn bed te lokken. Maar zodra ik hem zag, werd ik overspoeld door een dierlijke golf van lust – wild en vreemd, zeer onkarakteristiek – die al mijn ideeën over fatsoen en waardigheid meesleepte. Ik wilde hem levend verslinden.

Ik legde mijn vinger op mijn lippen en stak mijn arm uit om de deur achter hem te sluiten.

Mijn onbeschaamdheid bracht hem in verlegenheid, en hij wilde graag weg. Ik liet hem niet gaan. Net als de achterlijke prostituee liet ik mijn hand onder zijn broekband glijden, en ik vond het vlees tussen zijn benen. Ik sloot mijn vingers eromheen en trok met mijn andere hand zijn broek tot halverwege zijn dijen.

Ik ging op mijn knieën voor hem zitten en deed iets wat ik nog nooit had gedaan: ik boog mijn hoofd en nam zijn opzwellende vlees in mijn mond. Precies op dat moment zag ik een sluier van golvend goudblond haar op de plaats waar mijn eigen saaie bruine haar had moeten zitten.

Ik overrompelde hem. Eerst probeerde hij me weg te duwen, maar toen hield hij zijn handen stil en uiteindelijk greep hij mijn hoofd beet. Hij kreunde toen zijn muts vergeten op de grond viel. Zijn lans was geaderd, paars, en dikker dan ik hem ooit had gezien. Net als ik was hij gehard door bloed en stond hij op het punt om te knappen. Ik bewoog mijn mond zo snel op en neer dat ik in mijn bovenlip beet en bloed proefde. Ik ging vlug op mijn tenen staan, greep Hendriks schouders beet en trok hem naar me toe om zijn mond en tong te kussen, om hem ook bloed te laten proeven.

Deze keer trok hij zich niet terug. Mijn waanzin stak hem aan en hij tilde me op. Onze tongen waren verstrengeld, onze lichamen drukten zo hard tegen elkaar dat we ervan trilden. We hielden elkaar zo stevig vast dat Ruggieri's parel pijnlijk tussen mijn borsten drukte.

Ik maakte me met een diepe zucht van hem los, pakte hem bij zijn handen en nam hem schuifelend mee naar het bed. Zijn erectie was een opstaande pijl die de zoom van zijn wambuis optilde. Hij wachtte tot ik ging liggen, zoals altijd, maar in plaats daarvan duwde ik hem op bed en trok ik zijn broek uit. Daarna trok ik mijn onderhemd uit. Ik spreidde zijn ledematen, zoals die van Montecuculli die op de laatste slag van de zweep wachtte, en ging boven op hem zitten. Ik was nat en hij gleed moeiteloos naar binnen. Het was zo'n onbetwistbaar genot dat we allebei naar adem hapten.

De kracht die me in zijn greep hield, was witheet en onmenselijk. Zijn macht stond geen verzet of gedachte toe, geen enkele emotie behalve verlangen. Hij was grof en bot en prachtig, hij bruiste van leven en stonk naar de dood. Ik heette geen Catharina meer en was niet meer in mijn vertrek. De adem van honderd mannen verwarmde mijn gezicht, honderd handen grepen naar mijn borsten, mijn vulva. Ik stond in brand, zonder enige schaamte. Ik wilde hen allemaal in me voelen. Ik verlangde naar de hele wereld.

Ik duwde Hendriks benen op het bed en drukte mijn mond hard op de zijne om dood en ijzer te proeven. Ik wreef met mijn lichaam over het zijne; ik beet in zijn schouder en lachte toen hij het uitschreeuwde. Ik lachte ook toen hij me van het bed trok en mijn gezicht en borsten tegen het kersenhouten paneel drukte om me van achteren te nemen.

Het was smerig en onzedig en bedwelmend. Ik duwde kreunend mijn achterste tegen hem aan en graaide naar achteren om mijn nagels in zijn heupen te drukken en hem nog dieper in me te trekken. En toen ik het niet meer kon verdragen – toen het verlangen zijn mooiste, smerigste hoogtepunt bereikte – begon hij te schokken. Hij perste me tegen de muur en brulde in mijn oor. Ik slaakte een hoge, schrille gil door het ondraaglijke genot en het ondraaglijke afgrijzen. Want diep in deze overdaad aan gedachteloze, kloppende hitte was een piepkleine, zwarte kern begraven, een die de glanzende paarse schedel van een ongeboren kind bevatte.

Mijn gedachten kwamen weer terug, in de vorm van Ruggieri's geluidloze gefluister: *Altijd alleen uit liefde.*

Hendrik trok zijn verschrompelende vlees terug. Ik voelde het gewicht van iets vloeibaars in me vallen en besefte dat het zijn zaad was. Even overwoog ik om het weg te laten lopen, maar dat verlies zou niets herstellen. Ik wankelde terug naar het bed en ging liggen. De vloeistof in mijn schoot maakte walging, maar ook beschermende gevoelens in me wakker.

Hendrik liet zich op zijn buik naast me vallen, met een verwonderde, ongelovige blik op zijn gezicht.

'Catharina,' fluisterde hij. 'Mijn verlegen, onschuldige echtgenote, wat bezielt jou?'

'De duivel.' Mijn toon was effen en ernstig.

Hij schrok even terug voor mijn onheilspellende toon. Hij was in de war, en terecht, maar ook in vervoering, en de volgende avond lag hij weer in mijn armen. Tegen die tijd had ik de magische onyx aan madame Gondi gegeven en haar instructies gegeven om hem onder Dianes matras te leggen.

Er gingen drie weken voorbij, waarin mijn echtgenoot elke avond naar mijn slaapvertrek kwam. Hongerig wierp ik me elke keer op hem zodra hij over de drempel stapte. Mijn begeerte kende geen grenzen; ik wilde dat hij elke opening penetreerde en met zijn vingers en tong elke centimeter van mijn lichaam verkende. Ik deed hetzelfde bij hem. Als ik met een man alleen was – Ruggieri, een stalknecht, een page of een diplomaat – werd ik plotseling verteerd door een roodgloeiend verlangen.

Op een ochtend las madame Gondi mijn afspraken van die dag voor terwijl Annette, een van de hofdames, mijn lijfje vastreeg. Ik was uitgeput van al mijn nachtelijke uitspattingen met Hendrik. Hij had die nacht veel aandacht aan mijn borsten besteed, en ze waren zo gevoelig dat ik bestraffend tegen Annette zei dat ze voorzichtiger moest zijn. De woorden waren nog niet uit mijn mond of ik kreeg het heel warm, gevolgd door een huivering en het gevoel dat ik moest overgeven. Ik drukte mijn hand tegen mijn mond en rende naar mijn waskom, maar halverwege stond ik stil en sloeg ik kokhalzend dubbel. Net toen ik dacht dat de aanval voorbij was, kwam er weer een golf van misselijkheid, en ik zakte op mijn knieën.

Er werd een kom gebracht. Ik hield mijn gezicht erboven en gaf een paar keer over. Toen ik met tranende ogen en een loopneus opkeek, zag ik dat madame Gondi naast me hurkte. Ze leek totaal niet bezorgd. Integendeel, ze grijnsde van oor tot oor, en het duurde nog even voordat ik, dommerd die ik was, het begreep en ook naar haar lachte.

Onze eerste zoon werd op 19 januari 1544 in Fontainebleau geboren. Hij kwam laat op de middag ter wereld; de winterzon was al ondergegaan en er waren lantaarns aangestoken, die lange schaduwen wierpen. Zijn eerste kreetje was hoog en zwak. Ik was pas gerust toen hij in mijn armen werd gelegd en ik met eigen ogen kon zien dat hij een normaal kind was, al was hij dan heel tenger. We noemden hem naar de overleden dauphin en de koning, die uitzinnig van blijdschap was.

Wat was het vreemd en wonderbaarlijk om moeder te zijn! Van Clarice, Ippolito, koning Frans en Hendrik had ik nooit aanhoudende liefde gekregen. Maar als ik mijn piepkleine zoon tegen mijn borst hield, werd ik vervuld met een enorme tederheid, een liefde die geen enkele terughoudendheid kende, en ik wist dat die liefde wederkerig was.

'*Mon fils*,' fluisterde ik in zijn doorschijnende oorschelpje. '*Mon ami, je t'adore...*' De Franse koosnaampjes rolden makkelijk over mijn lippen, ook al had ik ze nog nooit gehoord. Ik had ze alleen maar op perkament zien staan, in het handschrift van Cosimo Ruggieri.

De kleine Frans had veel last van koorts en buikkrampjes, al beweerden de Franse astrologen dat hij als koning een lang leven tegemoet ging. Ze zeiden dat hij zeer geliefd zou zijn bij zijn onderdanen en veel broertjes en zusjes zou krijgen. Ik vroeg Ruggieri niet om zijn geboortehoroscoop te trekken, want ik wist dat hij niet zou liegen om me een plezier te doen.

Ik was hevig opgelucht. Met de geboorte van mijn zoon had ik de loyaliteit van de koning en Hendriks dankbaarheid gekocht. Ik had ook gehoopt dat ik bij de geboorte zijn liefde zou veroveren, maar hij wendde zich steeds vaker tot Diane.

Ik slikte mijn trots in en genoot van mijn zoontje en het gezelschap van de koning, die me nu met geschenken overlaadde, alsof ik zijn minnares was. Ik bracht het merendeel van mijn tijd met Zijne Majesteit door en leerde zo veel mogelijk over regeren.

Ik sprak ook dagelijks met Ruggieri, die me een piepkleine zilveren amulet van Jupiter gaf. Die moest ik onder het wiegje van mijn zoon leggen om hem een goede gezondheid te bezorgen. We spraken nooit meer over de moorden of het feit dat hij me zijn liefde had verklaard. Soms moest ik lachen om zijn droge humor of glimlach en maakte zijn kalmte heel even plaats voor tederheid, maar ik deed altijd of ik het niet zag.

Diane hield zich aan haar belofte: Hendrik kwam trouw naar mijn slaapvertrek. Mijn brandende hartstocht was inmiddels geblust, maar dat was geen beletsel om weer in verwachting te raken.

Ik was hoogzwanger toen mijn lieve vriendin Johanna terug naar het hof kwam. Haar huwelijk met de Duitse hertog was nietig verklaard, deels omdat Johanna geen kinderen had gekregen, maar vooral omdat koning Frans zich niet aan zijn belofte van militaire steun had gehouden. Ik vond het fijn om Johanna weer te zien. Ze was altijd in mijn gezelschap en was bij me toen ik het jaar daarop mijn dochter Elizabeth baarde.

Elizabeth was ziekelijk, net als de kleine Frans, en het duurde een poosje voordat we zeker wisten dat ze zou blijven leven. Ze was een volgzaam, tevreden kind, dat zelden huilde. Ik hield haar in mijn armen als ze sliep en keek naar haar lieve, rustige gezichtje. Eindelijk kon ik geloven dat mijn misdaad gerechtvaardigd was.

Maar de vreugde over Elizabeths geboorte werd overschaduwd door een tragedie. De Engelsen waren de Franse regio Boulogne binnengevallen, en in de herfst van 1545 had Hendriks jongere broer zich op het strijdtoneel begeven. Tijdens een onderbreking van de gevechten stuitten Karel en zijn metgezellen op een huis waarvan de bewoners aan de pest waren gestorven. Net als veel andere jongelingen dacht Karel dat hij onsterfelijk was, en hij was het huis zonder enige angst binnengelopen. Hij had de deerniswekkende lijken bespot en hun kussens voor een kussengevecht met zijn mannen gebruikt. Binnen drie dagen was hij dood.

Zijn dood beroofde de koning van zijn laatste lichamelijke reserves. Frans had al jarenlang last van een abces in zijn genitaliën en ontstekingen aan zijn nieren en longen. Nu ging zijn toestand dramatisch achteruit, al gaf het verdriet hem geen rust. Twee jaar lang reisde hij obsessief over het platteland en ging hij ondanks zijn ziekte jagen. Ik reed met hem mee. Aan het einde deed het hem te veel pijn om in het zadel te zitten en volgde hij de jacht in een draagkoets. Ik deed niet mee aan de jacht en draafde langzaam naast zijn koets om met hem te praten, terwijl Anne en zijn groepje mooie dames achter de prooi aan galoppeerden. Hendrik bezocht Diane in haar kasteel in Anet en liet de zorg voor zijn zieke vader aan mij over, maar ik deed het met liefde.

We trokken van jachthuis naar jachthuis. In Rambouillet reed ik naast

Frans toen hij in zijn draagkoets flauwviel. Ik gaf de schildknapen opdracht om hem naar zijn vertrek te brengen en de dokter te halen. Ik verwachtte dat hij wel zou herstellen; in het afgelopen jaar was hij een paar keer vreselijk ziek geweest, maar hij was altijd weer opgeknapt.

Terwijl de dokter Zijne Majesteit onderzocht, stormde de hertogin van Étampes de antichambre binnen, waar ik wachtte.

'Wat is er gebeurd?' wilde ze weten. 'Laat me bij hem!'

Anne stond te trillen. Ze was hooghartig en nog altijd benijdenswaardig mooi, maar haar verontwaardiging kwam niet voort uit een oprechte bezorgdheid om Frans, maar uit een egoïstisch verlangen om zeker te weten dat haar beschermer nog in leven was. Tijdens de maanden daarvoor waren zij en Diane elkaar in het openbaar gaan beledigen, en in het geheim voerden ze campagne tegen elkaar. De loyaliteit van de hovelingen verschoof van de ziekelijke koning naar de dauphin, met als gevolg dat Annes invloed afnam. In plaats van de onvermijdelijke veranderingen te accepteren, was ze in haar paniek steeds veeleisender geworden.

De dokter kwam uit de slaapkamer van de koning. Het haar onder zijn zwarte fluwelen kalotje was wit, en er hingen dikke wallen donker vlees onder zijn ogen. Ik stond op toen hij binnenkwam, maar bij het zien van zijn aangeslagen blik liet ik me weer in mijn stoel zakken.

Zijn stem brak toen hij me de uitslag van zijn onderzoek meedeelde: het lichaam van Frans was op. Hoewel de koning pas tweeënvijftig was, hadden de ontstekingen hem eronder gekregen. Hij rotte van binnenuit weg.

'Dat liegt u!' fluisterde Anne fel. 'Hij is altijd hersteld. U onderschat zijn kracht!'

Ik draaide me naar haar toe. 'Ga weg,' zei ik zachtjes. 'Ga weg, Uwe Doorluchtigheid, en kom niet meer terug tot u wordt ontboden, want anders roep ik de wachters.'

Ze hapte naar adem alsof ik haar had geslagen. 'Hoe durft u,' zei ze. Haar mond zakte bijna open van woede, maar ik bespeurde onzekerheid in haar toon. 'Hoe durft u...'

'Ga weg,' herhaalde ik.

Ze trok zich terug tot in de gang en mompelde binnensmonds verwensingen.

Ik deed net of ik haar niet hoorde en wendde me weer tot de verdrietige dokter met zijn waterige ogen. 'Weet u het zeker?'

Hij knikte ernstig. 'Ik denk dat hij hooguit nog een paar dagen te leven heeft.'

Ik vouwde mijn vingers tegen elkaar, drukte ze tegen mijn lippen en sloot mijn ogen. 'Dan moet mijn man onmiddellijk komen. Hij is in het kasteel van madame de Poitiers in Anet...'

'Ik zal zorgen dat de dauphin op de hoogte wordt gesteld, madame,' zei de dokter rustig. 'Gaat u ondertussen maar naar de koning. Hij heeft naar u gevraagd.'

Ik verbeet mijn dreigende tranen en verving mijn gespannen, wezenloze blik door een opgewekte oogopslag. Daarna stond ik op en liep ik naar het slaapvertrek.

Frans, wiens gezicht grauw afstak tegen het witte beddengoed, werd ondersteund door kussens. Het was maart, het einde van een koude, vochtige maand, en in de haard loeide een hoog vuur. Daardoor was het smoorheet in de kamer, maar de koning lag te rillen onder zijn stapel dekens. Het was schemerig in het vertrek, want de gordijnen waren gesloten en de lantaarns waren gedoofd om te voorkomen dat hij pijn in zijn ogen kreeg. Aan de lijnen op zijn voorhoofd was te zien dat hij zich ellendig voelde, maar hij was volledig helder, en toen hij me zag, slaagde hij erin om flauwtjes te glimlachen.

Ik deed mijn best om terug te lachen, maar ik kon hem niet voor de gek houden.

'Ach, Catharina,' zei hij met aarzelende, ijle stem. 'Altijd zo dapper. Je hoeft niet te veinzen, ik weet dat ik doodga. Je mag best huilen, lieverd. Ik ben niet bang voor je tranen.'

'O, Majesteit...' Ik greep zijn hand beet. 'Er is al iemand onderweg naar Hendrik.'

'Zeg niets tegen Eleonora.' Hij zuchtte. 'Ik heb spijt dat ik haar slecht heb behandeld, vooral als ik zie wat jij hebt moeten doorstaan.'

Ik wendde mijn blik af. 'Het stelde niets voor.'

'Jawel. Misschien...' Zijn gezicht vertrok – van pijn, dacht ik, tot hij zijn ogen opendeed en ik tranen zag blinken. 'Misschien was hij een ander mens geworden als ik hem niet als gijzelaar aan de keizer had uitgeleverd. Maar hij is zwak...'

Zijn tanden begonnen te klapperen. Ik stopte hem beter in, pakte een handdoekje uit een kom water en legde dat uitgewrongen op zijn voorhoofd. Hij slaakte een zucht van verlichting.

'Die vrouw...' Hij trok zijn lip op. 'Ze regeert hem en ze zal Frankrijk regeren. Hendrik heeft dezelfde fout gemaakt als ik. Let op mijn woorden: ze zal zo veel mogelijk macht grijpen. Ze is meedogenloos, en Hendrik is zo'n domoor dat hij het niet doorheeft.'

Het putte hem uit om te praten. Hij hield hijgend op tot hij weer op adem was gekomen.

'Laat Anne hier niet binnen,' zei hij uiteindelijk. 'Ik ben zo dom geweest.' Hij gaf me een kneepje in mijn hand. 'Jij en ik lijken op elkaar. Ik merk het aan je. Je bent sterk genoeg om te doen wat het beste voor het land is, ook al doet het je nog zoveel verdriet.'

'Ja,' zei ik nauwelijks hoorbaar.

Vermoeid, maar liefdevol keek hij me aan. 'Beloof het me dan. Beloof me dat je zult doen wat Frankrijk nodig heeft. Beloof dat je de troon van mijn zoon zult beschermen.'

'Dat beloof ik,' fluisterde ik.

'Ik hou meer van je dan van mijn eigen kind,' zei hij.

Bij die woorden kon ik me niet meer beheersen en liet ik mijn tranen de vrije loop.

De artsen probeerden aderlatingen met bloedzuigers en gaven de koning kwikzilver, maar zijn toestand ging zienderogen achteruit. Tegen de ochtend herkende hij me niet meer. Toen het bijna middag was, werd hij weer helder en vroeg hij om een priester.

Hendrik arriveerde laat die avond. Hij en zijn vader wilden elkaar onder vier ogen spreken, zonder iemand die hun verdriet zag of hun laatste gesprek hoorde. De hertogin van Étampes hing met grote, ontzette ogen zwijgend in de gang rond.

Ik ging in de antichambre van de koning met mijn rug tegen de muur op de grond zitten. Met mijn handen voor mijn ogen zat ik te huilen, want Frans was mijn beschermer en beste vriend geweest. De hele nacht bleef ik ineengedoken op de grond zitten, luisterend naar de afwisselend harder en zachter wordende stem van Hendrik aan de andere kant van de gesloten deur. De volgende ochtend arriveerde de bisschop van Mâcon, de biechtvader van de koning. Ik probeerde naar binnen te kijken toen de deur openging, en ving een glimp op van Hendriks grauwe gezicht. Zijn zwarte ogen waren rood van het huilen.

De koning riep me niet meer bij zich.

Toen madame Gondi me tegen de middag kwam halen, was ik te zwak om tegen te stribbelen. Ik stond toe dat ze me mee naar mijn vertrek nam, me waste en me schone kleren aantrok. Ik kon niet rusten, maar ging terug naar de vertrekken van de koning en ging weer op de grond naast de deur van zijn slaapvertrek zitten. De hertogin van Étampes kwam ook terug, verdwaasd, slordig gekleed en zonder haar blanketsel en rouge. Ze durfde me niet aan te spreken, maar hield de wacht in de gang.

In de kamer naast me slaakte Hendrik een intens verdrietige jammerkreet. Ik liet mijn gezicht in mijn handen zakken en huilde. De hertogin leek vreemd genoeg onaangedaan tot de deur van het koninklijke slaapvertrek openging en de bisschop van Mâcon met rode ogen naar buiten kwam. Hij wendde zich met gebogen hoofd tot mij.

'Zijne Zeer Christelijke Majesteit, koning Frans, is overleden.'

Ik kon niets uitbrengen, maar in de gang begon de hertogin van Étampes te gillen.

'Moge de aarde me verzwelgen!' jammerde ze – niet uit verdriet, maar uit doodsangst. Als minnares van de koning had ze haar macht misbruikt om veel mensen te schaden en iedereen te beledigen. Blijkbaar had ze gedacht dat Frans nooit zou sterven, dat de straf van haar vijanden altijd zou uitblijven – en nu was ze nergens op voorbereid. Ik herinner me haar traneloze paniek heel goed – eerst klemde ze haar wangen beet, daarna haar hoofd, alsof ze bang was dat het opeens weg zou vliegen. Ze greep haar rokken en rende weg, voor zover dat kon op haar mooie, hooggehakte muiltjes. Het was de laatste keer dat ik haar zag.

Ik ging als prinses op de koude vloer zitten en stond op als koningin, maar daar schepte ik geen genoegen in. De overgang zou voor mij rampzalig zijn, net als voor de hertogin.

DEEL ZES

Koningin
Maart 1547 – juli 1559

24

Mijn man onderging door de dood van de koning een gedaanteverandering. Hendrik huilde om zijn vader, maar behalve zijn verdriet zag ik ook een opvallende luchtigheid, alsof al zijn woede en verdriet met de oude man waren gestorven.

Zijn eerste officiële daad was dat hij zijn vaders ministers ontsloeg en de voormalige grootmeester Anne de Montmorency in het paleis ontbood. Montmorency was bij de koning uit de gratie geraakt, maar de vriendschap met mijn man was altijd hecht gebleven.

Montmorency was in veel opzichten net als Hendrik en Diane: conservatief, autoritair, wars van veranderingen. Zelfs in zijn uiterlijk waren die eigenschappen terug te vinden: hij was een gewichtige man, stevig en vierkant gebouwd, met een lange, ouderwetse grijze baard en ouderwetse kleding. Hendrik benoemde hem tot Voorzitter van de Koninklijke Geheime Raad, waardoor hij de op een na machtigste man van het land werd. Montmorency nam onmiddellijk zijn intrek in de vertrekken naast die van de koning. Deze waren haastig ontruimd door de hertogin van Étampes, die naar het platteland was gevlucht.

Ik mocht Montmorency niet, want ik bespeurde arrogantie in zijn vernauwde, diepliggende ogen, houding en toon. Toch had ik respect voor hem. Hij veegde andermans mening snel van tafel, maar hij was loyaal en zag Hendriks troonsbestijging niet als een manier om zichzelf te verrijken, zoals vele anderen.

Dat kon niet worden gezegd van Diane de Poitiers. Ze haalde Hendrik niet alleen over haar alle bezittingen van de hertogin van Étampes te schenken, maar ze vroeg en kreeg het adembenemende kasteel van Chenonceaux – koninklijk eigendom dat Hendrik helemaal niet mocht weggeven. Daarnaast schonk Hendrik haar de belastingen die bij zijn troonsbestijging waren geïnd, een waar fortuin. Hij gaf haar zelfs de kroonjuwelen. Ik deed mijn best om die belediging waardig te dragen, maar mijn vrienden waren razend over zoveel onrecht.

Mij gaf Hendrik een jaarlijkse toelage van tweehonderdduizend livre.

Hij hield zich ook bezig met het regelen van politieke huwelijken: hij koppelde zijn nicht Johanna van Navarra aan Anton de Bourbon, de eerste prins van den bloede, die de troon zou erven als Hendrik en al zijn zoons zouden overlijden. Bourbon was een knappe man, maar hij was ook erg ijdel. Hij droeg een pluizig haarstukje om zijn kalende kruin te verbergen en had een gouden ring in zijn oor. In die tijd had hij zich bekeerd tot het protestantisme, maar na verloop van tijd bedacht hij zich, tot hij zichzelf weer een hugenoot ging noemen omdat dat bij zijn politieke doelen paste. Ik verachtte zijn inconsequente gedrag, maar was blij dat Johanna door haar huwelijk weer aan het hof kwam wonen.

Hendrik verhoogde ook de status van de familie de Guise, een tak van het koninklijke Huis van Lotharingen. Zijn dierbaarste vriend was Frans de Guise, een knappe, bebaarde, goedlachse man met goudblond haar en onweerstaanbare grijsgroene ogen. Hij was warm, charmant en geestig, het soort man dat gezag uitstraalde en aandacht trok. Hij kon een menigte stil krijgen door alleen maar een kamer binnen te lopen. Hendrik bevorderde hem van graaf tot hertog en maakte hem lid van de Geheime Raad.

Ook Guises broer Karel werd lid van de Raad. Karel, de kardinaal van Lotharingen, was een somber politiek genie met donker haar en donkere ogen, een man die bekendstond om zijn dubbelhartigheid. Hun zuster, Marie de Guise, was de weduwe van koning Jacobus van Schotland en was regentes voor haar vijfjarige dochter, Maria van Schotland.

In die tijd was Schotland in staat van beroering, en de kleine Maria liep in haar eigen land groot gevaar.

'Laat haar maar bij ons aan het Franse hof komen wonen, waar ze in alle veiligheid volwassen kan worden,' zei mijn Hendrik. 'Als ze oud genoeg is, kan ze met mijn zoon Frans trouwen.'

Sommige mensen vonden dat een slimme strategie: als katholiek was Maria de enige Engelse koningin die door de paus werd erkend, en als ze met onze zoon trouwde, zou hij aanspraak kunnen maken op de Engelse en de Schotse troon.

Maria was in Schotse ruiten gehuld toen ze in Blois arriveerde. Ze was een donkerharige porseleinen pop met grote, angstige ogen, die bijna geen woord Frans sprak. Ze sprak in barse keelklanken die te grof klonken om woorden te zijn, maar haar hofhouding begreep haar. Ze had lijfwachten meegebracht, gespierde reuzen in kilts met vettig kastanjerood haar en vernauwde, achterdochtige ogen. De Schotten roken ronduit vies en trokken hun neus op voor wassen en goede manieren – met uitzondering van Maria en haar gouvernante, Janet Fleming, een schoonheid met een blanke huid, groene ogen en haren als zonlicht. Madame Fleming was een jonge weduwe, die al vlug veel van de Franse cultuur opnam en haar kennis overdroeg op haar jonge leerlinge.

Ik was bij voorbaat al bereid om Maria aardig te vinden, misschien zelfs van haar te houden: ik voelde me verwant aan een kind dat door haar eigen landgenoten met de dood was bedreigd en haar vaderland had moeten ontvluchten. Ik begreep wat het was om gehaat te worden en je in een ander land bang en alleen te voelen. Toen ik hoorde dat ze was gearriveerd, haastte ik me naar haar toe om haar te verwelkomen.

Toen ik onaangekondigd de kinderkamer binnenliep, zag ik de tengere, hooghartige Maria naast Frans staan. Ze stak trots haar kin in de lucht en bekeek hem kritisch van top tot teen.

Zodra ze me hoorde naderen, draaide ze zich om en zei ze met een zwaar accent: 'Waarom maakt u geen reverence? Weet u niet dat u in het gezelschap van de koningin van Schotland bent?'

'Jawel.' Mijn stem klonk vriendelijk en ik lachte naar haar. 'Weet jij niet dat je in het gezelschap van de koningin van Frankrijk bent?'

Ze schrok zich dood, maar ik lachte en gaf haar een kus. Het behoedzame kind gaf mij ook een kus, met lippen die naar vis en bier roken. Haar stijve houding verraadde een hevige antipathie. Ze was twee jaar ouder dan mijn Frans, maar al drie keer zo groot. Mijn driejarige zoon leek nog maar nauwelijks twee, en qua verstand was hij zelfs nog jonger. Als ik in zijn slome, wezenloze ogen keek, zag ik soms de geest van de vermoorde imbeciel.

Hendrik was dol op Maria, en zei dat hij nog meer van haar hield dan van zijn eigen kinderen omdat zij al koningin was. Ik beet op mijn tong als hij mijn kinderen zo beledigde. Frans en Karel de Guise waren in de wolken met het geluk dat hun nichtje ten deel was gevallen: als Hendrik stierf, zou onze zoon koning worden en zou zijn bruid, Maria, koningin van Frankrijk en van Schotland worden.

De troonsbestijging van mijn man bracht nog meer veranderingen teweeg. Het groepje mooie dames van de oude koning viel uit elkaar. De hertogin van Étampes was in ongenade gevallen en woonde ergens waar niemand haar kende, en haar beste vriendin, de kokette Marie de Canaples met de kuiltjes in de wangen, was door haar man als overspelige echtgenote verstoten en van het hof verbannen. Twee van de vrouwen waren naar Portugal gegaan met koningin Eleonora, die genoeg had van Frankrijk en de rest van haar leven ver van alle intriges wilde wonen.

Op de dag dat mijn echtgenoot werd gekroond, zat ik in de kathedraal van Reims op een podium en deed ik mijn best om niet te huilen toen ik Hendrik naar het altaar zag lopen. Ik voelde niet alleen tranen prikken van trots, maar ook vanwege het goudborduursel op mijn mans witte satijnen tuniek. Vlak boven zijn hart stonden twee grote verstrengelde D's, met de rug naar elkaar toe, en daaroverheen stond de letter H. Dit zou zijn symbool worden, net zoals de salamander het symbool van zijn vader was geweest. De rest van mijn leven werd ik in elk kasteel omringd door het monogram van Diane en Hendrik, dat op alle versieringen in tapisserie, steen en verf was afgebeeld. Ik hield mezelf voor dat het niet uitmaakte, dat ik had wat ik het liefst wilde: Hendriks leven en de kans om hem kinderen te schenken. Toch deed het pijn.

Mijn eigen kroning had twee jaar later plaats, in de kathedraal van Saint-Denis, even buiten Parijs.

Ik werd met trompetgeschal verwelkomd, mijn lijfje glinsterde van de diamanten, smaragden en robijnen. Mijn donkerblauwe fluwelen mantel kreeg bij een andere lichtval een groene glans. Geëscorteerd door grootmeester Montmorency en geflankeerd door Anton de Bourbon, de eerste prins van den bloede, schreed ik naar het altaar. Onder mijn glanzende lijfje hing de parel van de magiër – die me zover had gebracht – tussen mijn borsten.

Ik maakte een kniebuiging en liep verder naar mijn troon, die op een podium met een gouden kleed stond. De traptreden ernaartoe waren bedekt met hetzelfde blauwe fluweel als mijn mantel. De kardinaal de Bourbon – de broer van Anton – leidde de ceremonie. Ik knielde en bad op alle juiste momenten, mijn stem klonk krachtig toen ik de vragen van de kardinaal bevestigend beantwoordde. Vijftien jaar eerder was ik met Hendrik getrouwd, en nu trouwde ik met Frankrijk.

De oude kroon die Anton de Bourbon op mijn hoofd zette, was zo zwaar dat ik hem niet kon dragen. Er werd een tweede, lichtere kroon tevoorschijn gehaald, die ik de rest van de ceremonie droeg.

Nadat de mis was gelezen, kregen drie andere edelvrouwen en ik kostbare voorwerpen, die we als offers op het altaar moesten leggen voordat het Heilige sacrament werd toegediend. Diane was aangewezen om vlak achter me te lopen, omdat mijn echtgenoot haar het hertogdom van Valentinois had gegeven, waardoor haar status en rijkdom aanzienlijk waren toegenomen. Vóór de ceremonie had hij ook aangekondigd dat ze vanaf dat moment een van mijn hofdames zou zijn – iets wat me vreselijk ergerde, want dat betekende dat ze veel meer tijd in mijn gezelschap zou doorbrengen.

Ik liep met een gouden bol in mijn hand over het middenpad, en toen ik bij het altaar kwam, legde ik hem bij de kardinaal de Bourbon. Vervolgens draaide ik me om om op de andere vrouwen te wachten.

Het duurde lang voordat ze er waren. Diane had me op de voet moeten volgen, maar in plaats daarvan liep ze belachelijk langzaam, met haar ogen op de hemel gericht en met een geveinsde, gelukzalige verrukking in haar blik. Toen ze langs de loge liep waarin mijn echtgenoot zat, bleef ze secondelang stilstaan. Pas toen iedereen naar haar keek, liep ze langzaam verder.

Ik keek woedend toe, maar mijn blik bleef uiterst waardig. Ik had gedacht dat Diane tevreden zou zijn met schandalige rijkdommen en Hendriks liefde, maar dat was nog niet genoeg. Ze wilde het kleine beetje aandacht dat ik kreeg van me afnemen, zelfs op deze dag. Ze wilde iedereen duidelijk maken wie er werkelijk over de koning regeerde.

Op dat moment bedacht ik hoe makkelijk het zou zijn om haar te doden, om Ruggieri om een drankje, een giftige handschoen of een bezwering te vragen, vooral omdat ik die verleidelijke barrière al twee keer eerder had doorbroken. Maar ik zou nooit iemand doden om mij persoonlijk te wreken, alleen om mensen te redden van wie ik hield, net als Cosimo Ruggieri.

Misschien bestaat er in de hel een milder hoekje voor ons.

25

Er volgden moeilijke jaren. Johanna's moeder, de hartelijke, fantastische koningin Margaretha van Navarra, stierf kort voor de kerst van 1549 en liet haar dochter en iedereen die haar kende in diepe rouw achter. Hendrik bracht al zijn dagen en bijna al zijn nachten in het gezelschap van Diane door, en ik was alleen maar gelukkig als ik me terugtrok in de eenvoudige geneugten van het moederschap.

Hendrik was gematigd en verspilde zijn dagen niet met het najagen van elke mooie vrouw die hij zag, maar in tegenstelling tot zijn vader vervolgde hij ijverig protestanten – een ijver die was bedacht en werd gevoed door Diane. Misschien dacht ze dat God zou vergeten dat ze een hoer was als ze ketters verbrandde. Ze hulde zich in een mantel van vroomheid en deugd, en schepte er veel genoegen in om het scherpe contrast tussen Hendriks 'deugdzaamheid' en zijn vaders losbandigheid te schetsen. Maar net als zijn vader liet Hendrik zich sturen door zijn minnares: Diane wilde dat er landerijen van protestanten werden afgenomen en in handen van katholieken werden gegeven, en Hendrik deed wat ze had gevraagd. Ze wilde dat protestanten gevangen werden genomen en werden geëxecuteerd, en dat gebeurde ook – al waren er aan het hof veel mensen die met de protestanten sympathiseerden, onder wie Montmorency's jonge neef Gaspard de Coligny, Anton de Bourbon en Hendriks eigen nicht Johanna van Navarra, die tijdens haar verblijf in Duitsland de leer van Maarten Luther had omarmd. Adeldom bracht bescherming; alleen burgers riskeerden vervolging.

Elke ochtend ging Hendrik na een onderhoud met zijn adviseurs naar Dianes vertrekken om regeringszaken met haar te bespreken. Hij deed nooit iets zonder haar goedkeuring en droeg zoveel macht aan haar over dat ze uit zijn naam koninklijke documenten ondertekende.

Net als zijn vader had Hendrik geen oog voor de jaloezie die de macht van zijn minnares bij zijn hovelingen opriep. Hij zag ook niet dat er onvrede broeide op het platteland, waar protestante dorpelingen woedend waren dat ze volgens de nieuwe wetten hun geloof niet meer mochten uitoefenen. Parijs was bijna helemaal katholiek, dus Hendrik luisterde niet naar adviseurs die hem waarschuwden dat zijn strenge onverdraagzaamheid jegens het nieuwe geloof rebellie kweekte. Hij luisterde alleen maar naar Diane, die op haar beurt naar de Guises luisterde. Net als Diane verachtten ze het protestantisme en wilden ze maar al te graag invloed uitoefenen op de kroon.

Bij het volk werd Hendrik minder geliefd, en de protestanten kregen een hekel aan hem. Ik nam hem een paar keer apart om erover te praten, want koning Frans had me geleerd dat het belangrijk was om de liefde van het volk te verdienen. Misschien was ik te direct, want Hendrik stuurde me abrupt weg, met de beschuldiging dat ik mijn eigen intelligentie overschatte en die van Diane onderschatte.

Jarenlang werd ik overschaduwd door Diane, jaren waarin mijn intellect en vaardigheden werden genegeerd, jaren waarin het land beschadigd werd en hebzuchtige, uitgekookte edelen door mijn naïeve echtgenoot werden beloond. Ik hunkerde ernaar om mijn mening te geven, maar klaagde nooit hardop, want met het leven van de prostituee had ik precies gekocht wat ik wilde: ik was Hendriks echtgenote en de moeder van zijn kinderen – verder niets.

Diane bleef zich aan haar belofte houden en stuurde Hendrik naar mijn bed. Op dat moment besefte ik nog niet dat ze zich in haar positie zo zeker voelde dat ze de liefkozingen van mijn man begon te schuwen, en dat Hendrik troost in de armen van iemand anders had gezocht.

Onze zoon Karel-Maximiliaan – net zo ziekelijk als onze oudere kinderen, en met een roodpaarse moedervlek ter grootte van een walnoot vlak onder zijn neus – werd geboren in 1550, drie jaar nadat Hendrik de troon had bestegen. We bouwden een paar grote kinderkamers in het paleis in Saint-Germain-en-Laye, even buiten Parijs, dat door koning Frans I was gerenoveerd. Het kasteel, de plaats waar Hendrik was opgegroeid, was gebouwd rond een centrale binnenplaats en had grote grasvelden, die Maria op het idee brachten om achter Frans aan te rennen. Mijn oudste zoon raakte van het hardlopen echter zo buiten adem dat hij flauwviel. Toen Karel net geboren was, keek ik door mijn raam en zag ik Maria in haar eentje rennen, een snel, eenzaam figuurtje op het grote groene veld.

Tijdens Karels eerste levensmaanden werd mijn man een betrokken vader, die bijna elke dag naar de kinderkamers kwam. In tegenstelling tot de oude koning trok hij niet rond, maar vestigde hij het hof omwille van de kinderen in Saint-Germain. Toen Diane bij een val van haar zadel een been brak en naar haar kasteel in Anet ging om te herstellen, bleef Hendrik bij mij in Saint-Germain. Ik moet toegeven dat zijn keuze me genoegen deed – tot ik de ware reden hoorde.

Op de eerste koude avond van de herfst zat ik in mijn kamer voor de spiegel en borstelde madame Gondi mijn haar. Het was al laat, maar ik genoot van ons gesprek over de kleine Frans, die zijn pasgeboren broertje Karel voor het eerst had mogen vasthouden. Pas toen hij zeker wist dat de rode moedervlek van de zuigeling niet besmettelijk was, had hij Karel een kusje gegeven en plechtig aangekondigd dat hij er wel mee door kon.

Terwijl madame Gondi en ik in gesprek waren, hoorde ik een vrouwenstem in de kinderkamers boven ons hartverscheurend jammeren. Gedreven door mijn moederinstinct rende ik mijn vertrekken uit en haastte ik me de trappen op.

Op de overloop stond een van Maria's Schotse lijfwachten onder de brandende muurlamp. Hij had de kreet gehoord, maar had er niet op gereageerd. Sterker nog, hij probeerde een veelbetekenende grijns te onderdrukken.

Ik rende langs hem heen naar de dubbele deuren van de inmiddels rustig geworden kinderkamers. Vlak daarachter, in het flakkerende licht van een fakkel, stonden twee gedaantes voor de gesloten deur van Maria's gouvernante. Ze hadden ruzie, en zodra dat tot me doordrong, bleef ik op afstand stilstaan en stapte ik de schaduwen in.

Ik herkende de brede schouders en grijze baard van Montmorency, die met zijn rug tegen de deur duwde en zijn hand op de klink hield, en Diane, die met haar volle gewicht op een kruk onder haar oksel leunde. Blijkbaar was ze net aangekomen uit Anet en had ze zich naar binnen gehaast zonder zelfs maar haar mantel af te doen. De toorts wierp licht op de donkere kringen onder haar ogen, en het was te zien dat de verouderende huid van haar kaak slap begon te worden. Het haar op haar slapen was nu meer zilver dan goud. Ze was elegant gekleed in een hoge, geplooide kraag van prachtig zwart kant, die werd geaccentueerd door een grote diamanten broche op haar keel, en ivoorkleurige satijnen rokken met krullend goudborduursel. Maar zelfs deze elegante pracht kon niet verbergen dat ze er uitgeput en verfomfaaid uitzag, en dat ze haar waardigheid had afgelegd om als een helleveeg tegen Montmorency tekeer te gaan.

'Monsieur, u beledigt me met uw leugens,' siste ze, terwijl ze met haar wijsvinger naar de grootmeester zwaaide. 'Hij is daarbinnen – ik weet het zeker! Doe de deur open of ga aan de kant, dan doe ik het zelf.'

Montmorency's stem was sussend. 'Madame, u bent uzelf niet. Praat alstublieft wat zachter, anders maakt u de kinderen wakker.'

'De kinderen!' Ze slaakte een geërgerde zucht. 'Ik ben hier de enige die aan de kinderen denkt!' Ze leunde naar voren, balancerend op de kruk, en probeerde de deurklink achter de massieve grootmeester te pakken. 'U doet die deur nú open, want anders ga ik zelf naar binnen! Ik eis een gesprek met madame Fleming!'

De deur achter Montmorency zwaaide naar binnen open, waardoor hij bijna zijn evenwicht verloor. Hij moest een stap naar achteren zetten en kwam bijna in botsing met de man die de kamer van de gouvernante verliet: mijn echtgenoot. In tegenstelling tot Diane was Hendrik in de bloei van zijn leven, met zijn vaders lange, knappe gezicht en volle, donkere baard. Hij zag er nog aantrekkelijker uit door zijn volkomen ontspannen blik – de blik die hij ook altijd had als hij van een bijzonder inspannende jacht terugkwam. Hij droeg niets op zijn hoofd, zijn haar was verward, zijn wambuis was op een heup omhooggeschoven. Zodra hij Diane zag, streek hij de zoom omlaag. De kamer achter hem was donker toen hij de deur dichttrok, en Montmorency ging er weer voor staan.

Op het moment dat Diane zag dat haar vermoedens klopten, wendde ze gekwetst haar blik af. Na deze ontdekking bleven de drie spelers zwijgend en als verdoofd staan tot ze haar verdrietige gezicht ophief.

'Majesteit!' riep ze gekweld uit. 'Waar komt u vandaan?'

Bij het zien van zijn woedende minnares sloeg Hendrik zijn ogen neer naar het kleed onder zijn voeten.

'Ik heb niets verkeerds gedaan,' mompelde hij zo zacht dat ik hem nauwelijks kon verstaan. 'Ik heb alleen met de dame gepraat.' Arme, argeloze Hendrik, te traag om een aannemelijke leugen te bedenken.

'Gepraat?' Diane spuwde het woord bijna uit. 'Dan wil ik aan madame Fleming vragen waar jullie het over hadden!'

Ze reikte weer naar de deur, maar Montmorency's grote lijf versperde haar de weg.

'Dit is onbehoorlijk,' zei hij bestraffend tegen haar. 'U hebt het recht niet om die toon tegen de koning aan te slaan!'

Hendrik keek dreigend naar hem opzij, en Montmorency hield onmiddellijk zijn mond.

'Majesteit,' zei Diane iets zachter, maar niet minder verontwaardigd, 'u hebt uw dierbare vrienden, de Guises, en hun nichtje, koningin Maria, met uw gedrag bedrogen. U hebt ook uw zoon de dauphin bedrogen, want hij moet met het kind trouwen dat die vreselijke vrouw als gouvernante heeft. Wat mijzelf betreft – ik wil het niet eens hebben over de pijn die u mij hebt berokkend.'

Het viel me op dat ze er niet aan dacht om te zeggen dat de koning ook zijn vrouw had bedrogen.

'Ik wilde niemand pijn doen,' zei Hendrik, maar hij kon haar niet aankijken. 'Toe, kunnen we het hier morgen over hebben? En niet hier in de hal, want dan maken we de kinderen wakker...'

'Omwille van hen maak ik juist bezwaar.' Gehaaid als ze was, richtte ze haar woede op de grootmeester. 'Ik had hierover gehoord. Ik heb gehoord dat u, monsieur Montmorency, deze verhouding hebt aangemoedigd. U hebt de Guises bedrogen, en daarmee ook Zijne Majesteit. U bent schuldiger dan wie dan ook, omdat u een overspelige verhouding mogelijk hebt gemaakt die iedereen schande heeft gebracht.' Ze draaide zich op haar kruk naar Hendrik. 'Begrijpt u dan niet, Sire, dat hun nichtje, de onschuldige kleine Maria, wordt opgevoed door een hoer? Hoe zullen de Guises zich voelen als ze de waarheid horen? Als de grootmeester werkelijk het beste met u voorhad, zou hij u adviseren om die vrouw te mijden.'

'Het is zijn schuld niet,' zei Hendrik zachtjes. 'Ik draag alle verantwoordelijkheid. Vergeef me, madame, en wees niet boos. Ik kan alles verdragen, behalve uw ongenoegen.'

Ze tilde haar kin op, inmiddels weer kalm en koninklijk, en zei tegen Montmorency: 'U hebt de koning een slechte dienst bewezen en zijn vrienden te schande gemaakt. Ik wil u nooit meer zien, monsieur, en nooit meer een woord met u wisselen.'

Montmorency was woedend, maar hij verbeet zich en keek naar de koning om steun te zoeken. Hendrik wendde zijn blik af en liet de grootmeester met een kort knikje weten dat hij kon gaan.

Onder de huid van Montmorency's grote, vierkante kaak trilde een spiertje, vlak boven zijn baardlijn, maar hij bleef altijd beleefd en beheerst. Hij liep vlug weg en sloeg zijn ogen neer om Dianes valse lachje niet te hoeven zien.

Ik bleef roerloos in de gang staan. Toen Montmorency me voorbijliep, schrok hij, maar ik legde een vinger op mijn lippen. Hij had Hendrik makkelijk kunnen laten weten dat ik er was, maar hij was nog boos op

Diane en hoopte misschien dat ze iets zou zeggen waardoor mijn haat jegens haar zou groeien. Hij liep door en liet mij in mijn eentje het gesprek afluisteren.

Nadat Montmorency was weggegaan, nam Diane als eerste het woord, gekwetst en onzeker.

'Hou je van haar?'

Op Hendriks gezicht verscheen de schuldbewuste blik die ik ook had gezien toen hij had bekend dat hij van Diane hield.

'Nee,' fluisterde hij. 'Nee, natuurlijk niet.' Hij ging iets harder praten. 'Het was puur... puur lichamelijk, verder niets. En ik schaam me, echt. Ik had gehoopt dat ik er een punt achter kon zetten voordat ik iemand pijn deed. Voordat ik jou pijn deed. Maar nu kan ik je alleen maar om vergiffenis smeken.'

Diane verkilde nu de koning zo nederig deed. 'U moet mij niet om vergiffenis vragen, Sire. Vraag uw dierbare vrienden, de Guises, en de kleine Maria maar om vergiffenis.'

Hij aarzelde. 'Beloof me dat je niets tegen de Guises zegt.'

Ze keek hem een paar tellen aandachtig aan en zei toen langzaam: 'Ik zal tegen iedereen zwijgen als jij belooft dat dit nooit meer gebeurt.'

Hij zuchtte diep bij de gedachte dat hij al dit genot moest laten schieten, maar toen rechtte hij zijn schouders en keek hij haar in de ogen. 'Ik zweer bij God dat het niet meer zal gebeuren.'

Ze knikte tevreden en wuifde hem weg, alsof zij de koning was. Met haar kruk wilde ze onhandig weglopen.

Hendrik riep haar zachtjes na. 'Ga je...' Gegeneerd maakte hij zijn vraag niet af.

Diane draaide zich niet naar hem om. 'Ik zal verder herstellen in mijn vertrekken, naast die van de koningin.' De woorden waren ijzig, een reprimande.

Hendrik hoorde de afwijzing. Hij liet zijn schouders zakken en draaide zich om.

Diane kwam naar mijn schuilplaats en de wenteltrap die naar mijn vleugel leidde. Mijn echtgenoot liep de andere kant op en verdween vlug uit het zicht. Ze kwam maar moeilijk vooruit en had al haar aandacht nodig om de beweging van de kruk met haar stappen te coördineren. Ze zag pas op het laatste moment dat ik in de schaduw stond, wachtend tot ze zou passeren. Het was mijn bedoeling om haar uit te lachen, om me te verkneukelen dat mijn rivale eindelijk de bittere pil had geproefd die ik al die jaren had moeten slikken. Maar toen onze blikken elkaar kruisten – de hare geschrokken, de mijne veelbetekenend – zag ik alleen mezelf, gekwetst en onbemind.

Ze moet medeleven in mijn ogen hebben gezien, want haar blik werd zachter. Ze deed haar best om een buiging te maken voordat ze pijnlijk langzaam verder liep. De diamant op haar keel, die daar zorgvuldig was aangebracht om de rimpels eronder te verbergen, glinsterde in het lamplicht.

Eind december wist ik dat ik weer in verwachting was, en ik besloot het blije nieuws met Kerstmis met mijn man te delen. Die ochtend ging ik naar de koninklijke kinderkamers, vergezeld door Johanna, Diane, madame Gondi, drie hofdames en een mannelijke dienaar. Dat hele gevolg had ik nodig om de geschenken voor de kinderen te dragen, waaronder een groot hobbelpaard met manen van paardenhaar. Zoals altijd wilde Johanna graag met me mee naar de kinderkamer. Ze verlangde ernaar om zelf kinderen te hebben.

De dag was grijs en bewolkt begonnen, en de hoge, rechthoekige ramen van het kasteel keken uit over een sombere binnenplaats en een bruin grasveld, dat werd omzoomd door kale bomen. Maar de ontvangstkamer van de kinderen zag er vrolijk uit: er brandden tientallen kaarsen, en de reflectie van hun vlammen danste op de ramen en de marmeren vloer. In de haard brandde een enorm blok hout, en op een lange tafel waren grote hoeveelheden gesuikerde kastanjes, walnoten, appels, vijgen en kleine taartjes uitgestald.

De kinderen begroetten ons met enthousiaste kreten. Frans was nog geen zeven en had een rond voorhoofd en ver uit elkaar staande, matte ogen. Hij was kleiner dan zijn zusje Elizabeth van vijfenhalf, een lief, sierlijk kind. De twee haastten zich naar me toe, terwijl de min de zuigeling Karel uit zijn wiegje ging halen.

De achtjarige Maria, de kleine Schotse koningin, bleef met een behoedzame blik op een afstandje staan. Ze was al vrij lang, en door haar hooghartige houding leek ze veel ouder dan ze was. Veel mensen die haar met Frans zagen spelen, dachten dat ze jaren ouder was dan hij. Die dag was haar haar een paar keer gevlochten, opgerold en met donkere parels omwonden. Een Schotse geruite sjaal was met een ronde zilveren broche op haar borst vastgezet. Ze deed me aan mezelf denken toen ik zo oud was – een kind dat zorgeloos wilde zijn, vrij om haar gevoelens te tonen, maar wist dat haar leven werd bedreigd door mensen die haar haatten.

Terwijl ik me bukte om Frans en Elizabeth te omhelzen, riep Maria naar Diane: 'Joyeux Noël, madame de Poitiers! Hebt u nieuws van mijn dierbare ooms?'

'Ze zijn aan het paardrijden met de koning, Majesteit,' antwoordde Diane glimlachend. 'Maar ze zijn binnen een uur bij ons.'

'Mooi zo.' Maria zuchtte en bood me haar wang aan voor een kus die ze niet wilde. 'Joyeux Noël, madame la reine.'

'Joyeux Noël, Maria,' antwoordde ik. Zoals altijd zat het haar dwars dat ik haar niet met haar titel aansprak, maar ik wilde haar eraan herinneren dat ze nog een kind was, en nog geen koningin van Frankrijk.

De gouverneur van de kinderkamers, monsieur d'Humières, kwam uit een van de vertrekken van de kinderen. Hij was een kleine, vlugge man die altijd dramatisch met zijn handen gebaarde. Hij haastte zich het vertrek in en maakte een buiging.

'Madame la reine, duizendmaal excuus, maar ik heb gehoord dat Zijne Majesteit lichtgewond is geraakt bij een val tijdens de jacht. Ik moest u laten weten dat hij en de gebroeders de Guise wat later komen omdat hij wordt onderzocht door een arts.'

Maria's gezicht betrok. De arme, verliefde Frans probeerde haar te troosten, maar hij stotterde vaak en kon alleen maar een meelijwekkende herhaling van de eerste klank van haar naam uitbrengen: 'M-m-m-m...'

Ze legde hem het zwijgen op met een kus.

Ik deed mijn best om de kinderen af te leiden met de geschenken. Frans kreeg als eerste een cadeau: een houten zwaard met een goudkleurig geschilderd gevest, een kopie van het echte zwaard van zijn vader. Ik legde hem streng uit dat hij er voorzichtig mee moest omgaan, maar ik wist natuurlijk dat het een kwestie van tijd was voordat iemand een kleine verwonding opliep. Het hobbelpaard van Elizabeth was zo gewild dat de kinderen ruzie kregen over de vraag wie er als eerste op mocht.

Daarna kwam het geschenk voor Maria. Johanna hield de grote houten kist vast, waarin gaten waren geboord. Ze was op een afstandje blijven staan, zodat de kinderen het gekras en gebonk niet konden horen. Nu ze naar voren kwam, klonk er echter duidelijk gejank uit de kist, waardoor Maria's bleke gezichtje begon te stralen. Haastig haalde ze het deksel van de kist en bevrijdde ze de jonge, zwart-witte spaniël.

Ze nam het hondje in haar armen en keek me stralend aan. 'Dank u, dank u! Mag het hier blijven, in de kinderkamers?'

Ik glimlachte terug. 'Ja, dat mag.'

Het hobbelpaard en het zwaard waren al vergeten door het hondje. Frans moest leren hoe hij het zachtjes moest aaien. Elizabeth was een beetje bang, dus daarom liet ik haar zien dat ze het hondje netjes kon laten zitten voor een stukje appel.

Tijdens dit vredige huiselijke tafereeltje begon Maria's gouvernante in de deuropening van Karels slaapkamer op luide toon met een van haar landgenoten te praten. Ik besteedde nauwelijks aandacht aan de stroom van keelklanken en haar rollende r.

Monsieur d'Humières liep naar haar en haar metgezel en siste: 'Doe niet zo onbeleefd! Ga de koningin begroeten!'

Ik deed net of ik niets hoorde. Sinds hun komst hadden de Schotten laten zien dat ze alleen maar loyaal waren aan Maria, en dat ze het vervelend vonden dat ze mijn echtgenoot en mij met respect moesten behandelen. Hun gedrag leidde er soms toe dat de leden van de verschillende hofhoudingen met elkaar op de vuist gingen.

Madame Fleming antwoordde in gebrekkig Frans: 'Ik kan niet zwijgen. Met trots kan ik u vertellen, monsieur, dat ik een kind van de koning verwacht.'

Ik wilde net een stukje appel aan de hond geven, maar bij die woorden zakte mijn arm omlaag. Mijn blik kruiste die van Diane en daarna die van Johanna. Aan de afschuw in hun blikken zag ik dat zij het ook hadden verstaan.

Monsieur d'Humières liet een zacht, geschokt gemompel horen.

Madame Fleming was inmiddels met een zelfvoldaan, uitdagend glimlachje binnengekomen. Diane was ooit mooi geweest, maar Fleming was een goudharig kunstwerk, een stralende godin met smaragdgroene ogen. Ze droeg een groen satijnen gewaad met een blauwgroene, geruite sjaal, die op haar schouder was vastgezet.

'Madame la reine,' zei ze op zoetsappige toon, terwijl ze diep boog, 'ik heb het gerucht gehoord dat u een kind verwacht. Als dat zo is, begrijp ik uw vreugde, want ik ben ook in verwachting van Zijne Majesteit.'

Johanna siste van woede. Diane was met stomheid geslagen. Fleming gooide haar hoofd met kwaadaardig genoegen in haar nek.

Monsieur d'Humières was het vertrek binnengekomen, en zijn wild gebarende handen vulden de lucht als een opvliegende troep vogels. 'Hoe durft u! Hoe durft u de koningin te beledigen, madame! Bied onmiddellijk uw excuses aan!'

Ik gebaarde naar madame Gondi dat ze op de kinderen moest letten en stond op. Ik pakte Fleming bij haar elleboog en nam haar mee naar de dichtstbijzijnde kamer, op de voet gevolgd door Diane.

Eenmaal binnen zei ik zacht en niet bepaald vriendelijk: 'Het is bijzonder smakeloos om zulke zaken te bespreken waar de kinderen bij zijn. U bent een ongetrouwde vrouw, en uw toestand is ronduit schandelijk.'

Fleming kromp niet ineen. Ze was lang, zoals alle Schotten, en ze keek minachtend op me neer.

'U spreekt van schande, terwijl u met de voormalige minnares van de koning bij de kinderen op bezoek komt.'

Voormalige minnares... Diane hapte woedend naar adem.

'Die opmerking zult u berouwen,' zei ik effen. 'En als u ooit nog in het bijzijn van de kinderen over uw toestand spreekt, krijgt u met mij te maken – en ik ben niet zo makkelijk te beïnvloeden als Zijne Majesteit.'

'Maria, koningin van Schotland, is mijn vorstin, madame,' zei Fleming. 'Ik leg alleen aan haar verantwoording af.'

Diane kwam naar voren en gaf Fleming een harde klap in het gezicht. Fleming gilde en drukte haar hand op haar pijnlijke wang.

'Vergeef me mijn uitbarsting, madame la reine,' zei Diane, terwijl ze onvriendelijk naar de geschrokken gouvernante keek, 'maar ik sta niet toe dat mijn koningin zo onbeleefd wordt behandeld.'

'Ik vergeef het u,' zei ik, terwijl ik strak naar de gouvernante keek. 'Madame Fleming, u hebt gelijk: u bent onderdaan van koningin Maria. Maar ik ben haar voogd, waardoor u bij mij in dienst bent. Ik adviseer u om dat te onthouden.'

Ik keerde haar de rug toe en riep monsieur d'Humières, die nederig buigend naar me toe kwam. Flemings ogen vulden zich met tranen na Dianes pijnlijke klap, en terwijl ze nijdig allerlei Schotse verwensingen uitte, rende ze het vertrek uit, naar de gemeenschappelijke kamer waar de kinderen waren.

Ik zei: 'Monsieur, zorg alstublieft dat ze naar haar eigen kamer gaat en daar blijft tot ik zeg dat ze eruit mag.'

'Ogenblikkelijk, Majesteit, ogenblikkelijk,' zei hij. Met ons drieën liepen we terug naar de ontvangstkamer.

Zoals te verwachten viel van iemand die steeds de verkeerde keuzes maakt, was Fleming rechtstreeks naar Maria gelopen, en terwijl het hondje en de andere kinderen stonden te bibberen, stortte ze huilend en woedend haar hart uit bij Maria. Eerst aaide Maria het hondje in haar armen, maar tijdens Flemings tirade hield ze haar hand stil en werd haar blik steeds dreigender.

Toen Diane en ik naderden, voorafgegaan door monsieur d'Humières, hield de gouvernante haar mond. Maria keek onvriendelijk naar ons.

'Hoe durft u,' zei ze met zachte, trillende stem. 'Madame de Poitiers, hoe durft u mademoiselle Fleming te slaan! Bied onmiddellijk uw excuses aan!'

'Ze hoeft haar verontschuldigingen niet aan te bieden,' wierp ik ferm tegen. 'Je gouvernante had die klap meer dan verdiend. Madame Fleming, ga naar uw vertrekken en wacht op mijn bericht.'

Maria werd kwaad. 'Ze gaat helemaal niet naar haar vertrekken. Ik wil dat ze hier blijft.'

Ik bestudeerde het tafereeltje – het woedende meisje, de huilende gouvernante, Frans die zo bang was dat hij de hik had gekregen, Elizabeth die niets meer durfde te zeggen – en slaakte een zucht. 'Maria, als twee koninginnen kibbelen, kan er geen winnaar zijn. Maar jij bent nog een kind, en ik ben je voogd.' Ik wendde me tot de geagiteerde monsieur d'Humières. 'Monsieur, breng madame Fleming alstublieft naar haar kamer.'

'Nee!' riep Maria. Ze smeet het hondje zo hard op de grond dat het arme beestje jankte.

Elizabeth raapte het hondje op en zag dat het niet gewond was. De woedende uitbarsting – waarbij ook nog eens een onschuldig wezentje betrokken was – haalde me het bloed onder de nagels vandaan. Ik draaide me naar Maria, klaar om haar een reprimande te geven, maar er rolde een stroom woorden uit haar mond.

'Ze doet wat ík zeg! Ik ben tweemaal koningin, en ook nog eens van geboorte. Ik ben geen burgermeisje, een koopmansdochter die ver boven haar stand is getrouwd!'

Zo kwam ik erachter hoe er over mij werd gedacht – door de Schotten en door de Guises, die wachtten tot hun nichtje de Franse troon zou overnemen. Opeens werd ik zo nijdig dat ik naar Maria toe liep, diep in haar vijandige oogjes keek en heel zachtjes zei: 'Ja, ik heb me vanuit een lagere sociale positie omhooggevochten, en dat is voor jou des temeer reden om me te vrezen, verwend kind. Reken er maar op dat ik win.'

Ze tuitte haar lippen, maar stapte zwijgend achteruit. Ik wendde me tot Elizabeth en zei: 'Jij mag het hondje hebben.'

Uiteindelijk ontbood ik een van mijn eigen wachters om Fleming naar haar kamer te brengen en vroeg ik monsieur d'Humières Maria in haar eigen kamer op te sluiten. Toen mijn echtgenoot eindelijk met de Guises in de kinderkamer arriveerde, hinkend op zijn ingezwachtelde enkel, maar in een opgewekte stemming, stond ik Maria toe om naar buiten te komen, op voorwaarde dat ze zich gedroeg.

De naam van madame Fleming kwam tijdens het gesprek niet ter sprake, maar tijdens die lange ochtend zag ik Maria een paar keer aandachtig naar me kijken, met samengeknepen ogen die op wraak zinden.

26

Gezien de onplezierige gebeurtenissen in de kinderkamers vertelde ik mijn nieuws nog niet aan Hendrik. Die avond nodigde ik hem uit in mijn vertrekken.

Hij kwam hinkend op een kruk binnen, in de veronderstelling dat ik hem ondanks zijn verwonding in mijn bed had uitgenodigd. Toen de deur eenmaal dicht was, nam ik hem in mijn armen en beantwoordde ik zijn kus. Hij rook naar wijn en had een kleur, want hij had meer gedronken dan anders. Waarschijnlijk had hij de pijn in zijn enkel willen verdoven.

Toen ik me uit zijn armen losmaakte, zei ik: 'Hendrik, voordat we afgeleid raken... Ik heb goed nieuws en slecht nieuws voor je.'

Hij verstijfde. 'Nou, begin dan maar met het slechte nieuws.'

'Ik denk dat ik deze keer beter kan beginnen met het goede nieuws. Ik ben weer in verwachting, lieve echtgenoot.'

Ook al wilde ik het hem nog zo graag vertellen, ik deed het met een bepaalde tegenzin. Telkens wanneer Hendrik hoorde dat ik een kind verwachtte, verliet hij ons huwelijksbed, waarmee hij onderstreepte dat hij alleen maar met me sliep om erfgenamen voort te brengen.

Zijn tanden staken wit af tegen zijn donkere baard toen hij grijnsde, en hij sloeg zijn armen om me heen. 'Je maakt me wederom heel gelukkig. En je bent een goede moeder; ik zag in de kinderkamer dat de kinderen zich keurig gedragen.'

Hij kuste me herhaaldelijk. Ik giechelde toen zijn stugge baard me kietelde, maar maakte me vervolgens van hem los en werd weer ernstig.

'O ja,' zei hij. 'Nu het slechte nieuws.'

'Nu het slechte nieuws,' beaamde ik. 'Janet Fleming is ook in verwachting.'

Hij zette geschrokken grote ogen op voordat hij gegeneerd naar de grond keek. Hij liet zijn armen zakken en zette een stap achteruit.

Ik gebaarde naar een stoel. 'Ga zitten, Hendrik. Deze zaak moet besproken worden.'

Hij plofte zo hard in de stoel dat er een zucht aan zijn keel ontsnapte. 'Hoe... Hoe weet je dit? Van Diane?'

'Nee, van madame Fleming zelf.'

Zijn mond zakte open. 'Heeft ze het in je gezicht gezegd?'

'Ze is er heel trots op.'

'Ik had gehoopt dat je er nooit achter zou komen,' zei hij blozend. 'Ik ben er niet trots op. Ik kan je alleen maar om vergiffenis smeken, en je vertellen dat ik Diane twee weken geleden heb beloofd dat ik niets meer met Janet Fleming te maken zou hebben. Ik heb woord gehouden.'

Ik was uiterst kalm. 'Ik heb je niet ontboden om je te beschuldigen, al begrijp ik het verdriet van madame de Poitiers heel goed. Ik wil je om hulp vragen.'

Stomverbaasd staarde hij me aan. 'Ben je niet boos?'

'Alleen gekwetst. Maar er is iets wat veel belangrijker is dan mijn persoonlijke verdriet, of zelfs dat van Diane,' antwoordde ik. 'Madame Fleming is zo trots op haar toestand dat ze het tegen iedereen heeft gezegd. Zelfs Maria en de kinderen weten het.'

'Dat meen je niet.' Verwonderd schudde hij zijn hoofd. 'Ik kan nauwelijks geloven dat ze er zo openlijk over heeft gesproken. Wat moet dat vreselijk voor je zijn. Toch ben je nu kalm en begripvol...' Iets in zijn stem gaf me de indruk dat Diane lang niet zo vriendelijk had gereageerd.

'Je moet haar wegsturen, Hendrik, in elk geval tot het kind is geboren. Ze zal je alleen maar in verlegenheid brengen – om nog maar te zwijgen over het schandaal voor Maria en de Guises.'

Hij staarde uit het raam terwijl hij daarover nadacht. 'Dat zal Maria niet toestaan,' zei hij uiteindelijk. 'Ze is dol op madame Fleming.'

'Maria is nog maar een kind,' wierp ik tegen. 'Ze moet erop vertrouwen dat jij doet wat het beste is.'

Hij dacht even na en knikte langzaam, zij het met tegenzin. 'Ik zal zorgen dat madame Fleming voor de rest van haar zwangerschap naar het platteland wordt gestuurd. Natuurlijk zal ik ook zorgen dat het haar kind aan niets ontbreekt.'

'Dat spreekt voor zich. Dank je.'

'Ik verdien zo'n geduldige echtgenote niet. Ik kan niet...' Hij maakte zijn zin niet af. Door de pijn en de wijn zaten de tranen hem opeens erg hoog.

'Gaat het goed tussen jou en Diane?' vroeg ik zachtjes.

'Sinds ik Janet Fleming heb opgegeven, ben ik alleen jou trouw geweest, Catharina,' antwoordde hij.

Hoop, een emotie die lang begraven was geweest, vlamde in mijn binnenste op. 'Heeft Diane je vanwege die verhouding uit haar bed verstoten?'

Zijn wangen werden vuurrood, net als toen we elkaar voor het eerst ontmoetten, toen hij nog een verlegen jongetje was dat met de mond vol tanden stond.

'Al lang daarvoor, om je de waarheid te zeggen. Bijna een jaar geleden al. Ze...' Hij zweeg, terwijl zijn woorden met zijn emoties worstelden. 'Op een of andere manier houdt ze niet meer van me. Ze is soms erg kil, erg afstandelijk. Ik heb haar kastelen, goud en eerbewijzen geschonken, alles wat ze maar wilde, en meer... Toch wijst ze me af. Ze zegt dat we geen kinderen meer zijn, dat de kleinste, tederste gebaren echt niet meer nodig zijn. Ik merk dat ik haar smeek om een glimlach.'

Ik begreep zijn verdriet maar al te goed. 'Je bent jaren misbruikt.'

'Dat weiger ik te geloven,' zei hij. 'Ik weet dat ze echt om me gaf. Misschien doet ze dat nog steeds. Maar ze is ouder geworden, en vermoeid, en ik ben te ongeduldig. Daarom ben ik op de avances van madame Fleming ingegaan. Ik was zo dom mezelf wijs te maken dat dit mooie wezen zich tot mij aangetrokken voelde, in plaats van tot de kroon die ik draag. Maar ze is niets anders dan een instrument van de Guises, vastbesloten om me nog verder te onderwerpen aan hun zaak.'

Hij schudde zijn hoofd, walgend van zichzelf. 'Ik verachtte mijn vader om zijn trouweloosheid, maar nu ben ik zelf een overspelige man die door vrouwen voor de gek wordt gehouden. Ik had de liefde moeten zoeken op die ene plaats waar ze altijd en geduldig aanwezig is geweest.

Denk niet dat ik blind ben voor je lijden, Catharina. Denk niet dat ik je niet vreselijk dankbaar ben.'

Hij zat nog steeds op zijn stoel. Ik legde een hand op zijn schouder en gaf hem een kus op zijn hoofd. Hij sloeg zijn armen om mijn middel en drukte zijn gezicht tegen mijn boezem. Ik dacht dat dat het einde van onze ontmoeting zou zijn, dat hij zou gaan, zoals altijd, en mij in mijn lege bed zou achterlaten tot ons kind was geboren. In plaats daarvan stond hij op en gaf hij me een tedere kus.

'Ik heb ooit gezegd dat ik makkelijk van je zou kunnen houden, Catharina,' fluisterde hij. 'Nu besef ik dat ik inderdaad van je hou.'

Ik nam hem mee naar het slaapvertrek, naar mijn bed. Het was bitterzoet om de liefde te bedrijven, om te weten dat we veel hindernissen hadden moeten nemen om elkaar te vinden.

Tijdens de dagen daarna nam ik niemand in vertrouwen, al vermoedde Ruggieri waarschijnlijk wel dat de relatie tussen Hendrik en mij was veranderd. Mijn zwangerschap was aangekondigd, maar toch kwam mijn echtgenoot bijna elke nacht naar mijn kamer. Voor het eerst zag hij de parel die boven mijn borsten hing, en hij stak zijn hand ernaar uit. Ik haalde zijn vingers weg en leidde hem af door hem te kussen.

Ook al hield de koning niet meer van Diane de Poitiers, ze had nog steeds erg veel politieke macht, en het ontbrak mijn echtgenoot aan de wil om zich van haar juk te bevrijden. In het openbaar voerden we een enorme farce op: de minnares van de koning ontving nog steeds allerlei eerbewijzen, en ik werd behandeld alsof ik minder belangrijk was dan zij. In werkelijkheid waren mijn man en ik minnaars geworden. Als we samen waren, bespraken Hendrik en ik Dianes stevige greep op de regering en hoe hij de macht weer in handen kon krijgen, maar het ontbrak hem aan wilskracht en moed om haar tegen zich in het harnas te jagen. Maar hij schonk haar geen nieuwe rijkdommen en eerbewijzen meer.

Als reactie daarop haalde Diane haar band met de Guises aan. Helaas had Hendrik er tijdens zijn affaire met Fleming mee ingestemd dat de goudblonde Frans de Guise zijn grootkamerheer zou worden. De kamerheer was verantwoordelijk voor de vertrekken van de koning en had de sleutels ervan altijd in zijn bezit. Daarnaast moest hij zijn handtekening op bepaalde koninklijke documenten zetten. De functie had meer status dan macht, maar als iemand haar kon gebruiken om meer macht te grijpen, was het Guise wel.

Hendrik vertelde me pas over het besluit toen het al een fait accompli was. Hij had terecht vermoed dat ik bezwaar zou maken en koos ervoor om het me pas te vertellen toen we op een avond na een tedere vrijpartij in bed lagen. Hij kuste mijn buik en zei lieve dingen tegen het ongeboren kind. Ik lachte en had het bijzonder naar mijn zin – tot hij abrupt bekende dat hij Guise had benoemd. Bij het horen van dat nieuws stapte ik uit bed.

Hendrik wachtte tot ik mijn ongenoegen kenbaar had gemaakt, en voerde vervolgens aan dat maatregelen tegen Diane en Frans de Guise het wankele evenwicht aan het hof zouden verstoren en de regering in verwarring zouden brengen. Dat was waar, en daarom werd ik wat rustiger en besprak ik met hem wat het beste voor Frankrijk was. Helaas was hij niet met me eens dat het conservatieve katholicisme van Diane en de Guises het grootste gevaar vormde. Hij onderschreef hun mening dat het protestantisme niet getolereerd moest worden, en dat maakte me angstig.

Vanaf dat moment vreesde ik het conflict dat zou ontstaan als de Guises hun zin kregen en de protestanten mochten vervolgen, maar ik liet me tijdens mijn zwangerschap door Hendriks liefhebbende strelingen sussen en stopte alle gedachten aan een dreigende politieke ramp weg.

Toen ons zoontje werd geboren, was Hendrik erbij en kneep hij lachend in mijn hand. Eduard-Alexander was gezonder dan mijn andere kinderen, en Hendrik en ik overlaadden hem met onze liefde. Eduard was veruit de knapste, en zijn aanwezigheid herinnerde me altijd aan de fijnste periode van mijn leven. Hendrik en ik brachten samen veel tijd in de kinderkamers door, en Hendrik besprak elke avond een uur lang staatszaken met me.

Zo'n idylle kon niet lang duren. Toen Eduard pas een paar maanden oud was, schudde mijn wereld weer op zijn grondvesten.

Jarenlang hadden er over en weer beledigingen plaatsgevonden tussen mijn man en keizer Karel, die het jongetje Hendrik en zijn broer gevangen had gehouden. Hendrik was een verstandige man en zou nooit zonder goede reden een oorlog beginnen, maar in 1552, het jaar na Eduards geboorte, zwichtte hij voor de smeekbeden van een aantal Duitse prinsen, die de keizer met zijn hulp uit hun land hoopten te verdrijven. Het waren lutheranen, die woedend waren over de pogingen van de katholieke keizer om hun geloof te onderdrukken.

Tot mijn verbazing sloeg Hendrik de handen met hen ineen en sprak hij af dat hij de keizer zou verzwakken door hem aan de noordoostelijke grens van Frankrijk aan te vallen. Hij was onder andere van plan om de steden Cambrai en Metz te heroveren. Misschien vond Diane het wel ironisch dat de koning zich haastte om protestanten te hulp te schieten bij hun strijd tegen een goed katholiek, maar ze zei niets. Hendrik besloot dat het Franse leger ten strijde zou trekken.

En hij was van plan om met hen mee te gaan. Dat maakte me doodsbang, want dat betekende dat hij weg zou gaan uit de veilige thuishaven die door de magische onyx onder Dianes bed was gecreëerd.

Ik werd nog bezorgder toen ik een brief kreeg van de eerbiedwaardige Luca Guorico uit Rome. Ser Luca stond in hoog aanzien wegens zijn werk in de judiciële astrologie, de tak die de invloed van de sterren op het lot van individuele personen bestudeerde. Toen mijn oudoom Giovanni de Medici nog maar veertien jaar oud was, had Luca Guorico voorspeld dat hij paus zou worden – en oom Giovanni was inderdaad paus Leo x geworden. Guorico had ook met een griezelige nauwkeurigheid voorspeld wanneer Alessandro Farnese paus zou worden en zou sterven.

Toen madame Gondi me een enveloppe uit Rome gaf, verbrak ik het zegel met trillende handen. In de enveloppe zaten een brief voor mij en een tweede verzegelde brief, in drieën gevouwen, die aan mijn echtgenoot was geadresseerd.

Zeer geëerde Majesteit, donna Catharina,

Vergeef me dat ik zo stoutmoedig ben om u te schrijven, in plaats van rechtstreeks aan uw echtgenoot. Ik heb gehoord dat Zijne Majesteit niet geneigd is het advies van astrologen op te volgen, en daarom vraag ik u om hulp, want ik weet dat u vrij veel van astrologie weet en welwillend tegenover haar doelen staat.

Ik heb de voortgang van uw mans horoscoop voor de komende jaren bestudeerd. Met wat ik nu weet, lijkt het me nodig om koning Hendrik te waarschuwen dat hij op bepaalde momenten en in bepaalde situaties uiterst voorzichtig moet zijn.

Zijne Majesteit loopt groot gevaar. Mag ik u vragen, Majesteit, om de bijgesloten brief aan hem te overhandigen en uw invloed aan te wenden om hem over te halen het advies ter harte te nemen?

De drang om het zegel van de tweede brief te verbreken en hem te lezen was bijna onweerstaanbaar, maar ik legde de brief opzij en wachtte tot Hendrik naar mijn vertrekken kwam om de gebeurtenissen van die dag te bespreken.

Toen hij binnenkwam, gaf ik hem het verzegelde document als begroeting. 'Je hebt een brief uit Rome gekregen, Hendrik. Van Luca Guorico.'

'Ken ik hem?' vroeg hij vermoeid, terwijl hij de brief aannam en in een stoel ging zitten. Het was een lange dag geweest, want hij had in zijn kabinet plannen voor de oorlog besproken, eerst met zijn loyale oude vriend Montmorency en daarna met Frans de Guise. De twee adviseurs stonden politiek gezien lijnrecht tegenover elkaar. Hendrik ontving hen niet tegelijk, omdat de discussie dan snel in ruzie zou ontaarden.

'De beroemde astroloog,' legde ik uit. 'Degene die zei dat mijn oom Giovanni paus zou worden.'

'O,' zei hij onverschillig, terwijl hij de brief onder zijn riem stopte. 'Ik kijk straks wel naar de intriges van het lot. Ik heb voor vandaag genoeg van ernstige zaken.'

'Toe!' Bij het horen van mijn onbedoeld scherpe toon keek hij me enigszins verbaasd aan. 'Toe,' zei ik wat zachter, 'wil je er dan tenminste even naar kijken?'

'Catharina, je piekert te veel over dergelijke dingen.'

'Monsieur Guorico heeft mij ook een brief gestuurd.' Ik ging in de stoel naast hem zitten. 'Hij heeft iets in je sterren ontdekt en wil je waarschuwen.'

'Waarvoor?'

Ik wees met nadruk op de brief in zijn hand. 'Dat heeft hij me niet verteld.'

'Dan lees ik hem wel,' verzuchtte hij. Hij maakte de brief open en las hem vluchtig door. Tijdens het lezen werd een rimpel boven zijn neusbrug steeds dieper.

'Het stelt niets voor,' zei hij. 'Hij waarschuwt me voor een gevecht van man tegen man – voor een duel, niet voor de oorlog, dus het kan geen gevaar dat ik naar het front ga. En het is iets waar ik me de eerste jaren nog geen zorgen over hoef te maken.' Hij vouwde de brief weer op en propte hem onder zijn riem.

Zelfs voor een koningin was het onbeleefd om naar privézaken van de koning te vragen, maar ik kon me niet inhouden. 'Toe, Hendrik, ik moet weten wat hij je heeft verteld.'

'Moet je de angst in je ogen nu zien,' zei hij bestraffend. 'Je maakt je vreselijk druk om niets. Waarom blijf je toch in zulke dingen geloven?'

'Omdat astrologie net als geneeskunde is, Hendrik – een geschenk van God om mensen met problemen te helpen. Ik heb het bewijs met eigen ogen gezien.'

Hij snoof minachtend. 'Dat komt door die ziekelijk uitziende magiër, die jou als een geest volgt. Waarom omring je je met zulke mensen? Hij heeft niets goddelijks in zich – hij ziet er eerder uit of hij elke dag met de duivel praat.'

'In Florence heeft monsieur Ruggieri mijn leven gered,' wierp ik fel tegen. 'Zonder de amulet die hij me toen gaf, had ik het nooit overleefd.'

'Ook zonder dat ding had je het wel overleefd.' Hendrik schudde zijn hoofd. 'Die man geeft je rare ideeën. Ik heb zin om hem weg te sturen.'

De dubbele deuren naar het balkon waren dicht. Het was zo donker dat er buiten niets meer te zien was, maar ik staarde in de verte.

'Toen ik jong was, vlak voordat de rebellen me gevangennamen, gaf Ruggieri me een amulet die me moest beschermen,' zei ik zacht. Hendrik wilde me onderbreken, maar ik hief mijn hand op. 'Hij zei ook dat ik nooit over Florence zou regeren. Hij zei dat ik naar een vreemd land zou verhuizen en met een koning zou trouwen.' Ik voegde er niet aan toe dat hij me uiteindelijk had overtuigd door mijn overleden moeder op te roepen, die me had voorspeld dat ser Silvestro me zou redden. Hendrik zweeg, maar een van zijn mondhoeken ging door zijn nauwelijks verholen scepsis omhoog.

'We hebben ook gesproken over de dromen die me sinds die tijd kwellen,' vervolgde ik. 'Ik droom dat jij bloedend voor me ligt en dat ik je moet redden, maar ik weet niet wat ik moet doen. Je spreekt me in het Frans aan – dat heb je altijd gedaan, zelfs nog voordat ik de taal leerde. Op de dag dat ik je ontmoette, herkende ik je, omdat ik je al jaren kende.'

'Catharina...' Uit Hendriks toon spraken ongeloof en een groeiende verbazing.

'Ik heb mijn best gedaan...' Ik begon te stamelen toen er een golf van emotie over me heen spoelde. 'Mijn hele leven heb ik mijn best gedaan om te doorzien wat ik moet doen om jou te beschermen. Het is de taak die God me heeft opgelegd. Lach me dus niet uit, en wijs me niet af.'

'Catharina,' zei hij. Deze keer klonk hij heel vriendelijk. Hij zag dat ik van streek was en pakte mijn hand.

Er rolden tranen over mijn wangen, maar mijn stem bleef kalm. 'Daarom wilde ik dat Ruggieri naar Frankrijk kwam – om jou tegen het kwaad te beschermen, niet om je eraan bloot te stellen – en daarom wil ik zo graag weten wat Luca Guorico je heeft geschreven. Ik zou voor je sterven, Hendrik.'

Ik zei er niet bij: *ik heb al voor je gemoord.*

We zwegen lange tijd. Ik probeerde mezelf weer onder controle te krijgen en hij hield mijn hand vast.

'Als de aanwezigheid van monsieur Ruggieri je troost geeft, sturen we hem niet weg,' zei hij uiteindelijk. 'Maar ik geloof niet in zijn methodes.' Hij haalde de opgevouwen brief onder zijn riem vandaan en gaf hem aan mij. 'Omdat je me zo graag wilt helpen, zal ik dit niet voor je verborgen houden.'

Zenuwachtig vouwde ik de brief open.

Zeer geëerde Majesteit,

Mijn naam is Luca Guorico. Hare Majesteit donna Catharina heeft u misschien al verteld dat ik horoscopen trek en mijn kunst richt op het vaststellen van het lot van belangrijke personen.

Ik heb uw sterren bestudeerd en moet u dringend waarschuwen geen strijd te voeren in een afgesloten ruimte. Duels en tweegevechten vormen het grootste gevaar en zouden tot een dodelijke slag tegen het hoofd kunnen leiden.

Het gevaar is altijd aanwezig, maar over een paar jaar, in uw eenenveertigste levensjaar, wordt het nog veel groter, vanwege een kwaadaardig aspect tussen Mercurius en Mars, wanneer de laatstgenoemde door uw rijzende teken gaat, de koninklijke Leeuw. Ik waarschuw u in de hoop dat voorkennis en voorzichtigheid u zullen toestaan om deze verraderlijke periode te overleven. Dat is heel goed mogelijk, want uit mijn onderzoek bleek dat u een eerdere periode van vergelijkbaar risico zonder incidenten hebt overleefd.

Moge God u zegenen en leiden en zorgen dat u veilig alle gevaren doorstaat.

Een paar tellen liet ik de brief open op mijn schoot liggen voordat ik me naar Hendrik keerde, die nu naast me zat.

'Beloof me dat je nooit meer in een oorlog vecht,' smeekte ik.

Hij trok zijn wenkbrauwen op. 'Natuurlijk vecht ik mee. Ik móét de troepen leiden. Heb je de brief niet goed gelezen? Oorlog speelt zich niet af in een afgesloten ruimte, en ik ben niet van plan om iemand voor een duel uit te dagen.'

Ik voelde dezelfde radeloze hulpeloosheid als in de droom. Hendrik was zo dichtbij, maar ik kon niets doen om hem bij me te houden. Net als mijn moeder, mijn vader, tante Clarice en koning Frans zou hij maar al te makkelijk van een mens van vlees en bloed in een vage herinnering kunnen veranderen.

'De oorlog is onvoorspelbaar. Wat gebeurt er als je in een gebouw bent en wordt belaagd door één enkele man?' wilde ik weten. 'Als ik jou kwijtraak...'

'Catharina,' suste hij. 'Na al die tijd hebben we elkaar nog maar net gevonden. Ik beloof je dat je me niet kwijtraakt. Nu niet.'

'Neem dan een amulet mee.'

'Zoiets heb ik niet nodig,' zei hij minzaam. 'Als God je heeft gestuurd om mij te beschermen, zal Hij je verhoren. Bid voor me, en dat zal genoeg zijn om me weer veilig thuis te brengen.'

Hij wilde niet naar me luisteren toen ik probeerde uit te leggen dat God mijn gebeden niet hoorde.

27

Voordat Hendrik naar de oorlog in het noordoosten vertrok, benoemde hij mij tot regentes. Nu ik het land mocht besturen, merkte ik dat ik het goed kon en dat het me goed beviel. Ik had een goed geheugen en vond het een aangename oefening elk woord van Hendriks adviseurs te onthouden. In combinatie met mijn manier van regeren, die vriendelijker en diplomatieker was, leverde dit talent me steun en bewondering op. Ik bestudeerde elke brief die Hendrik en zijn generaals me vanaf het front stuurden en zorgde dat ze altijd geld en voorraden tot hun beschikking hadden. Ik waagde het zelfs om militair advies te geven.

De overwinning kwam snel: binnen een paar maanden waren de steden Toul, Verdun en Metz van ons. Mijn echtgenoot onderscheidde zich in de strijd, net als Frans de Guise, en de campagne maakte de vriendschap tussen hen nog hechter.

Hendrik trok eind januari ten strijde en keerde eind juni terug in mijn armen, bruisend van optimisme. Tegen de tijd dat het augustus werd, was ik weer in verwachting. Deze keer zonderde ik me niet af in mijn vertrekken of de kinderkamers, maar woonde ik kabinetsvergaderingen met Hendrik en zijn ministers bij. Montmorency en Diane merkten algauw dat ik geen zwijgende, onzichtbare koningin meer was.

Hendrik begon meer tijd door te brengen met de eerste prins van den bloede, Anton de Bourbon. Ik juichte die ontwikkeling toe, want Bourbon verachtte de Guises. Ook was hij in die tijd weer protestant, net als zijn vrouw Johanna. Ik hoopte dat Hendriks vooroordelen jegens niet-katholieken zouden afnemen als hij met Bourbon omging.

Terwijl Hendrik meer tijd met Bourbon doorbracht, was ik vaak in het gezelschap van Johanna. Ze hielp de vroedvrouw bij de geboorte van mijn dochter, die ik de naam Margaretha gaf, naar Johanna's moeder, al noemden we haar allemaal Margot. Tijdens de moeilijke uren voor Margots geboorte bekende Johanna dat ze net had gehoord dat ze zelf in verwachting was.

Mijn Margot, een donkerharig meisje met donkere ogen, dat net zo vroegwijs en koppig was als haar moeder, werd op 13 mei 1553 geboren. Johanna's zoon, Hendrik van Navarra – vernoemd naar zijn grootvader en mijn echtgenoot – werd zeven maanden later geboren, op 13 december. Ik bleef tijdens de hele bevalling bij Johanna, net zoals zij tijdens mijn bevalling naast mij had gezeten. En toen ik haar schreeuwende pasgeboren zoon voor het eerst in mijn armen hield, was hij me meteen net zo lief als een van mijn eigen kinderen.

Zelfs toen geloofde ik al dat de twee kinderen voor elkaar waren voorbestemd. Toen Johanna's vader een jaar later stierf, waardoor zij koningin van Navarra werd, besloot ze omwille van haar zoons opleiding in Frankrijk te blijven. Hendrikje, of Navarra, zoals ik hem soms noemde, groeide op aan het hof, speelde met mijn kinderen in de koninklijke kinderkamers en kreeg dezelfde leraren. Vooral hij en Margot waren dol op elkaar.

Het zou nog vele jaren onduidelijk blijven hoezeer hun lotsbestemmingen met elkaar verweven waren, of hoe diep beiden bij de bloedige loop der gebeurtenissen betrokken zouden worden.

Zo gingen er twaalf jaren van mijn huwelijk voorbij. In die tijd vond ik ze moeilijk en roerig, maar achteraf waren ze aangenaam en vredig vergeleken met al het kwaad dat nog zou volgen. Ik was diep opgelucht dat Hendrik niet meer ten strijde trok, al bleven hij en keizer Karel vijanden. Kort na Margots geboorte kwam er een nieuwe koningin op de troon van Engeland: Maria Tudor, voorvechtster van het katholicisme, vastberaden om haar land te zuiveren van de protestantse vloek. Misschien hadden we daar blij mee moeten zijn, maar toen Maria met koning Filips trouwde en de troon van Engeland met die van Spanje verenigde om een onoverwinnelijke militaire reus te creëren, begon ik me ongemakkelijk te voelen.

Drie jaar na de geboorte van Margot raakte ik weer in verwachting. Mijn buik werd zo rond dat ik algauw besefte dat ik meer dan één kind droeg. Tijdens mijn zwangerschap maakte een vreemde angst zich van me meester. Ik had mijn best gedaan om mijn misdaden te vergeten, maar ik begon erg veel last te krijgen van herinneringen. Mijn angst werd onderstreept door een gebeurtenis tijdens de laatste momenten van mijn laatste zwangerschap.

Koning Frans had een exemplaar aangeschaft van elk boek dat in Frankrijk werd gedrukt, en Hendrik had die traditie van zijn vader overgenomen. Mijn bibliothecarissen wisten dat ze interessante boeken onder mijn aandacht moesten brengen.

Zo kreeg ik ook een boek in handen dat *Les Prophéties* heette, geschreven door Michel de Nostredame, 'Nostradamus' in het Latijn, een arts die vermaard was omdat hij slachtoffers van de pest had gered. Het werk van monsieur de Nostredame bestond uit honderden verzen – kwatrijnen van vier regels – die allemaal een voorspelling bevatten. De verwijzingen waren onduidelijk, geheimzinnig. Ik begreep er weinig van tot ik bij het vijfendertigste kwatrijn kwam.

Op een warme juniavond lag ik ondersteund door kussens in mijn bed. Door het gewicht in mijn buik en het meedogenloze geschop van twee paar beentjes lag ik niet lekker en kon ik niet slapen. Ik had ervoor gekozen om te bevallen in het kasteel van Blois, en die avond steeg de vochtige lucht uit de Loire op en rook ik de stank van verrotting. Het kostte me moeite om het zware boek op mijn dikke buik te laten balanceren, en ik wilde net de moed opgeven toen ik de bladzijde omsloeg en de volgende regels zag.

De jonge leeuw zal de oude overwinnen
Op het strijdtoneel van één enkel duel. Hij zal
in een gouden kooi zijn ogen doorboren, twee
wonden in één, en dan een wrede dood sterven.

Ik hield mijn adem in en schoot overeind, want ik herinnerde me de woorden die de grote astroloog Luca Guorico had geschreven.

Ik moet u dringend waarschuwen geen strijd te voeren in een afgesloten ruimte. Duels en tweegevechten vormen het grootste gevaar en zouden tot een dodelijke slag tegen het hoofd kunnen leiden.

De angst kneep in mijn buik alsof die een spons was. Ik gilde het uit bij die plotselinge lichamelijke kramp en liet het zware boek van mijn schoot glijden.

Tot nu toe had ik het nooit zwaar gehad tijdens een bevalling, maar de pijn die me nu in zijn greep hield, was kwaadaardig, ijzingwekkend en onbekend. Ik stapte uit bed, maar zodra mijn voet de grond raakte, werd ik door de pijn geveld.

Terwijl ik viel, gilde ik om madame Gondi, Johanna en vooral om Hendrik.

Ik ben dapper als ik geconfronteerd word met pijn, maar deze bevalling was zo wreed en langdurig dat ik dacht dat ik zou sterven voordat het eerste kind ter wereld kwam.

Johanna zat naast de baarstoel, en Hendrik kwam aan het begin van de bevalling bij me langs. Hij pakte mijn handen als de pijn erger werd en sprak me tijdens de hele lange ochtend en tot in de hete zomermiddag moed in. We deden net of die extra pijn geen slecht voorteken was, alsof ik het alleen maar zwaarder had omdat ik twee kinderen kreeg in plaats van één. Tot dan toe had mijn langste bevalling tien uur geduurd, maar na tien uur zonder enige vooruitgang, en vervolgens twaalf, begonnen we ongerust te worden. Toen de avondlamp werd aangestoken, kon ik het niet meer opbrengen om opgewekt te blijven. Hendrik ijsbeerde hulpeloos door het vertrek tot ik kribbig werd en hem wegstuurde. Toen hij weg was, verdronk ik in de pijn, me nauwelijks bewust van Johanna's zachte, geparfumeerde handen, die koele compressen neerlegden, of de gefluisterde instructies van de vroedvrouw. Ik viel flauw, en toen ik bijkwam, merkte ik dat ik van de houten stoel naar mijn eigen bed was gedragen.

Het eerste kindje, Victoria, werd tegen de ochtend geboren, bijna zesendertig uur na de eerste martelende kramp. Ze was zwak en grauw, met een ziekelijk huiltje, maar Johanna en de vroedvrouw waren blij, omdat ze dachten dat het einde van mijn beproeving in zicht was. Haar geboorte bracht echter slechts kortstondig verlichting voordat de helse pijn terugkeerde.

Ik begon te ijlen. Ik schreeuwde om tante Clarice, zuster Niccoletta, mijn overleden moeder en Ruggieri. Ik moet ook om Johanna hebben geroepen, want toen ik weer helder werd, hield zij mijn klamme handpalm vast.

Het haarlijntje tussen de fluwelen gordijnen liet een stervend oranje licht zien. Ik voelde de vlugge ademhaling van de vroedvrouw op mijn benen, rook een bekend parfum en hoorde zacht gehuil. Ik wilde tegen Johanna zeggen dat ik het tweede meisje naar haar zou noemen, maar ik merkte dat ik niet kon praten.

Het lamplicht scheen op de ronding van Johanna's wang en maakte van de krulletjes op haar slaap een glanzende stralenkrans. Haar stem was streng, alsof ze iets onvermijdelijks uitlegde aan een onredelijk kind.

'Catharina, de vroedvrouw moet het kind nú uit je buik halen om je leven te redden. Knijp in mijn hand en schreeuw gerust, als je dat wilt. Het is zo voorbij.'

Ik greep Johanna's hand beet. De vaardige handen van de vroedvrouw verergerden mijn pijn. Ik klemde mijn tanden op elkaar toen haar vingers het ongeboren kind in me vonden, en ik bleef zwijgen toen ik voelde dat het werd gedraaid.

Binnen in mij kwamen de handen van de vroedvrouw bij elkaar. Ze hielden kleine ledematen beet en maakten vlugge, scherpe bewegingen. Ik hoorde – nee, vóélde – piepkleine botjes breken en schreeuwde bij het besef dat het meisje nog leefde, dat ze haar verminkten, vermoordden om mij te redden. Ik maaide met mijn armen, gilde en haalde uit naar diegenen die me huilend vasthielden.

Ik jammerde tegen Johanna dat God me strafte omdat ik mijn kinderen met inktzwarte magie had gekocht. Ik smeekte haar om mij in plaats van het kind te laten sterven, om alles goed te maken. Ik smeekte haar om Ruggieri te halen en hem de bezwering ongedaan te laten maken.

Verder weet ik niets meer.

Mijn dochter Johanna stierf bij haar geboorte, als gevolg van de verwondingen die de vroedvrouw haar had toegebracht. Ik zweefde twee weken lang in een koortsachtig niemandsland, en toen ik weer uit bed kon, hoorde ik dat Victoria, de andere helft van de tweeling, stervende was.

Ik ging naar mijn piepkleine, naar adem snakkende dochter. Drie dagen lang zat ik met haar in mijn armen in de kinderkamers. Terwijl ik naar haar magere, gele gezichtje staarde, had ik het idee dat mijn hart smolt en dat ik al mijn liefde over haar uitstortte. Ik fluisterde verontschuldigingen in haar perfecte oortje, ik smeekte haar om vergiffenis. Ze blies haar laatste adem uit terwijl haar vader vlak bij ons stond.

Ik bleef urenlang roerloos bij het lichaampje zitten. Niemand stoorde me, zelfs de koning niet.

In mijn verdriet zag ik geen rechthoek van licht verschijnen toen de deur een stukje openging. Ik hoorde geen vederlichte voetstappen op het marmer, maar ik voelde dat er iemand naast me stond. Toen ik naar mijn elleboog keek, zag ik dat er een jongetje aan mijn mouw trok. Het was Hendrik van Navarra, op dat moment tweeënhalf jaar oud. Zijn ronde bolletje was bedekt met donkere krullen en er stond een bezorgde frons op zijn voorhoofd.

'Tante Catharina,' zei hij slissend, 'chère tante, niet verdrietig zijn.'

'Maar ik moet wel verdrietig zijn,' zei ik. 'Je nichtje Victoria is dood.'

'O.' Daar dacht hij even over na, en hij wiebelde van zijn ene voet op de andere voordat hij zei: 'Maar ze kende ons niet, dus ze zal ons in de hemel niet missen.'

Ik kon niets zeggen, alleen maar huilen.

Getroffen door mijn tranen riep hij met een verdrietige oprechtheid: 'Arme tante! Ik kan doen of ik een van de kindjes ben die je bent kwijtgeraakt. En ik beloof dat ik heel, heel lief zal zijn.'

Ik sloeg mijn armen om hem heen.

'Mijn kleine Hendrik,' zei ik. 'Mijn schat, mijn kind.'

De volgende dag ontving ik van Ruggieri en wel duizend anderen condoleances, maar ik wilde niemand ontvangen. In plaats daarvan ontbood ik madame Gondi in mijn kabinet en dicteerde ik een brief aan Michel de Nostredame uit de Provence.

Tijdens de weken waarin ik op een antwoord wachtte, kwamen de dromen terug.

28

IK ONTVING DE GROTE PROFEET NOSTRADAMUS ALSOF HIJ EEN DIERBARE vriend of een familielid was: informeel, in mijn comfortabele antichambre. Toen de deur openzwaaide om hem binnen te laten, zat ik in mijn eentje naast de lege haard – ik had iedereen weggestuurd, zelfs madame Gondi – en dwong ik mezelf om zwakjes te glimlachen.

Hij kwam hinkend binnen en leunde zwaar op een stok. Blijkbaar vond God het belangrijker om visioenen van een onheilspellende toekomst aan hem door te geven dan hem van zijn jicht te verlossen. Hij zag er verbazend onopvallend uit: klein, gezet en grijsharig, met een ouderwetse lange baard en saaie, versleten kleren, die verfomfaaid waren van de reis.

'Madame la reine,' zei hij met de zachte stem van een zuiderling. Zijn gezicht was rond en licht van kleur, zijn ogen waren vriendelijk en allesbehalve gewichtig. Hij was als jood geboren, maar zijn vader had zich tot het christendom bekeerd en ter ere van de Maagd Maria een uiterst katholieke achternaam aangenomen. Hij nam zijn muts af en boog, terwijl hij wankel op zijn stok balanceerde. Zijn dunner wordende haar viel naar voren en verborg zijn gezicht.

'Ik ben zeer vereerd dat u mij hebt ontboden,' zei hij. 'Ik bid dat ik u en Zijne Majesteit kan dienen, wat u ook van mij verlangt. Vraag om mijn leven en ik schenk het u.' Zijn stem en handen trilden. 'Als u mij van duivelskunsten of ketterij verdenkt, kan ik alleen maar zeggen dat ik mijn hele leven mijn best heb gedaan om alleen God te dienen, en dat ik de visioenen op zijn uitdrukkelijke bevel heb opgeschreven.'

Madame Gondi had me verteld dat hij in de Provence van het ene dorp naar het andere had moeten trekken om arrestatie te voorkomen.

Toen ik besefte dat hij doodsbang was, kreeg ik opeens medelijden met hem. Misschien dacht hij wel dat hij in een val van de inquisitie liep.

'Daar twijfel ik niet aan, monsieur de Nostredame,' zei ik warm, en met een glimlach stak ik mijn hand naar hem uit. 'Daarom heb ik u om hulp gevraagd. Hartelijk dank dat u ondanks uw ongemakken de lange reis hebt gemaakt om ons te bezoeken. We zijn u zeer dankbaar.'

Hij haalde beverig adem en wankelde naar me toe om mijn hand te kussen, waarbij zijn haar vederlicht over mijn knokkels streek. Terwijl hij rechtop ging staan, draaide hij zijn hoofd en zag hij het raam. Hij vergat al zijn zenuwen en werd uiterst kalm, uiterst geconcentreerd.

'Ach,' zei hij, alsof hij het tegen zichzelf had. 'De kinderen.'

Buiten renden Eduard en de kleine Navarra op het grote grasveld achter Margot aan, doof voor de vermaningen van de gouvernante dat ze het rustiger aan moesten doen. Het was halverwege de ochtend, warm en zwoel, maar vreemd genoeg heel donker. Dikke wolken hadden zich al vroeg boven de rivier de Loire samengepakt, in afwachting van een onverwachte augustusbui.

Bij het zien van het tafereeltje slaagde ik erin flauwtjes te glimlachen. 'Zijne Hoogheid prins Eduard vindt het leuk om achter zijn kleine zusje aan te rennen.'

'De twee kleinsten – het jongetje en het meisje – lijken wel een tweeling,' merkte de profeet met een frons op zijn schuin aflopende voorhoofd op.

'Dat zijn mijn dochter Margot en haar neefje, Hendrik van Navarra.'

'De gelijkenis is verbluffend,' mompelde hij.

'Ze zijn allebei drie jaar oud, monsieur. Margot is geboren op 13 mei, Navarra op 13 december.'

'Verbonden door het lot,' zei hij. Hij keek naar me om met lichtgrijze ogen die erg groot, open en indringend waren, als die van een kind. 'Ik heb ook een zoon gehad,' zei hij weemoedig, 'en een dochter.'

Dat verhaal had ik gehoord: de vermaarde arts en genezer stond erom bekend dat hij veel mensen van de pest had kunnen redden, maar toen zijn vrouw en kinderen werden getroffen, had hij hun levens niet kunnen redden.

'Vergeef me dat ik over mijn eigen verdriet begin, madame *la reine*, maar ik heb onlangs gehoord dat u om het verlies van twee dochtertjes rouwt. Er bestaat geen grotere tragedie dan het verlies van een kind. Ik bid dat God uw verdriet en dat van de koning zal verzachten.'

'Dank u, monsieur de Nostredame,' zei ik, en ik veranderde snel van onderwerp om te voorkomen dat ik in huilen zou uitbarsten. Ik gebaarde naar de stoel tegenover me, waar speciaal voor hem een voetenbankje was neergezet. 'U hebt nu al lang genoeg pijn voor me geleden. Gaat u alstublieft zitten. Zal ik u vertellen wanneer de kinderen zijn geboren?'

'U bent te goed, Majesteit. Ja, graag.' Hij ging in de stoel zitten en legde zijn been met een zachte kreun op het voetenbankje.

'Hebt u een ganzenveer en papier nodig, monsieur?' vroeg ik.

Hij tikte met zijn vinger tegen zijn slaap. 'Nee, ik zal alles onthouden. Laten we beginnen met de oudste.'

Ik vertelde hem alle details over de geboortes van de jongens. Ik zei niets over de meisjes, want onder de Salische wet kon een vrouw de Franse troon niet bestijgen.

'Dank u, madame la reine,' zei Nostredame toen we klaar waren. 'Ik zal u binnen twee dagen een volledig verslag geven. Ik heb al het een en ander voorbereid, omdat de geboortedata van de jongens alom bekend zijn.'

Hij maakte geen aanstalten om op te staan, zoals je zou verwachten. Hij bleef me met die heldere, kalme ogen aankijken, en in de daaropvolgende stilte hervond ik mijn stem.

'Ik heb nachtmerries,' zei ik.

Hij hield zijn hoofd schuin – geïntrigeerd, maar totaal niet verbaasd. 'Mag ik openhartig zijn, madame la reine? Ik ben niet de eerste astroloog die de horoscopen van de kinderen opmaakt. U hebt deze informatie allang, is het niet? U hebt me om een andere reden ontboden.'

Ik knikte. 'Ik heb uw boek gelezen,' zei ik, en ik citeerde het vijfendertigste kwatrijn, over de leeuw die in een kooi van goud zou sterven.

Zijn blik werd somber. 'Ik schrijf op wat God me opdraagt, madame la reine. Ik beweer niet dat ik begrijp wat het betekent.'

'Maar ik weet het wel.' Ik leunde naar voren en verborg mijn wanhoop niet langer. 'Mijn man is de leeuw in het vers. Ik heb gedroomd...' Mijn stem brak.

'Madame,' zei hij vriendelijk, 'ik heb de indruk dat u en ik elkaar goed begrijpen – beter dan de rest van de wereld. U en ik zien dingen die voor anderen verborgen blijven. Dingen die we soms liever niet zien.'

Ik wendde mijn blik af en staarde door het raam naar de tuin, waar Eduard, Margot en de kleine Navarra elkaar in een felle straal zon tussen de groene heggen achternazaten. Ik sloot mijn ogen en zag een groot, verschroeid slagveld waarop mijn man lag te spartelen, verdrinkend in een golf van bloed.

'Ik wil niets meer zien,' zei ik.

'Die keuze geeft God ons niet.'

'De koning zal sterven,' zei ik met enige felheid. 'Dat is de betekenis van het vijfendertigste kwatrijn, nietwaar? Mijn Hendrik is voorbestemd om te jong te sterven, om tijdens een oorlog op gruwelijke wijze om te komen, tenzij er iets wordt gedaan om dat te voorkomen. Dat weet u, u hebt erover geschreven in dit gedicht.' Ik keek hem recht in de ogen. 'En ik droom al sinds mijn jeugd dat een man die me in het Frans roept in een plas van bloed op een slagveld zal sterven. Tot ik mijn echtgenoot ontmoette, wist ik niet wie die man was.'

'Het spijt me, madame,' reageerde hij bedroefd. 'Als God u deze visioenen heeft gezonden, moet u ernaar streven om te ontdekken waarom hij dat heeft gedaan. Dat is uw taak.'

'Het is mijn taak om de koning te beschermen,' zei ik. 'Ik heb de taak om voor mijn kinderen te zorgen. En ik probeer het al mijn hele leven te begrijpen, ik probeer erachter te komen wat ik moet doen.'

Monsieur de Nostredame sloeg zijn ogen neer naar het patroon op het tapijt. Zijn gelaatsuitdrukking bleef kalm; misschien bad hij wel.

'Misschien is het de bedoeling dat u niets onderneemt,' suggereerde hij. 'Misschien moet u alleen uw visioenen opschrijven.'

Mijn toon werd kribbig. 'Of misschien komen niet al uw voorspellingen uit. Misschien zijn ze alleen bedoeld als waarschuwing, net als mijn dromen, waardoor gevaar kan worden afgewend. Zou dat niet kunnen, monsieur?'

Hij keek niet op. Zijn gezicht was ontspannen, zijn ademhaling langzaam en diep.

'Ach!' riep hij met trillende oogleden uit. 'Ik zie het bloed aanzwellen! Ik zie het van zijn gezicht stromen!'

'Ja,' fluisterde ik, en toen zei ik iets harder: 'Ja. Maar dit gevaar kan worden afgewend. De toekomst kan toch worden veranderd?'

'Gisteren, vandaag, morgen,' mompelde hij. 'Ze zijn allemaal hetzelfde in de ogen van de Almachtige. Net zoals we het verleden niet kunnen veranderen, kunnen we de voorbeschikte toekomst niet veranderen.'

Mijn handen verstijfden op de armleuningen van de stoel. 'Mijn man is gewaarschuwd dat hij tijdens een strijd een dodelijke verwonding kan oplopen. Zijn sterren instrueren hem: als hij de strijd vermijdt en zijn mannen niet de oorlog in leidt, zal hij veilig zijn. Dat is de basis van de astrologie, monsieur. U moet me zeggen of Frankrijk weer in oorlog raakt. U moet zeggen wat we kunnen doen om dat te voorkomen.'

'Er komt oorlog,' zei hij. 'Er komt altijd oorlog, en u kunt weinig doen om dat te voorkomen.'

'Maar u weet vast wanneer,' zei ik. 'Wanneer hebt u het visioen over de twee leeuwen gehad, monsieur? Was dat vele jaren geleden?' Ik hield mezelf voor dat het moest zijn geweest voordat Ruggieri de bezwering met het bloed van de prostituee had uitgesproken, voordat we hadden gezorgd dat Hendrik veilig was.

'Vijf jaar geleden,' antwoordde monsieur de Nostredame. 'Maar zelfs nu zie ik het met mijn geestesoog. De voorspelling geldt nog steeds.'

'Dat kan niet waar zijn! Toe, monsieur... Hendrik is mijn leven, mijn ziel. Als hij sterft, wil ik niet meer leven. U moet me vertellen wat ik nog meer kan doen.'

Zijn ogen vlogen open. Zijn blik was open en eerlijk. 'Men mag God niet tegenwerken, madame.'

'Maar God is genadig.'

'God is rechtvaardig,' zei de profeet zachtjes.

'En Hij verhoort gebeden,' pareerde ik. 'Dus als je Hem dringend genoeg smeekt...'

'Zoals Christus Hem in de Hof van Getsemane smeekte?' Zijn toon bleef minzaam. 'Zoals hij bad dat een bittere dood hem bespaard mocht blijven, terwijl hij wist dat een kruisiging onvermijdelijk was?' Hij huiverde, en het volgende moment hing hij plotseling slap in zijn stoel. Toen hij weer begon te spreken, was het met de stem van een ander.

'*Deze kinderen*,' verzuchtte hij. 'Madame la reine, het gesternte van deze kinderen is ongunstig. Ze hadden niet geboren mogen worden.'

Ik veinsde boosheid en legde mijn hand op mijn hart, waar de parel hing. 'Zoiets mag u niet tegen een moeder zeggen. Wat een wrede opmerking.'

Hij negeerde de leugen. 'Het tapijt van de geschiedenis wordt met vele draden geweven, madame. Als er ook maar één wordt vervangen door een zwakke, slechte draad, zal het weefsel scheuren.' Zijn ogen, die nu brandden als vuur, richtten zich op mij. 'Het weefsel zal scheuren en er zal bloed vloeien, meer bloed dan u ooit in een droom hebt gezien. De schade moet worden hersteld.'

Ik werd misselijk en staarde hem aan. Ongetwijfeld zag hij haar met zijn geestesoog, net als ik: de prostituee, wier matte ogen groot werden toen ze Ruggieri's mes op haar keel voelde. Toch kon ik het niet opbrengen om de waarheid hardop te bekennen, zelfs niet aan hem.

Ik fluisterde: 'Ik begrijp het niet...'

'U denkt dat u harteloos bent, madame,' zei hij. 'Dat is beslist niet het geval. Wees op uw hoede voor mildheid. Wees op uw hoede voor genade. Spaar diegenen die uw hart hebben niet. Zelfs dan zal de schade niet makkelijk te herstellen zijn. Er zal nog meer bloed vloeien.'

De schade herstellen: hij had het over Hendrik en de kinderen, ik wist het zeker. Hij wilde dat ik mijn dierbaren in de steek zou laten. Hij wilde dat ik de bezwering ongedaan zou maken. Ik stond abrupt op, waardoor ik hem dwong om uit zijn dagdroom te ontwaken, onhandig naar zijn stok te zoeken en moeizaam overeind te komen.

'Onze audiëntie is voorbij, monsieur,' zei ik koeltjes. 'U hebt gelijk, ik heb vele astrologen en heb uw diensten op dit moment niet nodig. Rust vanavond uit in Blois voordat u ons verlaat. Ik wens u een goede terugreis en hoop dat God u zal beschermen.'

Hij keek me met zoveel empathie aan dat mijn hart brak.

'Het was zwaar,' fluisterde hij. 'Erg zwaar, toen ik mijn vrouw en kinderen kwijtraakte. Maar het was Gods wil, madame. Gods wil.'

Nu sprak de man, niet het orakel, maar ik kon me er niet toe zetten om iets te zeggen. Woedend en hooghartig belde ik om madame Gondi, en daarna keek ik toe terwijl zij de profeet wegleidde.

Ik liep terug naar mijn stoel en boog mijn hoofd. Met mijn vingertoppen duwde ik tegen mijn voorhoofd en mijn slapen. Zo bleef ik met een wirwar van gedachten en emoties zitten tot een vreemd instinct me dwong om op te staan.

Ik liep naar het grote raam, dat uitkeek over de binnenplaats waar de kinderen speelden. Er was iets gebeurd: Eduard en Karel schreeuwden en wezen naar een stapel stenen, terwijl de gouvernante de huilende Margot troostte. Het moest iets ernstigs zijn geweest, want Johanna was op het grasveld verschenen. Ze knielde bij haar zoon om met hem te praten.

Nostredame verscheen, steunend op zijn stok, en hij liep met moeite over het gras tot hij Johanna vanaf een beleefde afstand aansprak. Ik weet niet wat hij zei, maar ze stond op, glimlachte en keek hem nieuwsgierig na toen hij wegliep. Het tafereeltje vervulde me met angst: afgezien van Ruggieri was Johanna de enige die wist dat ik mijn toevlucht had genomen tot zwarte magie om in verwachting te raken. Ze zou nog veel geschokter zijn geweest als ik had bekend dat ik mijn kinderen met het bloed van anderen had gekocht.

Ik haastte me mijn vertrekken uit en rende over de wenteltrap naar de binnenplaats. Tegen de tijd dat ik op het gras naast Johanna stond, was de ziener verdwenen, ongetwijfeld onderweg naar zijn logeervertrek.

'Maman!' brulde de zesjarige Karel onbeleefd, zo opgewonden dat hij zijn goede manieren was vergeten. 'Maman, Margot is bijna gebeten door een slang!'

Ik schrok vreselijk. 'Een slang? Waar is die nu?'

'Weg,' zei Eduard, terwijl ik een opgeluchte zucht slaakte. 'Margot klom op die stapel stenen.' Hij wees ernaar. 'Terwijl ze daar stond, zei Hendrik dat ze naar beneden moest komen, omdat de slang vlak bij haar voeten lag, klaar om haar te bijten!'

'Hendrik!' riep ik uit. 'Wat goed van jou om Margot te redden!'

De kleine Navarra bloosde en kroop weer in zijn moeders armen. Johanna trok hem dicht tegen zich aan en lachte trots. 'Hij is een dappere, lieve jongen,' zei ze.

Ik draaide me om naar Margot om haar te knuffelen en naar haar opgewonden versie van het verhaal te luisteren. Toen ze klaar was, fluisterde Eduard in mijn oor.

'De slang lag onder de stenen, maman. Hendrikje kon hem helemaal niet zien. Niemand kon hem zien, totdat Hendrik een stok pakte en de steen wegduwde, maar hij wist precies waar de slang lag. Hij zei tegen Margot dat ze weg moest lopen.'

Ik glimlachte toegeeflijk, omdat ik dacht dat ik naar een verhaal luisterde dat door een kind een beetje mooier was gemaakt. 'Dat is bijzonder.'

'Hendrik ziet dingen,' siste Eduard. 'Dingen die er niet zijn.'

'Mooi, hoor,' zei ik, alsof ik hem niet serieus nam. Ik gebaarde naar de gouvernante dat ze de kinderen moest ophalen en afleiden, zodat ik onder vier ogen met Johanna kon praten.

Johanna keek haar zoon met een glimlachje na. 'Ik denk dat die slang banger was dan de kinderen, want hij ging er meteen vandoor. Mijn Hendrik zal hem wel opgerold onder de steen hebben zien liggen.'

'Wat zei monsieur de Nostredame tegen je?' vroeg ik.

'Wat?' Ze knipperde met haar ogen. 'O, heet hij zo?' Haar stem kreeg een geamuseerde klank. 'Hij denkt dat hij een waarzegger is. Ik vond zijn directheid eerst beledigend, maar hij was erg aardig.'

'Ja,' zei ik ongeduldig, 'maar wat zei hij tegen je?'

Ze lachte zachtjes. 'Hij kondigde zwaarmoedig aan dat ik een koning had gebaard. En ik zei: "Maar monsieur, ik ben koningin van Navarra – natuurlijk zal mijn zoon op een dag koning zijn." Het was allemaal heel grappig. Wat een mal mannetje.'

'Ja,' zei ik. 'Ja. Wat een mal mannetje.'

Monsieur de Nostredame bleef een nacht in Blois. Zijn koets vertrok bij de dageraad, en toen ik later die ochtend uit bed kwam, merkte ik dat hij een kwatrijn voor me had achtergelaten, geschreven in een krullend handschrift.

Eén streng is nog immer zuiver
Herstel hem en wend het aanzwellende kwaad af
Verbreek hem en Frankrijk zelf zal sterven
Verdronken in het bloed van haar eigen zoons.

Ik kwam sterk in de verleiding om het in het vuur te gooien. Ik was al zo verdrietig om de dood van de tweeling, en Nostredame had het gewaagd om zout in de wonde te strooien.

In plaats daarvan vouwde ik het papier weer op en stopte ik het in een compartiment achter de lambrisering in mijn kabinet.

Mensen die nooit een kind tijdens of vóór de geboorte hebben verloren, denken dat de rouw om een ouder kind of een volwassene groter is, maar zij houden geen rekening met het wonderlijke verdriet dat je voelt als je iemand liefhebt die je nooit hebt gekend. In de maanden na de dood van de tweeling trok ik me terug. Ik weigerde audiënties te geven, te gaan jagen of zelfs met mijn familie te eten. Toen mijn man vroeg of hij 's avonds weer naar mijn vertrekken mocht komen, verzon ik excuses tot hij het niet meer vroeg. De enige mensen die ik om me heen verdroeg, waren mijn noodzakelijke hofdames en mijn vriendin Johanna.

Ik ging één keer te rade bij Ruggieri, die zijn jaloezie dat ik de beroemde Nostredame had ontboden niet helemaal kon verbergen. Volgens Ruggieri was de toekomst nog plooibaar, ook al had monsieur de Nostredame de dood van mijn echtgenoot voorzien. Hij dacht dat de ziener zich vergiste: God luisterde wel degelijk naar gebeden. Ik had niet de moed om hem te vragen of de duivel dat ook deed.

29

De oude, zieke keizer Karel, de eeuwige, onverslaanbare vijand van mijn man, deed in januari 1556 onofficieel afstand van de troon. Hij liet zijn broer Ferdinand over de Duitse grondgebieden regeren en zijn zoon Filips over Spanje, Napels en de Nederlanden. Ik was blij met het nieuws, omdat ik dacht dat het vrede zou brengen.

Maar in mijn mans negenendertigste levensjaar brak er weer oorlog uit. Een van Filips' onderkoningen, de hertog van Alva, viel de hele zuidelijke regio Campania in Italië aan. Alva's leger veroverde het gebied met een angstaanjagende snelheid en begon aan een opmars naar Rome.

De nieuwe paus, Paulus IV, herinnerde zich hoe verschrikkelijk de vijandelijke keizerlijke troepen ruim twintig jaar eerder in de Heilige Stad hadden huisgehouden. Doodsbenauwd smeekte hij mijn echtgenoot om militaire steun.

Hendrik stemde in en stuurde Frans de Guise met een groot leger naar Campania. Guise was een briljant strateeg, die niet alleen zwoer dat hij Rome zou beschermen, maar dat hij Napels voor Frankrijk zou veroveren. We hadden alle hoop dat de campagne snel zou verlopen, maar onze Italiaanse bondgenoten slaagden er niet in om het geld of het leger te leveren dat ze hadden gegarandeerd.

We kwamen er al snel achter dat Alva's aanval onderdeel van een val was: toen we Guise en zijn leger eenmaal naar Italië hadden gestuurd, viel de hertog van Savoye, Filips' keizerlijke bondgenoot, de regio Picardië binnen, die in het noordwesten van Frankrijk aan het keizerrijk grensde.

Hendrik gaf zijn oude vriend Montmorency opdracht om het gevecht tegen de vijandelijke troepen van Savoye te leiden. Montmorency nam zijn neef mee, de briljante, maar arrogante admiraal Gaspard de Coligny. Voordat ze naar Picardië vertrokken, overlegden ze met de koning en besloten ze tot een strategie die volgens Coligny niet kon mislukken.

Op de laatste, bloedhete dagen van augustus troffen Montmorency en zijn mannen de keizerlijke indringers bij het Franse bolwerk Saint-Quentin, vlak bij de oevers van de rivier de Somme. Mijn echtgenoot was slechts één dagrit van hen verwijderd. Ondanks mijn protesten had hij erop gestaan om zo dicht bij het slagveld te zijn dat hij voortdurend in contact kon blijven met Montmorency. Als regentes van de koning zat ik in Parijs, en het feit dat de stad vanaf het front slechts twee dagen rijden was, maakte de burgers nerveus.

Ik zat met Johanna en de kinderen aan het avondeten toen er een boodschapper in de deuropening verscheen. Verwilderd en hijgend van de lange rit keek de jonge officier me volledig vertwijfeld aan. Voordat hij een woord kon zeggen, excuseerde ik me en liep ik naar de hal, waar ik de deur achter ons dichtdeed.

'Wat hebt u voor nieuws?' wilde ik weten, verstijfd van angst.

'Ik ben gestuurd door Zijne Majesteit,' bracht de jongeman hijgend uit, en ik slaakte een diepe zucht van opluchting.

'Is de koning ongedeerd?' vroeg ik.

'De koning is ongedeerd,' bevestigde hij. 'Maar ons leger heeft bij Saint-Quentin een zware nederlaag geleden. We hebben een derde van onze troepen verloren... en connétable Montmorency en zijn hoogste officieren zijn gevangengenomen. Ze zijn onderweg naar een Spaanse gevangenis.'

Ik sloot mijn ogen bij het horen van dat nieuws. Ik treurde om de doden, maar aan hun lijden was tenminste een einde gekomen. Ik rouwde meer om Montmorency, om de vernedering en de martelingen die hij nu zou ondergaan.

'Zeg alstublieft niet dat de koning van plan is om de troepen te hergroeperen en zelf het gevecht tegen de hertog van Savoye te leiden,' zei ik.

'Zijne Majesteit keert terug naar Parijs om met zijn adviseurs te overleggen. Hij heeft gezworen dat hij deze nederlaag zal wreken.'

Ik dreigde door mijn knieën te zakken. Ik legde mijn hand op de muur en leunde er met mijn volle gewicht tegenaan. 'Dank u,' fluisterde ik. 'Dank u...'

Ik hoorde alleen maar dat Hendrik terug naar Parijs zou komen – terug naar mij. Tranen van opluchting prikten in mijn ogen; ik was zo dom om te geloven dat mijn man nooit naar het slagveld zou terugkeren en gespaard zou blijven.

Op dat moment wist ik nog niet dat mijn ergste vrees juist door Montmorency's gevangenschap bewaarheid zou worden.

Koning Filips van Spanje was niet zo'n briljant strateeg als zijn vader. Hij had zijn troepen opdracht moeten geven om rechtstreeks naar Parijs te marcheren, want ze hadden de stad makkelijk kunnen veroveren. In plaats daarvan gaf hij zijn mannen opdracht om een paar kleine steden in het noorden te veroveren – een tijdverspilling die in ons voordeel werkte. De winter kwam dreigend dichterbij, waardoor de mannen van Filips zich moesten terugtrekken.

In de tussentijd kwam mijn Hendrik naar huis. Ik zag hem nauwelijks: achter gesloten deuren voerde hij de hele dag overleg met zijn adviseurs, waarbij hij plannen besprak die zo vertrouwelijk waren dat hij ze niet met zijn vrouw kon delen. Tijdens die bittere maanden werd Hendrik zichtbaar ouder. Er verschenen witte haren op zijn slapen en rimpels onder zijn ogen. Zijn glimlach, die we vroeger zo vaak zagen, was nu afgetobd en zeldzaam geworden.

Vanaf een afstand maakte ik me zorgen. De kinderkamers waren mijn enige afleiding, en zelfs die vreugde werd overschaduwd door teleurstelling. Frans was bijna veertien, net als zijn vader en ik toen we trouwden, maar lichamelijk en geestelijk was hij nog steeds een kind. Zijn zus Elizabeth, bijna dertien, leek jaren ouder, en zijn verloofde Maria was op haar vijftiende een briljante, begaafde jonge vrouw. Ik twijfelde er niet aan dat Maria zou regeren als Frans de troon erfde. Mijn tweede zoon, Karel, leed aan abcessen en andere ontstekingen, maar zijn slechte gezondheid verhulde niet dat hij tekenen van waanzin vertoonde: we moesten hem opsluiten om te voorkomen dat hij de andere kinderen tot bloedens toe beet. Toen de gouvernante even niet oplette, was hij erin geslaagd om de nek van de kleine spaniël van de kinderen met zijn blote handen te breken. Mijn echtgenoot verving het dier door een jong hondje, op voorwaarde dat het achter slot en grendel verdween als Karel in de buurt was. Alleen Eduard, die toen zes was, groeide uit tot een sterke, lange, aardige jongen, net als zijn onafscheidelijke metgezel, de kleine Navarra.

Op een koude winterdag zat ik in Parijs met Eduard, Maria en de kleine spaniël in mijn antichambre, waarvan de hoge ramen over het troebele, modderige, laagstaande water van de Seine op de twee torens van de Notre-Dame uitkeken. Het was een sombere dag, met loodgrijze wolken die in elke andere noordelijke stad misschien wel sneeuw zouden aankondigen. Maria had geleerd om beleefd tegen me te zijn en had zich er volgens mij bij neergelegd dat ik gezond was en waarschijnlijk niet snel zou sterven. Ze kwam steeds vaker naar mijn vertrekken om de kunst van het borduren te leren. Eduard vergezelde haar die dag en speelde lief met het hondje, dat ons met zijn capriolen aan het lachen maakte.

Die ochtend werkten Maria en ik aan haar bruidsjurk, een somptueus gewaad van glanszijde in haar favoriete kleur, wit. Het was een vreemde keuze voor een bruidsgewaad, vooral in Frankrijk, waar wit de rouwkleur voor koninginnen was. Toch wilde Maria per se een wit gewaad, en ik moet erkennen dat de kleur haar erg goed stond. We waren druk bezig om witte koningslelies op het lijfje te borduren toen madame Gondi met een brede glimlach in de deuropening verscheen.

'Madame la reine!' riep ze. 'Vergeef me, maar u hebt een bezoeker die me geen toestemming geeft om hem aan te kondigen! Hij zegt dat u dolblij zult zijn om hem te zien.'

Ik fronste mijn wenkbrauwen, want ik had geen idee wie er zo onbeleefd zou zijn. 'Stuur hem maar naar binnen.'

Madame Gondi stapte opzij. Met zelfverzekerde passen kwam er een man binnen, dramatisch gekleed in een blauwfluwelen wambuis in Italiaanse stijl, met enorme mouwen van goudbrokaat. Zijn hoofd was klein voor zijn lichaam, wat misschien de enorme muts met pluim op zijn wilde krullen verklaarde. Hij had een heel lange zwarte snor, die krulde, net als zijn haar. Zodra hij me zag, begon zijn gezicht te stralen.

'Cat!' riep hij. 'O, Cat, wat zie je er voornaam uit! Indrukwekkend, Majesteit!' Hij nam zijn muts af en zwaaide hem opzij terwijl hij diep boog. Daarna rechtte hij zijn rug en kwam hij met gespreide armen op me af, duidelijk van plan om me te omhelzen.

Ik staarde hem een paar tellen schaapachtig aan tot ik iets in zijn ogen herkende, tot iets in zijn krullen me aan kinderkrulletjes deed denken. Ik liet Maria's gewaad vallen en sprong op. 'Piero! Mijn Piero!'

Terwijl Eduard en Maria verbaasd toekeken, vielen we elkaar huilend en lachend om de hals. Toen ik me van hem losmaakte, legde ik mijn hand op zijn gezicht, dat niet meer mollig was, maar mannelijk en verweerd door vele veldslagen.

Omwille van de kinderen sprak ik hem in het Frans aan. 'Piero, jij vocht in Italië, met de hertog van Guise. Wat brengt je naar Parijs?'

'Je echtgenoot,' antwoordde hij, met zijn armen nog om mijn middel.

'Hij heeft mij en monsieur Guise naar Frankrijk geroepen. Het ging niet zo goed in Italië, en daarom heeft hij andere plannen met ons.' Hij zweeg om beleefd naar Eduard en Maria te glimlachen. 'Zijn dit je zoon en dochter? Wat een mooie kinderen!'

'Dit is Maria, koningin van Schotland,' antwoordde ik. 'Binnenkort wordt ze de dauphine.'

Piero hield zijn enorme muts nog steeds in zijn hand. Hij liet hem dramatisch langs zijn lichaam zwaaien, terwijl hij zo'n diepe buiging maakte dat zijn hoofd bijna ter hoogte van zijn knieën kwam. 'Majesteit,' zei hij. 'Vergeef me dat ik me niet netjes heb laten aankondigen. Ik dacht dat er slechts één koningin aanwezig was. U bent werkelijk zo mooi als iedereen zegt.'

Maria, die doorgaans onvriendelijk tegen onbekenden was, giechelde en gooide haar haren naar achteren.

'En dit is mijn zoon Eduard,' zei ik.

Eduard krabbelde overeind en boog beleefd. Het hondje begon opgewonden te blaffen tegen Piero. Eduard tilde het op en zei dat het stil moest zijn.

'Hoogheid,' zei Piero, 'u bent al een echte jongeman. Uw moeder zal wel trots op u zijn.'

Ik riep madame Gondi om de kinderen terug naar de kinderkamers te brengen, en daarna gaf ik mijn neef een arm voor een rondleiding door het Louvre.

Na een poosje, toen de opwinding over de ontmoeting wat was gezakt, vroeg ik: 'Heeft de koning zijn militaire plannen al met je besproken?'

'Ik ben nog maar net gearriveerd,' antwoordde mijn neef. 'Ik weet niet precies wat de strategie wordt, maar ik weet wel wat het doel is.'

'Wat dan?' drong ik aan.

Piero keek om zich heen of we alleen waren en zei toen zachtjes: 'Nou, we gaan Calais veroveren, natuurlijk.'

'Calais!' riep ik uit, maar hij maande dat ik zachter moest praten. Ik deed wat hij had gezegd en zei: 'Piero, dat meen je niet!' De noordelijke stad Calais was al heel lang een Engels bolwerk. Het werd als onneembaar beschouwd, en een bekend Engels versje luidde zelfs: '*Then shall the Frenchmen Calais win/when iron and lead like cork will swim*' – de Fransen zullen uit Calais blijven/tot ijzer en lood als kurk gaan drijven.

Ik begreep wel waarom mijn echtgenoot Calais wilde veroveren: de stad was geliefd bij koningin Maria van Engeland, de vrouw van Filips, die inmiddels de bijnaam 'de Bloedige' had gekregen omdat ze zo fanatiek protestanten liet doden vanwege hun geloof. Een inval in Calais zou een persoonlijke belediging aan haar adres zijn, en daardoor ook aan dat van Filips en het keizerrijk. Ik moest er niet aan denken dat Hendrik zich de woede van Engeland én Spanje op de hals zou halen, en het was trouwens onmogelijk om Calais te veroveren.

'Welnee,' wierp Piero enigszins verontwaardigd tegen. 'Denk nu even na, Cat. Niemand verwacht die invasie, dus we hebben het voordeel van een verrassingsaanval. Zijne Majesteit heeft al zijn troepen uit Italië teruggetrokken. Samen met een paar huurlingen doen we allemaal mee aan de inval. We kunnen niet verliezen.'

'Dat zei Hendrik ook over Saint-Quentin,' zei ik op vernietigende toon. 'Alsjeblieft, Piero, breng mijn man op andere gedachten. Hij wil wraak omdat Montmorency gevangen is genomen. Maar dit is waanzin. Vechten tegen Spanje is één ding, maar vechten tegen Spanje én Engeland is een heel ander verhaal.'

'Met alle respect, Majesteit.' Piero's grootsprekerij maakte plaats voor een kalme vastberadenheid. 'Het is geen waanzin, maar een briljant plan. En we zullen overwinnen.'

Daarna hadden we het over andere, aangenamere onderwerpen. Ik zei niets tegen de koning, die razend zou zijn geweest als hij hoorde dat Piero een staatsgeheim had onthuld. Maar met de dag werd ik bezorgder en groeide mijn angst dat Frankrijk zich tijdens het eenenveertigste levensjaar van de koning in een oorlog zou bevinden.

Frans, de hertog van Guise, arriveerde later die middag met veel ophef in het Louvre. Voor het oog van het hele hof knielde hij voor mijn man, die hem vlug liet opstaan en hem omhelsde als een broer. De verzamelde menigte begon te juichen, alsof Guise in Italië niet had gefaald.

Wekenlang deed ik net of ik niets wist van Hendriks plan om Calais midden in de winter te bestormen, als het weer zo guur was dat alleen de grootste dwaas een oorlog zou beginnen. En toen mijn echtgenoot uiteindelijk naar mijn slaapvertrek kwam, laat op de avond van 1 januari 1558, was hij niet op zoek naar liefde, maar kwam hij bekennen dat hij Guise met een leger naar Calais had gestuurd, met Piero als plaatsvervangend bevelhebber.

Ik wilde Hendrik stevig de mantel uitvegen vanwege die dwaze onderneming, maar de teerling was al geworpen. Ik verbeet mijn verwensingen en vertelde mijn echtgenoot in plaats daarvan dat ik bad voor een goede afloop. Er zat niets anders op.

Ik was totaal niet voorbereid toen Hendrik slechts twee weken later midden op de dag mijn vertrekken binnenstormde. Ik zat met Elizabeth te borduren toen de houten deur met veel kabaal tegen de stenen muur klapte. Ik schrok zo hevig dat ik me prikte. Toen ik van mijn bloedende vinger opkeek, zag ik mijn echtgenoot staan, die van oor tot oor grijnsde.

'We hebben Calais veroverd!' riep hij uit. 'Het is Guise gelukt!'

Elizabeth slaakte een gil van blijdschap en liet haar naaiwerk vallen. Ik sloeg mijn armen om hem heen en begroef mijn gezicht in zijn borst, omdat ik dacht dat mijn echtgenoot eindelijk geen gevaar meer op het slagveld hoefde te duchten.

Het werd vrede. Filips van Spanje, bij wie het verlies van Calais hard was aangekomen, stemde erin toe om met Hendrik over de vrijlating van Montmorency te onderhandelen. In de tussentijd werden alle vijandelijkheden gestaakt.

Toen Frans de Guise deze keer van het slagveld terugkwam en voor de troon knielde, zei Hendrik dat hij van de kroon mocht vragen wat hij wilde en dat zijn wens ingewilligd zou worden, 'om je verbluffende overwinning voor Frankrijk te vieren'.

Destijds was Guise negenendertig, bijna even oud als mijn man en ik, maar door de ontberingen van de oorlog zag hij er veel ouder uit. Hij was inmiddels bijna helemaal kaal, en zijn huid vertoonde littekens van de pokken en scherpe zwaarden.

'Ik heb slechts één wens,' verkondigde hij met luide stem, 'en dat is dat mijn nichtje met uw zoon trouwt voordat God me uit dit leven wegneemt.'

'Het zal geschieden,' kondigde Hendrik aan, onder luid gejuich van de hovelingen. 'Hierbij krijgt u de leiding over alle voorbereidingen, Uwe Doorluchtigheid. Doe wat u wilt.'

De hertog van Guise wilde dat zijn nichtje Maria op 24 april met de dauphin zou trouwen.

Eerst was er echter de kwestie van het huwelijkscontract. Het Schotse parlement stemde er vlug mee in dat Frans koning van Schotland zou worden in plaats van prins-gemaal, maar als Frans als eerste stierf, wilden ze dat Maria koningin van Frankrijk werd. Dat was tegen de Salische wet, die het vrouwen verbood om de Franse troon te bestijgen.

Normaal gesproken zou ik mijn mond hebben gehouden en alle onderhandelingen aan mijn man hebben overgelaten, maar de gedachte dat Maria voorrang boven mijn eigen zoons zou krijgen, maakte me razend. Ik ging naar Hendrik en sprak op scherpe toon over de noodzaak om de kroon voor onze erfgenamen te behouden. Hij luisterde zwijgend en geduldig, en toen ik eindelijk mijn hart had gelucht, glimlachte hij vriendelijk en pakte hij mijn hand.

'Ik zal zorgen dat onze zoons niet terzijde worden geschoven, Catharina. Maria zal nooit in haar eentje over Frankrijk regeren.'

'Ik had liever dat ze helemaal niet zou regeren,' zei ik bitter. Ik was zo geagiteerd dat ik bijna mijn hand terugtrok.

Hendrik wist natuurlijk dat Maria en ik elkaar niet mochten, en hij wenste oprecht dat de situatie anders was. Maar in dit geval was hij het met me eens, en uiteindelijk stond er in het contract dat Maria's recht op de Franse troon zou vervallen als Frans overleed. Het was een voorwaarde die de Guises erg teleurstelde, maar Hendrik was onvermurwbaar.

De trouwdag, 24 april, begon met een rode, warme zonsopgang. Ik had weinig geslapen, want ik had een groot deel van de nacht mijn huilende zoon Frans getroost, die doodsbang was dat hij zichzelf zou vernederen door te stotteren of flauw te vallen. Bij de dageraad zat ik nog steeds naast mijn slaperige zoon. Zijn ogen waren zo opgezwollen dat hij ze bijna niet meer open kreeg, en zijn gezicht was opgeblazen en vlekkerig. Ik liet koude compressen komen en legde ze voorzichtig op zijn ogen en wangen.

Tegen de middag waren wij, de koninklijke bruiloftsgasten, allemaal gekleed. Hendrik en ik droegen sobere kleding om Maria en onze zoon te laten stralen. De andere koninklijke kinderen waren er ook, allemaal op hun mooist aangekleed. Elizabeth – inmiddels dertien en in haar lichtblauwe fluwelen gewaad een beeldschone jonge vrouw – zorgde ervoor dat de kleintjes zich gedroegen zoals het prinsen en prinsessen betaamde. Waarschijnlijk zou zij de volgende zijn die trouwde, want Hendrik had al huwelijkskandidaten op het oog. Met uitzondering van Maria, die buiten ons gezichtsveld in een nis wachtte, verzamelden we ons bij de hoofdingang van het paleis. De ooms van de bruid zagen er heel voornaam uit. De kardinaal van Lotharingen droeg scharlakenrood satijn en een groot kruis met robijnen. De grondlegger van de feestelijkheden, de hertog van Guise, was van top tot teen in zilver en diamanten gekleed, alsof hij de bruidegom was.

De aanblik van mijn Frans in zijn mooie gouden wambuis was zowel meelijwekkend als ontroerend. Hij was ongeveer net zo groot als zijn bijna achtjarige broer Karel. Zijn hoofd was te groot voor zijn lijf, en hij had nog steeds een hoog, jongensachtig stemmetje. Toch was hij erin geslaagd om zich een koninklijke waardigheid aan te meten. Toen Elizabeth zich bukte om haar oudere broer een kus op zijn wang te geven en zei dat hij 'een van de knapste mannen was die ze ooit had gezien', kreeg Hendrik tranen in zijn ogen en pakte hij mijn hand om er een kneepje in te geven.

Op de binnenplaats wachtten de koetsen, versierd met wit satijn en lelies. Hendrik en Frans stapten in de eerste koets, en toen zij uit het zicht verdwenen waren, kwam Maria uit het paleis.

Ze was een beeldschone, donkerharige engel in wit satijn en glinsterende diamanten, en op haar hoofd droeg ze een met juwelen bezaaid gouden kroontje. We hielden allemaal onze adem in toen we haar zagen. Ze glimlachte, omdat ze wist dat ze er heel mooi uitzag, en haar enorme sleep ruiste over de kasseien toen ze naar de wachtende koets liep, ondanks de twee meisjes die dapper hun best deden om hem omhoog te houden. Toen ze eenmaal met haar twee jonge bruidsmeisjes in de koets zat, stapte ik in. We staken de Seine over naar het Île de la Cité. Onze bestemming was het paleis van de kardinaal de Bourbon, naast de Notre-Dame.

Daar begon onze bruidsstoet aan zijn langzame tocht langs het volk. Guise had de leiding gehad over de bouw van een houten galerij, die van de treden van het aartsbisschoppelijke paleis naar de treden van de kathedraal leidde. De galerij was van boven naar beneden met paars fluweel bedekt en versierd met Maria's witte lelies en zilveren linten. Op het fluweel stonden buitenlandse hoogwaardigheidsbekleders, ambassadeurs, prinsen en hovelingen, die de bruid allemaal goed wilden zien. De kardinaal liep met Frans voorop. Maria liep er een flink stuk achter, gearmd met de koning. Daarna kwam ik, aan het hoofd van mijn kinderen, gevolgd door Diane en mijn hofdames. Als laatsten kwamen Frans de Guise en zijn broer.

De geur van versgekapt hout riep herinneringen op aan die ene dag lang geleden, toen ik een angstige, kwetsbare bruid was geweest. De menigte hield bewonderend de adem in toen Maria passeerde, en buiten maakten juichende Parijzenaars een oorverdovend kabaal. Ik glimlachte toen ik mijn neef Piero zag, zwierig gekleed in een donkerblauw uniform, en schrok toen mijn blik die van Cosimo Ruggieri kruiste. Hij zag er bijzonder mooi uit – als je dat van een lelijke man kunt zeggen – in een nieuw wambuis van donkerrood brokaat, afgezet met zwart fluweel. Rood en zwart, kleuren die aan bloed en de dood deden denken, aan wat er nodig was geweest om dit moment te bereiken.

Hij glimlachte breeduit – een uitdrukking die niet helemaal op zo'n bleek, spookachtig gezicht paste. Opeens voelde ik een golf van genegenheid voor hem, en ik glimlachte terug, omdat ik wist dat ik zonder hem niet meer had geleefd en de geboorte van mijn zoon niet zou hebben meegemaakt. Onze blik was intiemer dan alle blikken die ik ooit met mijn echtgenoot had gedeeld.

Onze stoet verliet de galerij en beklom de trappen van de Notre-Dame, vol in het zicht van het houten amfitheater waar duizenden vrolijke, lawaaierige burgers zaten, in bedwang gehouden door Schotse wachters en hekken. Guise had besloten dat Maria omwille van het volk niet in de kathedraal zou trouwen, maar erbuiten. De kardinaal stond stil bij de grote centrale ingang, het Portaal van het Laatste Oordeel, onder het indrukwekkende roosvenster, een medaillon van glas-in-lood en steen. Frans stond op een armlengte van de aartsbisschop stil, draaide zich naar het volk en wachtte op zijn bruid.

Toen Maria arriveerde en tussen mijn zoon en de koning in ging staan, werd het volk stil. De plechtigheid was kort. Toen de kardinaal de bruid en bruidegom om een gelofte vroeg, gaf de dauphin wonder boven wonder antwoord zonder één keer te stotteren. Maria's antwoord was krachtig en zelfverzekerd. De koning haalde de ring tevoorschijn – een eenvoudige gouden band – en gaf die aan de kardinaal, die hem om Maria's vinger schoof. De kardinaal wachtte even – het teken dat de dauphin zijn mooie, kersverse bruid mocht kussen.

Maar Maria riep volkomen onverwachts hardop uit: 'Gegroet Frans, koning van Schotland!' Ze knielde en boog diep, waardoor er om haar heen een poel van witte rokken leek te ontstaan.

Het was een briljant toneelstukje. De burgers, die al betoverd waren door Maria's waardigheid en schoonheid, lieten een oorverdovend, goedkeurend kabaal horen bij zoveel nederige eerbied voor hun toekomstige koning.

Ik keek over mijn schouder naar de edelen die zich achter ons op de treden van de kathedraal hadden verzameld. Op alle gezichten zag ik waardering voor Maria's lieve gebaar, maar één gezicht glimlachte niet. Cosimo Ruggieri had haar door. In zijn zwarte ogen en op zijn witte gezicht zag ik dezelfde duistere vurigheid die ik dertig jaar eerder in Florence had gezien, toen hij een boosaardig woord had uitgesproken.

Verraad...

Na de plechtigheid gingen we terug naar het paleis van de kardinaal voor het traditionele feest, gevolgd door een bal. Ik stond naast Maria toen haar oom Frans de Guise haar kwam halen om met haar te dansen. Hij was al dronken en fluisterde veel te luid in haar oor: 'Nu ben je koningin van twee landen.'

Die opmerking leek Maria te amuseren, en ze keek me met een sluw, kattig glimlachje aan toen Guise haar meenam.

De zon ging al onder toen we over de brug terugkeerden naar het Louvre. Maria zat op een draagstoel, en het wegstervende licht schilderde haar huid en gewaad helder koraalrood. We waren uitgeput toen we weer in het paleis kwamen, maar Guise was nog niet klaar met zijn overdadige schouwspel. We werden naar de grote balzaal van het Louvre geleid. De koning kwam binnen in een vernuftig mechanisch bootje, dat was versierd met lelies en wit satijn en uitgerust met zilveren zeilen. Begeleid door zeevaartmelodieën gleed de boot over de marmeren vloer alsof hij op zee dreef. Hij stopte voor Maria, waarna mijn grijnzende echtgenoot haar in het bootje hielp en langzaam met haar een ronde door de balzaal maakte, tot verwondering van de gasten.

Terwijl ze van me weg zeilden, verscheen er een tweede boot, waarin mijn zoon zat. Omwille van het publiek bleef ik glimlachen terwijl ik naast hem op het fluwelen kussen ging zitten, maar ik slaakte een vermoeide zucht toen ik zijn wang kuste.

'Bent u erg moe, maman?' vroeg hij. Zijn ogen vielen bijna dicht van vermoeidheid, maar hij had een goed humeur en was duidelijk hevig opgelucht dat hij de plechtigheid goed had doorstaan.

'Een beetje,' antwoordde ik, en ik tikte op zijn knie om hem gerust te stellen. 'Maar niet zo moe als jij.'

Hij knikte ernstig, ten teken dat hij het met me eens was. 'Maria is mooi, vindt u niet?' vroeg hij opeens.

'Zeker,' antwoordde ik, en ik aarzelde even. 'Frans... je weet dat Maria een zeer eigenzinnige jonge vrouw is.'

'Ja,' zei hij met zorgeloze onschuld. 'Ze kan heel koppig zijn.'

'Daarom moet je leren dat je haar je wil moet opleggen. Anders zal zij in jouw plaats proberen te regeren als je koning bent.'

Meteen sloeg hij zijn ogen neer. 'Maria houdt van me. Ze zou nooit iets slechts doen.'

'Dat weet ik,' zei ik geduldig. 'Maar als je vader en ik er niet meer zijn en jij koning bent, moet je goed onthouden dat jij de enige bent die beslissingen mag nemen.'

Terwijl ik aan het woord was, zag Frans zijn bruid naast Hendrik rijden en zwaaide hij enthousiast tot hij haar aandacht had getrokken. Ze wierp hem een kushandje toe, en hij grijnsde schaapachtig naar haar tot haar bootje uit het zicht verdween.

'Frans,' zei ik, 'er is in je leven maar één ding dat je me moet beloven.'

Hij keek met grote, onschuldige ogen naar me op. Hij was al vergeten waar we het over hadden. 'Natuurlijk, maman!'

Ik haalde diep adem. 'Beloof me dat je Maria geen beslissingen laat nemen als je koning bent. Beloof dat je naar je adviseurs zult luisteren.'

'Maar de Guises worden toch mijn adviseurs? En Maria is het altijd met hen eens. Dus dat wil ik wel beloven.' Hij boog zich naar me toe en kuste mijn wang.

'Dank je,' zei ik teder. 'Je bent een lieve zoon.' De moed zonk me in de schoenen toen ik besefte dat ik het me niet kon veroorloven om te sterven zolang mijn oudste zoon in leven was.

30

Er volgden vijf dagen van pracht, praal en spelen, en de feestelijkheden rond de bruiloft werden afgesloten met het gebruikelijke steekspel. Volgens de traditie moest de bruidegom aan het laatste steekspel van de dag deelnemen, maar de slechte gezondheid van Frans liet dat niet toe. Hij zat met Maria, Diane en mij op de tribune om zijn atletische vader aan te moedigen.

Met tegenzin zat ik nog een banket uit dat door Frans de Guise werd gegeven, en daarna trok ik me terug in mijn vertrekken. Tot mijn verbazing kwam Hendrik niet lang daarna naar me toe.

Hij bukte zich toen ik op mijn tenen ging staan om hem te kussen. Zijn gezicht was nog rood en warm van het steekspel, en hij rook naar zeep. Ik bekeek hem aandachtig: hij was niet met amoureuze plannen naar me toe gekomen. Ik had gelijk, want hij zakte onderuit op een stoel en slaakte een zucht van uitputting. Een vermoeide man zou gewoon in bed zijn gekropen.

'Wat zit je dwars, echtgenoot?' Ik draaide er niet omheen. We waren allebei te moe van de recente feestelijkheden om tijd aan formaliteiten te verspillen.

Zijn geveinsde glimlach verdween. Hij draaide zijn gezicht naar de haard, die aan het einde van de lente niet brandde, en slaakte weer een zucht.

'Frans,' zei hij uiteindelijk. 'En Maria...'

Ik had niet gevraagd naar de huwelijksnacht, dat had ik niet gedurfd. Mijn oudste zoon had de huwelijksceremonie wonder boven wonder overleefd, maar ik durfde niet te hopen dat hij het huwelijk kon overleven.

'Je weet dat ik erbij moest zijn als getuige,' begon Hendrik. 'Als het nu om een andere jongen was gegaan, een gezonde, normale jongen, zou het misschien niet moeilijk zijn geweest. Maar nu het onze Frans betrof... Het was vreselijk.'

Zijn stem klonk zacht en monotoon terwijl hij met een matte blik naar de zwart geworden, lege haard staarde, waarin het kamermeisje ter ere van het bruidspaar een grote kristallen vaas met witte lelies had neergezet. 'Ik had Frans alles uitgelegd over... je weet wel, het huwelijksbed. Ik dacht dat hij het had begrepen. Maar toen ik aankwam, lagen hij en Maria samen onder de lakens... Hij lag daar maar gewoon. Ik moest hem toefluisteren dat hij bezit van haar hoorde te nemen, maar hij zei dat hij veel te moe was.

Ik schaamde me diep,' vervolgde Hendrik. 'Ik greep hem bij zijn schouder en zei in zijn oor dat ik niet de enige was die stond te wachten. Hij moest ook rekening houden met de kardinaal, die verslag aan de paus moest uitbrengen. Toen raakte hij van streek en viel hij weer flauw, daar in dat bed. Ik moest de dokter erbij halen, die ons adviseerde om tot de volgende ochtend te wachten.'

'Arme Hendrik,' zei ik hoofdschuddend. 'Arme Frans... Kon er iets aan gedaan worden?'

'De volgende ochtend zei Frans dat hij zich niet goed voelde,' vertelde mijn echtgenoot ongelukkig. 'Maar hij had andere afspraken, en Maria stond niet toe dat hij er eentje miste. Ik heb talloze grappen te verduren gekregen over de eerste nacht van het pasgetrouwde stel... Maar hoe kon ik iemand de waarheid vertellen? Hoe kan ik ooit iemand de waarheid vertellen?'

Ik legde mijn hand voorzichtig op Hendriks onderarm. 'Is er iets...'

'Of er iets gebeurd is?' vulde hij zonder een spoortje humor aan. 'Ja, op de tweede avond is er iets gebeurd. Laten we het er maar op houden dat Frans een poging heeft gedaan, maar niet vastberaden genoeg was om het af te maken. Hij was zo bang, de arme jongen, en ziek, en ik heb hem snikkend in Maria's armen achtergelaten. Daarom heb ik tegen iedereen gelogen – ook tegen de kardinaal, die na mij binnenkwam en veronderstelde dat ze voldaan in elkaars armen uitrustten. Aan iedereen die het vraagt, zal ik bij God zweren dat het huwelijk is geconsummeerd. Maar ik ben bang dat Maria iets tegen Diane heeft losgelaten. En als zij het weet...' Hij schudde zijn hoofd bij de gedachte.

'O Hendrik, wat vreselijk voor jullie allemaal.'

'Het is inderdaad vreselijk.' Eindelijk keek hij me weer aan. De zilvergrijze haren in zijn haar en baard glinsterden in het gele lamplicht. 'Ik zou niet weten wat ik nog meer tegen die jongen kan zeggen. Daarom kom ik bij jou – hij houdt heel veel van je, Catharina, en jij bent er altijd beter in geweest om hem van alles uit te leggen. Zou jij...'

'Ik ga wel naar hem toe,' zei ik vlug. 'Hij moet begrijpen dat het van levensbelang is om een erfgenaam te verwekken.' Ik legde mijn hand op de zijne en glimlachte. 'Per slot van rekening weet ik nog hoe het voelde om een nerveuze jongeman in het bruidsvertrek op zijn gemak te stellen.' Mijn toon werd weer ernstig. 'Maar je moet de Guises duidelijk maken hoe de troonopvolging is geregeld. Ze willen koning worden. Als het nieuws over het gedrag van de dauphin uitlekt, zou de kwestie van de troonopvolging aan de orde kunnen komen. Als dat gebeurt, moet iedereen goed begrijpen dat de Bourbons de troonopvolgers zijn. De Guises moeten hun plaats weten. Anders ontstaat er onrust – misschien zelfs oorlog.'

De blik in mijn mans ogen werd een beetje harder. 'Ze zijn veel te arrogant. Ik kan dat zelfvoldane gedrag van Frans de Guise nauwelijks meer verdragen. Ik tolereer het alleen omwille van Maria.'

'Maria en haar ooms moeten weten dat de Bourbons voorrang hebben als de troonopvolging een probleem zou worden,' zei ik rustig. 'Hoe moet Frans anders ooit voorkomen dat de twee families elkaar uitmoorden als jij en ik doodgaan?'

Hendrik knikte peinzend. 'Daar zit wat in. Ik zal erover nadenken, Catharina.'

Toen ik de vastberadenheid in zijn ogen zag wankelen, wist ik dat hij weinig zou ondernemen. Toch had ik het zaadje gezaaid, en ik kon alleen maar hopen dat de tijd het water zou geven.

Ik stond op en legde een hand op de schouder van mijn echtgenoot. 'Ik zal met onze zoon praten,' zei ik zachtjes. 'Maak je maar geen zorgen. Hij en Maria zullen zoons krijgen, veel zoons, en dit paleis zal worden gevuld met onze kleinkinderen. Dat beloof ik je.'

Glimlachend keek Hendrik naar me omhoog. 'Dat spreekt vanzelf,' mompelde hij. 'Dat spreekt vanzelf.'

Maar toen ik in zijn ogen keek, zag ik de waarheid die hij ongetwijfeld in de mijne weerspiegeld zag: er zouden geen kinderen geboren worden.

Mijn woorden over problemen met de Bourbons bleken algauw profetisch te zijn: op 14 mei besteeg Anton de Bourbon, de eerste prins van den bloede, zijn paard om aan het hoofd van vierduizend protestanten door Parijs te marcheren. Op een middag staarde ik uit de ramen van het Louvre en zag ik een heel leger van hymnes zingende burgers over de brug van het Île de la Cité marcheren. Hendrik was razend, en de goed katholieke Guises ook.

Ik ontbood mijn vriendin Johanna, Antons echtgenote, en zei dat ik me verraden voelde als iemand aan het hof van deze plannen op de hoogte was geweest zonder de koning te waarschuwen. Johanna was koningin, net als ik, en ze nam me mijn insinuaties niet in dank af. Ze beweerde dat ze er niets van had geweten en voegde er boos aan toe: 'Juist jij zou moeten weten dat een vrouw niet altijd kan bepalen hoe haar man zich in het openbaar gedraagt, en dat ze niet altijd van al zijn geheimen op de hoogte kan zijn.'

Haar opmerking deed pijn. We namen met beleefde woorden afscheid, maar vanaf dat moment ontstond er een verwijdering tussen ons.

Kort na Hendriks bezoek aan mijn vertrekken ontbood ik Ruggieri.

'Wederom is de kwestie van het verwekken van een erfgenaam aan de orde,' zei ik, geërgerd over mijn eigen gêne. 'De dauphin heeft... hulp nodig. Om lust op te wekken.'

De magiër zag er niet goed uit in het ochtendlicht, dat veel te onverbiddelijk op zijn ziekelijk bleke huid, mottige wangen en de kringen onder zijn ogen scheen. 'Een eenvoudige amulet, misschien?' vroeg hij.

'Dat lijkt me heel geschikt, ja,' antwoordde ik. De kamer leek opeens benauwd en warm.

Hij knikte. Een buitenstaander zou zijn gelaatsuitdrukking naïef en onschuldig hebben genoemd. 'Zou het misschien heilzaam zijn om twee amuletten te hebben, één voor een goede gezondheid en één voor vruchtbaarheid?'

'Dat is goed,' zei ik een beetje wrevelig, 'zolang...'

'Ja, madame la reine,' zei hij uiterst beleefd en met een knikje. 'Zolang er niemand kwaad mee wordt gedaan. Ik begrijp het.'

'Heel goed,' zei ik. 'U mag gaan.'

Zijn lange lichaam was nog altijd mager, en hij was gekleed in een zwart zijden wambuis dat te los om hem heen hing. Hij stond op en maakte een buiging, maar toen hij zijn vingers op de deur legde, draaide hij zich naar me om.

'Vergeef me, madame la reine,' zei hij. 'Vergeef me, maar stel dat de amuletten er niet in slagen om een kind voort te brengen...'

Mijn stem werd ijzig. 'Daar slagen ze wel in.'

Hij liet zijn hoffelijke manieren voor wat ze waren en zei onomwonden: 'Zonder bloed kan ik u niets garanderen. De amuletten waarover we het hebben, zullen de gezondheid en de seksuele drift van de dauphin iets verbeteren. De rest wordt door het lot bepaald.' Hij kromp niet ineen onder mijn vernietigende blik, maar voegde eraan toe: 'Ik wil alleen maar duidelijk zijn.'

Achter mijn schrijftafel stond ik op. 'Nooit meer. Dat heb ik u vijftien jaar geleden al gezegd. Dwing me niet om het te herhalen.'

Hij maakte een diepe buiging, verliet vlug het vertrek en deed de deur achter zich dicht. Ik luisterde naar het geluid van zijn snelle voetstappen, dat in de hal wegstierf.

Binnen twee weken leverde madame Gondi een pakje bij me af, dat strak omwikkeld was met linten. Ik maakte het open. Op de zwarte zijde lagen twee amuletten aan een koord – een van robijn, een van koper.

Frans accepteerde het halssnoer zonder iets te vragen en zwoer dat hij er nooit over zou praten of het aan iemand zou laten zien, ook niet aan Maria.

De volgende ochtend werd ik dringend in het vertrek van de koning ontboden. Het was nog vroeg – ik was nog niet gekleed en spoorde mijn dames aan om op te schieten, zodat ik snel naar de koning kon gaan.

Hendriks antichambre zag er heel mannelijk uit, met houten lambriseringen, bruin fluweel en goudbrokaat. Boven de schouw hing het vergulde reliëf van een salamander, het embleem van Hendriks vader, Frans I. Voor de koude haard stond Hendrik zwijgend en roerloos te wachten tot de bediende verdween.

Aan zijn samengeperste lippen en vernauwde ogen was te zien dat hij zijn woede probeerde te bedwingen. Hij was een heel lange man, en ik was heel klein. Ik maakte een diepe reverence en bleef zo staan. 'Majesteit.'

Er volgde zo'n lange stilte dat ik het uiteindelijk waagde om op te kijken.

Hendrik stak zijn hand naar me uit. Op zijn handpalm lag het halssnoer met de amuletten van koper en robijn, dat ik aan Frans had gegeven.

'Wat is dit?'

'Een eenvoudige amulet,' antwoordde ik kalm. 'Voor de goede gezondheid van de dauphin.'

'Ik wil niet dat mijn zoon met zulke verdorven zaken in aanraking komt!' Hij smeet het koord in de lege haard. 'Ik laat het verbranden!'

'Hendrik,' zei ik vlug, terwijl ik opstond, 'het is een onschuldig voorwerp. Een goedaardig voorwerp, gemaakt volgens een wetenschap die op astronomie en wiskunde is gebaseerd.'

'Het is een afschuwelijk voorwerp,' was zijn weerwoord. 'Je weet hoe ik over zulke dingen denk. Hoe kun je onze zoon zoiets geven?'

Ik werd boos. 'Hoe kun je nu denken dat ik mijn eigen kind iets schadelijks zou geven?'

'Het komt door die magiër van jou. Hij heeft je geest vergiftigd, je wijsgemaakt dat je hem nodig hebt. Ik waarschuw je, Catharina. Je zult minder problemen hebben als je hem vandaag nog wegstuurt.'

'Dat ben ik niet van plan,' zei ik verontwaardigd. 'Is dat een dreigement?'

Hij slaakte een diepe, beverige zucht en werd weer wat rustiger. Zijn woede maakte plaats voor een sombere ernst. 'Twee maanden geleden heb ik een petitie bij de paus ingediend om een Franse inquisitie op te zetten.'

Ik verstijfde.

'Vorige week heeft Zijne Heiligheid me toestemming gegeven. Ik heb Karel de Guise de leiding gegeven. Kun je je voorstellen hoe ik me voelde toen de kardinaal dat ding in mijn hand liet vallen?' Vol walging wees hij naar de haard. 'Hoe hij zich voelde toen zijn bange nichtje Maria het bij hem bracht?'

Maria. Die geslepen Maria. Ik had kunnen weten dat Frans niets voor haar verborgen kon houden. 'Wat ga je nu doen, Hendrik? Laat je je echtgenote door een tribunaal ondervragen?'

'Nee,' antwoordde hij. 'Maar als je verstandig bent, zeg je tegen je magiër dat het hof van de koning geen veilige plaats meer voor hem is.'

Mijn wangen begonnen te gloeien. 'Als je hem arresteert, richt je ongewenste aandacht op mij. Dat zou tot geruchten leiden die de kroon alleen maar kunnen schaden.'

'Er zijn manieren om hem te arresteren zonder jou erbij te betrekken,' reageerde hij kil. 'Je bent gewaarschuwd.'

Die middag liet ik Ruggieri naar mijn kabinet komen. Ik gaf hem geen permissie om te gaan zitten – daar hadden we geen tijd voor – maar stak een fluwelen buidel vol gouden ecu's naar hem uit.

'De koning heeft een inquisitie opgezet, en u zult een van de eerste slachtoffers worden. Neem deze buidel aan. Doe het voor mij,' zei ik. 'Rijd ver weg van Parijs en laat niemand weten wie u bent. Bij de zijingang staat een koets te wachten. De koetsier zal u helpen om uw spullen bij elkaar te zoeken.'

Ruggieri vouwde zijn handen achter zijn rug en wendde zijn blik af. Er waren geen ramen in mijn piepkleine kabinet, maar hij leek er een te vinden en staarde naar een tafereel in de verte.

'In uw belang moet ik hier blijven,' zei hij, voordat hij zijn intrigerende ogen weer op me richtte. 'De situatie wordt gevaarlijk, madame la reine. Het eenenveertigste levensjaar van de koning breekt bijna aan.'

'We zijn niet in oorlog,' zei ik luchtig. Ik legde de fluwelen buidel op mijn schrijftafel, tussen ons in. 'En als er oorlog uitbreekt, laat ik Hendrik niet gaan. Dat weet u, monsieur. Stel me niet op de proef.'

'Dat zou ik nooit doen,' zei hij. 'Maar u moet beseffen dat er ook zonder oorlog sprake van een strijd kan zijn.'

'Waar hebt u het over?' wilde ik weten. 'Bedoelt u dat uw magie waardeloos was?'

Hij bleef ergerlijk kalm. 'Elke bezwering – hoe machtig ook – heeft haar beperkingen.'

Er liep een rilling over mijn rug. 'Waarom kwelt u mij?' fluisterde ik. 'Ik probeer u te helpen.'

'En ik probeer u te helpen. Om die reden ga ik niet weg tot mijn leven werkelijk echt in gevaar is.'

Ik mat me een harde, dominante blik, stem en houding aan. 'Ik ben uw koningin,' zei ik. 'En ik beveel u om te gaan.'

Met een ongehoorde onbeleefdheid keerde hij me de rug toe en liep hij naar de deur. Daar stond hij stil om over zijn schouder te kijken. Ik zag een wilde blik in zijn ogen, een flits van de duivel die ik meer dan dertig jaar eerder had gezien, toen iemand uit een vijandige menigte een steen had gegooid die me had geschampt.

'En ik ben Cosimo Ruggieri. Toegewijd aan u, Catharina de Medici. Ik zal u niet in de steek laten tot ik daartoe gedwongen word.'

Hij ging weg en deed de deur zachtjes achter zich dicht.

Daarna sprak ik Ruggieri een aantal dagen niet. Zijn woorden en onbeschaamdheid knaagden aan me, maar maakten me ook bezorgd om hem en Hendrik. In de tussentijd had ik wel contact met mijn spionnen, die de koning en de kardinaal van Lotharingen goed in de gaten hielden.

Tijdens een zomernacht werd ik uit mijn slaap gehaald door een klop op mijn deur en de bewegingen van een flikkerende lamp. Ik mompelde slaperig en wendde mijn gezicht van het licht af.

Toen ik vingertoppen op mijn arm voelde, deed ik mijn ogen open en zag ik madame Gondi, wier gezicht van goud leek in de gloed van de lamp. Ze was nog gekleed in haar nachthemd en had een sjaal over haar schouders gegooid.

'Madame la reine, u moet wakker worden,' fluisterde ze dringend. 'Ze komen hem halen!'

Mijn lichaam was meteen klaarwakker. Ik zwaaide mijn benen over de rand van het bed en liet mijn blote voeten bungelen. Mijn brein reageerde iets trager.

'Wat is er aan de hand?' mompelde ik. 'Wat is er gebeurd?'

'De ambtenaren van de inquisitie. Ze sturen mannen om monsieur

Ruggieri te arresteren – bij het ochtendgloren, als het niet eerder is!'

Ik dwong mezelf om helder te worden. 'Ik moet naar hem toe om hem te waarschuwen,' zei ik. Ik wist dat Ruggieri naar niemand anders zou luisteren.

De ogen van madame Gondi werden groot van ontzetting. 'Maar madame...'

'Een koets,' zei ik vlug. 'Een koets zonder het koninklijke wapen. Stuur hem naar de achterkant van het paleis en kom me dan helpen met aankleden.'

Het licht van de twee koetslampen was te zwak om tijdens die maanloze nacht veel van de duisternis te verdrijven. Het enige geluid dat op straat te horen was, was het gekletter van de paardenhoeven op de stenen. Madame Gondi had erop gestaan om me te vergezellen. Net als ik was ze helemaal in het zwart gekleed en droeg ze een sluier. Haar gezicht dreef boven haar lichaam, onscherp en spookachtig achter de gaasachtige stof.

Het was geen lange rit, want Ruggieri woonde in de straat die aan de westelijke zijde van het Louvre grensde. Onze koets kwam tot stilstand voor een rij smalle huizen, die dicht tegen elkaar aan stonden en twee verdiepingen hoog waren. Nadat de koetsier even onopvallend had gezocht, vond hij het juiste nummer, 83, en hij kwam me uit de koets halen. Ik stond naast hem bij de ingang toen hij aanklopte, hardnekkig maar discreet.

Na een poosje ging de deur op een kiertje open. Een verschrompelde oude vrouw met een onbedekt hoofd en een lange, witte vlecht tuurde boven de vlam van een kaars onvriendelijk door de kier naar buiten.

'Uit naam van Jezus en de huilende Maagd,' siste ze. 'Welke onbeschofte lomperik durft fatsoenlijke mensen op dit uur te storen?'

'Ik wil monsieur Ruggieri spreken.' Ik stapte in de flakkerende lichtcirkel van de vlam en tilde mijn sluier op.

'Majesteit!' Haar mond viel open, waardoor ik wel tien verbrokkelde bruine tanden zag. De deur zwaaide wagenwijd open.

Ik wendde me tot de koetsier. 'Blijf hier,' zei ik.

Ik stapte over de drempel. De oude vrouw zat nog steeds op haar knieën, zo geschokt dat ze herhaaldelijk met haar ene knokige hand een kruisteken maakte. In haar andere hand klemde ze de kaars, maar ze lette niet op en hield hem veel te dicht bij de slordige vlecht die op haar boezem viel. Toen ik naar voren leunde en de vlecht voorzichtig uit de buurt van de vlam duwde, schrok ze.

'Ligt monsieur Ruggieri nog in bed?' vroeg ik zachtjes.

Ze knikte verslagen.

'Maak hem dan maar niet wakker, maar breng me naar zijn deur,' zei ik.

In het licht van de kaars zag ik niets wat op het verblijf van een magiër wees. Ik zag alleen maar spaarzaam gemeubileerde, onopvallende kamers, waarin hier en daar stapels in leer gebonden boeken lagen, sommige opengeslagen. Vanuit de keuken dreef de geur van schapenvlees, rauwe uien en verkoold hout naar me toe.

De oude vrouw bleef voor een gesloten deur stilstaan. 'Zal ik kloppen, Majesteit?'

'Nee,' zei ik. 'Ik maak hem wel wakker.' Ik keek haar doordringend aan. 'Ik moet hem onder vier ogen spreken.'

Ik weigerde de kaars en wachtte tot ze in de gang was verdwenen voordat ik de slaapkamer binnenliep en de deur achter me dichtdeed.

De gordijnen waren dichtgedaan, waardoor het aardedonker in de kamer was. Gedesoriënteerd stond ik stil, en ik snoof de geuren van een mannenlichaam, rozemarijn en wierook op. Mijn fantasie verbeeldde zich wel duizend afschuwelijke dingen, die hier, in het slaapvertrek van een magiër, op de loer zouden kunnen liggen. In de stilte hoorde ik geen diepe, kalme ademhaling, maar een vlug, gesmoord gehijg. Ik voelde iets bewegen en merkte dat er opeens een gestalte naar me toe kwam.

'Ser Cosimo,' fluisterde ik.

'Catharina?' De gedaante stond stil. Ik hoorde vlugge voetstappen, gedempt door het kleed op de vloer, en er vlamde een zwavelstokje op toen Ruggieri de lamp op zijn nachtkastje aanstak.

Zijn zwarte haar viel verward om zijn gezicht, en uit zijn nachthemd piekte een donker plukje borsthaar. In zijn trillende linkerhand hield hij het heft van een lang mes met twee scherpe kanten, een kortere versie van een ridderzwaard.

'Catharina,' herhaalde hij, happend naar adem. 'Mijn god, ik had je kunnen doden!' Hij legde het mes op zijn matras.

Mijn woorden rolden in het Toscaans uit mijn mond, onze moedertaal. 'Cosimo, moet ik uitleggen wat ik kom doen?' Hij was nog steeds zo overdonderd dat hij niet reageerde, en daarom voegde ik eraan toe: 'Ze komen je voor het ochtendgloren halen.'

Hij boog zijn hoofd en bestudeerde het vloerkleed, alsof het een zeer aangrijpende boodschap bevatte. Zijn lippen bewogen, maar hij kon de juiste woorden niet vinden. Uiteindelijk zei hij: 'Je hebt me nog nodig.'

'Als je blijft, is dat schadelijk voor ons allebei,' zei ik. 'Wat zou er met mij gebeuren als jij in de gevangenis belandde? Of levend werd verbrand?'

Hij keek me aan en had voor de eerste keer geen antwoord.

Ik zocht onhandig naar de zak die in de plooi van mijn rok was genaaid en haalde de fluwelen buidel tevoorschijn, die nog zwaarder was dan de eerste keer. 'Neem deze mee,' zei ik. 'Op straat staat een paard op je te wachten. Zeg tegen niemand waar je naartoe gaat.'

Hij stak zijn hand uit. Ik liet de buidel los omdat ik dacht dat hij hem zou aannemen, maar hij liet hem vallen. In plaats daarvan pakte hij mijn hand en trok hij me naar zich toe.

'Catharina,' mompelde hij in mijn oor, 'je denkt dat je verdorven bent. Ik zeg je dat je een beter mens bent dan wie dan ook. Alleen het sterkste, warmste hart is bereid de duisternis te trotseren voor diegenen die het liefheeft.'

'Dan zijn jij en ik verwante zielen,' zei ik. Ik ging op mijn tenen staan en drukte mijn lippen op zijn pokdalige wang. Tot mijn verbazing was de huid daar zacht en warm.

Hij streek met de rug van zijn vingers over mijn gezicht. 'We zullen elkaar weer zien,' zei hij. 'Al snel. Te snel.'

Hij boog zich voorover om de buidel op te rapen. Ik draaide me om en keek niet meer over mijn schouder.

Toen de oude vrouw met de kaars terugkwam, bedekte ik mijn gezicht met de sluier, zodat ze me niet kon zien huilen.

Hendrik liet niet blijken of hij wist dat Ruggieri was verdwenen. Vermoedelijk was hij opgelucht dat het mij werd bespaard om de magiër voor het tribunaal van de inquisitie te zien.

Nu Frans de Guise wist dat zijn nichtje veilig met de dauphin was getrouwd, keerde hij terug naar de strijd in het noorden en graaide hij de stad Thionville uit de klauwen van koning Filips. Mijn neef Piero reed aan zijn zijde – en sneuvelde in de strijd, toen zijn borst door een loden kogel uit een haakbus werd verbrijzeld. Hij bloedde in de armen van Guise dood, en toen Guise, altijd een goed katholiek, hem smeekte om te bidden dat Jezus hem in de hemel zou ontvangen, reageerde Piero kribbig: 'Jezus? Welke Jezus? Probeer me niet op dit late tijdstip te bekeren! Ik ga gewoon naar de plaats waar alle doden naartoe gaan.'

Ik huilde toen Guise, diep teleurgesteld door Piero's ketterij, me het verhaal over de dood van mijn geliefde neef vertelde. Op dat moment had ik het gevoel dat ik iedereen kwijt was van wie ik in mijn oude leven had gehouden: tante Clarice, en nu Piero. Zelfs Ruggieri was verdwenen.

Maar de overwinning bracht ook goed nieuws. Koning Filips van Spanje, die nog treurde om de recente dood van zijn vrouw, koningin Maria – wier pogingen om het katholicisme in Engeland nieuw leven in te blazen snel de kop waren ingedrukt door haar halfzuster en opvolgster, Elizabeth – en die door de aanhoudende oorlogen financieel aan de grond zat, was bereid vrede te sluiten. Dit stemde Hendrik zeer hoopvol, want hij wilde zijn oude mentor, Montmorency, dolgraag uit de Spaanse gevangenis bevrijden.

Dit was het voorstel van Filips: als Hendrik beloofde nooit meer een oorlog te beginnen om Italiaans grondgebied te veroveren, mocht Frankrijk Calais en de andere noordelijke steden houden en kwam Montmorency vrij. Om het verdrag te bezegelen, zou onze dertienjarige dochter Elizabeth met Filips trouwen. Na maanden van beraadslaging stemde Hendrik uiteindelijk in.

Het verheugde me dat onze grootste vijand onze vriend zou worden en dat we geen reden meer hadden om oorlog te voeren, want Zijne Majesteit, koning Hendrik II, was zijn eenenveertigste levensjaar ingegaan.

31

Elizabeth trouwde op 22 juni 1559 in de Notre-Dame. Koning Filips koos ervoor om niet op de bruiloft te verschijnen. 'De koningen van Spanje gaan niet naar hun echtgenotes toe. Hun echtgenotes worden naar hen gebracht,' schreef hij aan mijn echtgenoot. In zijn plaats stuurde hij een plaatsvervanger, de zure, oude hertog van Alva, Fernando Alvarez de Toledo. Don Fernando en zijn gevolg arriveerden zonder pracht en praal, in zulke eenvoudige zwarte kleding dat Hendrik zich beledigd voelde tot de ambassadeur hem ervan overtuigde dat dit nu eenmaal gebruik in Spanje was.

We negeerden de strenge eenvoud van de Spanjaarden beleefd en hielden een ceremonie die bijna net zo overdadig was als die van de dauphin en Maria, koningin van Schotland. Grootmeester Montmorency kreeg een belangrijke plaats in de stoet. Hij had inmiddels wit haar, was stijf van ouderdom en nog uitgemergeld door zijn gevangenschap, maar hij straalde van vreugde nu hij thuis was, terug bij zijn koning.

Voor de huwelijksnacht kleedden mijn dames en ik mijn nerveuze dochter uit. Ze ging op het grote bed liggen en ik trok zijden, indigoblauwe lakens over haar naakte lichaam heen. Wij, de dames, trokken ons terug, en toen ik de antichambre in liep, passeerde ik de hertog van Alva, don Fernando, gekleed in een zwart wambuis en met één opgerolde broekspijp, waardoor er een dunne, witte kuit zichtbaar was.

De koning verscheen om getuige te zijn van een oeroud ritueel: don Fernando ging naast onze dochter liggen, wreef met zijn blote been over het hare, stond op en verliet het vertrek. Het huwelijk tussen Elizabeth en koning Filips was daardoor wettelijk geconsummeerd.

Er volgde een week vol feestelijkheden: parades, toneelstukken, banketten en gemaskerde bals. Tijdens die week waren mijn echtgenoot en Montmorency vrijwel onafscheidelijk. Uiteindelijk begonnen de toernooien. Om een strijdperk voor het steekspel te maken, hadden werklieden vóór het kasteel van Tournelles, een paleis in het hart van de stad, de kasseien uit de rue Saint-Antoine gehaald. Voor de adellijke toeschouwers hadden ze aan weerszijden van de straat ook hoge, houten tribunes gebouwd, waarover banieren met de koninklijke wapens van Frankrijk en Spanje waren gedrapeerd.

Door de terugkeer van zijn oude vriend kreeg Hendrik nieuwe kracht. Hij had zin om aan het steekspel deel te nemen, misschien wel omdat hij graag het idee wilde wegnemen dat hij op zijn veertigste niet meer zo atletisch was als vroeger. Vóór de bruiloft bracht hij menige warme dag door met oefentoernooien, gezeten op zijn nieuwe, prachtige hengst, die Le Malheur heette, Onheil. Het dier was een huwelijkscadeau van zijn voormalige vijand, de hertog van Savoye.

Ik was ook onlangs veertig geworden, en de festiviteiten putten me uit. Ik liet me op de eerste twee dagen van het toernooi niet zien, maar wachtte tot de derde dag, toen Zijne Majesteit het strijdperk zou betreden.

De middag ervoor was het afschuwelijk vochtig geworden, en die avond was het hard gaan regenen, waardoor alle feestelijkheden buiten waren afgelast. In mijn slaapvertrek was het erg warm, en ik was vreemd genoeg erg onrustig. Ondanks mijn vermoeidheid kon ik niet slapen. Het kamermeisje deed de gordijnen open, en ik stond naar de donkere binnenplaats te staren, luisterend naar het kletterende water op de kasseien.

Toen het eindelijk zachter ging regenen, dommelde ik in en kreeg ik een onaangename droom: ik stond weer op het verschroeide slagveld, starend naar de ondergaande zon. Vlakbij stond een man, wiens lichaam donker afstak tegen een roodgloeiende hemel. Ik kon zijn silhouet haarscherp zien – de randen van de wapenrusting om zijn schouders, de uiteinden van de borstplaat die zijn hart bedekte. Op zijn helm stonden zwarte en grijze pluimen.

Catherine, riep hij.

Ik rende naar hem toe. *Wat kan ik voor u doen, monsieur? Wat moet ik doen?*

Opeens was hij gewond. Toen ik bij hem knielde, bogen schemerige vormen zich over hem heen en werd zijn helm door onzichtbare handen van zijn hoofd getild. Ik zag bloed naar buiten gutsen, en onder die helderrode bron vormden de lippen van een man één woord.

Catherine, zei hij, en daarna stierf hij.

Ik werd wakker van mijn eigen onderdrukte kreet. Het was een bewolkte, zwoele vroege ochtend.

Op die laatste ochtend van juni stuurde ik de koning een brief, nog voordat we beiden waren aangekleed. Tegelijkertijd probeerde ik mijn angst weg te redeneren: we hadden Hendriks leven toch afgekocht? Maar hoe oud was de prostituee geweest? Hoeveel jaren hadden we gekocht? Mijn geest, die meestal zo snel kon rekenen, probeerde ze te tellen en faalde.

Als je van me houdt, schreef ik aan mijn echtgenoot, *ga je vandaag het strijdperk niet in. Ik weet dat je met zulke dingen de spot drijft, maar God heeft me een nachtmerrie gestuurd. Misschien ben ik een dwaas, maar zelfs als dat zo is, kan het geen kwaad om me gerust te stellen. Als je dit voor me doet, zal ik je eeuwig dankbaar zijn en niets meer van je vragen.*

Ik schreef niets over de waarschuwing van astroloog Luca Guorico of de woorden van Nostradamus. Ik durfde al helemaal niet Ruggieri's naam te schrijven. Ik stuurde de brief in de wetenschap dat Hendrik zich er niets van zou aantrekken. Hij had de afgelopen dagen meer tijd doorgebracht met de Guises dan met mij, om overleg te plegen over de plannen van de nieuwe Franse inquisitie. Binnen een uur kreeg ik antwoord van hem.

Om mij hoef je niet bang te zijn, lieve echtgenote. Je vraagt of ik me uit liefde voor jou uit het toernooi wil terugtrekken. Ik smeek je om uit liefde voor mij je angsten opzij te zetten en me vandaag aan te moedigen. Volgens de traditie moet ik zwart en wit dragen, de kleuren van een bepaalde dame, maar ik zal ook jouw kleur, groen, op mijn hart dragen. Als ik vanavond als overwinnaar terugkeer, begroet me dan met een kus. Die zal de bezegeling zijn van de afspraak die jij en ik samen maken: vanaf vandaag zet je al het bijgeloof opzij en vertrouw je alleen maar op God.

Je liefhebbende echtgenoot en zeer toegewijde dienaar,
Hendrik

Toen ik de boodschap kreeg, werd ik eerst heel bang. Vervolgens maande ik mezelf tot kalmte, want ik kon weinig doen. Ik had verplichtingen aan mijn dochter Elizabeth en aan haar huwelijksgasten, en er waren die dag nog veel meer feestelijkheden waarbij ik aanwezig moest zijn. Ik hield mezelf voor dat mijn onrustige slaap en nachtmerrie aan het onweer te wijten waren en niets te betekenen hadden.

Telkens wanneer ik in paniek dreigde te raken, hielp ik mezelf daar ferm aan herinneren. Ik bleef rustig staan terwijl mijn dames me een gewaad van paars damast met een gouden lijfje aantrokken. Ik glimlachte naar hen en naar mijn eigen spiegelbeeld tot ik me wist te herinneren hoe blij ik was geweest toen ik van de wapenstilstand met Filips hoorde. Daardoor kreeg mijn lach zowaar iets oprechts.

Op die manier kwam ik de ochtend door, en soms vergat ik mijn zorgen en voelde ik mijn hart overstromen van liefde als ik naar Elizabeths blozende jonge gezicht keek.

Vroeg in de middag liepen Elizabeth en de zure, ernstig kijkende don Fernando naar de tribune en een speciale loge die voor het 'bruidspaar' was gebouwd. De rest van de koninklijke familie ging naar het kasteel van Tournelles. Een van de balkons op de eerste verdieping keek uit over het strijdperk waarin de koning zijn tegenstanders zou ontmoeten.

Terwijl ik de trap naar de eerste verdieping op liep, werd ik gegrepen door een enorme angst. Mijn hart sloeg zo snel dat ik moeite had om adem te halen. Ik mompelde een verontschuldiging tegen de anderen en liep over de overloop naar een openstaand raam om de warme, zware lucht in te ademen.

Terwijl ik naar adem snakte en het kozijn vasthield, zag ik vanuit mijn ooghoek iets bewegen, en ik hoorde een zacht gemompel. Nieuwsgierig liep ik van het raam naar het geluid, dat afkomstig was uit een nis die aan het zicht onttrokken was.

In de nis stond de lange, gespierde Gabriel de Montgomery, kapitein van de koninklijke Schotse garde, negenentwintig jaar oud en in de bloei van zijn leven. Zijn donkere kastanjebruine haar was achterovergekamd en zijn gezicht was gladgeschoren om de prachtige hoekige lijnen van zijn wangen en kaak beter te laten uitkomen. Hij keek aandachtig naar een jonge vrouw, die helemaal in het wit gekleed was en ernstig iets tegen hem fluisterde. Toen ik naderde, hief hij abrupt zijn hoofd op en keek hij me met de grote, schuldige ogen van een samenzweerder aan.

Maria hield opeens op met fluisteren en keek over haar schouder naar mij. Er stond een steelse blik op haar gezicht, die overging in een onoprechte glimlach.

'Madame la reine!' riep ze opgewekt uit. 'Ik kom zo bij u en de anderen. Kapitein de Montgomery is zo vriendelijk om vandaag mijn kleuren te dragen.'

Een rendez-vous van minnaars, dacht ik gekwetst, en ik had medelijden met mijn zoon. Ik zei echter niets – ik glimlachte alleen, groette kapitein de Montgomery en liep terug naar de anderen.

We namen onder luid trompetgeschal plaats op het balkon van de eerste verdieping, waarna we werden toegejuicht door duizenden mensen. Elk dak, elk raam zag zwart van de toeschouwers die de koning aan het steekspel wilden zien deelnemen. Ik zat tussen Diane en de dauphin, die werd geflankeerd door zijn onbetrouwbare echtgenote. Het was warm en windstil, de lucht werd in beweging gebracht door de wapperende waaiers van de vrouwen. Frans had zo'n rood hoofd en was zo buiten adem dat Maria en ik onze waaiers discreet een beetje draaiden om hem koelte toe te wuiven.

De lagere edelen hadden de dag ervoor hun toernooi afgesloten. Deze dag, vrijdag, was gereserveerd voor de hoogste edelen en de koning. We moedigden hertogen en graven aan, terwijl de trompetten schalden en de paarden over het smalle strijdperk galoppeerden, slechts van elkaar gescheiden door lage hekken die een botsing moesten voorkomen. De ruiters brulden *Montjoie!*, de overwinningskreet van de Franse soldaat. We zaten zo dicht bij de strijdende partijen dat het kabaal van de menigte het gedreun van de hoeven en de klap van houten lansen tegen stalen wapenrustingen niet kon overstemmen. Kluiten rondvliegende aarde sloegen tegen onze rokken en muiltjes aan.

Uren later kondigden de herauten de koning aan. Op zijn glanzende strijdros, dat was opgetuigd met wit en goud, reed hij zijn paviljoen uit en stak hij zijn lans omhoog naar de brullende menigte. Mijn hart zwol op toen ik hem zo kaarsrecht en sterk in zijn vergulde wapenrusting zag zitten. Net als de anderen stond ik op, en ik applaudisseerde en juichte hem toe.

Hendrik brak zijn eerste lans met zijn oude vijand, de hertog van Savoye, die hij tijdens de eerste rit uit het zadel stootte. Tijdens de tweede raakte de lans van Savoye de koning vol op de borst, waardoor Hendrik van het zadel werd getild en door de lucht vloog. Hij viel met een smak op de grond en bleef even zo roerloos liggen dat ik aanstalten maakte op te staan. Diane legde zachtjes haar vingers op mijn onderarm om me gerust te stellen, en het volgende moment stond Hendrik inderdaad op en zwaaide hij naar de applaudisserende toeschouwers. Na de derde rit zaten beide mannen nog steeds op hun paard. Er werd geen overwinnaar uitgeroepen – een perfecte uitslag, want mijn echtgenoot mat zich wel graag met anderen, maar kon niet goed tegen zijn verlies. Daarnaast wilde hij zijn verzoening met Savoye niet in gevaar brengen.

Hendriks tweede tegenstander was de hertog van Guise. Na drie ritten was Hendrik één keer uit het zadel gestoten en was hij er ook een keer in geslaagd om Guise op de grond te krijgen. Dat betekende weer een gelijkspel voor Zijne Majesteit.

Inmiddels was het laat in de middag geworden. De zon was gezakt en scheen meedogenloos op ons balkon, dat op het westen was gebouwd. Zelfs Diane, die zelden transpireerde, zag zich gedwongen om haar voorhoofd met haar zakdoek te deppen. Ik tilde mijn hand op om mijn ogen tegen het verblindende licht te beschermen en concentreerde me op de mannen onder me.

De koning reed die dag zijn laatste wedstrijd tegen Gabriel de Montgomery, de kapitein van de Schotse garde. Omdat het de allerlaatste wedstrijd van de dag was, waren veel toeschouwers al vertrokken, en een paar edelen op de tribune stonden op om weg te gaan, daartoe gedreven door de beestachtige hitte.

Diane was elegant gekleed in zwart fluweel en wit satijn – de kleuren van de pluimen op mijn mans helm en paard.

'Laten we hopen dat Zijne Majesteit wint,' zei ze vriendelijk in mijn oor. 'Kapitein de Montgomery daagde hem uit toen hij op de uitnodiging van de koning inging. Hij wilde graag een lans met Zijne Majesteit breken, zei hij, om te zien of de koning er in zijn eenenveertigste levensjaar nog net zo goed in was als in zijn negenentwintigste.'

Ik keek even opzij naar Maria. Ze liet haar waaier snel wapperen en keek naar Montgomery, die het veld opreed. De pluimen op zijn helm waren scharlakenrood, zijn mouwen zwart, zijn lans gestreept met die twee kleuren. Als hij Maria's kleur droeg, wit, kon ik hem in elk geval niet ontdekken.

Het rood van Mars, het zwart van Saturnus.

Zelfs als er geen oorlog is, kan er sprake zijn van strijd, had Ruggieri gezegd.

Op dat moment kwam de hertog van Nemours, wiens wedstrijden er voor die dag op zaten, bij ons op het balkon om de dauphin en zijn bruid te begroeten. Voordat hij voor mij kon buigen, pakte ik zijn hand om hem naar me toe te trekken.

'Zijne Majesteit voelt zich de laatste tijd niet goed, en door deze hitte is hij er waarschijnlijk slecht aan toe,' zei ik in zijn oor. 'Ga alstublieft naar hem toe. Zeg hem – nee, sméék hem om de laatste wedstrijd te laten schieten en naar zijn vrouw te gaan, uit liefde voor haar.'

Nemours, een minzame man die twee jaar ouder was dan mijn echtgenoot, boog diep en kuste mijn hand. 'Madame la reine, ik zal niet zonder hem terugkeren.'

Ademloos keek ik toe terwijl Nemours het kasteel van Tournelles verliet en over het veld naar het paviljoen van de koning liep, waar mijn echtgenoot net te paard naar buiten kwam. Nemours gebaarde naar hem en Hendrik boog zich voorover om naar hem te luisteren. Toen de hertog zijn verhaal had gedaan, gaf de koning hem vlug antwoord.

Nemours stond een fractie van een seconde stil, maakte een buiging en stak in zijn eentje het veld over. Mijn echtgenoot haalde de teugels van zijn prachtige strijdros Onheil aan en stuurde hem het strijdperk in, tegenover Montgomery.

Ik zat als verstijfd op mijn stoel toen de herauten de ruiters aankondigden en de trompetten het signaal voor de aanval gaven.

'Montjoie!' brulde mijn echtgenoot, en Montgomery riep hetzelfde. De paarden denderden op elkaar af, en toen de houten lansen met een klap tegen stalen borstplaten stootten, verhieven beide dieren zich hinnikend op hun achterbenen. De ruiters vielen op de grond. Zwijgend drukte ik mijn hand tegen mijn hart tot Hendrik overeind krabbelde. Hij liep terug naar zijn paard, maar op een bepaald moment liep hij zo te wankelen dat een stalknecht het paviljoen uit rende om hem te helpen. Mijn trotse echtgenoot duwde hem weg. Montgomery was opgestaan en zat alweer in het zadel.

'Vergeef me,' zei een stem. Ik keek op en zag de hertog van Nemours. 'Vergeef me, madame la reine,' herhaalde hij. 'Ik heb mijn belofte niet kunnen waarmaken. Zijne Majesteit heeft me verzocht om u dit mee te delen: "Ik vecht juist uit liefde voor jou."'

Ik kon geen woord uitbrengen, want ik was erg verontrust toen ik het wapen van Montgomery zag. Het stompe metalen uiteinde, ontworpen om te voorkomen dat de lans een wapenrusting zou doorboren of tot scherpe, dodelijke stukken zou versplinteren, was eraf gevallen. Montgomery moest het ook hebben gezien, maar hij ging niet terug naar zijn paviljoen om een andere lans te halen. In plaats daarvan stuurde hij zijn strijdros weer het veld op en ging hij tegenover de koning staan. Achter hem merkte zijn wapendrager de beschadiging op. Hij riep naar Montgomery, maar die leek niets in de gaten te hebben.

Mijn echtgenoot was inmiddels weer op Onheil gaan zitten. Hij wilde zo graag winnen dat hij zijn vizier losmaakte en optilde, het zweet van zijn voorhoofd veegde en tegen Montgomery schreeuwde dat hij weer moest aanvallen.

Ik keek toe alsof ik betoverd was, alsof ik droomde, alsof ik mijn ledematen niet kon bewegen en geen stem meer had. Hendrik liet zijn vizier weer zakken, maar luisterde niet naar zijn wapendrager, die riep dat hij het moest vastzetten. Montgomery hoorde de schorre kreten van zijn eigen wapendrager niet, of deed of hij ze niet hoorde.

De menigte had de beschadigde lans ook opgemerkt, evenals de trompetters, die ondanks het geschreeuw van de koning te afgeleid waren om het signaal te geven. Diane legde weer haar hand op mijn onderarm – nu van schrik, niet om me gerust te stellen – maar net als de toeschouwers werd ze doodstil. De invallende schemering veranderde het wit van haar gewaad in grijs.

De koning had geen geduld meer om op de trompetten te wachten en viel aan.

Ik kwam overeind. Om me heen was het stil, afgezien van de strijdkreet 'Montjoie!' en de dreunende hoeven. Montgomery en Hendrik denderden op elkaar af, twee projectielen die met elkaar in botsing kwamen.

De paarden, die door het lage hek van elkaar waren gescheiden, botsten tegen elkaars schouder en hinnikten luid. Er klonk een luid gekraak, als een bliksemontlading: Montgomery's lans spatte in een vuurwerk van splinters uit elkaar.

Maar Hendrik viel niet op de grond.

Hij zwaaide als een dronkenman heen en weer en viel naar voren. Hij liet de teugels uit zijn handen vallen en klemde zich zwakjes aan de hals van Onheil vast. Het paard droeg hem de baan af, tot de stalknechten van de koning kwamen aanrennen om de teugels te grijpen en het dier naar een open plek te leiden, waar de aarde was omgewoeld door de weggehaalde kasseien en de dreunende hoeven. Frans de Guise en de witharige Montmorency kwamen uit het paviljoen van de koning aan rennen. Montmorency sloeg zijn armen om mijn mans schouders en hielp hem met Guise van het zadel op de grond.

De jonge leeuw zal de oude overwinnen
Op het strijdtoneel van één enkel duel. Hij zal
in een gouden kooi zijn ogen doorboren, twee
wonden in één, en dan een wrede dood sterven.

Hij was geen koninklijke leeuw, de Schot Gabriel de Montgomery, maar hij reed die dag voor Maria, zijn jonge koningin.

Kleuren vervaagden in het wegstervende licht. Met de roder wordende hemel op de achtergrond waren donkere figuren bezig om mijn roerloze echtgenoot van zijn wapenrusting te verlossen. Samen met een dienaar haalde Guise de vergulde helm van Hendriks hoofd. Er kwam een stroom bloed mee. Kapitein de Montgomery kwam wankelend aanlopen en liet zich op zijn knieën vallen.

Mijn oren deden pijn van het schrille gegil: van Diane, van Frans, van honderden edelen, duizenden burgers. Naast me viel de dauphin flauw. Toen hij in zijn stoel naar voren zakte, ving Maria hem op. Haar gezicht was een masker, even wit als haar gewaad, maar ik had geen tijd haar te beschuldigen of zelfs maar mijn zoon te helpen. Ik rende weg, de trappen af, naar de deur van het paleis, de verharde oprit op.

Het zwarte ijzeren hek naar de rue Saint-Antoine zwaaide open. Uit een zwerm toeschouwers kwam een kleine, sombere stoet op me af: Hendrik, geflankeerd door Montmorency en Frans, hertog van Guise, lag bebloed en roerloos op een baar die door Schotse gardesoldaten werd gedragen. Ik baande me een weg naar mijn man en hield geschrokken mijn adem in.

Een uiteinde van een scherpe houten splinter – zo dik als twee vingers, en bijna twee keer zo lang – stak uit de rechteroogkas van de koning. Het andere uiteinde had zijn schedel bij de slaap verbrijzeld en stak vlak voor zijn rechteroor door de huid heen. Zijn oog was doorboord, en er was niets meer van het wit of de iris te zien. Ik zag alleen maar een donkere, samenklonterende massa bloed. Een tweede, kleinere splinter stak vlak onder zijn kaak uit zijn keel en had wonder boven wonder tot weinig bloedverlies geleid.

Ik drukte mijn mans hand tegen mijn lippen. Hij bewoog zich bij mijn aanraking en mompelde zachtjes. Mijn verdoofde toestand verdween en maakte plaats voor een ongelooflijke ontzetting en nieuwe hoop: Hendrik was zwaargewond, hij leed onbeschrijflijke pijnen, maar Ruggieri's magie werkte nog steeds. De koning leefde nog. Toen hij weer wat helderder werd, gebaarde hij dat de gardesoldaten stil moesten staan en wilde hij overeind worden geholpen. Montmorency ondersteunde hem onder zijn schouders en Frans de Guise hield zijn hoofd omhoog. Op die manier strompelde mijn man over de drempel, een toonbeeld van dapperheid.

Binnen lag de dauphin op een tweede draagbaar. Hij was nog steeds buiten bewustzijn en kon niet worden bijgebracht. Maria liep naast hem, een visioen in wit – de kleur van een rouwende koningin – en ze schrok toen het ijzeren hek met een klap dichtviel.

Ons droevige gezelschap liep naar boven, naar koninklijke appartementen die al lang niet meer gebruikt waren. Frans werd naar een aparte kamer gebracht, en zijn jonge koningin ging met hem mee. Hendrik werd voorzichtig op het bed gelegd en zijn bebloede tuniek werd losgesneden.

Op zijn borst, doorweekt met zweet en bloed, lag een smaragdgroene zakdoek, waarop ik met eigen hand gouden koningslelies had geborduurd. Toen ik hem zag, slaakte ik een kreet en haalde ik hem weg om hem op mijn eigen hart te leggen.

De daaropvolgende uren waren vreselijk. De arts van de koning, monsieur Chapelain, verscheen aan het bed en haalde de kleinste splinter uit Hendriks keel. Daarna onderzocht hij het gewonde oog grondig om te kijken of hij de grote splinter kon verwijderen. Mijn echtgenoot gaf geen kik, maar moest tijdens de ergste momenten steeds overgeven. Na afloop kondigde de dokter aan dat de splinter vastzat en niet verwijderd kon worden.

De middag ging over in de avond. Ik bleef in de buurt van het bed en zag Hendriks gezicht paars en dik worden, omdat zijn beurse oog opzwol van het bloed dat niet weg kon stromen. Het merendeel van de tijd was hij bewusteloos van de pijn, maar hij kwam een paar keer bij en zei dan lieve dingen tegen me. Ik was me er slechts vaag van bewust dat Montmorency en Frans de Guise weggingen en plaatsmaakten voor het hoofd van de inquisitie, Karel de Guise, en de hertog van Savoye.

Tegen de ochtend kwam de oude Montmorency me met grauwe lippen en een afgetobd gezicht halen. Hij pakte me voorzichtig bij de arm en zei dat ik rust nodig had. Hij probeerde me over te halen om mee te gaan, maar ik trok me los en zei hardop dat ik het ziekbed van mijn man nooit zou verlaten. Hendrik lag half te ijlen, maar door mijn woorden werd hij wakker. Op zijn gefluisterde aandringen zwichtte ik en liet ik me door Montmorency het vertrek uit leiden. In de antichambre viel ik in zijn armen en barstten we allebei in tranen uit. Al onze meningsverschillen waren vergeten.

In mijn vertrekken werd ik opgewacht door een aangeklede, klaarwakkere madame Gondi. Ik gaf haar opdracht om Ambroise Paré te laten halen, de beroemdste chirurg van heel Frankrijk. Ik was ervan overtuigd dat Hendrik kon blijven leven als hij op een goede manier werd geopereerd en geen ontsteking kreeg. Daarna dommelde ik een uurtje en werd ik met een angstig voorgevoel wakker.

Halverwege de ochtend keerde ik terug naar het vertrek van de koning, waar ik Montmorency en Frans de Guise aantrof. De zwelling aan de rechterkant van Hendriks gezicht had groteske proporties aangenomen, al was het oog verbonden. Dokter Chapelain had de hele nacht gewerkt om de wond schoon te houden en het bloed weg te laten lopen. Het resultaat was enigszins bemoedigend: Hendrik had geen koorts.

Toen ik aan zijn bed zat en zijn naam noemde, draaide hij zijn gezicht naar me toe. Ik dacht dat hij me misschien herkende, maar zijn overgebleven oog, dat in het lamplicht glinsterde, draaide alle kanten op.

'De jonge kapitein,' bracht hij hijgend uit. Ik wist meteen dat hij het had over de Schot die hem had verwond. 'Hij moet weten dat ik hem vergeef...'

'Kapitein de Montgomery is gevlucht,' antwoordde de oude Montmorency, terwijl hij onvriendelijk naar Frans de Guise keek. De vijandigheid tussen de twee mannen was tastbaar. 'Niemand weet waar hij naartoe is gegaan.'

Later hoorde ik dat de Guises de oude man openlijk de schuld van Hendriks verwonding hadden gegeven. Hun argument was dat de grootmeester uiteindelijk verantwoordelijk was voor de wapenrusting van de koning, en daardoor ook voor het vizier dat niet was vastgezet. Het scheen dat Montmorency de vermiste Schot heel graag wilde ondervragen.

'O,' zei de koning, terwijl hij zijn goede oog dichtdeed. Er liep één traan uit zijn ooghoek, die in zijn oor terechtkwam. 'Diane... waar is Diane?'

'Madame de Poitiers blijft in haar vertrekken,' antwoordde de grootmeester. 'Ze voelt zich niet goed, Majesteit, en ze smeekt u om geduld.'

Ik pakte Hendriks hand, en hij kneep met een verbazende kracht in mijn vingers. Hij gaat niet dood, zei ik streng tegen mezelf, terwijl ik naar zijn lange, gespierde lichaam onder de witte lakens keek.

'Maar ík ben er wel.' Hoewel mijn stem brak, dwong ik mezelf om rustig door te praten. 'Ik ben het, Catharina.'

'Catharina!' mompelde hij. 'O, Catharina, ik dacht dat je een dwaas was, maar er bestaat geen grotere dwaas dan ik. Vergeef me. Vergeef het me allemaal...'

Ik boog me over mijn echtgenoot heen en legde mijn wang op zijn borst. Zijn hartslag leek op het zachte, snelle gefladder van vogelvleugels, en mijn tranen liepen op het beddengoed. Ik had het gevoel dat ik met hem versmolt, dat ik met hem samenvloeide tot er niets meer van me overbleef – alleen nog zijn uitzonderlijke hart, dat wild tekeerging.

'Ik verwijt je niets,' zei ik, 'en er valt dus niets te vergeven.'

'Ik hou zoveel van je,' fluisterde hij, en hij begon geluidloos te huilen. Hij sloeg zijn linkerarm om mijn schouders en trok me dicht tegen zich aan. Op dat moment had ik weer voor hem willen moorden, had ik met plezier het mes voor hem gehanteerd en nog meer bloed vergoten om te voorkomen dat hij, Hendrik, nog een seconde pijn moest lijden.

Dat was het enige moment van die vreselijke dagen dat ik me probeer te herinneren. De rest bestaat alleen maar uit verdriet en pijn.

De beroemde chirurg Ambroise Paré arriveerde de volgende ochtend. Zelfs hij schrok van zo'n weerzinwekkende wond. Tegen die tijd was de wond gaan etteren en had mijn echtgenoot koorts gekregen. De chirurg was heel eerlijk: het stuk hout zat zo stevig vast in de schedel van mijn echtgenoot dat elke poging om het weg te halen onmiddellijk fataal zou zijn. Als het hout bleef zitten, zou dat onvermijdelijk tot infectie en de dood leiden. Met andere woorden, de koning was niet meer te redden.

Ik liet de dauphin halen, omdat ik wilde dat hij zijn vader nog een keer zou zien. Montmorency kwam terug en schudde zijn grijze hoofd: Frans had geweigerd te komen. Ik ging hem zelf halen. Maria zat met een onbewogen gezicht in de antichambre van de dauphin, terwijl mijn kreunende zoon in kleermakerszit op zijn bed heen en weer wiegde en met zijn achterhoofd tegen de muur bonkte. Ik trok hem overeind en nam hem mee naar zijn vader.

Toen de koning ons hoorde naderen en zijn gezicht naar ons toe draaide, begon Frans te jammeren: de rechterkant van Hendriks gezicht was zo buitensporig opgezwollen dat de wang tegen de zijkant van zijn neus drukte en hem naar links had geduwd. Zijn gewonde oog – dat dusdanig was verbonden dat de twee vingers dikke, scherpe splinter naar buiten kon steken – stonk naar rottend vlees.

De oogleden van de dauphin trilden en zijn hoofd viel slap op zijn schouders. Montmorency en ik vingen hem op toen hij viel. De grootmeester legde hem voorzichtig in zijn vaders armen en zei tegen Hendrik dat zijn zoon was gekomen. Toen Hendrik de stem van zijn oude vriend hoorde, deed hij zijn goede oog open en strekte hij blindelings zijn armen uit om Frans te omhelzen. Op het moment dat de jongen zich bewoog, fluisterde Hendrik: 'Moge God je zegenen en kracht geven, mijn zoon. Je zult het nodig hebben om koning te zijn.'

Bij die woorden begon Frans weer zachtjes te jammeren en viel hij weer flauw. Montmorency en een bediende droegen hem het vertrek uit. Hendriks oog ging dicht, en hij keerde terug naar zijn ellendige rusttoestand. Ik bleef naast hem staan, maar ik was zo overweldigd dat ik mijn handen op de matras moest duwen om overeind te blijven.

'Catharina,' fluisterde mijn man, met zijn oog nog dicht. Hij zocht naar mijn hand, zijn vingers voelden warm aan.

Ik greep zijn hand en drukte er een kus op. 'Ik ben hier,' zei ik. 'Ik ga niet bij je weg.'

Zijn kreun was tegelijkertijd een zucht. 'Je moet me iets beloven,' zei hij.

'Wat je maar wilt.' Mijn stem klonk bedrieglijk krachtig.

'Beloof me dat je mijn zoons zult beschermen en begeleiden. Beloof me dat er altijd een erfgenaam van Valois op de troon zal zitten.'

'Ik zweer het.' Zonder acht te slaan op de etterlucht kuste ik zijn grauwe lippen – heel zachtjes, heel voorzichtig, om te voorkomen dat ik hem nog meer pijn deed.

Daarna viel hij in een diepe slaap, waaruit hij niet kon worden gewekt. Ik hield woord: ik ging niet bij hem weg, maar bleef aan zijn bed zitten, nog gekleed in het paarse gewaad dat ik naar het toernooi had gedragen. Zeven dagen lang lag hij blind en sprakeloos in bed, niet in staat om zijn ondraaglijke pijn te uiten.

In het kasteel van Tournelles kwam er in de voormiddag van 10 juli een einde aan het leven van Zijne Zeer Christelijke Majesteit koning Hendrik II. Zodra de dokter had gezegd dat hij was overleden, rende een kamerdienaar weg om de zware brokaten gordijnen open te schuiven en het raam open te gooien om de geur van rottend vlees te verdrijven. Buiten rook het naar regen.

De levenden gaan vlug aan de slag om zich te ontdoen van de doden: terwijl ik met mijn wang op Hendriks doodstille borst lag te huilen, schoof dokter Paré op een directe, zeer besliste manier alle bedgordijnen open. De mensen die die dag met me hadden gewaakt – Frans de Guise en de kardinaal van Lotharingen, de hertogen van Savoye en Nemours – liepen meteen weg om het akelige nieuws te verspreiden. De gang vulde zich met gemompel en voetstappen. Ik hoorde zachtjes water klotsen en keek op: twee dienstmeisjes waren met kommen in hun hand gearriveerd om het lichaam van de koning te wassen.

'Ga weg,' snauwde ik, terwijl ik me van hen afkeerde. Het volgende moment schrok ik van een zachte hand op mijn schouder.

Madame Gondi boog zich over me heen, haar mooie gezicht opgezwollen van het vele huilen. 'Madame la reine,' zei ze zachtjes, 'u moet meekomen. Toe. U maakt uzelf ziek.'

'Nog een paar minuten,' zei ik tegen haar. 'Haal me niet zo snel bij hem weg.'

Haar lippen trilden. 'Madame,' zei ze, 'u ligt hier al zes uur.'

Ik kuste Hendriks kouder wordende wang en streek teder met mijn vingers over zijn borstelige baard. Pas daarna liet ik me meenemen naar mijn vertrekken. Op de trap stond ik plotseling in paniek stil.

'De kinderen,' zei ik. 'Ze moeten het weten. De dauphin moet het onmiddellijk weten.'

'Ze weten het al,' zei madame Gondi zacht. 'Een paar uur geleden zijn de hertog van Guise en zijn broer het aan hen gaan vertellen.'

'Dat had niet gemogen,' zei ik. 'Ze hadden het uit mijn mond moeten horen.'

'Kom nu maar mee naar uw vertrek en ga even liggen,' suste ze. 'Ik zal u iets te eten laten brengen.'

Ik had dagenlang voedsel geweigerd en weinig gedronken. Toen ik verder de trap op liep, begonnen de muren langzaam om me heen te draaien. Ik hapte naar adem en draaide me naar madame Gondi, maar er was alleen maar duisternis.

Toen ik wakker werd, was ik uitgekleed tot op mijn onderhemd en lag ik in mijn eigen bed. Het openstaande raam liet de midzomerwarmte en de naderende schemering binnen. Vlak bij mijn bed stonden madame Gondi en de gezette dokter Chapelain met zijn zilvergrijze baard. Op het nachtkastje stonden een bord met schapenvlees en gekookte eieren en een karaf met wijn.

'U moet eten en drinken, madame la reine,' zei hij, terwijl hij met zijn mollige wijsvinger naar me zwaaide. 'En daarna gaat u slapen tot morgenochtend.'

Ik zei niets. De dokter ging weg, en ik nam het bord aan dat madame Gondi me aanreikte. Ik kauwde en slikte het schapenvlees door en dronk de wijn, maar ik proefde niets. Eten was een kwelling, een bittere herinnering aan het feit dat Hendrik dood was en ik niet, dat ik vanaf dat moment moest eten en drinken zonder hem.

Het zou eenvoudig zijn geweest om op dat moment te gaan liggen en alles te laten verduisteren door het verdriet, maar één klein lichtstraaltje doorboorde de groeiende wanhoop: de gedachte aan mijn kinderen. Voor hen stond ik op, omdat ik opeens zachtjes over Hendriks laatste uren wilde vertellen en hun zo veel mogelijk troost wilde bieden. Ik vroeg zo dringend om schone kleren dat mijn dames kwamen aansnellen om aan mijn verzoek te voldoen.

Ze haalden een nieuw, witzijden gewaad van damast tevoorschijn, bezaaid met parels en met een hoge, geplooide kraag van gesteven witte kant. Het was een hagelwit kledingstuk, een prachtig rouwgewaad voor een Franse koningin, met een bijpassende kap en een sluier van wit gaas. De naaisters hadden sinds Hendriks ongeluk ongetwijfeld vele lange, koortsachtige dagen doorgewerkt om het af te krijgen.

Ik spuwde erop en beval de dames om het weg te halen. Ik riep om mijn eenvoudige zwarte zijden gewaad, het gewaad dat ik had gedragen toen de tweeling stierf. Maar voordat ik mijn muiltjes kon aantrekken of mijn donkere sluier kon laten zakken, hoorde ik een hoog, angstig stemmetje in de antichambre.

'Maman... Maman, schiet op, u moet meteen komen!'

Op mijn blote voeten liep ik zo snel als mijn geschokte toestand het toeliet naar de andere kamer, waar mijn lieve achtjarige Eduard in de deuropening naar de gang stond. Hij was slank en had het lange lichaam en de lange ledematen van de familie Valois. Hij had de glanzende, zwarte ogen van zijn vader en keek me in paniek aan.

'Mijn schat,' zei ik. 'Wat is er, lief kind?'

'De hertog van Guise en de kardinaal,' zei hij, terwijl de tranen over zijn wangen stroomden. 'Ze hebben tegen Frans gezegd dat hij naar hen toe moet komen. Hij moest Maria, Karel, Margot en mij meenemen. Ze willen ons hier weghalen. Ze zeiden dat we niets tegen u mochten zeggen, dat ze Frans in zijn eentje wilden spreken omdat hij nu koning is.' Hij kneep zijn ogen samen, want zelfs toen begreep hij al wat intriges waren. 'Ik vertrouw hen niet, maman. Ze zijn vrienden van die slechte madame de Poitiers.'

Mijn vingertoppen drukten diep in zijn schouders. 'Wanneer? Wanneer moet je naar hen toe?'

'Nu,' antwoordde hij. 'Bij de deur naar de westelijke poort.'

Ik greep zijn hand beet. Samen renden we mijn vertrekken uit en daalden we de wenteltrap naar de begane grond af. Op de overloop kwam ik bijna in botsing met Montmorency. De oude man was zo van streek door de dood van zijn meester dat hij niet eens reageerde op het feit dat ik in volle vaart de trap af was gerend.

Zijn stem was net zo dof als zijn bloeddoorlopen ogen. 'Ik kwam u vertellen, madame, dat de dodenwake in het vertrek van de koning morgen om negen uur begint,' zei hij. 'U moet vannacht goed uitrusten, want de komende dagen zullen zwaar voor u zijn.'

Hij verwees naar de rouwwake die door alle Franse koninginnen werd gehouden: de traditie verplichtte me om de komende veertig dagen in het kasteel van Tournelles te blijven, en afgezonderd in een verduisterde kamer naast het gebalsemde lichaam van mijn echtgenoot te zitten.

Maar ik had plechtig beloofd om Hendriks zoons te beschermen. 'Ik kan niet blijven,' zei ik vlug. 'De Guises nemen Frans mee. Ik moet naar hem toe.'

Omdat hij veel om Hendrik had gegeven, keek hij beledigd toen hij achteruit stapte, maar ik had geen tijd om het uit te leggen. Ik kneep in Eduards hand en mijn zoon en ik renden verder, door de enorme, weergalmende ontvangsthallen naar de westelijke ingang van het kasteel.

Aan het einde van de oprit stond een koets te wachten. De kardinaal van Lotharingen, Karel de Guise, stond met een sinistere blik bij de koets en hield de elleboog van de dauphin vast terwijl mijn zoon zijn voet op de tree zette om in te stappen. De hertog van Guise, Maria en mijn twee jongste kinderen stonden ook te wachten om in te stappen.

In de verte klonk de rollende donder. Frans, die bang was voor onweer, schrok en stootte bijna zijn hoofd aan het plafond van de koets toen hij instapte. Er viel een koude regendruppel op mijn wang, en daarna nog een.

'Frans!' riep ik. Mijn stem had scherp geklonken, maar toen de anderen zich naar me omdraaiden, dwong ik mezelf om de spieren in mijn gezicht te ontspannen. 'Hier is de ontbrekende Eduard,' riep ik rustig, alsof de Guises mij op pad hadden gestuurd om hem te zoeken. 'En ik ga ook mee.'

De Guises kregen grote ogen van schrik, maar ze durfden niets te zeggen. Heel even keek Maria me aan alsof ik een adder was die haar had gebeten, maar toen herstelde ze zich en groette ze me met een somber knikje. Ondanks de hitte zag ze er beeldschoon en fris uit, een glanzend visioen in haar witte bruidsgewaad.

'Madame la reine,' zei ze. 'Moet u niet bij de koning blijven?'

Ze verwees natuurlijk naar mijn overleden echtgenoot, maar ik deed net of ik haar niet begreep.

'Dat is precies wat ik van plan ben,' zei ik met een knikje naar Frans. 'Dat heb ik zijn vader beloofd.'

Ze zei niets meer, maar bleef zwijgend staan terwijl de hertog van Guise en zijn broer, de kardinaal, aan weerszijden van de deur gingen staan. Ze staken allebei een hand naar me uit.

'Tot uw dienst, madame la reine,' zei de hertog met een buiging.

'Ik ben geen koningin meer,' zei ik. 'De kroon staat nu op Maria's hoofd.'

Ik bleef koppig staan en hield Eduards hand vast tot de Guises hun nichtje – Maria, koningin van Frankrijk en Schotland – de koets in hadden geholpen, zodat ze naast haar echtgenoot, de koning, kon plaatsnemen. Uiteindelijk draaiden de Guises zich naar mij.

Tegen die tijd was het al hard gaan regenen, waardoor de kasseien glad werden en de zomer opeens kil aanvoelde. Ik dacht aan tante Clarice – haveloos en trillend, maar vastberadener dan ooit tijdens die koortsachtige rit vanaf het Palazzo Medici – toen ik mijn blote voet op de natte kasseien zette en een paar meter liep om het kasteel van Tournelles te verlaten, weg van Hendrik en mijn hart, weg van mijn verleden.

DEEL ZEVEN

Koningin-moeder
Juli 1559 – augustus 1572

32

De koets van de Guises bracht mijn kinderen en mij naar het paleis het Louvre. Frans, hertog van Guise, en zijn broer Karel, de kardinaal van Lotharingen, wilden me dolgraag uit de buurt houden van mijn zoon – inmiddels Frans II, koning van Frankrijk – zodat hij zich niet meer door mij zou laten adviseren en alleen naar hen en zijn geliefde Maria zou luisteren. Maar ik liet Frans niet alleen, en toen hij me heel lief vroeg of hij misschien zonder mij met de kardinaal en de hertog mocht praten, barstte ik in zulke hevige, geveinsde huilbuien uit dat hij me niet in de steek durfde laten.

Ik maakte me in meer dan één opzicht ernstig zorgen om hem. De spanning rond het lijden en de dood van zijn vader had Frans lichamelijk afgemat: zelfs in de koets had hij zijn hoofd op Maria's schouder gelegd en bij elke beweging van het voertuig zachtjes gekreund. Hij was duizelig, zei hij, en hij begon last van zijn oor te krijgen.

Toch deed Frans zijn best om mijn woorden over de noodzaak van een soepele machtsoverdracht te begrijpen. Tegen de avond had ik mijn zoon ervan overtuigd dat hij een regentschapsraad moest instellen, waarvan de beslissingen even zwaar zouden wegen als die van Zijne Majesteit. Ik zou de macht delen met de Guises, die hun intrek hadden genomen in de vertrekken van Diane en Montmorency. Ze hadden de bezittingen van de vorige bewoners op de bestrate binnenplaats van het Louvre gegooid.

De oude Montmorency – die te laat besefte dat ik Hendrik meer eer betoonde door zijn koninkrijk te redden dan door bij zijn dode lichaam te zitten – kwam de volgende dag naar het Louvre om zijn diensten aan Frans aan te bieden. Mijn zoon bedankte hem stijfjes en dreunde stotterend een wrede toespraak op die door de Guises was geschreven: Montmorency was zo oud dat hij niemand meer van nut kon zijn, en zijn positie als grootmeester was nu overgenomen door Frans, hertog van Guise. De nieuwe koning stelde voor dat Montmorency zich terugtrok op zijn landgoed op het platteland.

Tijdens de dagen na mijn mans dood verdwenen er veel gezichten aan het hof: de oude Montmorency, die bijna tot het meubilair hoorde, was vertrokken, en de jonge Schotse kapitein de Montgomery was onvindbaar. Diane trok zich terug in haar kasteel in Anet. Op mijn verzoek retourneerde ze onmiddellijk de kroonjuwelen die mijn man haar als verliefde jongen had gegeven, vergezeld van een brief waarin ze me om vergeving vroeg voor al het verdriet dat ze me ooit had aangedaan.

Toen de juwelen arriveerden, in een prachtig bewerkt kristallen kistje dat ik als huwelijkscadeau van paus Clemens had gekregen, liet ik ze aan Maria zien. In het openbaar was ik beleefd tegen haar, maar ik was haar samenzweerderige gesprek met de man die mijn echtgenoot had gedood niet vergeten. Ik was ook niet vergeten dat Frans de Guise op haar bruiloft tussen neus en lippen had opgemerkt dat ze al koningin van Frankrijk was.

'Deze zijn nu van jou,' zei ik tegen haar. Toen haar ogen bij de aanblik van de juwelen begonnen te glimmen, ging ik vlak naast haar staan en fluisterde ik: 'Koningsmoord is in de ogen van God de zwaarste misdaad. Koningsmoordenaars zijn gedoemd in de ergste cirkel van de hel te belanden.'

Ze draaide haar hoofd abrupt opzij. Haar ogen werden groot, en ik dacht dat ik enige angst zag toen haar hand naar het met diamanten bezaaide kruis op haar borst ging.

Rustig wendde ik mijn blik van haar af en keek ik naar het glinsterende kistje vol robijnen, smaragden en parels. 'Je bent een boffer, meisje,' mompelde ik. 'Je boft dat mijn zoon zoveel van je houdt. Je boft dat kapitein de Montgomery nergens te vinden is.'

Ze staarde me met uitpuilende ogen aan, en ze perste haar lippen zo strak op elkaar dat ze bijna helemaal verdwenen. Ik liet haar bleek, bezorgd en zwijgend achter.

Ik begrijp niet hoe ik er toen, in het begin, in slaagde om de noodzakelijke dingen te regelen om mijn zoon te beschermen. Ze zeggen dat het lichaam van een soldaat die een arm of been verliest blijft denken dat het ledemaat er nog is, dat het beweegt, dingen aanraakt en kan voelen. Misschien heb ik op die manier de gruwel van het verlies van mijn echtgenoot overleefd; ik ademde, sprak en bewoog dankzij een hart dat niet meer bestond.

Op momenten dat men mij niet nodig had, gaf ik me over aan mijn verdriet. Ik hing mijn krappe vertrekken in het Louvre vol met zwart krip en zat in mijn eentje met mijn hoofd tussen mijn handen op de vloer. Er zijn geen woorden om verdriet te beschrijven: de loeiende waanzin, de bittere pijn in borst en keel, de panische angst omdat je je doel bent kwijtgeraakt. Het kwam in golven die minder voorspelbaar waren dan weeën, maar oneindig veel heviger. Het ene moment gaf ik orders aan madame Gondi, het volgende moment klemde ik me aan haar rokken vast als ik huilend in elkaar zakte.

Er zijn ook geen woorden voor het koortsachtige malen van mijn geest, die probeerde te begrijpen in welk opzicht ik tekort was geschoten, hoe ik Hendrik – ondanks alles – had kunnen laten sterven. Waarom was het offer van de lichtekooi niet voldoende geweest? Waarom had ik er niet heviger op aangedrongen dat hij niet aan het steekspel meedeed?

De zomer werd meedogenloos: zwarte golven zinderden boven de kasseien en veranderden 's middags in damp, na regenbuien die geen verlichting brachten. De nacht bracht onverwachte onweersbuien: ik werd vaak wakker van knetterende bliksem en hoorde dan de lans van de Schot versplinteren.

Precies een maand na de dood van de koning kwam Ruggieri terug naar Parijs. Voordat ik me naar hem toe haastte, keek ik in de spiegel en zag ik een afgetobde vrouw. Sinds kort had ik wit haar op een van mijn slapen, en ik was ronduit bleek omdat ik te weinig buiten was geweest. Het verdriet stond me niet bepaald goed.

Ruggieri zag er beter uit dan ooit. Hij had een zwarte baard laten staan om zijn beschadigde wangen te bedekken en was wat zwaarder geworden, wat hem goed stond. Door de zon had hij zelfs wat kleur gekregen. Zodra madame Gondi de deur dichtdeed en ons alleen liet, ging ser Cosimo op één knie zitten.

'Madame la reine,' zei hij formeel, maar oprecht. 'Ik heb geen woorden om uit te drukken hoe verdrietig ik was toen ik hoorde dat Zijne Majesteit was overleden.'

'We zien elkaar weer, te vlug,' zei ik.

'Te vlug.' Zijn toon en blik waren verdrietig.

Ik liep om mijn schrijftafel heen naar hem toe. 'Sta op, monsieur Ruggieri,' zei ik, en ik pakte zijn hand.

Hij stond op. Toen hij op me neerkeek, verwachtingsvol, maar somber, hief ik mijn arm op en gaf ik hem uit alle macht een klap. Dat gebaar maakte een storm van woede in me los: ik balde mijn vuisten en trommelde op zijn borst, buik en armen.

'Ellendeling!' schreeuwde ik. 'Ellendeling! U liet me een vrouw en haar kinderen doden, maar het was niet genoeg. Hendrik ging toch dood!'

Hij wendde zijn gezicht geduldig af tot ik buiten adem en uitgeput was.

'U loog tegen me,' bracht ik hijgend uit. 'U zei dat Hendrik veilig was.'

'We hebben hem een aantal jaren gegeven,' zei Ruggieri. Aan zijn ogen was te zien hoe ellendig hij zich voelde. 'Ik wist niet hoeveel. De sterren laten zich niet eeuwig misleiden, begrijpt u.'

'Waarom hebt u dat dan niet gezegd?' jammerde ik, terwijl ik weer uithaalde. Mijn nagels haakten achter de tere huid onder zijn ogen en lieten drie bloedige strepen achter. Er kwam geen geluid over zijn lippen toen ik ontzet achteruitdeinsde.

'Had u liever al die jaren al gerouwd?' vroeg hij. 'Had u de dagen willen aftellen en in vrees willen leven voor wat er zou komen?'

'Ik heb voor niets onschuldige mensen vermoord! Misschien is die parel wel waardeloos! Hoe weet ik of hij mijn kinderen beschermt?'

'We hebben bijna twee decennia voor uw man verworven,' wierp hij tegen. 'Een half leven. Of had u liever gehad dat Hendrik als de jonge dauphin tijdens zijn vaders oorlogen was gestorven? Had u liever gezien dat uw kinderen nooit waren geboren? De parel heeft hun tijd gegeven die ze anders niet hadden gehad, maar ik weet niet hoeveel.'

Ik zweeg en staarde ontroostbaar naar de vloer. Ik weet niet precies wat er daarna gebeurde: ik was duizelig en dacht dat de lamp op mijn schrijftafel opeens minder fel was gaan branden.

Toen ik bijkwam, zat ik ondersteund door een stapel kussens in een stoel in mijn antichambre, met mijn benen op een voetenbankje. Madame Gondi wapperde mijn gezicht koelte toe.

'Madame la reine, goddank!' zei ze met een opgelucht lachje. 'U bent eindelijk weer bij ons terug.' Ze liet me een slokje uit een beker wijn drinken.

Ik bracht mijn hand naar mijn voorhoofd. 'Waar is monsieur Ruggieri?'

'In de gang. Ik wist niet dat hij zo doodsbang kon zijn.'

Ik gaf haar de beker. 'Laat hem binnenkomen.'

Ze kende me goed genoeg om niet te protesteren. Ze liet Ruggieri binnen en ging zelf naar de gang. Ik bleef zitten, omdat ik zo duizelig was dat ik niet durfde te gaan staan.

Zodra de magiër me zag, klaarde zijn gezicht op. Ik gebaarde dat hij stil moest zijn. Ik was te zwak en uitgeput om energie te verspillen aan een nietszeggend gesprek over mijn gezondheid.

'U hebt me niet alles verteld over mijn echtgenoot,' zei ik, 'maar u gaat me wel alles vertellen over mijn zoons. Frans heeft een slechte gezondheid. Ik moet weten of die zal verbeteren, of dat hij...' Ik liet de woorden onuitgesproken in de lucht hangen.

'Als u zeker weet dat u het kunt verdragen om de waarheid te horen, zal ik u de toekomst vertellen, duidelijker dan een horoscoop ooit zou kunnen,' zei Ruggieri. 'Geeft u me een week, misschien twee. Maar we moeten ons wel rustig kunnen terugtrekken. Dat zal niet meevallen in deze stad, waar te veel ogen zijn.' Hij zweeg even. 'Stel dat de waarheid u niet bevalt...'

'Geen bloedvergieten meer,' fluisterde ik.

'Wij spreken elkaar snel weer, madame la reine,' beloofde hij me met een buiging.

Toen hij wegging, keek madame Gondi hem vanuit de deuropening nieuwsgierig na.

'Hij is een vreemde man, ik weet het,' verzuchtte ik.

'Misschien,' merkte ze peinzend op. 'Maar hij droeg u in zijn armen hierheen, en hij was zo vreselijk bezorgd dat ik dacht dat hij ook zou flauwvallen. Ik denk, madame la reine, dat hij verliefd op u is.'

Ik keek haar doordringend aan. Mijn hart huilde nog om Hendrik, ik kon het niet verdragen om aan Ruggieri's oude smart te denken. Madame Gondi begon over alles wat ik die dag niet had gegeten en gedronken, en de magiër kwam niet meer ter sprake.

Het kasteel van Chaumont staat op een klip boven de rivier de Loire. Het was een fris, nieuw gebouw met ronde, witgeverfde torens, daken van donkergrijze lei en uitzicht over de beboste vallei. Tijdens de dagen voor Hendriks dood was ik met de onderhandelingen over de aankoop begonnen, omdat ik een rustige thuishaven voor mijn oververmoeide echtgenoot wilde. Nu wilde ik me er terugtrekken omdat het geen herinneringen aan hem herbergde.

Ruggieri wachtte me in Chaumont op. Hij was er op zijn eigen paard heen gereden en was een paar dagen eerder gearriveerd om geruchten te voorkomen. Hij begroette me bij aankomst niet, maar hield zich verborgen om onze nieuwste misdaad voor te bereiden.

Tot het donker werd, wandelde ik door de lege vertrekken en onderwierp ik mijn nieuwe onderkomen aan een rusteloze inspectie. Toen de avond viel, kwam er boven de donkere rivier een dun maansikkeltje op. Vanaf mijn balkon keek ik naar de reflectie van het licht op het golvende water.

Een paar uur later klopte madame Gondi op de deur. Ik volgde haar naar buiten, door een galerij die naar het gebouw liep waarin de kapel was ondergebracht. Ze nam me mee naar binnen, naar de voet van een wenteltrap die naar de klokkentoren leidde. Ik sloeg het aanbod van een lamp af en beklom zonder licht in mijn eentje de hoge, smalle trap. De hoge deur bovenaan was dicht, de randen werden omlijst door een bleek, zwak licht. Ik duwde de deur open.

Het vertrek was kaal, enorm groot en had een hoog plafond. Daardoor was het net of ik me in een oneindige, onbekende duisternis bevond. In het midden stond Ruggieri in het hart van een grote cirkel te wachten. Op elk van de vier windstreken brandde flauwtjes een flakkerende kaars. Een ervan stond net achter een laag, met zijde bekleed altaar, waarop een kleine houten vogelkooi en een menselijke schedel stonden. De bovenkant van de schedel was afgezaagd om er wierook in te kunnen branden. Door de oogkassen kringelden pluimpjes naar buiten, die de lucht met de harsachtige, gewijde geur van wierook parfumeerden.

Hij liep naar de rand van het pentagram, maar niet verder. In zijn linkerhand glinsterde een dolk met twee scherpe snijvlakken.

'De cirkel is al getekend. Kom.' Hij wees naar een plaats net buiten de zwarte perimeter. 'Ga daar staan en doe wat ik zeg.'

Ik ging op de plaats staan en keek toe terwijl de magiër met de dolk zwaaide. Op de rand van de cirkel raakte hij met de punt de vloer aan, en daarna tilde hij de dolk op om een onzichtbare toegangsboog te snijden, net breed genoeg om me doorgang te verlenen.

'Stap nu de cirkel binnen,' fluisterde hij. 'Vlug!'

Ik haastte me erdoor en hij herhaalde zijn beweging in omgekeerde volgorde om de opening te sluiten.

In de cirkel voelde ik de duisternis dansen, leven. Ruggieri stopte zijn dolk in de schede en liep terug naar het midden. De vage schim van zijn hand bewoog vlug, en opeens zag ik dat ik naar een verschijning staarde: een heel kleine vrouw, in het zwart gekleed en gesluierd. Haar bleke gezicht had holle ogen van verdriet.

Ik stak mijn hand naar haar uit. Mijn vingers streken over koud metaal en trokken zich terug. Het was een grote, ovale spiegel op een verhoging, die tot dat moment met iets zwarts bedekt was geweest. Ruggieri legde het kleed weg en trok een kruk voor de stalen spiegel.

'Ga zitten,' commandeerde hij. Ik gehoorzaamde.

Hij liep naar het altaar en haalde een witte duif uit de kooi. Het dier zat vol vertrouwen op zijn hand tot hij opeens zijn hand uitstak om het woest de nek om te draaien. De dolk glinsterde, de kop van de duif viel op de grond en er gutste bloed over de witte veren. Ruggieri haalde een ganzenveer van het altaar, die hij in het bloederige lijf doopte. Daarna schreef hij zorgvuldig vreemde, barbaarse letters op het staal. Rode symbolen bedekten al vlug mijn spiegelbeeld, tot de spiegel bijna helemaal vol stond. Hij legde zijn gruwelijke inktpot en ganzenveer neer en kwam achter me staan.

'Catharina,' zei hij. 'Catharina...' Zijn toon was zangerig, muzikaal en vreemd genoeg sensueel. 'U wilt het lot van uw zoons weten,' zong hij. 'De spiegel zal nu de toekomstige koningen van Frankrijk tonen.'

Doodmoe van verdriet sloot ik mijn ogen. Ik leunde achterover, tegen hem aan, passief en op het punt om in slaap te vallen. Mijn ademhaling werd zwaar en loom. Ik wilde me niet meer bewegen.

'Catharina,' fluisterde hij op dwingende toon.

Ik deed geschrokken mijn ogen open. Ik zat zonder steun op het krukje, en Ruggieri was verdwenen. Ik riep zijn naam, maar er kwam geen reactie. Ik hoorde alleen het gekoer van de duif die nog leefde. In het gepolijste, stalen vlak zag ik alleen twee brandende kaarsen op de rand van de cirkel, verder niets.

Opeens werd de spiegel troebel, alsof hij werd bewierookt. Terwijl ik ernaar staarde, vormde zich een gezicht in de mist. Eerst dacht ik dat de magiër weer achter me was komen staan, maar het was zijn gezicht niet.

De gelaatstrekken waren vaag en doorschijnend, de geest van een donkerharige jongen met donkere ogen.

'Frans?' fluisterde ik. De gelaatstrekken, de stand van het hoofd en de schouders konden makkelijk van mijn oudste zoon zijn.

Het gezicht gaf geen antwoord, maar werd langzaam lichtgevend. Het vlamde een keer op, oogverblindend als vuurwerk, en werd daarna vlug minder fel.

De spiegel werd donkerder en begon te draaien. Toen de mist een tweede keer optrok, verscheen er weer een gezicht, deze keer en profil, maar ook vaag en onduidelijk. Het was ook een jongen, nors en met ronde wangen, en met een lelijke rode moedervlek op zijn bovenlip: mijn tweede zoon, Karel.

De spiegel zal nu de toekomstige koningen van Frankrijk tonen.

Frans, mijn arme, zwakke jongen, was verdoemd. Ik duwde mijn handen tegen mijn ogen in een poging de tranen terug te dringen. Ruggieri had gelijk gehad: ik wilde het liever niet weten.

Toen ik tussen mijn vingers door keek, vlamde het gezicht van Karel steeds op. Fel en donker, fel en donker wisselden elkaar af tot ik de schommelingen begon te tellen: vier, vijf, zes... Gaf dat een lengte van tijd aan? Jaren? Als dat zo was, hoeveel had ik er dan al gemist?

Een zwarte traan druppelde over Karels spookachtige wang, en ik drukte mijn vingertoppen op het koude oppervlak van de spiegel. Vanaf de bovenkant van de spiegel stroomde een donkere vloeistof omlaag, die als een zwart gordijn het gezicht van mijn zoon bedekte. Ik trok mijn hand terug en spreidde mijn vingers, die plakkerig en rood waren en naar ijzer roken.

Meteen verdween het bloederige gordijn. Ik snikte toen ik besefte dat Karels gezicht ook was verdwenen. In de spiegel zag ik jagende wolkenpartijen tot er een derde gezicht verscheen, bebaard en knap, dat heel erg op dat van mijn man leek.

'Mijn schat,' bracht ik ademloos uit. Van al mijn kinderen was Eduard het geschiktst om koning te worden. Ik begon de flakkeringen te tellen, maar kwam niet ver: de bloederige sluier viel algauw weer voor de spiegel.

Het staal glinsterde alsof het de zon reflecteerde. Verblind slaakte ik een kreet en bedekte ik mijn ogen.

Toen ik weer keek, was de spiegel helder, niet meer troebel – een spiegel, niets meer. Ik keek erin en zag duidelijk mijn eigen gezicht.

Boven mijn rechterschouder hing het door de zon gebruinde gezicht van een jongetje van een jaar of zes. Het was scherp te zien, niet spookachtig, en hij had korte, kastanjebruine krulletjes en grote ogen – groen, net als die van zijn grootmoeder Margaretha van Navarra en zijn moeder Johanna.

Ik draaide me abrupt om, en het krukje viel om toen ik met moeite overeind kwam. Het jongetje stond bij de deur – een echt jongetje van vlees en bloed, dat met open mond naar me staarde.

'Jij daar!' riep ik. Ik schrok toen een sterke hand mijn arm boven de elleboog beetgreep. Het jongetje rende de deur uit en verdween.

'Ga niet achter hem aan,' waarschuwde Ruggieri. 'Verbreek de cirkel niet.'

'Maar ik ken hem!' zei ik. 'Hendrik van Navarra, de zoon van Johanna. Wat doet hij hier? Hij hoort in Parijs te zijn.'

'Het is gewoon een staljongen,' wierp Ruggieri tegen. 'Een nieuwsgierig jongetje dat een pak slaag heeft verdiend, meer niet. Laat hem gaan. We moeten de cirkel goed afsluiten.'

'Nee!' zei ik. 'Nog niet. Ik moet de koning vragen wat dit betekent. Mijn echtgenoot – ik weet dat u hem kunt oproepen.'

Ruggieri zuchtte vermoeid en staarde naar de kaarsvlam achter het altaar en de rook die uit de schedel opsteeg.

'Goed dan,' zei hij uiteindelijk. Hij haalde de tweede duif uit de kooi, draaide hem de nek om en wreef de spiegel schoon met zijn mouw.

'Geef me uw hand,' zei hij. Ik stribbelde tegen tot hij eraan toevoegde: 'Hij kent u. Uw bloed zal hem het snelst hierheen halen.'

Ik gaf hem mijn hand en vertrok geen spier toen de dolk in mijn vingertop prikte. De magiër drukte er wat bloed uit, dat hij op de koude spiegel smeerde.

Ruggieri ging op het krukje zitten en begon ritmisch te ademen. Algauw zakte zijn hoofd opzij en begonnen zijn oogleden te trillen.

'Hendrik,' fluisterde hij schor. Het was een uitnodiging, een smeekbede. 'Hendrik de Valois...'

Zijn ogen gingen dicht en zijn lichaam zakte op het krukje in elkaar. Zijn ledematen begonnen te schokken. Abrupt ging hij rechtop zitten, maar zijn hoofd bleef naar voren hangen, alsof hij sliep. De dolk glinsterde weer: de afgesneden kop van de duif viel met een zachte plof op de vloer, terwijl de linkerhand van de magiër naar de ganzenveer zocht.

Ik keek gebiologeerd toe terwijl Ruggieri de punt in het bloederige lijf van de duif doopte en iets op de glanzende spiegel schreef. Het was mijn mans handschrift.

Catharina

Uit liefde voor jou geef ik gehoor uit liefde voor jou kom ik deze keer

Ruggieri's hand hield op met stuiptrekken en bleef boven het staal hangen, wachtend op een vraag.

'Onze zoons,' fluisterde ik. 'Zullen ze allemaal zonder erfgenamen sterven?'

Even gebeurde er niets. Ruggieri's vingers trilden.

Mijn enige echte erfgenaam zal regeren

'Enige echte erfgenaam?' drong ik aan. 'Zal Frans als enige regeren?'

De ganzenveer hield op met trillen en begon niet te schrijven. Frans was ziekelijk. Als hij de enige erfgenaam van Valois was, wat zou er dan met zijn broers gebeuren?

'Waar kwam dat bloed vandaan?' wilde ik weten. 'Waarom zat er bloed op de gezichten van Karel en Eduard? Waarom verscheen Navarra? Zal hij hen doden?'

Vernietig wat het dichtst bij je hart ligt

'Moet ik Navarra doden?' fluisterde ik. 'Voordat hij hun de troon afpakt?'

Vernietig wat het dichtst bij je hart ligt

'Nee!' zei ik. 'Ik kan niet...' Ik begroef mijn gezicht in mijn handen en keek niet op tot Ruggieri me bij de schouders pakte en me door elkaar schudde.

'Catharina!' Zijn stem was bars. 'Ik heb de cirkel verbroken. We moeten gaan.'

'Ik kan het niet,' zei ik snikkend. 'Navarra mag niet mijn volgende slachtoffer worden. Een lief, onschuldig jongetje...'

'Navarra is helemaal niet verschenen,' hield Ruggieri vol. 'Ik heb alleen maar een staljongen gezien, een zwarte Ethiopiër met stro in zijn haar.'

'Ik dacht dat ik sterk genoeg was,' jammerde ik, 'maar hier ben ik niet sterk genoeg voor.'

'De toekomst ligt niet vast,' zei de magiër op dringende toon. 'Ze is vloeibaar als de oceaan en u kunt de golven beheersen.'

Ik staarde naar hem omhoog. 'Een golf van bloed. Zeg me hoe ik die moet tegenhouden, Cosimo. Zeg me hoe ik mijn zoons moet redden.'

Mijn smeekbede ontwapende hem. Heel even verdween zijn zelfbeheersing en zag ik oneindige tederheid, hulpeloosheid, pijn. Ontdaan stak hij zijn bevende vingers uit naar mijn wang, tot hij ze terugtrok en zichzelf weer vermande.

'Kom, madame la reine,' zei hij zachtjes, en hij pakte mijn hand.

33

Ik was op tijd terug in Parijs om mijn dochter Elizabeth uitgeleide te doen. Ze begon aan haar lange reis naar Spanje, waar haar kersverse echtgenoot, koning Filips, haar met open armen zou ontvangen. Ik huilde toen ik haar bij het afscheid kuste, want ik wist wat haar te wachten stond: eenzaamheid in een onbekende omgeving, de frustraties van de worsteling met een andere taal. Terwijl haar koets wegreed, schreef ik haar de eerste van vele brieven, zodat ze niet lang hoefde te wachten voordat ze een herinnering aan thuis kreeg.

Tijdens mijn afwezigheid was Karel de Guise, kardinaal van Lotharingen, druk bezig geweest om Frankrijks financiële zaken op orde te brengen. Door de recente oorlogen was het land bijna bankroet, en de kardinaal, arrogante dwaas die hij was, bedacht een oplossing die hem uitstekend leek: hij weigerde de Franse soldaten uit te betalen, die eindelijk terugkeerden uit de oorlog. Die beslissing en zijn ijverige vervolging van de protestanten zorgden ervoor dat hij en zijn broer door het volk werden veracht.

Protestantse leiders hadden zich bij de haven van Hugues verzameld en bedachten een plan om de Guises ten val te brengen en hen door de wispelturige Anton de Bourbon te vervangen. De kardinaal was razend toen hij me dit vertelde. 'Die vervloekte hugenoten zijn pas tevreden als ze de kroon zelf ten val hebben gebracht,' zei hij.

Het ergste was dat Frans' gezondheid tijdens mijn afwezigheid was verslechterd. De jonge koning had nu voortdurend last van zijn oor en rook zeer onsmakelijk. Zijn gevlekte wangen waren bedekt met steenpuisten. Doodsbang overlegde ik met zijn artsen, en ik stemde ermee in hem uit de verstikkende hitte van de stad weg te halen en hem naar het kasteel van Blois te brengen.

Tegen de tijd dat we in de koets stapten, voelde Frans zich zo ellendig dat hij zijn hoofd op mijn schoot legde. De hele rit lag hij erbarmelijk te kreunen, en drie keer moesten we de koetsier vragen om te stoppen zodat Frans uit het raampje kon overgeven.

Toen we in Blois arriveerden, droegen de Guises Frans naar zijn bed, terwijl ik de dokters liet komen. Aan het bed van mijn zwaarbeproefde zoon zat ik naast Maria, die nog steeds het witte rouwgewaad van een koningin droeg, maar haar masker van koninklijke kalmte had afgelegd en nu gewoon een angstige jonge vrouw was. Haar warme gevoelens voor haar jonge echtgenoot waren niet volledig geveinsd, en ze hield zijn slappe hand vast en mompelde geruststellende woorden. Hij was vijftien jaar oud – een leeftijd waarop zijn vader een man was geweest – maar het magere, smalgeschouderde lichaam dat languit op het bed lag, was dat van een kind, met wangen waarop nog geen spoor van een baard te zien was.

'Frans!' smeekte ze. 'Zeg iets tegen me, toe...'

Hij deed zijn ogen een klein stukje open. 'D-dwing m-me niet,' stotterde hij. 'Het doet pijn...' En hij deed zijn ogen weer dicht.

Karel en Eduard kwamen met grote, onzekere ogen de kamer binnen en keken ernstig naar hun oudste broer.

De onaantrekkelijke, opvliegende Karel, die al sinds zijn prilste kindertijd werd geplaagd door hoestbuien waarbij hij in ademnood raakte, keek naar mij en vroeg op harde, harteloze toon: 'Gaat hij nu dood? Word ik dan koning?'

De oogleden van Frans trilden. Maria liet haar mans hand los en boog zich langs me heen om Karel een klap op zijn ronde kinderwang te geven.

'Nare jongen!' riep ze uit. 'Wat een afschuwelijke, boosaardige opmerking!'

Karels gezicht vertrok van woede. 'Het is de schuld van Eduard!' brulde hij tegen zijn jongere broer, die knap, intelligent, lang en innemend was – alles wat Karel niet was. 'Hij zei dat ik dat moest zeggen!' Hij draaide zich abrupt om naar Eduard, die in mijn armen dook. 'Jij wilt dat Frans doodgaat. En dat ik doodga. Je kijkt uit naar het moment dat we allebei dood zijn, zodat jij altijd je zin kunt krijgen!'

'Dat liegt hij,' fluisterde Eduard. 'Frans, vergeef het hem...' Hij begon zachtjes te huilen.

Ik droeg de jongens over aan hun gouvernante, met de instructie dat ze niet meer binnen mochten komen tot ik hen liet halen.

Maria en ik bleven de rest van de dag en nacht bij Frans zitten. We pakten allebei een van zijn handen, en we hielden die stevig vast terwijl de dokter warme lavendelolie in zijn oor goot. Frans spartelde en huilde jammerlijk.

Uren later ging hij rechtop zitten en begon hij te gillen. Uit zijn zieke oor druppelde een stinkende gele afscheiding. Maria en ik keken er met afgrijzen naar, maar de dokter was tevreden: het abces was gebarsten. Als de patiënt door tonica kon aansterken, kon hij de ontsteking misschien nog overwinnen.

Nu de zwelling en pijn afnamen, viel Frans eindelijk in slaap. Opgelucht volgde ik het advies van de dokter op en ging ik naar bed, waar ik in een onrustige slaap viel.

Ik droomde: ik stond weer naar een veld te staren. Eerst dacht ik dat het het omgewoelde strijdperk voor het kasteel van Tournelles was, maar ik zag geen paleis, geen tribunes, geen toeschouwers – er was helemaal niemand, behalve ik en de zwarte, zwijgende gedaante van de man aan mijn voeten. De kale grond strekte zich uit tot aan de horizon en de donker wordende hemel.

Mijn Hendrik was stervende. Ik riep hem niet en vroeg ook niet hoe ik hem kon helpen, want deze keer wist ik dat ik helemaal niets kon doen. Ik kon hem alleen maar *Catherine* horen fluisteren, en toekijken terwijl hij stierf.

Toen hij zijn laatste adem had uitgeblazen, borrelde er bloed uit zijn gewonde oog, dat over de grond stroomde. Het verspreidde zich steeds verder en verder en stroomde van me af, tot de grond was bedekt en er duizend poeltjes verschenen.

Uit elke poel groeide een man in doodsnood. En uit elke man kwam weer een nieuwe bron voort, om nog meer soldaten te vormen die dodelijk gewond waren. Een kreun zwol langzaam aan tot een oorverdovend kabaal, tot ik mijn handpalmen tegen mijn slapen duwde om het weergalmende geluid in mijn schedel te verpletteren.

Madame la reine, aidez-nous

Help ons, help ons, help ons...

Zeg wat ik moet doen, wilde ik op dringende toon weten. *Zeg me dan wat ik moet doen!*

Mijn stem ging verloren in het aanzwellende crescendo. Ik begon te schreeuwen, nog harder, nog dringender, tot ik in mijn eigen bed wakker werd en iets schokkends besefte.

Mijn zoons waren niet de enigen die in gevaar waren. Hendriks dood markeerde niet het einde van het bloedvergieten, maar het begin.

Direct nadat ik wakker werd, zag ik de toekomst heel duidelijk: Frans zou binnenkort sterven, zijn tienjarige broertje Karel zou hem opvolgen. Maar Karel was te jong om de kroon te dragen, en de Franse wet schreef voor dat een regent het land moest besturen tot de koning op zijn veertiende meerderjarig werd.

Volgens de wet moest een raad van edelen een regent kiezen, en omdat er steeds meer weerstand ontstond tegen de invloed van de Guises, twijfelde bijna niemand eraan dat de raad het regentschap zou toewijzen aan de eerste prins van den bloede, Anton de Bourbon.

Als Frans stierf, was Maria geen koningin van Frankrijk meer en verloren de Guises hun connectie met de Franse kroon. Zij zouden niet toestaan dat Bourbon de plaats innam die hem toekwam, want hij zou hun beslist hun macht ontnemen. Op zijn beurt zou Bourbon met een leger van hugenoten tegen hen ten strijde trekken – en de Guises zouden alle goede katholieken oproepen om tegen de ketters te vechten. Frankrijk zou worden verscheurd door een burgeroorlog.

Ik stond op, riep madame Gondi bij me en gaf haar opdracht om Bourbon te laten halen.

De dagen voor Anton de Bourbons aankomst begonnen we weer wat goede hoop te krijgen. De koorts van Frans nam wat af, en hij zat korte tijd rechtop en at een beetje watergruwel. Opgelucht ging ik in mijn eentje naar buiten om van de koele herfstlucht te genieten. Ik liep met stevige pas over het gras op de binnenplaats en kwam bij de omheinde tennisgalerij, waarin het geschreeuw van jongens en het geluid van de bal tegen de muren weergalmde. Ik herinnerde me dat ik vroeger urenlang naar de tennispartijtjes van mijn jonge echtgenoot en zijn broer had gekeken.

Er klonk weer een schreeuw: *Tenez!* Op dat moment zoefde er een bal langs me heen, die ik over het grote grasveld nakeek. Opeens werd ik misselijk. Ik legde mijn hand op mijn ogen, en toen ik hem weghaalde, zag ik een stapel naakte, verminkte lichamen op het gras liggen.

Ik was zo verbijsterd dat ik er alleen maar naar kon staren. Ze werden onscherp in het licht en verdwenen toen ik iemand uit de galerij hoorde rennen.

Toen ik me omdraaide, zag ik de zesjarige Hendrik van Navarra met een racket in zijn hand aankomen. Hij bleef op een paar meter afstand van me stilstaan en staarde met grote, bange ogen naar de plaats waar ik de lichamen had gezien.

Ik wenkte hem, en hij rende weg.

'Hendrik, wacht!' riep ik.

Hij stond stil, waardoor ik zo dichtbij kon komen dat ik met hem kon praten.

'Jij zag ze ook, hè?' vroeg ik verwonderd. 'Jij zag ze ook...'

Hij keek over zijn schouder naar mij, maar toen vertrok zijn gezicht abrupt en rende hij weer de galerij in.

Zodra ik weer in het paleis was, liet ik Ruggieri komen.

Toen de magiër voor me zat, bleek en leeftijdloos, zei ik: 'Hendriks dood was niet het einde. Mijn dromen hebben me niet alleen voor hem naar Frankrijk gebracht. Er zullen nog meer mensen sterven, duizenden meer, tenzij ik er iets aan doe. We moeten erachter komen wat ik moet doen.'

Ruggieri keek me niet aan. Hij staarde naar een plek achter mij en zei: 'De levens van uw zoons zijn gekocht met het bloed van anderen. U bent toch niet van plan om duizend man te doden en zo duizend anderen te sparen?'

'Natuurlijk niet,' snauwde ik. 'Maar in praktische zin doe ik al wat ik kan om een oorlog tussen de katholieken en de hugenoten te voorkomen. U bent de magiër, de astroloog. U bent mijn adviseur. U weet vast nog wel een andere manier om iets te doen – afgezien van bloedvergieten.'

'Ik heb u al eerder verteld dat amuletten weinig kunnen uitrichten tegen overweldigende rampen. Uiteindelijk krijgen de sterren toch hun zin.' Hij liet zijn hoofd een beetje hangen, vreemd genoeg opeens heel bedeesd. 'Ik heb die sterren recentelijk bestudeerd, en ze zijn veranderd sinds ik u de parel heb gegeven. Ik had gedacht...' Op zijn gezicht verscheen een emotie die ik nog niet eerder bij hem had gezien: schuldgevoel. 'De dood van uw echtgenoot had een einde aan uw dromen moeten maken, madame. Het had een einde aan het bloed moeten maken. Ik dacht dat de invloed van één kind op de toekomst wel verantwoord zou zijn, maar drie...'

De woorden van de profeet weergalmden in mijn geheugen: *Het tapijt van de geschiedenis wordt geweven met vele draden. Als er ook maar één wordt vervangen door een zwakke, slechte draad, zal het weefsel scheuren. Dan zal er bloed vloeien, meer bloed dan u ooit in een droom hebt gezien.*

Madame la reine, deze kinderen hadden niet geboren mogen worden...

'Nee,' fluisterde ik. 'Ik ben een moeder die van haar kinderen houdt. Waar hebt u het over? Moet ik mijn zoons de schuld geven? Moet ik mijn hand tegen hen opheffen? Dat kunt u niet bedoelen, monsieur, want als dat wel zo was, zou ik mijn hand tegen u opheffen.'

Zijn hoofd was gebogen, en in de stand van zijn schouders zag ik verdriet en verslagenheid.

'U wilt dat ik hen dood, nietwaar?' fluisterde ik. 'U vraagt een moeder om haar eigen kinderen te vernietigen. Ik vervloek u. Ik vervloek u voor eeuwig!'

Ruggieri haalde diep adem en keek me recht in de ogen. Zijn blik was treurig, maar ook uiterst teder. 'Het moment zal aanbreken, madame. En als u niet doet wat u moet doen, zal er een onbeschrijflijke slachting plaatsvinden. Misschien is het al te laat.'

'Hoe durft u zulke miserabele dingen tegen me te zeggen?' zei ik met trillende stem, terwijl ik opstond. 'Hoe durft u zo over mijn kinderen te spreken? Als u me niet helpt zoals ik dat wil, wordt het misschien tijd dat u uw dienstbetrekking bij mij beëindigt.'

Hij stond op. De verdrietige blik verdween van zijn gezicht en maakte plaats voor het elegante, beheerste masker. Hij maakte een buiging, de perfecte hoveling.

'Zoals u wilt, madame la reine,' zei hij.

Tegen de volgende ochtend had ik mezelf ervan overtuigd dat ik het gesprek verkeerd had onthouden, dat Ruggieri niet in staat was om zulke vreselijke dingen te zeggen. Ik had hem vast verkeerd begrepen. Toen ik hem weer ontbood, kwam mijn koerier terug met de mededeling dat zijn vertrekken al ontruimd waren, en zijn dienstbode wist niet waar hij naartoe was gegaan.

Ik zette Ruggieri's onmogelijke woorden uit mijn hoofd en richtte me op praktischer problemen. Ik was bang dat er al geruchten over de slechte gezondheid van de jonge koning waren uitgelekt, en dat Bourbon daardoor wist dat het moment was aangebroken om zijn volgelingen te verzamelen en naar het paleis te marcheren. Gelukkig kwam hij al binnen drie dagen nadat ik hem had ontboden – slechts in het gezelschap van zijn persoonlijke bedienden en twee lagere edelen.

Op de drempel van mijn kabinet protesteerde hij toen de wachters hem vertelden dat zijn vrienden buiten moesten blijven. Ik zat achter de gesloten deur naar zijn luide gevloek te luisteren: subtiliteit en zelfbeheersing waren eigenschappen die hij niet bezat.

Maar toen hij gekalmeerd was en de deur van mijn kabinet opendeed, schonk hij me een stralende glimlach en maakte hij zo'n overdreven nederige buiging dat het bijna komisch was. Hij nam zijn fluwelen muts af, waardoor ik talloze witte haren en zijn pluizige grijze haarstukje zag. Hij droeg meer sieraden dan ik: een gouden oorring met diamanten, een robijnen hanger en diverse glinsterende ringen.

'Madame la reine!' zei hij. 'Ik sta volledig tot uw dienst. Wat kan ik voor u doen?'

Ik stak mijn handen naar hem uit. Hij was de echtgenoot van Hendriks nicht Johanna en de vader van de kleine Navarra, maar omdat hij zich met vulgaire intriges en vrouwen bezighield, zag hij hen zelden. Als we elkaar zagen, behandelden we elkaar als familie.

'Kom bij me zitten,' zei ik. 'We hebben elkaar al lang niet meer gezien.'

Hij pakte mijn handen gretig beet en kuste de rug van elke hand. Daarna ging hij opgewekt in zijn stoel zitten. Ik glimlachte ook, maar mijn lach verdween snel van mijn gezicht. Sinds Hendriks dood voelde ik me te leeg om mijn tijd te verspillen aan oppervlakkig gebabbel. Mijn toon werd ernstig.

'Ik heb gehoord, monsieur, dat de protestanten morren. Dat er een bijeenkomst in de haven van Hugues is geweest, waar over de val van de Guises is gesproken.'

Zijn wenkbrauwen gingen verrast omhoog, en op de dunne huid van zijn voorhoofd verscheen een tiental rimpels. Een paar tellen staarde hij me sprakeloos aan, maar toen stamelde hij: 'Ach, madame la reine... Ach. U moet begrijpen dat het niets persoonlijks is. Het is alleen zo dat mijn rechten als eerste prins van den bloede moeten worden beschermd.' Hij zweeg even en probeerde zeer geforceerd van onderwerp te veranderen. 'Toen ik aankwam, informeerde ik naar Zijne Majesteit en hoorde ik dat hij zich niet goed voelde. Het spijt me dat te horen. Is hij ziek?'

'Hij maakt zich zorgen om de handelingen van de hugenoten. Bij de gedachte dat er een samenzwering bestaat om de wapens tegen hem op te nemen...'

'Niet tegen hem!' Bourbon wuifde met zijn handen, alsof hij die gedachte wilde afweren. 'Nee, madame la reine! Ik zou nog liever sterven dan het tegen de koning opnemen!'

'Maar u wilt wel het zwaard ter hand nemen tegen grootmeester Guise, die door mijn zoon persoonlijk is aangesteld, en tegen zijn broer, de kardinaal van Lotharingen, die door mijn echtgenoot tot grootinquisiteur is benoemd. Dat is toch verraad, monsieur?'

Ontzet zette Bourbon grote ogen op. Ik weet niet wat hij van me had verwacht, maar deze woorden in elk geval niet. 'Nee! Madame, ik smeek het u. Dit is geen verraad!'

'Wat is het dan wel?' wilde ik weten.

'We nemen de wapens niet op tegen de koning, maar we willen met nadruk laten zien dat de Guises te ver zijn gegaan.'

'En dat wilt u Zijne Majesteit met haakbussen laten zien. Met zwaarden en kanonnen.' Mijn stem werd steeds zachter en dreigender. 'U wilt bloed vergieten om hem te dwingen de ministers weg te sturen die hij en zijn vader hebben uitgekozen. Dat is geen loyaliteit, monsieur de Bourbon. Dat is verraad.' Ik stond op, waardoor ik hem dwong om ook op te staan.

'Nee! Ik zweer het bij God!' jammerde hij handenwringend. 'Madame la reine, luistert u alstublieft...'

'Ik heb genoeg gehoord,' zei ik koeltjes. 'Ga aan de kant, dan kan ik de wachters roepen.'

Bij die woorden viel hij bevend op zijn knieën, waardoor hij me de weg versperde. Ik vond hem een zwak, walgelijk wezen.

'In godsnaam!' gilde hij. 'Wat moet ik doen om u te overtuigen? Ik zal de groep ontbinden. Ik zal hen loochenen. Zeg me alstublieft wat Zijne

Majesteit wenst en ik zal het doen, om te bewijzen dat hij de enige is aan wie ik trouw ben.'

Ik ging zitten. Ik trok de la van mijn schrijftafel open en haalde er een stuk perkament uit, dat was beschreven met het prachtige handschrift van een afschrijver. Bourbon kon de hugenoten loochenen wat hij wilde, maar hij was slechts in naam hun leider. De opstand kon makkelijk voortgaan zonder hem.

'Sta op,' zei ik, 'en onderteken dit.'

Hij kwam overeind en tuurde onzeker naar het papier. 'Natuurlijk, madame la reine, maar wat is het?'

'Een wettelijk document, waarin u uw recht op het regentschap aan mij overdraagt als koning Frans sterft.'

Terwijl hij naar het geschreven document staarde, was aan zijn ogen te zien dat het langzaam tot hem doordrong. Er verscheen weer kleur op zijn wangen, die uitgroeide tot een vuurrode blos. Hij was in de val gelopen, en dat besefte hij heel goed. 'Het regentschap?' fluisterde hij, en hij liet er harder op volgen: 'Zegt u alstublieft niet dat onze jonge koning ernstig ziek is.'

Ik zei helemaal niets. Ik vond het niet prettig om wachters te roepen en Bourbon in de kerkers te laten gooien, maar als het moest, zou ik het doen, en Bourbon voelde dat. Onder mijn meedogenloze blik begon hij onrustig te worden. *Zielig schepsel*, dacht ik. *Ik hoop dat God Frankrijk bijstaat als jij ooit koning wordt.* Het was moeilijk te geloven dat hij zo'n geweldige zoon had voortgebracht.

Ik doopte een nieuwe ganzenveer in de inktpot en stak die over de schrijftafel naar hem uit.

Hij staarde ernaar alsof het een schorpioen was. Na een poosje nam hij hem aan en vroeg hij: 'Waar moet ik tekenen?'

Ik schoof het perkament naar hem toe en wees op de juiste plek.

Hij boog zich voorover en krabbelde haastig zijn handtekening. De A en de B waren heel groot, dramatisch, met flinke lussen. Daarna leunde hij met een diepe zucht vol zelfhaat achterover.

Ik pakte het document en wapperde er een paar keer mee om de inkt te drogen voordat ik het weer in de la legde. Daarna stond ik op, waardoor hij hetzelfde moest doen.

'Hoogheid,' zei ik, alsof ik me eindelijk herinnerde dat ik het tegen een prins had. 'Uw heldhaftige daad van zelfopoffering zal niet onopgemerkt blijven. Op het juiste moment zal ik tegen iedereen zeggen dat u het welzijn van Frankrijk boven uw eigen welzijn hebt gesteld.'

We wisten natuurlijk allebei dat we er geen van beiden ooit nog over zouden beginnen. Ik zou erover zwijgen omdat het beter was om het geheim te houden, hij omdat hij zich schaamde.

Toch vervolgde ik warm: 'Blijf alstublieft een tijdje bij ons in Blois. U bent hier bij familie en u bent altijd welkom.'

Zijn gemompel dat hij dankbaar was voor mijn gastvrijheid, maar dringend terug moest naar Parijs, was nauwelijks coherent. Ik stak mijn hand naar hem uit en onderdrukte een huivering toen zijn lippen mijn huid raakten.

Ik hield mezelf voor dat ik Cosimo Ruggieri niet nodig had. Ik had zojuist een mogelijke oorlog afgewend door mijn verstand te gebruiken, verder niets. Maar toen Bourbon schuchter was weggelopen en de deur achter zich had dichtgedaan, legde ik mijn gezicht op mijn koele, gladde schrijftafel en barstte ik in tranen uit.

Na mijn onderhoud met Bourbon liep ik de wenteltrap af naar de vertrekken van de koning. De hertog van Guise kwam met grote passen de trap op en was zo van streek dat we bijna tegen elkaar aan botsten. Hij hapte naar adem, en zijn aangeboren arrogantie werd overstemd door blinde paniek. In zijn ogen zag ik uitgedoofde dromen.

Hij negeerde het protocol en greep me bij de arm. 'Madame la reine! We hebben u overal gezocht! Dokter Paré wil dat u onmiddellijk naar het slaapvertrek van de koning komt!'

We renden erheen. Ik wist Guise op de trappen bij te houden en baande me een weg door de sombere groep mensen in de gang om de koninklijke antichambre te betreden. Daar werd ik begroet door het ontmoedigde, verweerde gezicht van dokter Paré. Naast hem stond Maria, een geestverschijning met grote ogen die een verfrommelde zakdoek in haar rusteloze handen hield. Al die tijd hadden ze gewacht op mij en haar oom, de hertog van Guise, die een arm om haar schouder legde.

Dokter Paré verspilde geen tijd aan formaliteiten. Hij was niet onder de indruk van titels, en hij was al helemaal niet onder de indruk van Maria, koningin van Frankrijk. Hij begreep dat moederliefde dieper ging dan die van een politieke echtgenote, en daarom richtte hij zich tot mij.

'De toestand van Zijne Majesteit is verslechterd, madame,' zei hij. 'De afgelopen twee uur is zijn koorts flink opgelopen. De ontsteking heeft zich uitgebreid naar zijn bloed.'

Ik deed mijn ogen dicht. Die woorden had ik al eerder van dokter Paré gehoord, toen ze het lot van mijn man bezegelden.

'Wat betekent dat?' wilde Maria weten. 'Wat moeten we nu doen?'

'Ik kan niets meer doen,' antwoordde de dokter. 'Het is nu nog maar een kwestie van uren, hooguit een dag of twee.'

Ze vloog hem aan. Toen ik voelde dat ze naar voren schoot, deed ik mijn ogen open en zag ik nog net dat ze haar handen optilde om hem in zijn gezicht te krabben. De hertog van Guise had de grootste moeite om haar in bedwang te houden toen ze gilde: 'Hij mag niet doodgaan! U moet zorgen dat hij blijft leven!'

Terwijl de hertog en dokter Paré hun best deden om haar te kalmeren, liep ik de ziekenkamer in om bij mijn zoon te waken. Hij had korstjes op zijn dichtgeknepen ogen, en op zijn wangen stond een ongezonde, violetkleurige blos. Hoewel er een dik bontvel tot aan zijn kin was getrokken, lag hij te klappertanden. Ik kroop bij hem in bed, sloeg mijn armen om hem heen en probeerde hem te verwarmen door mijn lichaam tegen hem aan te drukken. Zelfs toen Maria was gekalmeerd en bij het bed kwam zitten, bleef ik liggen. Haar gezicht hing boven ons, een bleke, bezorgde maan.

Er valt niet veel meer te zeggen. Frans kwam niet meer bij, al kreunde hij af en toe van de pijn. Tegen het einde begon zijn lichaam erbarmelijk te stuiptrekken, steeds weer opnieuw. Hij werd rustig als Maria het weesgegroet of het onzevader fluisterde, en toen hij zijn laatste rochelende adem uitblies, stroomde er citroengeel pus uit zijn neusgaten.

Pas toen liet ik hem los en kwam ik langzaam uit het bed. Maria was opgehouden met bidden en staarde ontzet naar haar mans lichaam. Ze hield zich slap en stribbelde niet tegen toen ik haar net lang genoeg omhelsde om in haar oor te kunnen fluisteren: 'Ga naar huis, naar Schotland. Geloof me, je bent daar veiliger dan hier.'

Ik liet Frans aan Maria en de hysterische zorg van de Guises over en ging op zoek naar mijn overgebleven kinderen. De vooruitziende gouvernante had hen in het zwart gekleed en in de kinderkamers verzameld. Karel zat onbewogen naar Eduard, Margot en de kleine Navarra te kijken, die een tennisbal weggooiden voor de spaniël. Het hondje bracht de bal terug, veilig buiten het bereik van Karel. Toen Karel me zag, keek hij met een stuurse blik omhoog.

'Is hij dood? Is Frans dood en ben ik nu koning?'

Ik kon alleen maar knikken. Eduard sloeg zijn armen om Margot heen toen zij en de kleine Hendrik begonnen te huilen. Karels lippen krulden zich in een zelfvoldane grijns.

'Zie je wel?' zei hij tegen Eduard. 'Ik ben dus toch koning geworden, en nu moet jij doen wat ik zeg!'

Bij het zien van de tranen van de kinderen was ik zelf bijna in huilen uitgebarsten, maar bij de woorden van Karel vermande ik me abrupt.

'Helemaal niet,' verbeterde ik hem. 'Je bent alleen maar koning in naam, Karel. Ik regeer nu over Frankrijk.'

34

Na de dood van Frans was Maria zo verstandig om terug naar Edinburgh te varen. In een poging hun verzwakte greep op de kroon weer te versterken, vormden de Guises een groep van katholieke extremisten die de hugenoten wilden uitroeien. Omdat Anton de Bourbon zich weer tot het katholicisme had laten bekeren, ging zijn vrouw Johanna – koningin van het inmiddels protestantse koninkrijk Navarra – bij hem weg. Ze bleef aan het hof, maar door de groeiende politieke spanning meed ze mijn gezelschap.

Bourbons jongere broer Lodewijk, de prins van Condé – een man die aanzienlijk bestendiger was dan zijn broer – nam zijn plaats in en bleek naast admiraal Coligny een goede leider te zijn. Het protestantisme breidde zich steeds verder uit. Veel intellectuelen aan het hof – allemaal oprechte, rationele mensen – voelden zich ertoe aangetrokken. Daardoor had ik niet in de gaten dat de haatgevoelens buiten de paleismuren groeiden.

De Guises stortten zich uit alle macht op hun ijverige campagne tegen de hugenoten. Op een zondag reed de hertog van Guise over het platteland toen hij in de verte psalmen hoorde zingen. Met zijn gewapende garde ontdekte hij de bron: een schuur vol hugenoten, die in het geheim een kerkdienst hielden.

Op ketterij stond volgens de Franse wet de doodstraf – een formele regel die mijn echtgenoot en zijn vader vaak bewust hadden genegeerd. Maar Guise liet zijn garde op de zingende mensen los, waarbij vierenzeventig onschuldige mensen werden afgeslacht en honderd andere werden afgetuigd.

De hugenoten sloegen snel terug. In het katholieke Parijs bleef het rustig, maar op het platteland werden slagen uitgevochten. Condé en Coligny leidden de hugenoten, de grillige Bourbon de katholieke royalisten.

Een jaar lang werd er hevig gevochten. Ik probeerde de partijen aan het onderhandelen te krijgen, maar Guise, een populaire oorlogsheld, was daar fel op tegen en kreeg erg veel steun. Berustend verzamelde ik de troepen, en toen ik over de borstwering liep, sprak de oude Montmorency me bestraffend toe: besefte ik niet dat ik mezelf in een levensgevaarlijke positie bracht? Ik lachte, niet wetende dat Anton de Bourbon vlak buiten de muren met een haakbus in zijn schouder was geschoten toen hij achter een boom zijn behoefte deed. Hij stierf kort daarna, waardoor zijn negenjarige zoon, Hendrik, koning van Navarra werd.

Zijn weduwe besloot dat het tijd werd dat zij en haar zoon zich permanent in het piepkleine landje vestigden waarvan Hendrik nu koning was.

'Geen tranen,' waarschuwde Johanna streng, toen ik haar omhelsde voordat ze in de koets stapte.

Ik gehoorzaamde en gaf haar ernstig een kus, waarna ik de kleine Hendrik omhelsde.

'Ook al zie je nog zulke angstaanjagende dingen, je moet er niet bang voor zijn,' fluisterde ik in zijn oor. 'Ze verschijnen om je te leiden. Als je wilt, kun je me erover schrijven, dan zal ik proberen je te helpen.'

Toen ik hem losliet, knikte hij verlegen. Ik gaf hem een boek met Italiaanse poëzie – Tasso's *Rinaldo*, een mooi, avontuurlijk verhaal voor een vroegwijze jongen – en stapte naar achteren toen de koningin en haar zoon in de koets stapten.

Bourbon was niet het enige verlies dat de royalisten leden. De hertog van Guise onderscheidde zich tijdens de oorlog weer toen hij de hugenotenleider Condé op het slagveld gevangennam, maar een paar maanden later stierf hij in de buurt van Orléans, in de rug geschoten door een spion van Gaspard de Coligny.

Ik greep de gelegenheid aan om verder bloedvergieten te voorkomen. Ondanks de protesten van de familie de Guise, die wraak wilde, onderhandelde ik met de rebellen. In ruil voor Condés vrijlating en een beperkte vrijheid van geloofsuiting legden de hugenoten hun wapens neer. Ik benoemde Guises zoon Hendrik tot grootmeester, de positie die zijn overleden vader had bekleed, en verwelkomde de hugenoten weer aan het hof. Tijdens die vredige jaren groeiden mijn kinderen op.

Margot werd een pittig meisje met donkere, glanzende krullen en een expressief gezicht. Als ze glimlachte, begonnen haar donkere ogen te stralen en bracht ze zelfs verstandige mannen het hoofd op hol. Ze blaakte van gezondheid, was dol op paardrijden en dansen en bleek een wonderkind in wiskunde te zijn.

Eduard – inmiddels de hertog van Anjou – werd lang en had zijn vaders lange, knappe gezicht en zwarte ogen. Van de familie de Medici had hij zijn voorkeur voor elegante kleding geërfd, en hij droeg graag sieraden, hoe opzichtiger, hoe beter. Met Eduard deelde ik alles wat ik over regeren wist, en hij bleek een ijverige leerling te zijn, die vlug begreep hoe intriges en de delicaatste nuances van de diplomatie in elkaar zaten.

Karel groeide ook op, maar ik kan niet zeggen dat hij ooit volwassen werd. Hij had een zwakke kin, zijn ogen en voorhoofd waren te groot, en die onaantrekkelijke combinatie van gelaatstrekken werd niet verbeterd door de opvallende moedervlek onder zijn neus. Bij de minste of geringste inspanning werd hij bleek en kortademig. Zijn slechte gezondheid en trage verstand ergerden hem. Hij was vreselijk jaloers op zijn broers knappe uiterlijk en scherpe verstand, en hij had vaak onsamenhangende woedeaanvallen.

Ik had gedacht dat hij wel over zijn redeloze woedebuien heen zou groeien, maar door de jaren heen werden ze frequenter en heviger. Toen Zijne Majesteit op zijn veertiende meerderjarig werd, liet hij het bestuur van het land nog steeds aan mij over. Ik liet een wet aannemen waardoor hij toestemming van zijn Geheime Raad nodig had om een bevel te geven. In het openbaar papegaaide Karel keurig de toespraken die ik voor hem schreef, maar verder verzette hij zich in alle opzichten tegen me, en op zijn veertiende verjaardag stond hij erop om aan de jacht deel te nemen, tegen de wens van mij en zijn artsen in.

Eduard, bijna dertien, en zijn jongere zus, Margot, reden naast de koning en mij. Het was eind juni en de Loire-vallei strekte zich sappig en groen voor ons uit. Zelfs de witharige Montmorency had onze uitnodiging voor de jacht geaccepteerd, waardoor het weer even net als vroeger leek.

Ik vond het moeilijk om niet steeds nerveus naar Karel te kijken, of de stoet stil te laten staan als hij het benauwd kreeg. Hij vond de achtervolging echter zo spannend dat hij zijn paard juist aanspoorde. Met grote, stralende ogen barstte hij in schaterlachen uit.

Ik had tegen de jachtmeester gezegd dat de achtervolging niet lang mocht duren en dat de prooi makkelijk gevangen moest kunnen worden. Binnen een halfuur dreven de honden ons doel in het struikgewas in het nauw: een wilde haas, het minst gevaarlijke slachtoffer voor een ziekelijke jongen.

'Ik heb hem!' jubelde Karel toen de jachtmeester de honden terugriep. Mijn zoon steeg af en begon woest met een speer in het struikgewas te prikken. Toen de haas tevoorschijn kwam, stak Karel het dier door de buik en spietste hij het vast aan de grond. Tegen die tijd waren Eduard, Margot en ik ook afgestegen en kwamen we dichterbij om Karel met zijn eerste vangst te feliciteren – tot de vreemde glans in mijn zoons ogen ons het zwijgen oplegde.

De haas worstelde om los te komen, trappelde met zijn poten en ontblootte zijn gele tanden. Lachend ging Karel op zijn hurken zitten om de wond van het dier aan te raken, en de haas beet hem.

Hij slaakte een ijselijke kreet en begon als een dolle in de wond van het dier te wroeten. Daarna trok hij de wond open tot de haas het uitgilde. De huid scheurde en liet het glanzende rode spierweefsel eronder zien. Dat wond Karel nog verder op, en hij stak zijn hand in het stervende dier om de ingewanden eruit te trekken. Met een manische grijns hield hij de sliert ingewanden tussen zijn vingers omhoog om ze aan iedereen te laten zien.

Toen de andere ruiters achter ons arriveerden, bracht Karel zijn gezicht naar zijn handen. Tegen de achtergrond van elzenbladeren en hulst keek hij vervolgens weer op. Zijn ogen glommen, en hij had zijn tanden ontbloot in een barbaarse grijns. Tussen zijn tanden bungelden de ingewanden, die een sinistere, rode kleur hadden, net als de moedervlek boven zijn lippen.

Hij gromde en schudde zijn hoofd, als een hond die de nek van zijn prooi breekt. Ik ging voor hem staan en probeerde hem tevergeefs aan het zicht van de anderen te onttrekken.

'Mijn god,' fluisterde Eduard.

Hij liep naar Karel toe en gaf hem zo'n harde klap dat de koning wankelde. Karel brulde, verslikte zich in het geronnen bloed en spuwde het uit.

'Ik vervloek je!' schreeuwde de koning. 'Hoe durf je me te slaan!' Hij vloog Eduard aan.

Ik probeerde tussen hen in te gaan staan, maar Karel sloeg blindelings in het rond en duwde me aan de kant. Eduard probeerde zijn broer bij de armen te grijpen. De oude Montmorency mengde zich in het strijdgewoel, en tijdens de worsteling werd Karel tegen de grond geslagen en moest Eduard van hem af worden getrokken.

De koning lag onsamenhangend te schreeuwen. Kluiten aarde vlogen in het rond toen zijn vingers en tanden krampachtig aan het gras trokken, alsof hij de onschuldige grond wilde vermoorden.

De andere jagers trokken zich zwijgend terug. Uiteindelijk was Karel uitgeput en moest hij op een baar worden weggedragen. Hij hoestte zo lang en hard dat zijn zakdoek doordrenkt raakte van het bloed.

Ik zat die nacht aan zijn bed, slechts in het gezelschap van dokter Paré, die zijn ongerustheid bij het zien van het bloed niet helemaal kon maskeren. Gelukkig kreeg Karel geen koorts en werd hij tussen de hoestbuien door weer net zo chagrijnig als anders.

'Ik ga vast jong dood,' kondigde hij somber aan, 'en dan is iedereen blij.'

'Zulke dingen mag je niet zeggen!' zei ik bestraffend. 'Je weet heel goed dat ik vreselijk verdrietig zou zijn als je dood zou gaan.'

Hij trok een smalle wenkbrauw op. 'Maar u hebt toch liever dat Eduard koning wordt?'

'Wat een afschuwelijke opmerking! Mijn kinderen zijn me allemaal even lief.'

'Niet waar,' reageerde hij vermoeid. 'U houdt het meest van Eduard. En dat is treurig, maman, want als ik dood ben, zal hij laten zien wat voor een monster hij werkelijk is.'

Geen van mijn redelijke argumenten kon hem op andere gedachten brengen, dus ik gaf mijn pogingen spoedig op.

Toen de koning zijn zeventiende levensjaar bereikte, en de hertog van Anjou zijn zestiende, ontstonden er problemen in de Nederlanden en Vlaanderen, die werden geregeerd door Filips van Spanje. De inwoners waren protestanten – hugenoten, zoals we hen allemaal noemden – en ze kwamen in opstand tegen de strenge onderdrukking van hun geloof. Filips stuurde honderden soldaten om de opstand de kop in te drukken, maar zij konden geen einde maken aan wat was uitgegroeid tot een oorlog.

Op een koude winterochtend in Parijs kondigde de Spaanse ambassadeur, Alava, aan dat Filips twintigduizend soldaten naar de Nederlanden zou sturen. Hij wilde weten of ik het leger toestemming gaf om door Frankrijk te marcheren.

Die toestemming verleende ik niet. Onze betrekkingen met de Franse hugenoten waren al gespannen genoeg, en de situatie zou verergeren als ik twintigduizend katholieke soldaten doorgang verleende. Als voorzorgsmaatregel huurde ik zesduizend Zwitserse huurlingen in om de grens te bewaken. Ik was geen seconde bang dat Filips Frankrijk wilde binnenvallen, maar ik vertrouwde zijn leger niet.

Ik had nooit verwacht dat de hugenoten zouden schrikken van de Zwitserse soldaten bij de grens, en ik had ook niet gedacht dat ze een gerucht de wereld in zouden helpen: terwijl Filips de opstand in de Nederlanden zou neerslaan, zou ik de Zwitsers opdracht geven om de hugenoten af te slachten.

Nu de Zwitsers onze grenzen in de gaten hielden, durfde ik het zelfs aan om Zijne Majesteit, wiens gezondheid nog steeds te wensen overliet, mee te nemen naar het dorp Montceaux, ten zuidoosten van Parijs.

Op een koele septemberdag zaten Margot, Karel en ik vlak voor de middag op het balkon, dat uitkeek op de kleine, met karpers gevulde vijver op de binnenplaats. Daarachter strekten de wouden zich met karmozijnrode, roestbruine en saffraangele tinten voor ons uit.

Opeens verscheen Eduard transpirerend en met een rood hoofd op het balkon.

'Ze groeperen zich,' bracht hij hijgend uit. 'Hier vlakbij. We moeten meteen weg!'

'Het is maar een gerucht,' zei ik bestraffend. We hadden eerder gehoord dat de hugenoten een aanval voorbereidden, maar ik dacht dat dat verhaal ongegrond was. 'Maak je niet zo druk en kom bij ons zitten.'

'Ik was aan het paardrijden, maman. Ik heb hen zelf gezien!'

'Wie?' vroeg Karel, maar ik was al opgesprongen voordat Eduard zijn zin had afgemaakt.

'Waar zijn ze?' wilde ik weten. 'Hoeveel man?'

'Twee dorpen verderop, naar het westen. Honderden infanteristen. Ik heb al verkenners op pad gestuurd. Als we geluk hebben, brengen ze binnen een uur verslag uit.'

Ik haalde diep adem om rustig te worden en hielp mezelf herinneren dat een leger zich veel langzamer verplaatste dan een ruiter te paard.

Karel sloeg met zijn vuist op zijn armleuning. 'Ik ben de koning! Geeft er dan niemand antwoord op mijn vraag?'

Margots mond was een stukje opengezakt van angst, maar ze legde sussend een hand op haar broers arm. 'De hugenoten, Karel. Misschien moeten we voorzorgsmaatregelen nemen.'

Karel stond op uit zijn stoel. 'Je droomt,' zei hij tegen Eduard. 'Je hebt het vast verkeerd gezien...'

'Ze hadden zwaarden en spiesen bij zich, en de ruiters hadden haakbussen,' wierp Eduard tegen. 'Ze spraken Frans, en er zijn geen koninklijke legers in de buurt. Wie kunnen het anders zijn?'

Ik wendde me tot Karel. 'Als er inderdaad hugenoten in opmars zijn, moeten we jou beschermen. Op een halfuur rijden hiervandaan ligt een vesting, in de stad Meaux. Daar moeten we onmiddellijk naartoe.'

'Eduard liegt,' mopperde Karel. 'Als er iemand aan het hof graag geruchten verspreidt, is hij het wel.'

Ik was echter onvermurwbaar. Binnen een uur stapten we in een koets, en we namen alleen onze waardevolste bezittingen mee naar Meaux.

Het bastion in Meaux was een indrukwekkende vesting met scherpe kantelen, die werd omringd door een brede, droge greppel. We reden door de gapende kaken naar binnen en krompen ineen toen het stokoude ijzeren hek met een oorverdovend kabaal achter ons zakte.

De vertrekken in het kasteel waren vochtig en kaal, de poortwachter was doof en onvriendelijk. De eerstvolgende uren ijsbeerde Eduard met onze Schotse lijfwachten over de borstwering, terwijl Margot en ik bij Karel bleven. Tussen de hoestbuien door bleef hij volhouden dat dit een misselijke grap van zijn broer was.

Het werd avond. Zijne Majesteit viel met zijn hoofd op Margots schoot in slaap. Ik liep heen en weer door de lange, vochtige gangen en verweet mezelf dat ik mijn gezin in gevaar had gebracht. Ik vroeg me af hoe ik hen ooit weer veilig terug in het katholieke bolwerk Parijs kon krijgen. Ver na middernacht kwam er een gedaante met een lamp naar me toe rennen.

'Maman!' fluisterde Eduard op dringende toon. 'Ze komen eraan!'

'Wie?' vroeg ik.

'De Zwitsers of de rebellen,' antwoordde hij. 'We zullen het zo weten.'

Hij nam me mee naar de borstwering. Boven op de toren waaide een harde, koude wind. Ik drukte mijn hand op de stenen om met mijn wapperende rokken overeind te blijven en keek naar beneden.

Achter de beemd voor het kasteel was een bos, en tussen de zwarte bomen door zagen we twinkelende lichtjes naderen. Op de beemd verschenen mensen met wel honderd brandende toortsen. De wind in mijn oren overstemde hun voetstappen. De lichtjes kwamen langzaam naar de rand van de greppel en groepeerden zich tot een perfect vierkant.

Ver onder ons brulde een van onze Schotten bij het hek: 'Wie is daar?'

Ik greep Eduard bij de arm. Het antwoord werd vervormd door de wind, maar ik begreep de boodschap. Het Zwitserse leger was gearriveerd om de koning te dienen.

De uiterst hoffelijke aanvoerder, kapitein Bergun, droeg hetzelfde uniform als zijn mannen, een effen bruine tuniek met een vierkant wit kruis op de borst. Hij en zijn officiers te paard flankeerden de infanterie, die ons kwam redden. Bergun droeg ons beleefd op om weer in de koets te stappen en instrueerde onze koetsier hoe hij naar Parijs moest rijden.

Onze koets bevond zich midden in een formatie van honderd man. Vóór ons en achter ons marcheerden vijf rijen mannen, en aan weerszijden van ons marcheerden vijf rijen mannen met spiesen. Toen ik uit het raam van de koets keek, zag ik een zee van glanzende stalen punten, die op een ritmisch gezang in Zwitsers Duits bewogen.

Een kwartier lang rolde de koets langzaam voort. Ik werd in beslag genomen door een ongeruste mijmering, die werd onderbroken door de knal van een haakbus. Een van onze paarden steigerde, en het gevloek van de koetsiers werd overstemd door het geschreeuw van kapitein Bergun. Toen de Zwitsers met de brandende toortsen verwoed het donkere landschap afspeurden, werd er weer een haakbus afgevuurd. De kogel raakte de deur van onze koets, wat Margot ertoe aanzette om het hoofd van de doodsbenauwde koning op haar schoot te nemen.

Buiten zagen we een blonde piekenier met een donzige baard vallen. Zijn wang en bovenlip waren weggeblazen, en hij viel met zijn schouder tegen het wiel van de koets. Hij werd vertrapt door anderen, die zich haastten om het gat te dichten.

Uit het donker klonk de strijdkreet: *Montjoie!*

Margot sloeg een kruis, terwijl Karel op haar schoot lag te jammeren. Eduard en ik staarden naar het licht van de toortsen, dat de ruggen van de piekeniers bescheen toen ze allemaal tegelijk hun spiesen lieten zakken. Er klonk weer een haakbus, en onder het angstige gehinnik van de paarden viel onze koetsier zijwaarts op de grond. De koets helde naar achteren, waardoor mijn schouders hard in aanraking kwamen met de binnenwand en Margot boven op me viel. Karel en Eduard werden een wirwar van ledematen tot de koets met een schok weer recht kwam te staan.

Ik krabbelde naar het raam en staarde naar de dansende spiesen. De gewonden schreeuwden: er viel een Zwitser op de grond, daarna nog een, en ik maakte al plannen om de rebellen ervan te overtuigen dat ze mijn kinderen moesten sparen.

Er zoefde een kogel langs mijn oren. Eduard slaakte een gil en drukte zijn hand tegen zijn schouder. Toen hij hem weghaalde, glinsterde zijn handpalm van het bloed. Ik stond op en wilde hem met mijn lichaam beschermen, maar hij greep mijn arm beet en trok me met een ruk op het bankje.

'Ga in godsnaam zitten, maman, voordat ze uw hoofd van uw romp schieten!'

De Zwitsers groepeerden zich weer om ons heen, en een officier steeg af om de teugels van onze koets over te nemen. We reden nog een stukje verder, maar stonden stil toen kapitein Bergun voor het raampje verscheen.

Voorovergebogen in zijn zadel riep hij: 'Het was een verkenningsexpeditie van de hugenoten. Twee van hen zijn ontsnapt en gaan terug om hun superieuren te vertellen waar we zijn. In dit tempo kunnen we niet doorgaan. Ze zullen meer cavaleristen met haakbussen sturen.' Hij keek langs me heen naar Eduard. 'Monsieur le duc, u bent gewond!'

'Het was maar een schampschot,' riep Eduard terug.

Ik stak mijn hoofd zo ver mogelijk uit het raam. 'Hoe ver is het naar Parijs, kapitein?'

'Als we doorrijden, zijn we er in een uur,' antwoordde hij. 'Mijn officieren en ik zullen u begeleiden, maar we kunnen u niet zoveel bescherming bieden als de piekeniers.'

'Dank u,' zei ik. 'Zeg tegen de koetsier dat hij de paarden niet mag sparen.'

We reden zo hard door dat de koets meedogenloos heen en weer schudde. We moesten ons krampachtig aan de bankjes vasthouden.

'Ik vervloek elke hugenoot die ooit is geboren,' hijgde Karel. Het kostte hem zoveel moeite om zich vast te houden dat hij asgrauw en buiten adem was, maar hij was laaiend. 'We moeten hen tot de laatste man opjagen – en ik zal de ellendeling die deze aanval heeft georganiseerd persoonlijk vierendelen!'

Net als Eduard hield ik woedend mijn mond tijdens die koortsachtige rit, en mijn haat groeide terwijl ik mijn hand op zijn ondiepe wond drukte. Vóór die nacht had ik me ingezet om de vrede tegen elke prijs te bewaren, maar deze aanval op Anjou en de koning was onvergeeflijk. Ik staarde over Karel en Margot heen naar de toekomst, naar de oorlog die ongetwijfeld naderde.

Drie kwartier later, een uur voor zonsopgang, arriveerden we in het Louvre. Montmorency wachtte ons op: ik had hem bericht gestuurd dat ik hem nodig had om een leger te leiden. Toen ik hem met dokter Paré op de oprit zag staan – met een witte baard, maar nog altijd vierkant en vastberaden – voelde ik dankbaarheid. Montmorency en ik hadden elkaar nooit graag gemogen, maar hij had mijn echtgenoot op het slagveld naar de overwinning geleid.

Hij en dokter Paré schrokken van het bloed op Eduards bovenarm, en het duurde even voordat ze wilden geloven dat de hertog van Anjou niet ernstig gewond was. Terwijl de dokter mijn zoons meenam, nam ik Montmorency's grote handen in de mijne.

'U had gelijk, monsieur, en ik niet,' zei ik. 'De rebellen stonden op het punt om de koning en Anjou te vermoorden. Als ik weet wie hierachter zit...'

'De prins van Condé,' zei hij meteen. 'Mijn spionnen zeggen dat mijn neef het er niet mee eens was en hem zijn steun heeft onthouden.' Met 'mijn neef' bedoelde hij admiraal Coligny, een naam die hij slechts met hevige schaamte uitsprak.

'Maar Condé is een verrader, en ik zal niet rusten tot hij als een verrader aan zijn einde komt,' zei ik.

Ik ging die nacht niet naar bed, maar ontbood mijn generaals en adviseurs. Montmorency's verkenners hadden vastgesteld dat Condés leger vanuit het noordoosten naar Parijs oprukte.

Tijdens de maand daarna verzamelden we een leger van zestienduizend man, terwijl Condés mannen vlak buiten de stad op de oevers van de Seine bivakkeerden en met succes onze bevoorrading blokkeerden. Ik slikte mijn haat in en stuurde afgezanten naar Condé, die hen terugstuurde met de boodschap dat de brave burgers van Frankrijk 'er genoeg van hadden belasting te betalen om de luxueuze levensstijl van buitenlanders, en dan vooral die van Italianen, te bekostigen'.

Op een grauwe novemberdag begon de slag om Parijs. Op de binnenplaats van het Louvre stapten Montmorency en zijn bevelhebbers op hun paarden om de koning te groeten voordat ze naar het front gingen. De onbezonnen Karel, die graag bloed wilde vergieten, rende naar een van de gezadelde strijdrossen, maar Montmorency haastte zich naar hem toe en greep de teugels. 'Majesteit, u bent ons te dierbaar, en de hugenoten hebben laten merken dat ze u graag gevangen willen nemen,' zei hij. 'Maak het ons niet te moeilijk. We zouden minstens tienduizend man meer nodig hebben om u goed te kunnen beschermen.'

Zelfs Karel kon niet tegen die redenering op. Wij, de koninklijke familie, bleven in het Louvre. Nog nooit was ik zo dankbaar geweest voor de versterkte muren en ijzeren hekken van het paleis. Ik klom op het dak en keek naar het noordoosten, maar de gebouwen van de stad ontnamen me het zicht op de strijd. Eduard, die de wond in zijn linkerschouder onverschillig had afgedaan als iets onbelangrijks, kreeg me al snel in de gaten, en samen zagen we boven ons hoofd donkere stormwolken samenpakken, die werden voortgedreven door de koude wind.

Om drie uur 's middags kwam het tot een treffen tussen de twee legers. Condé stond met tienduizend man tegenover onze zestienduizend soldaten, dus onze overwinning leek gewaarborgd. Na een uur kwamen verkenners melden dat de rebellen zware verliezen hadden geleden, maar in het tweede uur hoorden we dat wij net zo zwaar te lijden hadden gehad. Mijn stemming werd net zo somber als de wolken, waarachter de zon nu helemaal verdwenen was.

Het derde uur bracht ons koude regenbuien en een doorweekte boodschapper. 'Connétable Montmorency is bij het westelijke hek!'

Verward fronste ik mijn wenkbrauwen. Hadden we zoveel verliezen geleden dat Montmorency zijn troepen in de steek had gelaten? Ik haastte me naar het hek, waar een uitgeputte ruiter met een baar achter zijn paard kwam aandraven.

Montmorency was met riemen aan de baar vastgemaakt. De deken onder hem zat onder het bloed, maar ik zag geen wond. Zijn helm was van zijn hoofd gehaald, en zijn natte haar plakte aan zijn hoofd. Het regende inmiddels gestaag door, en ik boog me over hem heen om hem te beschermen.

'Montmorency,' zei ik. 'Mijn brave connétable...' Ik legde mijn vingers op zijn vuile hand, en zijn oogleden knipperden.

'Madame la reine,' zei hij met krakerige stem, 'ik heb u teleurgesteld.'

'Welnee, connétable, hebt u het niet gehoord?' Ik dwong mezelf om stralend naar hem te lachen. 'Onze troepen hebben gewonnen! U hebt de vijand verdreven, u hebt Frankrijk gered.'

'Echt waar?' fluisterde hij.

'Ja,' antwoordde ik. 'Ja!'

Na die woorden slaakte hij een diepe zucht en deed hij zijn ogen dicht. Eduard was achter me aan gelopen en riep al om dokter Paré. Ik pakte de hand van de oude man terwijl anderen de baar naar binnen droegen, en liet hem in mijn bed leggen.

Daar stierf hij de volgende dag, zonder nog een keer bij bewustzijn te zijn geweest. Ik liet hem begraven naast Hendrik, de koning van wie hij zoveel had gehouden.

35

Binnen vier dagen dwong ons leger Condé zich terug te trekken. De rebellenlegers marcheerden naar het platteland in het zuidwesten en kregen gezelschap van Montmorency's ketterse neef, admiraal Coligny. Onze spionnen meldden dat de hugenoten Duitse huurlingen hadden aangenomen om hun legers te vergroten.

Er zat voor ons niets anders op dan ook huurlingen te rekruteren. Maar ik stond voor een nog groter dilemma: door de dood van Montmorency was een cruciale leegte ontstaan. Hij was luitenant-generaal geweest, de opperbevelhebber van het Franse leger, maar er was geen enkele kandidaat-bevelhebber in wie ik vertrouwen had.

Nadat ik een lange dag met mijn adviseurs had doorgebracht, kwam Eduard naar mijn vertrekken.

'Benoem mij tot luitenant-generaal,' zei hij.

Ik lachte. Hij was pas zestien, gekleed in een scharlakenrood fluwelen wambuis en een geplooide kraag van ragfijne, roomkleurige kant. Aan zijn oren hingen grote parels. Met de beste wil van de wereld kon ik me hem niet groezelig op het slagveld voorstellen.

'Je bent niet goed bij je hoofd,' zei ik.

Hij keek me heel ernstig aan. 'Juist wel. Moet je Karel en mij nu eens zien – we worden verwend en in de watten gelegd. We wonen hier in luxe, terwijl het volk zwaar te lijden heeft van de oorlog. Toch vragen we de mensen om voor ons te sterven. Met zijn opvliegende karakter is Karel niet bepaald iemand aan wie het volk trouw wil zijn, en ik verspil mijn dagen met schermen en in chique kleren rondlopen.

Laat mij het volk een Valois geven voor wie ze willen vechten, maman, iemand aan wie ze toegewijd willen zijn. Dan geef ik mijn mooie kleren op om de heldhaftige soldaat te spelen. Ik ben niet bang om te vechten. En ik zal deze oorlog voor u winnen.'

'Je hebt geen ervaring als militair,' zei ik effen. 'Je kunt geen leger leiden.'

'Dat klopt, maar als u me een ervaren onderbevelhebber geeft, zal ik naar hem luisteren, net zoals vader naar Montmorency luisterde.'

'Waar vind ik zo iemand?'

Het antwoord kwam heel vlug. 'Maarschalk Tavannes is zeer geschikt.'

Ik trok een wenkbrauw op, onder de indruk van Eduards keuze. Tavannes was een man aan wiens loyaliteit niet getwijfeld hoefde te worden. Hij was zijn carrière begonnen als page van de oude koning Frans en had zijn meester bij Pavia verdedigd, zelfs toen vijandelijke Spaanse troepen hen hadden omsingeld en gevangengenomen. Daarna had Tavannes Hendrik gediend, en hij had een belangrijke rol gespeeld bij de overwinning in Calais. Hoewel hij de zestig naderde en aan één oog blind was, was hij nog net zo scherp van geest als vroeger.

Maar de gedachte dat ik mijn dierbare zoon de oorlog in moest sturen, maakte een oude, vertrouwde angst in me wakker. Eduard kon mijn gedachten onmiddellijk lezen.

'Benoem me tot luitenant-generaal, en dan zal ik u iets beloven,' zei hij luchtig.

'Wat dan?' vroeg ik behoedzaam, en hij antwoordde: 'Dat ik niet doodga.'

Hij spuwde in zijn handpalm en stak zijn hand naar me uit.

Langzaam en met tegenzin spuwde ik in de mijne en greep ik zijn hand beet.

Er gingen maanden voorbij, waarin Eduard zichzelf alles over de krijgskunst leerde. Op de dag dat hij naar het front vertrok, glimlachte ik dapper bij ons afscheid, maar daarna rende ik naar mijn vertrekken en liet ik mijn tranen de vrije loop.

Ruim een jaar lang werd er hevig gevochten. Eduards zelfverzekerde brieven slaagden er niet in om mijn moederlijke angst weg te nemen, en ik was algauw ziek en uitgeput van de spanning.

Op een maandagmiddag zat ik met de kardinaal van Lotharingen en andere leden van de oorlogsraad over de naderende slag te praten: de hugenoten verzamelden zich bij de stad Jarnac, en mijn zoon en maarschalk Tavannes voerden tienduizend man aan om hen te onderscheppen. Over twee dagen zouden de gevechten beginnen. Mijn keel en hoofd klopten zo pijnlijk dat ik moeite had om de andere raadslieden te volgen.

De kardinaal begon aan een van zijn tirades over de protestante ketters. Terwijl ik naar hem luisterde en af en toe mijn branderige ogen sloot, die pijn deden van het licht, verscheen madame Gondi in de deuropening met de mededeling dat de Spaanse ambassadeur, Alava, me onder vier ogen wilde spreken. Ik vertrouwde mijn schoonzoon Filips en zijn ambassadeur niet en stuurde een bitse boodschap terug: als Alava me wilde spreken, moest hij dat in het bijzijn van de andere raadsleden doen.

Kort daarna kwam Alava – een kleine, gezette man met vingers die wel worstjes leken – met een brief in zijn mollige handen binnen. Van mijn dochter Elizabeth, dacht ik heel even hoopvol, tot ik naar de treurige ogen van de ambassadeur keek.

'Madame la reine, vergeeft u mij dat ik u afschuwelijk nieuws moet komen brengen.'

Ik stond op en staarde naar de brief in zijn hand, waarop Filips persoonlijk mijn naam had geschreven.

'Het spijt me vreselijk, Majesteit,' zei Alava. 'Ik vind het heel erg voor u.' Vervolgens vertelde hij me een afgrijselijk verhaal over een jonge vrouw die van een dood dochtertje was bevallen en daarna zoveel bloed had verloren dat ze krijtwit was geworden en was gestorven.

Ik vergat de zwijgende raadsleden en de ambassadeur. Ik had alleen nog maar oog voor die vreselijke brief, geschreven in een andere taal en in het krachtige handschrift van een koning. Ik liep om de tafel heen en griste hem uit Alava's hand.

Ik maakte hem niet open. Ik drukte hem tegen de parel op mijn hart alsof het Elizabeth zelf was en zakte jammerend op mijn knieën.

Ik herinner me niet dat ik flauwviel, ik herinner me alleen maar dat ik in mijn slaapvertrek naar het plafond staarde en in de verte madame Gondi's onbegrijpelijke gemompel hoorde. Mijn lichaam en emoties versmolten en vermengden zich tot één enkele, kwellende pijn.

Ik was gek van verdriet, van de koorts: ik klemde mijn kaken op elkaar in een vergeefse poging een einde aan het klappertanden te maken. De stemmen van Margot en Karel dreven boven mijn bed, maar ik had de kracht niet om hun woorden te ontleden.

De schaduwen op het plafond vervaagden en verschoven, en ze kregen de vorm van soldaten, zwaarden en kanonnen. Fluisterende vrouwenstemmen begonnen te klinken als strijdkreten en gegil. Urenlang doorstond ik taferelen van moordende en vermoorde mannen, van verslagen en zegevierende legers, van bloed dat werd vergoten en opdroogde en tot stof verging.

Toen ik eindelijk wakker werd, zat Margot aan mijn bed. Vlakbij zat madame Gondi onderuit in een stoel te snurken.

'Maman! Goddank bent u eindelijk terug!' Margot greep mijn hand.

'Is het al ochtend?' fluisterde ik.

'De ochtend van de vijfde dag, maman. We dachten dat u dood zou gaan, maar de koorts is gezakt. Dokter Paré zegt dat u nu wel snel zult herstellen.'

'Vijf dagen!' zei ik. 'Hoe is de slag bij Jarnac dan verlopen?'

Ze kreeg een bevreemde blik in haar ogen. 'In uw dromen hebt u liggen praten, maman. U zag een grote veldslag waarin veel mannen stierven. Opeens riep u uit: "Kijk! De prins van Condé is gevallen – ze hebben hem gedood!" Daarna zei u: "God, nee, Eduard is gevallen..." En daarna: "Kijk! Hij is weer opgestaan! Kijk, mijn zoon heeft de slag gewonnen! De vijand slaat op de vlucht!"'

Ik stak mijn hand uit naar haar arm. 'Die ellendige dromen van mij! Is er nieuws uit Jarnac? Zijn we slaags geraakt met de vijand?'

Margot staarde me met grote ogen aan. 'Het is allemaal precies gebeurd zoals u zei, maman. De prins van Condé is dood, en Eduard heeft de slag gewonnen.'

Ondanks het verlies van hun bevelhebber, Condé, weigerden de hugenoten zich over te geven. De overgebleven leider, Gaspard de Coligny, nam zijn volgelingen mee naar het zuidelijke koninkrijk Navarra, waar ze werden verwelkomd door Johanna en haar zoon Hendrik, die inmiddels een jongeman was. Navarra was erg aantrekkelijk en bijzonder geliefd, en de hugenoten wilden dat hij de plaats van zijn gesneuvelde oom Condé innam.

Nu Condé dood was, vervloog mijn verlangen om wraak te nemen. Hij, en niet Coligny, was degene die bevel tot de aanval op Meaux had gegeven. Coligny schreef me dat hij en zijn volgelingen de aanval op de koning verwierpen en niets anders wilden dan hun geloof in alle rust belijden.

Er ging een halfjaar voorbij. In augustus kwam mijn geliefde Eduard als overwinnaar terug uit de strijd. Ik klom op het dak van het Louvre, dat zinderde in de nazomerse hitte, en zodra ik het militaire kader door de kronkelende straten zag lopen, rende ik naar beneden, naar het hek van het paleis.

Ongeschoren en zonder sieraden reed Eduard met mannelijke gratie aan het hoofd van zijn troepen. Zijn schouders waren gespierd geworden en zijn gezicht was door de zon gebruind. Zijn ogen waren harder geworden, omdat hij veel mannen had zien sneuvelen, maar toen hij me in de gaten kreeg, was zijn lach nog steeds stralend. Hij steeg af en rende naar me toe, en ik rende naar hem.

'Ik ben mijn belofte niet vergeten, maman,' zei hij.

We omhelsden elkaar; ik rook de zon en oud zweet.

'Je stinkt,' zei ik lachend.

De volgende avond hield ik in Montceaux een receptie voor hem. In het kasteel lieten met sieraden behangen mannen en vrouwen elke centimeter van de balzaal fonkelen. Om hun gezamenlijke dorst te lessen, waren er drie champagnefonteinen. Ik huurde zangers, musici, dansers en honderd meisjes van huwbare leeftijd, die verkleed waren als elfjes. Om te voorkomen dat de koning erg jaloers zou worden, regelde ik dat Karel met herauten en trompetgeschal werd aangekondigd. Door een bekende dichter werd hij verwelkomd als 'de grote overwinnaar, die Frankrijk vrede had gebracht'. Vervolgens bracht de dichter een ode ten gehore, waarin al onze huidige voorspoed aan de wijsheid van de koning werd toegeschreven.

Karel luisterde en zuchtte enigszins geïrriteerd. Toen de dichter klaar was, sneerde hij: 'Bewaar uw mooie woorden maar voor mijn broer.'

Kort daarna kondigden de herauten monsieur *le duc*, luitenant-generaal van Frankrijk, aan. Eduard verscheen – niet meer als vermoeide soldaat, maar als een prinselijke lust voor het oog in lichtblauw fluweel, bezaaid met kant. Zijn haar was zorgvuldig gekruld, en de dikke krullen waren naar achteren geborsteld om zware, met diamanten bezette oorbellen te tonen.

Naast mij slaakte Margot – die er in haar saffierblauwe gewaad zelf als een juweeltje uitzag – een dromerige zucht toen ze hem zag. Toen haar broer naar de oorlog was vertrokken, had Margot hem bijna elke dag geschreven. Door hun correspondentie was hun band hechter geworden dan ooit. Zodra hij binnen was, haastte ze zich naar hem toe om hem te omhelzen.

Terwijl Margot opgewonden met Eduard stond te praten, kwamen de kardinaal van Lotharingen en zijn jonge neef Hendrik aanlopen om hem te begroeten. Ik keek toe, maar kon hun gesprek door de borrelende fonteinen niet horen.

Op zijn twintigste bezat hertog Hendrik de Guise de ontspannen zelfverzekerdheid van een man die gewend is aan macht. Hij was niet knap: zijn puntige sikje benadrukte zijn scherpe kin, en in zijn kleine ogen zag ik dezelfde arrogante ambitie die ik bij zijn vader had bespeurd. Guise was echter erg geestig, en terwijl hij sprak, begon Margot te giechelen en bracht ze haar waaier naar haar gezicht om haar nerveuze glimlach te verbergen. Tweemaal boog Guise zich over haar hand om er een kus op te drukken. Daarna hield hij haar vingers vast, alsof hij ze niet wilde laten gaan. Soms, als Guise zo dicht bij haar kwam dat hij haar kon kussen, sloeg Margot met een rood gezicht haar arm om haar broer heen, alsof ze onbewust bescherming bij hem zocht.

Karel kwam naast me staan en zei fel: 'Als hij nog één centimeter dichter bij haar gaat staan, sla ik hem in elkaar.'

Mijn toon was luchtig. 'Volgens mij maakt hij haar het hof, en als dat werkelijk zo is, zal ik je helpen om hem in elkaar te slaan.'

Hij snoof. 'Ik heb het niet over Guise! Ik heb het over Eduard... Moet je zien hoe vleierig hij tegen haar doet.'

Ik klakte ongeduldig met mijn tong. 'In hemelsnaam, Karel, hij heeft zijn zuster alleen maar gemist, omdat hij zo lang heeft gevochten! En wat de hertog van Guise betreft, je moet beseffen dat je zuster de huwbare leeftijd heeft bereikt. Ik heb al een aantal huwelijkskandidaten voor haar op het oog. Voor jou ook.'

Karel kreunde. 'Ik voel me al ellendig genoeg, maman.'

'Je moet aan de troon denken,' zei ik. 'Er moeten erfgenamen komen.'

Hij keek gemelijk naar zijn broer, die samen met Margot en de jonge hertog stond te lachen. 'Laat hém maar voor erfgenamen zorgen,' zei hij, voordat hij zich omdraaide.

Ik keek weer naar Eduard, die gezelschap van twee jongemannen kreeg. De ene heette Robert-Lodewijk, de andere Lignerolles, en ze waren kortgeleden allebei benoemd tot kamerheer van de hertog van Anjou. Aan de glans in Margots ogen was te zien dat ze Lignerolles erg aantrekkelijk vond. Hij was gladgeschoren om zijn verfijnde, hoge jukbeenderen, smetteloze huid en het mooie kuiltje in zijn kin te benadrukken. Zijn kniebuiging voor Eduard en Margot was net zo sober en elegant als zijn kleding.

Dat kon niet worden gezegd van Robert-Lodewijk, wiens blonde haar bijna wit was. Zijn neus was klein en rond, zijn lippen grof, en hij droeg een witsatijnen wambuis en een roze fluwelen mantel. Zijn buiging was snel en vluchtig, en hij greep Anjou bij de arm en vertelde hem een grap. De grijze wenkbrauwen van de kardinaal van Lotharingen gingen afkeurend omhoog, maar Eduard lachte en sloeg Robert-Lodewijk kameraadschappelijk op zijn rug. Robert-Lodewijk keek de anderen met een zelfvoldane, bijna spottende glimlach aan.

Nadat ik urenlang met allerlei mensen had gepraat, trof ik Eduard in zijn eentje aan bij een van de fonteinen. Toen ik naast hem ging zitten, werd ik bijna bevangen door de geur van oranjebloesem.

'Goddank ruik je nu een stuk lekkerder,' plaagde ik.

Hij glimlachte, maar staarde aandachtig naar Karel en Margot, die gearmd door het vertrek paradeerden. 'Ik krijg de indruk dat mijn zuster tegenwoordig haar handen vol heeft.'

'Karel zegt dat hij niet wil trouwen,' zei ik zachtjes. 'Hij zegt dat ik maar op jou moet vertrouwen als ik erfgenamen wil.' Ik zweeg even. 'Ik heb heel lang nagedacht over de juiste vrouw voor jou. Ik heb een brief aan Elizabeth van Engeland geschreven, en ze heeft met interesse gereageerd.'

Met een schok schrok hij op uit zijn dagdroom. 'Dat lelijke wijf? Als u erfgenamen wilt, zult u een betere keuze moeten maken dan een kalende feeks met een slecht been.'

'Eduard,' berispte ik hem, 'je zou koning van Engeland worden.'

Hij slaakte een diepe zucht. 'Maman, ik wil alles voor u en Frankrijk doen, maar dat niet.'

Ik trok een lelijk gezicht. 'Als je niet met Elizabeth wilt trouwen, met wie dan wel?'

'Met niemand,' zei hij vlug, en hij liep terug naar Guise en Lignerolles, die allebei nog een wit voetje probeerden te halen bij Margot.

Ik deed Eduards weigering af als onbeschaamdheid en nam me voor om die avond nog eens met hem te praten, maar ik werd voortdurend opgehouden door andere gasten. Het werd laat, en er bleven veel feestvierders hangen, onder wie Eduard. Ik bleef ook, want ik wilde dat hij luisterde naar wat ik te zeggen had.

Onze overwinning bij Jarnac had uiteindelijk tot veelbelovende onderhandelingen met de hugenoten geleid. Ik was blij met de detente en dacht dat de oorlog werkelijk voorbij was.

De nacht ervoor had ik echter een droom gehad waarin ik duizenden onschuldigen hoorde schreeuwen. Ik was doodsbang wakker geworden en had de rest van de nacht koortsachtig liggen piekeren: hoe kon ik een verdere strijd tussen de hugenoten en katholieken afwenden?

Nuchter nadenken had de oplossing gebracht: het huwelijk tussen mijn dochter Elizabeth en Filips van Spanje had een einde gemaakt aan een oorlog die twee generaties had geduurd. Er werden wel vaker diplomatieke huwelijken gesloten om voormalige vijanden in vrienden te veranderen, maar met zijn korzelige karakter zou Karel een protestante bruid waarschijnlijk beledigen of zelfs kwaad doen. Eduard had de geestelijke soepelheid om zo'n vrouw het hof te maken en haar hart te winnen, en Elizabeth van Engeland leek de enige kandidate die hem waard was.

Hendrik en ik waren getrouwd toen we veertien waren. Karel was inmiddels twintig, en Eduard bijna negentien. Als moeder en koningin was ik geduldig geweest, maar nu kon ik niet meer wachten.

Ik liep naar het balkon. Op de binnenplaats onder me twinkelden talloze lichtjes van vuurvliegen. In de doolhoven van buxus waren wel honderd lampen neergezet, en de druppels van de fontein glinsterden in het maanlicht. Ik deed mijn ogen dicht en dacht opeens aan mijn echtgenoot – wat had hij er knap uitgezien toen hij naast die fontein had gestaan, een jonge soldaat die uit de oorlog terugkwam.

Toen ik beneden een zacht ruisend geluid hoorde, deed ik mijn ogen open. Aan de voorkant van een lage heg slopen twee donkere, mannelijke gedaantes onopvallend naar elkaar toe. Hun vingers raakten elkaar, en de een trok de ander naar zich toe om hem innig te omhelzen. Hun gezichten vonden elkaar in een intieme kus. De kleinste van de twee maakte zich van de ander los en begon te fluisteren – zo zachtjes dat ik hem niet kon verstaan, maar in zijn stem hoorde ik schaamte en verdriet.

De ander luisterde en begon ook te praten, zachtjes, verstandig, verlangend. Toen hij zweeg, bleven ze even roerloos als standbeelden staan, maar het volgende moment grepen ze elkaar weer beet.

De lange man nam zijn vriend mee naar een lage heg en draaide hem om, zodat ze dezelfde kant op keken. De kleinste keek over zijn schouder om te protesteren, maar boog zich voorover op het moment dat hij de aanraking van zijn minnaar voelde. Zijn muts viel op het gras toen hij zijn ellebogen op de geknipte heg liet rusten.

De lange man ging achter hem staan en prutste aan zijn kleren. Hij stootte zijn heupen naar voren, en de schaduwen versmolten weer tot één silhouet met vele ledematen. De gebogen man liet een scherpe, zinnelijke kreet van pijn horen, waarop zijn partner een hand op zijn mond legde. Terwijl de gebogen man met zijn handen in de heg klauwde, bereed de langste hem alsof hij een paard was.

Ik had hen en hun hartstocht met rust moeten laten, maar eerlijk gezegd was ik nieuwsgierig. Voor buitenstaanders zag hun gemeenschap er niet anders uit dan die van een man en vrouw. Het ritme was hetzelfde: een draf, een korte galop en daarna een volle galop. Aan het einde greep de ruiter de heupen van zijn paard beet en kromde hij zijn rug. Met zijn gezicht naar de maan hapte hij schokkerig naar adem.

De lange ruiter wankelde achteruit, terwijl zijn minnaar rechtop ging staan en zijn gezicht met zijn handen bedekte.

De lange man nam hem in zijn armen en troostte hem tot de kleinste weer rustig werd. Ze namen afscheid met een kus voordat ze met stevige pas terug naar het gebouw liepen.

Ik trok me terug in de schaduw toen de kleinste man naderde. In het licht van de toorts bij de ingang zag ik zijn gezicht – zijn verfijnde, smetteloze, gladgeschoren gezicht met het kuiltje in de kin. Lignerolles voelde met zijn hand aan zijn donkere haar, besefte dat hij zijn muts was vergeten en rende terug naar de heg om hem te halen.

De langere man liep door. Toen hij de toortsen passeerde, kon ik zijn gezicht goed zien – de lange, rechte neus en de zwarte ogen, die net zo glinsterden als de diamanten aan zijn oren.

Mijn Eduard, mijn lieve schat. Ik was niet geschokt, maar wel verdrietig dat het koninklijke Huis van Valois gevaar liep om uit te sterven.

Uren voordat de zon opging, haalde een woedend gebrul me uit mijn bed. Madame Gondi hoorde het geluid ook en kwam uit de kleedkamer aanrennen. Het geschreeuw kwam dichterbij, en ik herkende al snel de stem van de koning.

'Kreng! Hoer! Hoe kon je me bedriegen?'

We hoorden een bonk en het incoherente geschreeuw van een vrouw. Tegen de tijd dat ik om de deur van mijn antichambre heen gluurde, stond Karel in de gang, gekleed in een zijden broek en een onderhemd. Hij had Margot bij de arm, en toen ik de deur verder opendeed, duwde hij haar met kracht naar me toe.

'Ga naar je moeder, hoer!' schreeuwde hij. 'Vertel haar hoe je ons te schande hebt gemaakt.'

Margot viel op haar knieën en greep mijn handen beet. Ze droeg niets anders dan haar katoenen nachthemd, en haar loshangende haar golfde over haar rug. 'Hij is nu echt krankzinnig geworden, maman! Help me!'

Ik veegde een donkere, weerbarstige lok van haar wang en zag dat de schouder van haar hemd was gescheurd. In de rode, opgezwollen huid daaronder zag ik tandafdrukken in de vorm van mijn zoons bovenkaak.

Ik keek hem vernietigend aan. 'Je hebt haar verwond!'

'Vertel haar waarom!' beval hij, en toen ze bleef zwijgen, gaf hij haar een klap tegen haar achterhoofd. 'Vertel haar waaróm!'

Ze begon te jammeren, en ik hield mijn handpalm voor het gezicht van de koning om hem in te tomen. 'Hou op!'

Margot zat met haar gezicht in haar handen te huilen, vreselijk van streek. 'Hij bespioneert me, maman. Hij kijkt naar me als ik in bed lig!'

'Omdat je een hoer bent!' brulde Karel. 'Omdat er een man in je bed lag, door wie je je liet nemen!'

Onder aan haar nek greep hij haar haren beet, en hij trok haar hoofd naar achteren om haar keel te ontbloten. In een flits pakte hij een smal, glanzend voorwerp, dat hij ter hoogte van zijn middel bij zich droeg. In zijn ogen glom hetzelfde onmenselijke licht dat ik tijdens de jacht had gezien, toen de ingewanden van de haas tussen zijn tanden hadden gebungeld.

'U begrijpt het niet – ik hou van haar.' Hij zwaaide de dolk een vingerbreedte boven Margots tere huid heen en weer. 'Tenminste, dat deed ik tot ze me bedroog! Was het de eerste keer met een pik tussen je benen, mijn zuster? Deed het pijn? Of genoot je ervan, als een hoer? Vertel me de waarheid! Het was Hendrik de Guise, nietwaar?'

'Er was niemand,' antwoordde Margot snikkend.

Terwijl Karel de dolk ophief, beschermde ik Margot met mijn lichaam en sloeg ik tegen zijn arm. De dolk viel kletterend op de marmeren vloer en gleed in de richting van de deur.

Hij greep Margots haar steviger beet en gaf er een harde ruk aan. Ze krijste en viel op de grond. Als een trofee hief Karel het lange, dikke lint van haar in zijn vuist omhoog.

Margot voelde aan haar achterhoofd en zag dat haar handpalm vol bloed zat. Ik probeerde haar broer weg te duwen.

Vlug als een adder haalde hij uit. De klap raakte me vol op mijn kaak en ik verloor mijn evenwicht. Toen ik viel, raakte mijn hoofd de harde marmeren vloer. Even was ik buiten adem, verlamd, maar ik hoorde iemand schor en onbeheerst hoesten.

Ik ging rechtop zitten. Margot duwde haar beide handen op haar bloedende achterhoofd, Karel was dubbelgeslagen. Terwijl hij naar de gevallen dolk wankelde, spuwde hij speeksel met bloedsporen op de grond.

Ik strompelde naar mijn zoon, maar hij was als eerste bij de dolk en keek vergenoegd naar mij voordat hij zich bukte om hem te pakken.

Op het moment dat zijn vingers zich om het gevest sloten, ramde de hak van een laars zijn pols op de grond. Toen ik opkeek, zag ik Eduard, nog altijd in de kleren die hij naar de receptie had gedragen.

'Maman, Margot – mijn god, hij heeft jullie pijn gedaan!' Zijn blik viel op de lange, donkere streng haar, waarvan één uiteinde plakte van het bloed. Zijn gezicht vertrok, alsof het haar van zijn eigen hoofd was gerukt.

'Ik vond een man in haar bed!' schreeuwde Karel. 'Ze liet zich nemen, ik weet het zeker!' Hij begon weer te hoesten.

Er gleed een ontzette blik over Eduards gezicht toen hij begreep wat er aan de hand was. 'Je had hen willen doden...'

'Ga verdomme van mijn hand af!' bracht Karel hijgend en piepend uit. 'Ik ben je koning. Ik beveel het je!'

Eduard vermande zich abrupt. 'Ik til mijn voet pas op als jij de dolk loslaat, Karel.'

'Maar er lag een man in Margots bed! Guise, ik weet zeker dat het Guise was! Ga nu van mijn hand af!'

Eduard vouwde vastberaden zijn armen over elkaar en bleef staan tot Karel langzaam zijn hand openvouwde en de dolk liet vallen.

Eduard tilde zijn voet pas op nadat hij zich had gebukt en het wapen had opgeraapt. Karel kroop weg en ging op de vloer zitten.

'Dit kost je je kop,' bracht hij met schorre stem uit.

Ik haastte me naar Margot en drukte een zakdoek op haar hoofd. Haar schouders en hoofd waren inmiddels kleddernat van het bloed. Ze trilde niet meer, en haar toon was uitdagend. 'Er was geen man in mijn kamer!'

'Je kunt liegen wat je wilt, maar ik weet wat ik heb gezien,' zei Karel.

'Wat heb je dan gezien?' vroeg Eduard zachtjes.

'Margot, in haar nachthemd,' zei Karel. 'En naast haar een naakte man, die uit het raam kroop.'

'Heb je zijn gezicht niet gezien?' vroeg ik. 'Hoe weet je dan dat het Guise was?'

'Ik...' Karel bloosde en ging daarna in de verdediging. 'Maman, u hebt gezien hoe hij vanavond met haar flirtte.'

'Heb je dan niet uit het raam gekeken waar hij naartoe ging?' drong Eduard aan. 'Of had je het te druk met overhaaste conclusies trekken?'

Karel sputterde verontwaardigd tegen. 'Margot stond in de weg. Daardoor kon ik niet zien wie het was!'

'Karel,' zei ik nuchter, 'als Guise een prinses onteerde, zou hij dat met de dood moeten bekopen. Ook al is hij nog zo verliefd op Margot, zo dom zou hij niet zijn.'

'Schei toch uit,' voegde Margot er geïrriteerd aan toe. 'Ik verfoei die man!'

'Je kunt liegen wat je wilt, maar ik kom toch snel genoeg achter de waarheid,' siste Karel. Onvriendelijk keek hij naar Eduard. 'En wat jou betreft... God is mijn getuige: er komt een dag dat ik je dood.' Na die woorden draaide hij zich om en liep hij weg.

Ik slaakte een uitgeputte zucht. Margot en Eduard, die dachten dat ik hun vertrekkende broer nakeek, wisselden een blik van verstandhouding. De hare was dankbaar, de zijne troostend.

In die flits van een seconde, voordat ze elkaar weer als broer en zus aankeken, zag ik nog iets anders op hun gezicht, een berekenende en onmiskenbaar samenzweerderige blik.

36

Ik hield mezelf voor dat ik me had vergist, en dat Eduard en Margot helemaal niet samenspanden. Margots hofdames hielden vol dat er in haar slaapvertrek niets onfatsoenlijks was gebeurd, maar die ene, samenzweerderige blik tussen broer en zus liet me niet los. Ik kon niet riskeren dat Margot in verwachting raakte, en ik kon al helemaal niet riskeren dat ze met een radicale antihugenoot als Guise trouwde.

Er was één voor de hand liggende oplossing, voor het welzijn van mijn dochter en een verenigd Frankrijk. Na het uiterst onaangename incident met Karel schreef ik een brief aan mijn vriendin Johanna, de koningin van Navarra.

Waarom moeten we ruziemaken? Breng ons alsjeblieft een bezoek, en weet dat je ons net zo dierbaar bent als een familielid. Ik bid dat het goed met je gaat en dat je gelukkig bent. Schrijf alsjeblieft snel terug.

Haar antwoord kwam een paar dagen later.

Het gaat goed met ons, en ik ben zo gelukkig als iemand kan zijn als hij de vrijheid niet heeft om zijn geloof te belijden. Hendrik is inmiddels een man en is in de strijd net zo dapper als zijn naamgenoot, jouw echtgenoot. Hij heeft een sterk, eerlijk karakter – eigenschappen die aan het Franse hof helaas niet vaak voorkomen – en is toegewijd aan de protestantse zaak. Hij laat je groeten en zegt dat hij hoopt dat hij je weer eens zal zien.

Hij zegt echter ook dat die dag niet zal aanbreken tot de protestanten een volledige vrijheid van geloofsuiting krijgen.

Ik schreef ook een brief aan Gaspard de Coligny, de leider van de hugenoten en de neef van de oude Montmorency. Johanna's weigering verbaasde me niet, maar ik was zeer verheugd door Coligny's antwoord.

We moeten elkaar wel vertrouwen, we hebben geen andere keuze. Laat mij als eerste inschikkelijk zijn en mijn leven in uw handen leggen.

U hebt zich ongetwijfeld een mening over me gevormd, gebaseerd op verklaringen van anderen. U zult merken dat de waarheid heel anders is. Ik verlang ernaar om u te bewijzen dat Zijne Majesteit geen toegewijdere dienaar heeft dan ik.

Admiraal Gaspard de Coligny kwam half september naar het kasteel van Blois, toen de valleien een gouden glans kregen omdat de bladeren aan de eiken en populieren van kleur begonnen te veranderen. Op de ochtend dat zijn koets arriveerde, had ik koorts. Ik had een paar keer geprobeerd om op te staan en me te laten aankleden, maar ik zakte steeds door mijn benen.

Een boodschapper van Eduard bracht bericht dat de hertog van Anjou zich ook niet goed voelde. De gedachte dat Karel de hugenotenleider misschien in zijn eentje zou ontvangen, joeg me schrik aan. De dag ervoor had de koning een woede-uitbarsting gehad toen hij hoorde dat Coligny zou komen.

Ik wees hem erop dat de overleden prins van Condé een poging had gedaan om ons gevangen te nemen en dat Gaspard de Coligny die daad openlijk had afgekeurd. De koning liet zich niet bepraten.

Toen ik hoorde dat Eduard ziek was, wijzigde ik onze zorgvuldige plannen. Er werden een ligstoel en twee gewone stoelen naast mijn bed gezet, en ik ging klappertandend van de koorts onder mijn dekens liggen.

Eduard verscheen al vroeg in mijn vertrekken, in een kamerjas van lavendelkleurig fluweel en vergezeld door een hondje met een halsband vol opalen. Hij was zo zwak dat twee dienaren hem half moesten dragen. We repeteerden wat we konden zeggen om Coligny en de koning met elkaar te verzoenen.

Na een paar uur werd de admiraal aangekondigd, en ik liet de koning komen. Karel stuurde een boodschap dat hij niet zou komen, maar ik antwoordde dat hij dapper genoeg moest zijn om de admiraal in zijn gezicht te zeggen dat hij hem niet onder zijn dak wilde ontvangen.

Mijn strategie werkte. Algauw kwam Karel naar me toe, met zijn armen over elkaar gevouwen en zijn onderlip pruilend vooruit. Toen hij eenmaal in zijn stoel zat, gaf ik het signaal dat onze gast mocht worden doorgestuurd.

Gaspard de Coligny kwam binnen. Hij was een kleine man, mager, maar met grove botten en de krachtige schouders van een zwaardvechter. Zijn knappe gezicht was verweerd door de vele jaren in het leger. Zijn lichte haar was kortgeknipt, en zijn baard was geborsteld om hem een zachtere aanblik te geven. Hij droeg geen sieraden, zijn versleten zwarte wambuis paste eerder bij een plattelandspriester dan bij een edelman, en zijn vierkante muts was gemaakt van eenvoudige, geschuierde katoen. Zijn houding en tred pasten echter bij een man die verwachtte dat de wereld al zijn wensen zou vervullen.

Zijn eerste gebaar was indrukwekkend: hij sloeg geen acht op de grommende hond op Eduards schoot en de dreigende blik van de koning, maar liep rechtstreeks op Karel af. Hij ging met zijn muts in zijn hand op zijn knieën zitten en boog zijn hoofd, waardoor we een kalende, door de zon verbrande kruin te zien kregen.

'Majesteit, er zijn geen woorden om mijn dankbaarheid over uw uitnodiging uit te drukken,' zei hij. 'Uw grootmoedigheid, vergevingsgezindheid en vertrouwen zijn overweldigend. Dank u dat ik u mag tonen dat mijn geloofsgenoten en ik u respecteren als onze soevereine vorst.'

De woorden leken zo oprecht en nederig dat Karel zich liet vermurwen. Zijn onvriendelijke blik maakte plaats voor een aarzelende nieuwsgierigheid.

'Welkom in Blois,' mompelde hij, en hij gebaarde ongeduldig met zijn hand. 'Sta op, sta op.'

De elegante, sterke Coligny stond op zonder zijn handen te gebruiken. Zijn blonde wimpers waren nauwelijks zichtbaar, waardoor zijn blik kwetsbaar en onschuldig leek. Ik keek even heimelijk opzij naar Eduard, en zag aan zijn ogen dat hij ondanks die gunstige eerste indruk mijn scepsis deelde.

De aandacht van de admiraal was zo op Karel gericht dat Eduard en ik net zo goed afwezig hadden kunnen zijn. 'Ik ben ervan overtuigd, Majesteit, dat God u opdracht heeft gegeven om mij te ontbieden, zodat de vrede in Frankrijk kan worden hersteld. Als uw voormalige vijand wil ik u feliciteren met uw scherpe militaire inzicht. U hebt keer op keer bewezen wie van ons tweeën de beste bevelhebber is.'

Karels lip krulde een stukje omhoog. 'Doe niet zo neerbuigend, monsieur. U weet heel goed dat mijn broer de veldslagen heeft gewonnen.'

'Zeker,' erkende Coligny, 'maar een wijze koning omringt zich met getalenteerde mannen. Uiteindelijk bent u verantwoordelijk voor elke overwinning.'

Bij die woorden ontspanden de spieren in Karels gezicht en lichaam zich. 'Admiraal,' zei hij, gebarend met zijn hand, 'dit is mijn broer, de hertog van Anjou.'

Voor het eerst keek Coligny naar Anjou. Het hondje op Eduards schoot trok zijn lip op, maar de admiraal leek het niet te zien. Hij maakte een diepe buiging, en toen hij rechtop ging staan, zei hij: 'Monsieur le duc. Het was inderdaad wijs van Zijne Majesteit om u tot luitenant-generaal te benoemen. Het is een genoegen om de achtenswaardige tegenstander te ontmoeten die mij het leven zo lang zuur heeft gemaakt.'

Ondanks die vleiende woorden was Coligny's blik enigszins afkeurend toen hij – zo sterk, vierkant en sober – naar mijn zoon en zijn lavendelkleurige fluweel, sieraden en glinsterende hondje keek.

Als Eduard besefte dat de man hem veroordeelde, liet hij het niet merken. Hij lachte ontspannen en zei: 'Dat kan ik ook tegen u zeggen, admiraal. Ik ben blij dat u eindelijk aan onze kant staat.'

'En dit is onze geliefde moeder,' kondigde de koning aan.

Coligny kwam naast mijn bed staan en kuste mijn hand. Zijn baard voelde zacht aan op mijn huid.

'Madame la reine,' zei hij plechtig. 'Alleen een nobele moeder kan zulke nobele mannen grootbrengen. Moge God u en de hertog een snel herstel gunnen.'

'Admiraal.' Ondanks mijn koorts glimlachte ik naar hem. 'Ik ben blij dat ik u mijn vriend mag noemen. Ik kijk uit naar een gesprek over de vraag hoe we het verdrag van Amboise kunnen verstevigen.'

Coligny wendde zich tot mijn oudste zoon. 'Majesteit, ik zou niets liever willen, maar zulke onderhandelingen kunnen het beste onder vier ogen plaatsvinden. Ik kijk ernaar uit om deze kwestie van man tot man met u te bespreken.'

'Als wijze vorst hecht mijn broer veel waarde aan het advies van onze moeder,' kwam Eduard soepeltjes tussenbeide. 'Zij was onmisbaar in de onderhandelingen over het verdrag.'

Coligny wendde zich weer tot Karel. 'Als u uw moeder tot uw gezant wilt benoemen, praat ik met haar. Zegt u het maar, Majesteit.'

Karel straalde. 'Vanavond dineren wij met ons tweeën en praten we over het verdrag.' Hij tikte op de stoel naast hem. 'Gaat u zitten, en neemt u wat te drinken.' Hij knipte met zijn vingers naar een dienstmeisje, dat haastig een beker met wijn vulde.

'Ik ben vereerd, Majesteit, maar ik drink geen wijn, omdat ik niet wil dat drank invloed heeft op mijn vermogen om mijn God en mijn koning te dienen.'

Ik hoorde de vrome trots in die mededeling. Coligny's woorden waren bedoeld om hem nederig en eerlijk af te schilderen, waardoor ik hem juist niet vertrouwde. Hij ging naast Karel zitten, die hem bij de arm greep en grapte: 'Nu hebben we u, mon père, en we laten u niet zomaar meer gaan!' Hij lachte om zijn eigen geestige opmerking.

Coligny lachte ook, zonder een spoortje van het ongemakkelijke gevoel dat een minder zelfverzekerde man bij zulke woorden zou krijgen. We praatten over zijn reis, de schoonheid van de Loire-vallei en de jonge vrouw met wie hij pas was getrouwd.

Binnen een kwartier werden Coligny en de koning goede vrienden. De twee mannen verlieten samen het vertrek, omdat Karel de admiraal het paleis wilde laten zien. Eduard en ik staarden hen na.

'Dat kon nog wel eens lastig worden,' mompelde Eduard, toen ze eenmaal buiten gehoorsafstand waren.

'Ik denk dat ik een grote fout heb gemaakt door hem uit te nodigen,' zei ik zachtjes.

Zodra Eduard en ik waren hersteld, hielden we ter ere van Coligny een formele receptie, waarvoor we driehonderd hertogen, kardinalen en ambassadeurs uitnodigden. Karel genoot van alle drukte.

De festiviteiten begonnen tegen de avondschemering. De enorme wenteltrap aan de buitenkant, die over de binnenplaats uitkeek, was versierd met zilverbrokaat en vergulde bladeren. Terwijl onze gasten vanaf de trap toekeken, zwaaide een groep jonge vrouwen, schaars gekleed in een ragfijne stof, grote waaiers in het rond, waaraan pluimen waren vastgemaakt. Daarna gingen ze in een kring staan en hielden ze de uiteinden van de pluimen tegen elkaar. Zodra de waaiers theatraal naar beneden gingen, zagen we de pasgeboren Venus, die op een grote 'schelp' van geschilderd hout stond.

De nimfen draaiden om hun as terwijl ze van haar weg dansten. Venus maakte een dansje, waarna Mars – Eduards Lignerolles, in een witte toga en een scharlakenrode mantel – met een zwaard in zijn hand verscheen. Na een dreigende vertoning achtervolgde Mars de angstige Venus. Toen hij haar had gevangen, kuste ze hem en werd hij zo mak als een lammetje. Onder daverend applaus liep het paar stralend rond.

Het gezelschap ging naar binnen, waar dunne zijden doeken aan het plafond hingen. Van tijd tot tijd lieten de nimfen het doek bewegen om herinneringen aan de golvende zee op te roepen. Tegen deze oceanische achtergrond werden de koning en zijn familie formeel aangekondigd, gevolgd door de eregast.

Toen Coligny binnenkwam, was zijn houding indrukwekkend, maar zijn kleding niet: hij droeg een nieuw, zwartzijden wambuis, maar in plaats van een modieuze plooikraag droeg hij een eenvoudige witte kraag. Het was een briljante strategie: tussen al het satijn, het fluweel en de juwelen viel de saai geklede Coligny juist erg goed op. Hij knielde bij Karels troon, negeerde de uitgestoken hand van de koning en kuste zijn in een muil gestoken voet.

Niet alleen de vijandige katholieke gasten waren onder de indruk. Karel werd helemaal licht in het hoofd van zoveel trouw, en hij stond grijnzend op om Coligny overeind te helpen en hem op zijn wangen te kussen.

'We zijn overtuigd van admiraal Coligny's loyaliteit en goede wil,' kondigde de koning aan, met zijn arm om de schouder van de hugenoot. 'Als trouwe onderdaan en vriend heeft hij onze liefde, en wie zijn hand tegen hem opheft, doet dat tegen ons.'

Coligny maakte een buiging voor de hertog van Anjou. Voor de receptie van de admiraal droeg Eduard roze damast vol parels en een enorme plooikraag van roze kant. Zijn witte schoothondje had een bijpassende plooikraag om. Ik vond het amusant om te zien dat de sluwe Eduard de admiraal bij de handen pakte en hem op de mond kuste alsof hij een bloedverwant was. Alleen iemand die goed oplette, zag hoe haastig Coligny zich uit de omhelzing losmaakte.

Na een knikje van Karel begonnen de luitisten en violisten te spelen. Ik had de koning nog nooit zo opgewekt en babbelziek gezien. Hij nam Coligny bij de arm en paradeerde rond om met zijn nieuwe buit te pronken.

Margot, Eduard en ik kwamen ook van onze tronen af. Ik haastte me naar de Guises – de jonge hertog, Hendrik, en zijn oom, de kardinaal van Lotharingen, die een zeer goede reden hadden om aanstoot te nemen aan alle eer waarmee de admiraal werd overladen. Een spion van Coligny had Hendriks vader vermoord, de oude hertog van Guise.

De kardinaal pakte de hand die ik naar hem uitstak. Zijn eigen hand was koel en gewichtloos, en zijn lippen kusten de lucht vlak boven mijn wang.

De witte plooikraag van zijn neef, de hertog van Guise, was groter dan zijn hoofd, en het stijve kant schuurde over mijn huid toen hij mijn hand kuste. Hij glimlachte, maar het gebaar was allesbehalve oprecht. Zijn houding was stijf en gespannen.

'Heren, ik ben u zeer dankbaar voor uw komst,' zei ik warm. 'De omstandigheden zijn voor u beiden niet eenvoudig, maar u hebt het welzijn van Frankrijk boven uw eigen gevoelens gesteld. Ik zal uw hoffelijkheid niet vergeten.'

'U bent te goed,' zei de jongere Guise, maar zijn toon klonk afwezig. Hij keek naar Karel en Coligny, die steeds dichterbij kwamen.

Ik deed mijn mond open om iets te zeggen, maar de luide, joviale stem van de koning onderbrak ons.

'Kijk, de messieurs Guise! Hier is hij, heren: uw aartsvijand, admiraal Gaspard de Coligny!'

Ik draaide me om. Daar stond Karel te grijnzen, arm in arm met de admiraal, blind voor de agitatie van de anderen.

De kardinaal en de hertog verstijfden. Coligny was een volle kop kleiner dan de jonge Guise, die langs zijn aristocratische neus omlaag keek naar de admiraal.

'Ik moet jullie zeggen dat de admiraal me heeft bezworen dat hij niets met de dood van Frans de Guise te maken had,' verkondigde Karel. 'Zijn spion had geen bevel gekregen om Frans te vermoorden.'

De kardinaal leek wel in steen te veranderen. Een spiertje in de kaak van de jonge Guise spande zich toen hij zei: 'Omdat u zo'n goede vriend van de koning bent, admiraal, moet ik u verwelkomen aan het hof.'

'Ik heb vele malen aan uw vaders zijde gevochten,' zei Coligny zachtjes. 'Een betere man en soldaat bestond er niet. Ik heb gehuild toen ik hoorde dat hij dood was.'

Guises ogen schoten vuur. Hij wilde Coligny aanvliegen, maar hij werd rustig toen zijn oom een waarschuwende hand op zijn schouder legde. In de beladen stilte nam Karel weer luid en luchthartig het woord.

'Wat heb ik nu gehoord over onze nicht, de koningin van Schotland? Klopt het dat Maria weer allerlei snode plannen heeft bedacht en zichzelf in de nesten heeft gewerkt?'

'Ze wordt in Engeland gevangengehouden,' antwoordde de kardinaal stijfjes. 'Elizabeth is ervan overtuigd dat Maria en de hertog van Norfolk samenspanden om haar te vermoorden.'

'Maar dat klopt toch?' wilde Karel weten. 'Maria is altijd van mening geweest dat de Engelse kroon haar toekwam.'

'En terecht, Majesteit,' pareerde de jonge Guise dreigend. Hij keek even opzij naar Coligny. 'Elizabeth is een ketter en een bastaard. Om die reden heeft zij geen enkel recht op een troon binnen de christelijke wereld.'

'Maria neemt wel erg veel risico's, vinden jullie niet?' vroeg Karel opgewekt. 'De ene samenzwering na de andere... en ze worden allemaal ontdekt. Let op mijn woorden, ze wordt nog eens onthoofd.'

Na die woorden liep hij met de admiraal verder. Ik bleef nog een paar minuten bij de Guises staan en probeerde tevergeefs de schade ongedaan te maken.

Het feest duurde tot diep in de nacht. Op een bepaald moment zag ik dat Coligny een luchtje schepte op het balkon dat over de binnenplaats uitkeek, en ik ging naar hem toe.

Op het balkon was het heerlijk koel, rustig en verlaten. Coligny leunde tegen de balustrade en staarde met een enigszins bezorgde blik naar de donkere horizon. Zodra hij mij hoorde naderen, draaide hij zich om en dwong hij zichzelf om te glimlachen.

'Wat kijkt u ernstig, admiraal,' zei ik op opgeruimde toon. 'Ik had gehoopt dat deze avond ontspannend voor u zou zijn.'

Hij lachte. 'Oude soldaten kunnen zich nooit helemaal ontspannen, madame la reine. Dat is een prijs die je voor oorlog betaalt.'

'Dat is jammer, want u bent in dit gezelschap werkelijk veilig,' zei ik.

Zijn stem kreeg een wrange toon. 'Dat zou ik niet zeggen als ik naar de hertog van Guise keek.'

'Hij leert het wel om u zijn vriend te noemen. Ik ben vastbesloten om uw volgelingen en de onze met elkaar te verzoenen. Dat vind ik zelfs zo belangrijk dat ik u om een gunst kom vragen.'

Aangenaam verrast en verwachtingsvol trok hij zijn goudblonde wenkbrauwen op.

'Neem contact op met Johanna van Navarra,' zei ik. 'Vertel haar dat ze mij aan het hof moet bezoeken om het huwelijk van mijn dochter Margot met haar zoon Hendrik te bespreken.'

Zijn blik werd enigszins verrast. 'Meent u dat, madame?'

'Jazeker.'

'U moet goed begrijpen dat mijn volgelingen me hadden geadviseerd om niet naar het hof te komen,' zei hij. 'De koningin van Navarra heeft nog meer redenen om op haar hoede te zijn. Als zij wordt gedood, laat ze een land en een jonge zoon achter.'

Ik slaakte een oprechte, diepe zucht. 'Johanna heeft veel minder reden om voor haar veiligheid te vrezen dan u. Ik zou Margot echt niet aan haar zoon uithuwelijken om haar kwaad te kunnen doen.'

'Dat is een uitstekend argument,' gaf hij toe. 'Maar heb ik reden om me zorgen te maken om mijn veiligheid, madame la reine?'

'Nee,' antwoordde ik met nadruk. 'De hertog van Anjou heeft geregeld dat u vijftig lijfwachten krijgt, en hij heeft een aanzienlijk bedrag op uw bankrekeningen gezet. Ik hoop dat dat voor u een bewijs is dat ik echt graag vrede wil.'

Hij hield zijn hoofd schuin. 'Weet Zijne Majesteit van de huwelijksplannen?'

'Huwelijksplannen zijn vrouwenwerk, maar niets is definitief zonder de goedkeuring van de koning.'

'Ik begrijp het.' Hij staarde weer in de duisternis, maar toen hij zich weer tot mij wendde, had hij een vastberaden blik op zijn gezicht. 'Als u onze vriendin wilt zijn, geef ik u dit ter overweging: de Spanjaarden vermoorden onze medeprotestanten in de Nederlanden. Ik heb vijfduizend soldaten nodig om Filips te laten zien dat Frankrijk niet toestaat dat onschuldige mensen worden afgeslacht.'

Als ik Franse soldaten naar de Nederlanden stuurde, zou koning Filips dat als een oorlogsdaad zien. Zijn leger was groter en sterker dan het onze, en we zouden snel verslagen worden. Mijn gezicht verraadde echter niets, en ik bleef hem vriendelijk aankijken.

'Daar wil ik graag langer met u over praten als Margot en Hendrik getrouwd zijn,' zei ik rustig. 'Maar eerst moet u een boodschap aan Johanna sturen.'

'Zoals u wilt, madame la reine,' zei hij. 'Ik ben uw dienaar.'

Terwijl we weer naar binnen liepen, liet ik mijn vingers vederlicht op zijn stevige onderarm rusten. Afgezien van zijn kaler wordende kruin zag hij er goed uit voor zijn leeftijd. Ik vertrouwde hem niet, maar ik waardeerde zijn intelligentie en zelfverzekerdheid.

Zodra we binnenkwamen, haastte Karel zich naar ons toe.

'Daar bent u, mon père!' riep hij uit. 'De Florentijnse ambassadeur wil u graag ontmoeten. Kom!' Hij nam Coligny bij de hand en trok hem mee de menigte in.

Daarna werd ik in beslag genomen door wel tien gesprekken met evenveel belangrijke gasten. Het was al laat tegen de tijd dat ik in gesprek raakte met de Spaanse ambassadeur, Alava, een kruiperige man met een dikke buik. Hij was net bezig aan een anekdote over mijn vroegere schoonzoon, Filips, toen we opeens een woedende schreeuw hoorden.

'Leugenaar. Leugenaar!'

Ik draaide me om. Naast de borrelende fontein stond een trillende Hendrik de Guise, die duidelijk moeite had om zijn woede te beheersen. Op een armlengte afstand stond Coligny, die beleefd en onhoorbaar reageerde.

Guise ontstak door die woorden in woede en haalde uit met de rug van zijn hand. Coligny verloor bijna zijn evenwicht. Guise wilde hem nog een keer slaan, maar Eduard zag het op tijd en ving zijn arm op. De jonge hertog stribbelde tegen toen Eduard hem vasthield.

'Poltrot de Méré was uw spion!' schreeuwde Guise, wiens gezicht rood was van woede en de wijn. 'Moeten wij werkelijk geloven dat u geen bevel voor de moord op mijn vader hebt gegeven? Ik eis genoegdoening!'

Karel kwam boos en met een rood hoofd aanlopen. Hij wilde Guise zelf aanvliegen, maar de admiraal wuifde hem weg.

'Ik duelleer niet.' Coligny's ademhaling ging snel, maar zijn stem en blik waren uiterst beheerst. 'God keurt gokken af, of de inzet nu winst of een mensenleven is.'

'Lafaard!' brulde Guise. 'Verschuil u maar achter uw vroomheid, als u wilt, maar u zult voor uw misdaad boeten!'

'Als ik voortijdig sterf, is het omdat ik ieders recht God te vereren verdedig,' reageerde Coligny koeltjes. 'Niet omdat ik me verdedig tegen grove beschuldigingen.'

Zijne Majesteit greep Guises plooikraag beet. 'U doet er goed aan, monsieur, om een vriend van de vriend van de koning te zijn,' snauwde Karel. 'Anders zou ik u wel eens mijn vijand kunnen noemen.'

Guise zette grote ogen op. Karel duwde hem achteruit in de armen van zijn oom, de kardinaal. Terwijl hij met Coligny op zijn hielen langs Guise liep, siste hij: 'En als u nog eens in de buurt van mijn zuster komt, vermoord ik u met mijn blote handen.'

37

De volgende ochtend ging ik al vroeg naar de vertrekken van de koning. Ik had verwacht dat ik hem in bed zou aantreffen, maar tot mijn verbazing was Karel in zijn kabinet. Ik wilde onaangekondigd naar binnen gaan, maar de wachter hield me bij de deur tegen.

'Vergeef me, madame la reine, maar de koning heeft bevolen dat hij niet gestoord mag worden. Admiraal Coligny is bij hem.'

'Zeg tegen de koning dat ik hier ben,' beval ik, 'en dat ik hem onmiddellijk achter gesloten deuren moet spreken.'

Met tegenzin klopte de jonge Schot op de deur. Karel gaf de arme man de wind van voren en wilde me wegsturen, maar ik hoorde dat Coligny de koning bepraatte. Uiteindelijk verliet de admiraal het kabinet, en na een buiging in mijn richting liep hij weg.

Mijn woedende zoon zat achter zijn schrijftafel, die op één document na helemaal leeg was. Het papier was omgedraaid om de tekst tegen nieuwsgierige blikken te beschermen. Karel had zijn vuist erop gelegd en keek me vanachter de tafel onvriendelijk aan.

'Ik hoop voor u dat dit belangrijk is, maman,' zei hij.

'Dat is het zeker,' zei ik. 'Ik kom je vertellen dat de admiraal Johanna van Navarra gaat vragen om bij ons op bezoek te komen.'

'O,' zei hij verveeld. 'Dat is toch geen reden om ons gesprek te onderbreken?'

'Dat is waar,' gaf ik toe. 'Ik nodig Johanna uit om een huwelijk tussen haar zoon en Margot te regelen.' Ik vertelde mijn plan met opzet nu aan Karel, omdat hij dweepte met Coligny en zijn hugenotenvrienden. Daardoor was er voor het eerst een goede kans dat hij het plan zou goedkeuren.

'Ja, dat is eigenlijk wel een goede partij,' zei hij met een verbazende mildheid. 'Per slot van rekening is Hendrik koning.'

'Mooi zo!' Ik aarzelde. 'Er is nog een reden waarom ik hier ben, Karel. Ik moet je waarschuwen voor Coligny.'

Hij hield zijn handen tegen zijn oren. 'Ik wil het niet horen! Hij is een fatsoenlijke man!'

'Hij is ook een zeer overredende man,' zei ik luid. 'En ik heb de ware reden ontdekt waarom hij naar ons toe is gekomen: hij wil soldaten om in de Nederlanden tegen de Spanjaarden te vechten.'

Terwijl ik praatte, drukte Karel zijn hand op het mysterieuze document, alsof hij bang was dat ik het van hem zou afpakken.

Ik keek ernaar. 'Mag ik vragen waar dat document over gaat?'

'Ik ben nu een man, maman. Ik hoef u niet alles meer te vertellen.'

'O jawel,' reageerde ik vinnig. 'Ik ben je belangrijkste raadsvrouw, en je kunt geen formele besluiten nemen zonder de goedkeuring van je raad.'

Ik griste het document onder zijn hand vandaan. Het was een koninklijk bevel, een machtiging waarmee vijfduizend soldaten onder het bevel van admiraal Coligny naar de Nederlanden zouden worden gestuurd. Ik had een paar minuten na onze eerste ontmoeting al kunnen weten dat Gaspard de Coligny vastbesloten was om een wig tussen mij en mijn zoon te drijven, maar toch was ik verbaasd en woedend, en ik verloor mijn zelfbeheersing.

'Dwaas die je bent!' Ik zwaaide met het document naar Karel. 'Dit staat gelijk aan een rechtstreekse aanval op Spanje! Besef je wel wat er gebeurt als Filips terugslaat?'

'Dan zullen we hem eindelijk verslaan,' zei Karel. In zijn ogen blonk een waanzinnige glans.

'Nee!' schreeuwde ik. 'Dan worden wij verslagen. Geen enkel land heeft zo'n grote vloot als Spanje. Hun zeemacht telt meer mannen dan de onze.'

'Maar de admiraal...' begon Karel te sputteren.

'De admiraal wíl dat we verstrikt raken in een oorlog die we niet kunnen winnen, want als onze soldaten tegen de Spanjaarden vechten, is er niemand om jou tegen de hugenoten te beschermen. Ze zouden ons kunnen vernietigen. Ze zouden hun eigen leider op de troon kunnen zetten!'

Karels gelaatstrekken verhardden tot een knorrig masker. 'Coligny houdt van me alsof ik zijn zoon ben. Zoiets zou hij nooit doen.'

Ik rolde het bezwarende besluit op en leunde naar voren.

'Als je meer vertrouwen in Coligny hebt dan in mij, heb je mij niet meer nodig. Stuur maar troepen naar de Nederlanden, dan trek ik me terug uit de regering. Ik blijf niet hier om het Huis van Valois te zien vallen!'

Er vlamde angst op in Karels ogen. Als ik hem in de steek liet, zou de waarheid – dat hij niet in staat was om te regeren – voor iedereen overduidelijk zijn.

'Ga niet weg, maman!' zei hij, opeens berouwvol. 'Ik zal geen soldaten sturen.'

'Precies,' zei ik, terwijl ik mijn rug rechtte en het papier verscheurde. De dwarrelende snippertjes werden een stapel op zijn schrijftafel.

Ik verliet het vertrek, nog steeds woedend op Coligny, maar tevreden over de manier waarop ik Karel had gemanipuleerd. Wat was ik dom: ik was blij dat ik de slag had gewonnen, maar ik besefte niet dat ik de oorlog al had verloren.

Het oude jaar ging voorbij en maakte plaats voor een nieuw jaar, 1572. In die dagen vóór de maalstroom was ik blij, omdat ik dacht dat ik Karel duidelijk had gemaakt dat hij Coligny niet kon vertrouwen, en omdat ik dacht dat het huwelijk van mijn dochter en Navarra vrede in Frankrijk zou brengen. Ik was ook blij omdat Johanna aan het begin van de lente naar Blois kwam.

Een uur na haar aankomst ging ik naar haar gastenverblijf, en toen de bediende opendeed, legde ik mijn vinger op mijn lippen en glipte ik de antichambre in. Terwijl ik op mijn tenen haar slaapvertrek in liep, riep Johanna: 'Wie was er aan de deur?'

Ik haastte me naar de drempel. 'Niemand, madame.'

Ze stond bij een waskom, en terwijl ze haar wangen met een handdoek droogdepte, keek ze fronsend in de spiegel. Ze droeg geen Franse kap en plooikraag meer, maar het allesbehalve stijlvolle, zwarte gewaad dat de voorkeur van de vrouwelijke hugenoten had. Bij mijn woorden keek ze geschrokken op, maar toen gleed er een brede glimlach over haar gezicht.

We hadden elkaar bijna tien jaar niet gezien. Johanna's haar was grijs geworden, en op haar voorhoofd en rond haar mond had ze diepe lijnen gekregen. Wat ik onheilspellender vond, was dat ze broodmager was geworden, vel over been. Het effect werd nog versterkt door haar bleke tuberculoseteint.

Maar haar groene ogen sprankelden nog altijd, en ze begonnen te stralen toen ze me zag. Ze legde de handdoek neer en maakte een kniebuiging. 'Madame la reine,' zei ze hoffelijk.

Ik maakte een diepe, nederige buiging. 'Madame la reine.'

We bleven zo even staan, tot we lachend overeind kwamen en elkaar omhelsden. In mijn armen voelde ze broos en vederlicht aan.

'Catharina!' zei ze. 'Ik dacht dat ik me niet op mijn gemak zou voelen als ik je zag, maar het is alsof die tien jaar nooit hebben bestaan.'

'Ik ben zo blij dat je er bent,' zei ik oprecht.

'Ik moest lachen om al je geruststellingen dat ik veilig zou zijn,' zei ze. 'Ik heb nooit geloofd in de geruchten dat je kleine kinderen verslindt.'

'Je hebt nog niet met me gedineerd,' pareerde ik op gespeeld dreigende toon, en we schoten allebei weer in de lach.

Het avondeten verliep net zo hartelijk als ik had gehoopt. Karel noemde Johanna 'nicht' en Eduard kuste haar op de lippen. Ze zette grote ogen op toen ze zijn overdadige, elegante kleding zag en maakte zich hoestend uit zijn omhelzing los – deels door de tering, maar ook door de overweldigende geur van oranjebloesem, waarmee Eduard zich die avond rijkelijk had besprenkeld.

Gelukkig was het me vooral om Johanna's mening over Margot te doen, en mijn dochter stelde me niet teleur. Ze verscheen in een elegant, maar zedig grijs gewaad en had geen blanketsel op haar gezicht gedaan, waardoor ze er frisgewassen uitzag.

'Margot!' riep Johanna uit, terwijl mijn dochter een eerbiedige reverence maakte. 'Wat ben je een mooie vrouw geworden!'

Margot sloeg haar ogen neer, alsof het compliment haar in verlegenheid bracht. 'We voelen ons zo vereerd met uw bezoek, madame la reine! Ik ben blij dat ik u weer kan zien – ik was nog zo jong toen u wegging dat ik u graag beter wil leren kennen, omdat mijn moeder met zoveel hartelijkheid over u spreekt.'

De avond verliep in een uiterst gemoedelijke stemming. Johanna gaf Margot een geschenk van Hendrik: een bescheiden diamanten hanger. Mijn dochter reageerde verrukt op het nederige geschenk, en Eduard haastte zich om het sieraad om haar hals te hangen.

In de loop van de avond liet Margot zien dat ze een ingetogen meisje was en dat ze verstand had van de poëzie die Johanna's moeder had geschreven, de overleden Margaretha. Er was slechts één wanklank te bespeuren: toen Johanna informeerde wat Margot van het hugenotengeloof wist, werd mijn dochter somber.

'Genoeg om te weten dat ik in mijn hart katholiek ben,' antwoordde ze, 'en dat zal ik voor de rest van mijn leven blijven.'

Johanna werd stil, en het gesprek haperde tot ik vroeg waarmee Hendrik het liefst zijn dagen doorbracht.

'Dat kan ik je in drie woorden vertellen,' antwoordde Johanna. 'Paardrijden, paardrijden en paardrijden. Hij houdt alleen maar van dingen die hij vanuit zijn zadel kan doen.'

We lachten allemaal beleefd en Johanna glimlachte, maar er was een rimpel tussen haar wenkbrauwen verschenen, die de rest van de avond niet meer wegging. Ze trok zich vroeg terug, omdat ze naar eigen zeggen uitgeput was. Zodra ik de kans kreeg, nam ik Margot na het avondeten apart.

'Wat bezielde je om van het ene op het andere moment een vurig voorstander van de kerk te worden?'

'U hebt me nooit iets gevraagd,' zei ze met een plotselinge felheid. 'U vraagt me nooit iets, maman, omdat mijn mening er niet toe doet! Ik ga niet naar Navarra! Ik wil niet tussen de ossen wonen en me kleden als een kraai!'

Haar ogen liepen vol tranen. Ze wilde nog meer zeggen, maar ze kon zich er niet toe zetten om de woorden uit te spreken. *Guise*, dacht ik verwonderd, *ze is verliefd op Guise*. Waarom zou ze anders zo'n onkarakteristiek enthousiasme voor haar geloof tentoonspreiden?

Ik wilde een hand op haar schouder leggen, maar haar gezicht vertrok, en ze tilde haar rokken op en rende weg.

Ik ging niet achter haar aan. Alleen de tijd kon haar helpen – en Hendrik, misschien, als hij nog net zo aardig was als vroeger.

Ik zat de rest van de avond met Karel in zijn werkkamer op de begane grond, waar ik de door Coligny veroorzaakte schade ongedaan probeerde te maken. Het werd laat, en ik liep terug naar mijn vertrekken.

Ik liep de wenteltrap aan de buitenkant op, huiverend in de maartse kou. Op de overloop stond ik stil om op adem te komen. Terwijl ik over de binnenplaats uitkeek, dacht ik terug aan een voorval dat decennia eerder had plaatsgevonden. Vanaf een trap in Lyon had ik de hertogin van Étampes naakt met koning Frans zien stoeien. Ik herinnerde me dat ik destijds doodsbang was geweest dat ik verstoten zou worden, maar op dat moment brachten gedempte stemmen me terug naar het heden.

Ik keek omhoog. De trap was omsloten door sierlijk bewerkte balustrades, en daartussendoor zag ik de armen en afgewende gezichten van twee mensen op de volgende overloop. In het donker kon ik niet zien wie het waren, maar hun stemmen dreven naar beneden. Ik kon hen niet verstaan, maar hun emoties – de vrouw woedend en in tranen, de man vastbesloten om kalm te blijven – waren maar al te duidelijk.

Het kwam wel vaker voor dat verliefde hovelingen ruzie hadden, maar dergelijke scènes ergerden me. Ik stond op het punt om mijn keel te schrapen en door te lopen toen iets me tegenhield – de stem van de jonge vrouw misschien, of het verzoenende gebaar van de man.

Ik keek toe terwijl de vrouw een stroom van felle woorden uitstortte en haar vingers in hopeloze woede spreidde. De man – lang, kalm – greep haar hand, en hij vouwde zijn vingers eromheen en drukte hem tegen zijn lippen. Ze hield haar mond om naar zijn zachte, redelijke woorden te luisteren, maar toen hij klaar was, rukte ze iets van haar nek om het weg te gooien.

Het viel met een zachte tik op de overloop onder haar – op een armlengte van mijn voeten. De man trok haar naar zich toe, waarna ze elkaar innig kusten. Ik boog me voorover, blij dat ze afgeleid waren, en raapte het glinsterende voorwerp op.

Het was het diamanten collier dat Johanna aan Margot had gegeven.

Ik klemde het sieraad in mijn vuist en keek gebiologeerd naar boven, maar op dat moment was de omhelzing al voorbij. Margot rende naar binnen, naar haar vertrekken, en de man kwam de trap af. In paniek glipte ik onder de vierkante deuropening door, en ik trok me terug in de schaduw.

De man liep snel naar de plaats waar ik net had gestaan en bleef daar stilstaan. Op het moment dat hij mijn gezichtsveld binnen liep, sloot ik mijn ogen.

Met mijn ogen dicht bleef ik minutenlang roerloos staan, terwijl hij langzaam over de overloop liep, zoekend naar het verdwenen geschenk. Uiteindelijk mompelde hij een verwensing en liep hij verder de trap af.

Pas op dat moment deed ik mijn ogen open, maar het was al te laat. Ik had de onverdraaglijke ontdekking al gedaan. In de koude lucht hing nog onmiskenbaar de verstikkende geur van oranjebloesem.

Urenlang worstelde ik met wat ik had gezien. Ik besloot dat mijn verstand me voor de gek had gehouden: ik was er zo zeker van geweest dat ik op een ruzie tussen twee minnaars was gestuit dat ik een doodgewone kus tussen broer en zus voor iets hartstochtelijks had aangezien. Eduard had het immers zo naar zijn zin met zijn heren dat hij nooit verliefd zou worden op een vrouw, laat staan op zijn eigen zuster.

Toch besloot ik vanaf dat moment nóg harder mijn best te doen om Margot aan Hendrik uit te huwelijken, en het kon me niet schelen of ze de rest van haar leven in het achterlijke Navarra moest doorbrengen.

De onderhandelingen begonnen de volgende ochtend vroeg. Het vuur had de raadzaal al verwarmd, en door de open gordijnen scheen een zwak zonnetje naar binnen. Johanna droeg hetzelfde eenvoudige, zwarte hugenotengewaad. Haar glimlach was niet zo stralend als de eerste keer dat ik haar had gezien; ze ging met een zucht in haar stoel zitten, nu al uitgeput.

Ik stelde voor dat we zouden beginnen met het opschrijven van de punten die we belangrijk vonden. Toen we klaar waren, lazen we elkaars papieren. Op dat van Johanna stonden geen verrassingen: Hendrik zou zijn geloof behouden, en Margot moest zich tot zijn geloof bekeren, zodat ze in een protestantse ceremonie in Navarra konden trouwen. Het echtpaar zou het merendeel van het jaar daar doorbrengen.

Ik wilde natuurlijk dat Hendrik zich tot het katholicisme zou bekeren en in de Notre-Dame met Margot zou trouwen. Omdat Hendrik de koning van Navarra was, was ik bereid om het echtpaar de helft van het jaar in dat piepkleine landje te laten doorbrengen.

Terwijl Johanna mijn lijst doorlas, werd haar blik kil en koninklijk.

'Hij zal zich niet bekeren,' zei ze effen. 'Het gaat hier niet om het katholicisme, hij is niet met dit geloof geboren. Hij heeft er door diep nadenken en de gratie van God zelf voor gekozen.'

'En Margot wordt geëxcommuniceerd als ze haar geloof verwerpt. Dan verliest ze haar koninklijke status.'

'Hij zal zich niet bekeren,' herhaalde Johanna. Aan haar vastberaden kaak en de harde blik in haar ogen zag ik dat ze het meende, en daarom ging ik over op een ander probleem: de vraag waar het echtpaar moest wonen.

'Hendrik zal zo min mogelijk tijd aan het Franse hof doorbrengen,' zei Johanna, ook weer op een toon die duidelijk maakte dat er niet over te discussiëren viel.

'Als eerste prins van den bloede en erfgenaam van de troon heeft Hendrik een bepaalde verantwoordelijkheid aan het Franse volk,' wierp ik tegen. 'Uiteindelijk zal hij toch het halve jaar in Parijs doorbrengen, dus het lijkt me niet echt redelijk...'

Johanna viel me in de rede. 'Er is sprake van moreel verval in Parijs. God houdt niet van pronkzucht, overspel en dronkenschap.'

'Johanna, je kunt mij niet wijsmaken dat iedereen aan het hof in Navarra puur en toegewijd aan God is.'

Haar stilzwijgen duurde zo lang dat ik er aanstoot aan nam. 'Margot lijkt me een fatsoenlijke jonge vrouw. Laat haar bij ons komen wonen en dan zelf besluiten of onze leefwijze bij haar past.'

'Margot heeft mij al verteld dat ze liever in Parijs blijft,' zei ik. 'Ze is gewend aan een mondaine levensstijl. Het is niet eerlijk om haar te dwingen in zo'n... provinciaals oord te gaan wonen.'

Ze stak hooghartig haar kin in de lucht. 'Misschien wel provinciaals, maar niet corrupt.'

'Zijn we zo vlug vergeten dat we vriendinnen zijn?' vroeg ik. 'Hendrik en Margot kennen elkaar al sinds hun kindertijd. Ze zijn in hetzelfde jaar geboren. Zij is een Stier, hij een Boogschutter, dus ze passen bij elkaar.'

'Bespaar me je astrologie, alsjeblieft,' zei ze. 'Deuteronomium, hoofdstuk achttien: hekserij, tovenarij, bezweringen en necromantie zijn de Heer een gruwel.' Ze zei het niet uit schijnheiligheid, ze keek werkelijk gekweld en barstte bijna in tranen uit.

Ma fille, m'amie, ma chère, je t'adore

Uit liefde voor jou geef ik gehoor uit liefde voor jou kom ik deze keer

Ik voelde de haartjes in mijn nek prikken en legde mijn hand op de parel op mijn hart. Na al die jaren herinnerde ze zich nog wat ik tijdens mijn barensweeën had bekend: dat ik mijn kinderen met de allerzwartste magie had gekocht.

Over de tafel heen staarden we naar elkaar. 'Dus jij denkt dat ik verdoemd ben,' zei ik schor. 'Johanna, ik werd gek van de pijn toen ik die dingen over Ruggieri uitschreeuwde...'

'Ik dacht dat je onzin uitkraamde, tot ik ontdekte dat je mijn eigen zoon had aangetast.' Haar gezicht vertrok, omdat het haar moeite kostte om tegen haar tranen te vechten. 'Ik heb brieven onderschept die hij aan jou probeerde te sturen, Catharina. Jij hebt hem wijsgemaakt dat jullie allebei geheime visioenen van vreselijke, bloederige dingen hadden. Ik heb hem vergiffenis laten smeken aan God en hem verboden er ooit nog over te praten.'

Ik was misselijk en voelde me naakt. 'Als je me zo verafschuwt, wat kom je hier dan doen?'

'Ik ben hier omdat ik mijn zoons rechten als eerste prins van den bloede moet beschermen.'

Ze sprak de waarheid: als zij bleef tegenstribbelen, hoefde ik alleen maar een petitie bij de paus in te dienen om haar zoon te excommuniceren. Dan zou Hendrik zijn recht op de troon verliezen en zou het overgaan op de hertog van Guise.

'En daarom raak je me diep in mijn hart,' zei ik. 'Je stelt me voor als een duivel. Je vraagt me niet naar de waarheid, je veroordeelt me en stuurt me rechtstreeks naar de hel.'

Ze aarzelde. 'Ik heb niemand verteld wat je tegen me zei, en dat zal ik ook nooit doen.' Ze deed haar mond weer open, maar ik stond op en legde haar met een gebaar het zwijgen op.

'Ik wil niets meer horen,' zei ik bars. 'En ik wil ook niet meer beraadslagen.'

Ik liet Johanna achter en ging rechtstreeks naar mijn vertrekken. Haar beschuldigingen hadden me diep geraakt, maar ik was al eerder van streek geweest en was vastbesloten om mezelf met dringende zaken af te leiden. Ik ging aan de schrijftafel in mijn antichambre zitten en bekeek mijn correspondentie – verslagen van diplomaten, petities aan de koning.

Toch knaagde de bezorgdheid aan me, tot ik niet meer stil kon zitten. Ik was bang, overtuigd dat er iets heel ergs ging gebeuren. De brief in mijn hand begon te trillen, en ik sloot mijn ogen en was opeens terug in het Palazzo Medici in Florence, vele jaren geleden. Ik hoorde stenen door ruiten gaan en hoorde een arbeider schreeuwen: *Abbasso le palle! Dood aan de familie de Medici!*

Bezorgd liet ik Guillermo Perelli komen, een astroloog die bij me in dienst was. Ik had hem gevraagd een gunstige dag voor Margots bruiloft te kiezen.

Perelli was een nerveuze jongeman met uitpuilende ogen, en zijn nek was zo lang dat hij ver boven zijn plooikraag uitstak. Hij was geen genie, maar hij werkte vlug en verstond zijn vak.

'Vertel me welke onheilspellende stand van de sterren ons wacht,' zei ik. 'Is er een aspect dat slecht nieuws voor de koninklijke familie betekent?'

'Niet op korte termijn,' zei hij, maar daarna aarzelde hij. 'Misschien... ik geloof dat Mars in augustus Schorpioen binnengaat, wat de kans op geweld versterkt. Ik wil met alle plezier een amulet voor de koning of u maken, om een tegenwicht tegen het kwaad te bieden.'

'Graag,' zei ik. 'En bestudeer onze sterren in het licht van de aankomende overgang, om te zien wat augustus zal bieden. Dat moet u meteen doen. Ik... ik heb gedroomd dat er iets vreselijks gaat gebeuren.'

Het was onder de hovelingen geen geheim dat ik de dood van mijn echtgenoot en Eduards overwinning bij Jarnac had voorzien. Bij mijn woorden leunde monsieur Perelli dan ook geïntrigeerd naar voren.

'U moet me helpen, monsieur,' zei ik. 'Er gaat iets vreselijks gebeuren, ik weet het zeker...' Tot mijn schaamte merkte ik dat ik op het punt stond om in tranen uit te barsten.

Perelli voelde het ook. 'Ik sta volledig tot uw dienst, madame la reine, en zal alles doen wat in mijn macht ligt om uw familie te beschermen. Als u het goedvindt, ga ik meteen aan de slag.'

'Dank u,' zei ik. Ik zat aan mijn schrijftafel en zag de deur zonder enig vertrouwen, zonder enige hoop achter hem dichtgaan.

Ik begroef mezelf in het werk. Aan het einde van de middag was ik rustiger geworden en vroeg ik een van de dames om mijn borduurwerk voor me te halen en Margot uit te nodigen in mijn antichambre bij me te komen zitten. Bij het haardvuur wachtte ik op haar, tot er een klop op de deur klonk. Het was Johanna. Ze hield haar hoofd een stukje gebogen en haar stem was zacht en nederig.

'Mag ik je even onder vier ogen spreken, Catharina?'

'Natuurlijk.' Ik gebaarde naar de stoel naast de mijne.

'Dank je.' Johanna ging zitten en zei na een ongemakkelijke stilte: 'Ik kom je om vergeving smeken.'

Mijn behoedzame glimlach bleef op mijn gezicht staan. 'Je moet jezelf niets verwijten,' zei ik kalm. 'Je bent moe van de reis. Ik kan zien dat je ziek bent geweest.'

'Ik ben inderdaad ziek geweest,' erkende ze. 'Maar dat is nog geen excuus voor mijn bitse woorden. Ik heb de uren sinds ons gesprek in gebed doorgebracht. Ik besef nu dat ik je onrecht heb aangedaan.' Ze haalde adem. 'Ik was bang dat het Franse hof mijn zoon zou beïnvloeden, omdat ik zelf was aangetast.'

Ik lachte. 'Johanna, jij bent wel de laatste die door onze decadente levenswijze is aangetast.'

Ze kreeg een kleur. 'Ik heb gezondigd. Je hebt geen idee, Catharina – jij bent je echtgenoot altijd trouw geweest en was altijd eerlijk tegen je vrienden... Ik denk wel eens dat je te goedhartig bent om het kwaad in je omgeving te zien.'

'Maar ik ga met tovenaars om,' zei ik zachtjes. 'Ik bestudeer de sterren.'

Ze keek naar haar handen, die ze zedig op haar schoot had gevouwen. 'Als je in zulke zaken verwikkeld bent geraakt, had je daar vast een goede reden voor. Daarom...' Haar stem brak. 'Daarom moet ik je om vergeving vragen. Ik had je niet mogen veroordelen.'

Ze begon te huilen. Ze wilde nog meer zeggen en probeerde me op afstand te houden, maar ik omhelsde haar en liet haar in mijn armen snikken.

Die avond at ze met ons, en de volgende ochtend begonnen we opnieuw met de huwelijksonderhandelingen. Ik kan niet zeggen dat de sfeer hartelijk was, maar we waren wel beleefd. In mijn herinnering blijven die onderhandelingen een helder sprankje hoop voordat we naar de waanzin afgleden.

Johanna bleef ruim een maand bij ons in Blois en hield vast aan haar eisen: Hendrik zou zich niet tot het katholicisme bekeren en zou niet in de Notre-Dame trouwen. Wekenlang boekten we geen vooruitgang, en we begonnen ons aan elkaar te ergeren.

Op een middag kwam de jonge astroloog Perelli me vertellen dat Mars in de tweede helft van augustus het sterrenbeeld Schorpioen zou binnengaan en op de drieëntwintigste en vierentwintigste een vierkant met Saturnus zou vormen. Dat kon tot ruzies met diplomaten en andere landen leiden. Hij had vier beschermende ringen gemaakt, een voor mij en een voor elk van mijn kinderen.

Ik bedankte hem en gaf madame Gondi opdracht om hem te betalen, maar ik had geen vertrouwen in zijn zwakke amuletten. Toch liet ik mijn zoons en mijn dochter een ring dragen; de mijne verdween in een la.

In de eerste week van april gebeurde er niets bijzonders. Ik wilde nog steeds per se dat Margot in de Notre-Dame zou trouwen, maar Johanna stond erop dat het bruidspaar in een protestantse ceremonie zou trouwen. Mijn zenuwen raakten uitgeput, want elke nacht werden mijn dromen over bloedvergieten indringender. Volgens mij konden we alleen een oorlog vermijden als Margot en Hendrik vlug trouwden.

Na een bijzonder frustrerend gesprek met Johanna bracht ik een bezoek aan Eduard, in de hoop dat ik nieuwe inzichten zou krijgen om de impasse te doorbreken. Ik ging naar zijn vertrekken in de wetenschap dat niemand me daar zou zoeken, en nam plaats in een stoel. Op Eduards aandringen vertelde ik hem over mijn moeizame huwelijksonderhandelingen en Johanna's koppigheid.

Terwijl we in zijn slaapvertrek zaten te praten, werd er in de kamer achter ons op de deur geklopt. Ik hoorde de vleierige stem van Robert-Lodewijk en het gedempte, bezorgde antwoord van madame Gondi.

Even later kwam madame Gondi binnen, die zich verontschuldigde en een reverence maakte. 'Vergeef me, madame la reine, maar er is een dringende boodschap voor u binnengekomen.'

Ze gaf me een klein pakje, dat in een brief was gewikkeld. Ik excuseerde me en haastte me naar mijn slaapvertrek, waar ik ging zitten en de brief van het pakje haalde. In een zwarte zijden doek zat een ijzeren ring met een troebele, gele diamant. Ik legde de ring op mijn schoot en verbrak het zegel van de brief.

Zeer geëerde madame la reine,

Gezien de stand van Mars in uw geboortehoroscoop en uw kennis van de sterren vermoed ik dat u al weet dat er een ramp nadert.

Hierbij stuur ik u een amulet, het Gorgonenhoofd, door de oude Grieken Medusa genaamd. Aan de hemel wordt zij vertegenwoordigd door de ster Algol, die de Arabieren ra's al-Ghul *noemen, Hoofd van de Demon, en die door de Chinezen de Opgestapelde Lijken wordt genoemd. Geen enkele ster heeft meer kwaadaardige macht. Algol brengt de dood in de vorm van onthoofding, verminking en wurging – niet bij één slachtoffer, maar bij talloze.*

Op 24 augustus zal de ster Algol twee uur voor de zon opkomen in het teken Stier – uw ascendant, madame la reine – en hij staat dan precies tegenover de krijgshaftige Mars, die op dat moment sterk staat in Schorpioen. Frankrijk is nog nooit in groter gevaar geweest, en u ook niet.

Lang geleden heb ik u de Vleugel van Corvus gegeven, die u goede diensten heeft bewezen. Met dezelfde hoop geef ik u nu het Gorgonenhoofd. Op de juiste manier gestuurd biedt de Demonenster moed en lichamelijke bescherming.

Op die lang vervlogen dag in het Palazzo Medici vertelde ik u dat uw sterren een levensbedreigend verraad lieten zien. Ik zie weer verraad naderen, madame la reine, en ik adviseer u om uiterst voorzichtig te zijn, zelfs in de omgang met diegenen die u het meest vertrouwt.

Als u wilt weten of er iets gedaan kan worden om de naderende ramp te voorkomen: mijn mening daarover is sinds onze laatste ontmoeting niet veranderd. Ik denk niet dat u wilt dat ik die hier herhaal.

Voor altijd uw nederige dienaar,
Cosimo Ruggieri

Ik legde mijn hand op de parel onder mijn lijfje en deed mijn ogen dicht. In gedachten ging ik terug naar twaalf jaar geleden, toen Ruggieri voor het laatst bij mij in mijn kabinet had gezeten.

De sterren zijn veranderd sinds de dag dat ik u de parel gaf.

Het moment zal beslist aanbreken. En als u nalaat het noodzakelijke te doen, zal er een onbeschrijflijke slachting volgen.

Er stond niet op de brief waar hij vandaan was gekomen. Ik schoof de ring aan de middelvinger van mijn linkerhand en staarde naar de binnenplaats, naar de toekomstige geesten van de Opgestapelde Lijken. Mijn intuïtie vertelde me dat Ruggieri vlakbij was. Hij lag op de loer, hij wachtte af en keek of ik de moed had om de naderende golf van bloed af te wenden.

De volgende ochtend vroeg ik Johanna om naar mijn antichambre te komen. Toen ze binnenkwam, nodigde ik haar uit om bij de haard te komen zitten. Ze was gespannen en vermoeid, en haar gezicht was rood aangelopen omdat ze net een hoestbui had gehad. Ze ging stijfjes in de stoel naast me zitten en keek achterdochtig naar mijn glimlach. Sinds ze bij ons was, was ze nog meer afgevallen, en haar ogen glansden van de koorts.

'Deze onderhandelingen zijn veel te onaangenaam geworden,' zei ik vriendelijk. 'Daardoor zijn we vergeten dat we ondanks alles vriendinnen zijn. Ik stel voor dat we ervan afzien.'

'Ervan afzien?' Wanhopig trok ze haar wenkbrauwen op. Draaide ik de huwelijksplannen terug?

'De koning vraagt slechts twee dingen,' zei ik. 'Hij wil dat Margot katholiek blijft en dat Hendrik naar Parijs komt om buiten de Notre-Dame in het huwelijk te treden. Je zoon hoeft nooit een kathedraal te betreden, want Margot kan met een plaatsvervanger naar binnen voor de katholieke ceremonie.'

Ze fronste haar wenkbrauwen, omdat ze mijn woorden niet helemaal kon geloven. 'En verblijven ze een paar maanden per jaar in Navarra?'

'Zoveel maanden als je wilt. En als je wilt, kunnen ze daarna in een protestantse ceremonie trouwen.'

Haar gelaatsuitdrukking werd zachter en liet weer een glimp van haar oude gevoel voor humor zien. 'Je bent veel te sluw, Catharina. Je verbergt iets.'

'Dat klopt,' erkende ik. 'Het huwelijk moet op 18 augustus plaatsvinden.' De ceremonie mocht geen dag later plaatsvinden, want dan werd Algols invloed te sterk. Voordat de boosaardige ster opkwam, wilde ik de vrede tussen de hugenoten en de katholieken consolideren.

'Augustus? Maar dan is het beestachtig heet in Parijs. Mei is een veel betere maand voor een bruiloft, of juni.'

'Daar hebben we niet genoeg tijd voor,' zei ik zachtjes.

'Bedoel je augustus dit jaar?' Ze hapte zo geschrokken naar adem dat ze weer een hoestbui kreeg. Toen ze op adem was gekomen, zei ze: 'Het is onmogelijk om alles voor die tijd te regelen! Slechts vier maanden voor de voorbereidingen van een koninklijke bruiloft?'

'Ik regel alles. Je hoeft alleen maar te zorgen dat jij en je zoon dan in Parijs zijn.'

'Vanwaar die haast?' drong Johanna aan.

'Omdat ik een oorlog tussen jouw volgelingen en de mijne vrees. Omdat ik denk dat dit huwelijk een einde aan het bloedvergieten maakt en daarom niet snel genoeg kan plaatsvinden.'

Het kwam tot een afspraak. We stonden op en kusten elkaar op de lippen om de overeenkomst te bezegelen, waarbij ik bad dat ze mijn wanhoop niet voelde.

39

KORT NADAT DE HUWELIJKSOVEREENKOMST WAS GETEKEND, VERLIET Johanna Blois. Ze zei dat ze ernaar uitkeek om huwelijksgeschenken te kopen, maar ze zag er doodziek uit. Tegen de tijd dat ze het Parijse kasteel van haar familielid Bourbon bereikte, ging haar gezondheid sterk achteruit. Toch bleef ze tijdens de hele maand mei koppig voorbereidingen treffen voor het naderende huwelijk. De overmatige inspanning bleek fataal te zijn: in de eerste week van juni moest ze het bed houden, en daar kwam ze nooit meer uit.

Ik had verwacht dat haar zoon ons zou vragen om de bruiloft uit te stellen. Tot mijn verbazing gebeurde dat niet: Hendrik was op 1 juli aanwezig op de begrafenis van zijn moeder en verscheen op 8 juli in Parijs. Hij had een gevolg van bijna driehonderd hugenoten bij zich, onder wie de prins van Condé, zijn jonge neef.

Op 10 juli verwelkomde de koning Hendrik van Navarra persoonlijk in het Louvre. Ik zat aan Karels linkerhand en Eduard aan zijn rechterhand toen Navarra binnenkwam, vergezeld door zijn neef. De achttienjarige Hendrik had brede schouders, een smal middel en de gespierde benen van een ruiter. Zijn krullen waren getemd en hingen in donkere golven rond zijn gezicht, en hij had een sikje en een dun snorretje, volgens de laatste mode. Hij was gekleed in een saai zwart hugenotenwambuis en droeg geen juwelen, maar zijn grijns was oogverblindend en zijn gelaatsuitdrukking ontspannen, alsof er tussen deze en onze laatste ontmoeting hooguit een paar dagen zaten in plaats van jaren vol vijandigheid en bloed.

In tegenstelling tot de oprechte warmte van zijn neef straalde de jonge Condé wantrouwen uit. Hij was tengerder dan Navarra, met een zachtaardig, knap gezicht, maar zijn glimlach was terughoudend en een beetje zuur.

'Monsieur le roi,' zei Hendrik opgewekt. Hij maakte geen buiging, omdat hij zelf ook koning was. 'Ik ben uiterst verheugd dat ik u en uw familie weer zie en het Louvre als een vriend binnenkom.'

Karel glimlachte niet. 'Je bent dus gekomen, neef. Ik raad je aan onze zuster goed te behandelen, want we hebben hier manieren om af te rekenen met ketters die ons tot het uiterste drijven.'

Navarra lachte beleefd. 'Ik zal haar behandelen als de prinses die ze is en de koningin die ze binnenkort zal worden. Ik ben me ervan bewust dat ik me op vijandig grondgebied bevind, en wat ik nog angstaanjagender vind, is dat ik tegenover de broers van mijn aanstaande bruid sta. Ik besef dat ik met elke handeling mijn eerzame bedoelingen moet bewijzen.'

Karel bromde, tevreden met dat antwoord. Admiraal Coligny had diep respect voor Navarra en had de koning de afgelopen weken vergast op verhalen over Hendriks intelligentie, moed en eerlijkheid.

Eduard stond op en begroette zijn neef met een klinkende kus. Navarra, een halve kop kleiner, stevig en onopvallend gekleed, kon niet tippen aan de slanke hertog van Anjou, die zich in smaragdgroene Chinese zijde met tientallen geborduurde, glimmende gouden karpertjes had gehuld.

'Welkom, neef,' zei Eduard glimlachend.

'Ik heb gehoord dat je een formidabele tegenstander bent met tennis,' zei Navarra. 'Ik kom je liever op het tennisveld tegen dan op het slagveld.'

'Misschien kunnen we een wedstrijd regelen.' Eduard legde zijn hand op Navarra's schouder en draaide hem in mijn richting. 'Mijn moeder, de koningin.'

Navarra keek me met zijn warme, open blik aan. 'Madame la reine.' Ik haastte me naar hem toe en sloeg mijn armen om hem heen.

'Mijn innige deelneming met het verlies van je moeder,' mompelde ik in zijn oor. 'Ze was een dierbare vriendin van me.'

Bij het horen van die woorden greep hij me nog steviger beet, en toen hij me losliet, zag ik zijn ogen glanzen. 'Mijn moeder heeft altijd van u gehouden, madame la reine.'

'Tante Catharina,' verbeterde ik, en ik kuste zijn lippen.

Met zijn lach verdreef hij ons gedeelde verdriet. 'Tante Catharina, ik heb nooit de kans gekregen om u netjes te bedanken voor dat exemplaar van *Rinaldo*. Ik was er zo dol op dat ik het verhaal wel honderd keer heb gelezen.'

'Dat je dat na al die tijd nog weet!' zei ik verrast. Ik nam hem bij de arm en verlegde zijn aandacht vriendelijk naar de dubbele deuren. 'Maar je bent hier niet helemaal naartoe gekomen om met je oude tante te praten.'

Margot kwam binnen, een donkerharige schoonheid met donkere

ogen. Ze was gekleed in donkerblauw satijn met een laag ragfijne changeant zijde eroverheen, die eerst blauw en daarna violetkleurig leek. Ze was een getalenteerde coquette, en ze hief haar kin op om haar nek zo lang als die van een zwaan te maken. Daarna hield ze haar hoofd schuin en keek ze met een plagerig glimlachje naar Hendrik. Hij raakte werkelijk even van de kook voordat hij zijn ogen neersloeg, enigszins gegeneerd omdat hij naar haar had staan staren.

'Monsieur le roi,' zei Margot. Ze maakte een kleine reverence en stak haar hand uit, die zo wit en fluweelzacht als melk was.

Navarra drukte zijn lippen erop. Toen hij rechtop ging staan, had hij zichzelf weer helemaal in de hand. 'Koninklijke Hoogheid,' zei hij. 'Kunt u nog steeds harder lopen dan ik?'

Ze lachte. 'Waarschijnlijk wel, Majesteit. Helaas word ik inmiddels gehinderd door deze attributen.' Ze gebaarde naar haar zware rokken.

'Tja.' Hij deed of hij teleurgesteld was. 'Ik had nog zo gehoopt dat we na het avondeten een wedstrijdje konden houden.'

Ze lachte en trok hem naar zich toe voor een kuis kusje op zijn lippen, zoals het neef en nicht betaamde. Daarna verwelkomden we de prins van Condé, waarbij de begroetingen aan beide zijden veel terughoudender waren. Vervolgens liepen we verder naar de eetzaal.

Het was een waar genoegen om in Hendriks gezelschap te verkeren, en het gesprek werd steeds vaker onderbroken door gelach. Na de maaltijd nam ik hem mee naar het balkon, dat uitzicht over de Seine bood. De afgelopen week was de zomer in alle hevigheid losgebarsten, en de modderige rivier bracht ons geen bries, alleen de vage geur van verrotting. Toch leunde Hendrik op de balustrade en keek hij met de verlangende blik van iemand wiens liefde niet beantwoord wordt uit over de Seine en de stad.

Na een poosje zei ik zachtjes: 'Je moeder vertelde dat je me brieven hebt geschreven, maar dat zij ze niet wilde versturen.'

Hendriks gelaatsuitdrukking veranderde niet, maar ik voelde dat hij opeens op zijn hoede was. Hij haalde zijn schouders op. 'Ik vermoed dat mijn... jeugdige fantasie haar angst inboezemde. Ik had vragen over dingen die ze niet begreep.'

'Die dag dat je achter een tennisbal aan rende, kreeg ik de indruk dat jij en ik hetzelfde fantaseerden. Vergis ik me?'

Het duurde even voordat hij antwoord gaf. 'Mijn moeder was geobsedeerd door God en zonde. Maar in tegenstelling tot de andere hugenoten ben ik geen gelovig man. Ik heb met hen gevochten omdat ik in hun zaak geloof. Zelf geloof ik in wat ik zie: de aarde, de hemel, mensen en dieren...'

'En visioenen van bloed?' vroeg ik.

Hij wendde zijn gezicht af. 'En visioenen van mijn kameraden die op een gruwelijke manier sterven.'

'Ik zie hun gezichten niet, maar de laatste tijd worden mijn dromen en visioenen erger. Ik heb ze altijd geïnterpreteerd als een waarschuwing, een glimp van een toekomst die kan worden afgewend. Maar als je niet in God gelooft, denk jij misschien wel dat ze geen betekenis hebben.'

Hij keek me ernstig aan. 'Madame la reine, ik denk dat dit huwelijk ons een kans biedt – om Frankrijk te ruïneren of te redden.'

'Wat een schok dat we allebei tot dezelfde conclusie zijn gekomen,' zei ik.

Hij staarde me zo aandachtig aan dat ik me ongemakkelijk begon te voelen. 'Ik ben hier ondanks het advies van mijn raadslieden en vrienden gekomen. Zij vrezen dat deze bruiloft een met zorg voorbereide val is, bedoeld om ons te vernietigen. Ik ben gekomen omdat ik u vertrouw, tante Catharina – omdat ik geloof, hoe absurd het ook klinkt, dat we hetzelfde kwaad hebben zien naderen en van plan zijn om het af te wenden.'

Ik tilde mijn hand op, die zwaar was van het ijzeren Gorgonenhoofd, en legde hem op zijn schouder.

'Samen zullen we het tij keren,' zei ik. Ik draaide me om toen ik de prins van Condé en zijn dienaar hoorde naderen, die hun koning kwamen halen.

De eerste dagen van augustus waren benauwd en erg warm. Achter de stokoude muren van het Louvre hing de hitte als een zwarte, zinderende schim boven de kasseien. De deur van mijn raamloze kabinet stond altijd open, niet alleen omdat ik hoopte dat ik wat frisse lucht binnen zou krijgen, maar ook omdat er voortdurend gasten, adviseurs, naaisters en anderen binnenkwamen. Op een ochtend zat ik aan mijn schrijftafel tegenover de kardinaal de Bourbon – de oom van de bruidegom en een broer van de karakterloze Anton de Bourbon, met wie de kardinaal lang geleden al had gebroken. De kardinaal had een bewonderenswaardig trouw karakter en een goede gezondheid: op zijn vijftigste had hij nog niet één grijze haar.

We bespraken de verschillende stappen van het huwelijksritueel – zowel in de kathedraal als daarbuiten – toen er een wachter op de latei klopte.

'Madame la reine, de Spaanse ambassadeur staat buiten te wachten,' zei hij. 'Hij wil graag onmiddellijk een privéonderhoud.'

Ik fronste mijn wenkbrauwen. Ik kende de nieuwe ambassadeur, Diego de Zuñiga, niet erg goed, maar zijn voorganger had nogal veel gevoel voor drama gehad. Misschien had don Diego daar ook last van.

Ik stond op en liep naar de gang, waar Zuñiga met zijn muts in zijn hand bij de ingang van mijn vertrekken wachtte. Hij was een strenge, kleine man van middelbare leeftijd. Zijn haar, dat met pommade naar achteren was gekamd, was gitzwart en dun op de slapen.

Ik keek hem strak aan. 'Welke zaak is zo dringend dat ik de kardinaal de Bourbon ervoor in de steek moet laten, don Diego?'

Hij antwoordde met een kort, vlug buiginkje. Hij keek erg boos, alsof hij degene was die reden had om beledigd te zijn. 'Alleen een opzettelijke oorlogsdaad, madame la reine, gepleegd door Frankrijk en gericht tegen Spanje.'

Ik staarde hem aan, en hij staarde strijdlustig terug. Achter de ingang van mijn vertrekken gonsde de smalle gang van het Louvre van de bedienden, hovelingen en Navarra's gasten.

Ik legde een hand op Zuñiga's onderarm. 'Komt u mee.'

Ik nam hem mee naar de raadzaal en ging in de stoel van de koning aan het hoofd van de lange, ovale tafel zitten.

'Spreek, don Diego,' zei ik. 'Waarmee heeft Karel zijn vroegere zwager beledigd?'

Zuñiga's wenkbrauwen gingen omhoog toen hij besefte dat ik werkelijk niet wist waar hij het over had.

Hij haalde diep adem. 'Op 17 juli hebben vijfduizend Franse soldaten – hugenoten – wederrechtelijk het grondgebied van de Spaanse Nederlanden betreden. Hun bevelhebber was uw heer van Genlis. Gelukkig hoorden de bevelhebbers van koning Filips van de komende aanval en konden zij uw troepen onderscheppen. Slechts een handvol van hen heeft het overleefd, onder wie Genlis.

Vergeeft u mij mijn openhartigheid, maar ik stel voor dat u een stevig gesprek voert met Zijne Majesteit, omdat zijn handeling een oorlogsdaad en een overtreding van zijn verdrag met Spanje was.'

Ik drukte mijn hand tegen mijn mond, in een poging de krachtterm te onderdrukken die over mijn lippen dreigde te rollen. Coligny. Die onbetrouwbare, arrogante ellendeling had slim willen zijn en had het gewaagd om in het geheim troepen naar de Nederlanden te sturen, in de hoop dat hij een overwinning zou behalen waarmee hij Karel kon overhalen om een krankzinnige oorlog te steunen.

'Dit is het werk van een verrader,' zei ik met trillende stem. 'Frankrijk zou nooit inbreuk maken op de soevereiniteit van Spanje. Ik verzeker u, don Diego, dat Karel niet op de hoogte was van deze inval en hem ook niet steunde. We zullen zorgen dat de verantwoordelijke partij...'

Zuñiga deed iets heel bijzonders: hij waagde het om een koningin in de rede te vallen. 'De verantwoordelijke partij staat op dit moment bij het vertrek van de koning, in afwachting van een audiëntie. Ik twijfel er niet aan dat de sfeer van de bespreking hartelijk zal zijn. Het schijnt dat Genlis een brief met een steunbetuiging van Karel bij zich draagt.'

Ik ging staan. 'Dat is onmogelijk,' fluisterde ik.

'Het is de waarheid, madame la reine.'

Ik verliet het vertrek en baande me een weg door de verstikkend hete gang, langs zwetende mensen die kniebuigingen maakten en de zwartwitte schimmen van geschrokken hugenoten. Ik bleef stilstaan bij de gesloten deuren van Karels persoonlijke vertrekken, waar zich een groepje mannen had verzameld.

Onder hen was Coligny, die zijn hand op de schouder van een verweerde adellijke hugenoot met een mottig gezicht en dik, rood haar had gelegd. De gewonde arm van de onbekende man hing in een zwarte zijden draagdoek. Bij hen stond de jonge prins van Condé, die ik voor het eerst oprecht zag glimlachen.

Hendrik van Navarra had zich zojuist bij hen gevoegd. Terwijl ik toekeek, sloeg hij zijn armen om Coligny heen en kuste hij de admiraal hartelijk op beide wangen. Daarna stelde Coligny Navarra voor aan de vreemdeling, die een poging deed om te knielen tot Navarra naar hem toe liep en hem overeind hielp. De twee mannen omhelsden elkaar – voorzichtig, omdat de onbekende man gewond was, waarna ze elkaar kusten en meteen een geanimeerd gesprek begonnen.

Ik zie verraad naderen, fluisterde Ruggieri.

Ik stapte het gezichtsveld van de mannen binnen en negeerde hun buigingen. Ik knikte niet naar Navarra of de anderen, maar had alleen maar oog voor de vreemdeling.

'Vertelt u eens,' zei ik. 'Heb ik de eer om met de heer van Genlis te spreken?'

De andere mannen vielen stil terwijl de vreemdeling zijn mond open- en dichtdeed. Na een poosje rolden er woorden uit: 'Inderdaad, Majesteit.'

'Kijk aan.' Ik stak mijn hand uit naar de zwarte draagdoek en liet mijn hand er vlak boven zweven. 'Bent u ernstig gewond, monsieur?'

De wangen en nek van Genlis waren vuurrood. 'Helemaal niet, madame la reine, de wond is bijna geheeld.' Hij knikte naar de draagdoek. 'Ik draag deze alleen maar omdat mijn dokter erop staat.'

'Goddank hebt u niet het vreselijke lot ondergaan dat zoveel andere soldaten wachtte.' Ik zette de dwaze glimlach van een bijgelovige vrouw op en zei op vertrouwelijke toon: 'Dat is vast het gevolg van uw geluksamulet.' Madame Gondi had me in iets diplomatiekere termen verteld dat hugenoten mij een heks vonden die met de duivel omging.

'Amulet?' Verbaasd keek hij om zich heen.

'De brief van Zijne Majesteit, waarin hij uw onderneming steunt,' zei ik. 'Hebt u hem zelfs nu bij u?'

Hij keek wanhopig naar Coligny, maar de ogen van de admiraal vertelden hem niets. Misschien voelde Genlis mijn vastberadenheid, of misschien maakte hij gewoon een ontzettend domme fout.

'Jazeker,' antwoordde hij.

Ik stak mijn hand verwachtingsvol naar hem uit, terwijl hij met de draagdoek worstelde en de brief uit een zak viste.

Ik griste hem uit zijn hand. De was, waarin het koninklijke zegel was gedrukt, was verbroken. Het gekreukte papier was slap en gevlekt, alsof Genlis zijn zweet ermee had afgeveegd.

Mijn blinde woede liet zich niet meer beteugelen toen ik de brief openvouwde, doorlas en de handtekening van mijn zoon zag staan. Zonder nog iets te zeggen, liet ik de mannen staan en beende ik met de brief in mijn hand naar de twee wachters die de toegang tot de koninklijke vertrekken versperden.

'Ga aan de kant,' beval ik.

Toen ze niet gehoorzaamden, drong ik tussen hen door en duwde ik de deuren open, die gelukkig niet op slot zaten. Ik stormde langs bedienden en edelen naar het koninklijke slaapvertrek, waar Zijne Majesteit Karel IX op zijn nachtspiegel zat. Een van zijn heren las hem hard op poëzie voor, maar na één blik van mij sloot de man zijn boekje en verliet hij de kamer. Ik ramde de deur achter hem dicht en liep naar Karel, zwaaiend met de brief.

'Sufferd die je bent,' siste ik. 'Onvoorstelbaar domme, achterlijke sufferd!'

Met zijn rechterhand trok Karel onhandig zijn broek omhoog, terwijl hij met zijn linkerhand het deksel over de nachtspiegel trok. Hij was gewend om zijn woede op de wereld los te laten, maar hij had zo zelden woede van anderen meegemaakt – en al helemaal niet van zijn moeder – dat hij defensief zijn arm ophief en in elkaar dook.

'Vijfduizend Franse soldaten, gesneuveld door een ongelooflijke stupiditeit!' schreeuwde ik. 'En de Spaanse koning wist er eerder van dan ik! Zijn ambassadeur kwam me vandaag waarschuwen dat Filips deze... deze waanzin in de Nederlanden als een oorlogsdaad beschouwt!'

'En wat dan nog?' daagde Karel me zwakjes uit.

'En wat dan nog?' herhaalde ik verbijsterd. 'Ben jij echt zo gek dat je denkt dat we een oorlog tegen Spanje kunnen winnen?'

'De admiraal zegt van wel,' waagde hij het te zeggen. 'Ik wil niet dat u me beledigt, madame.'

Ik ging zachter praten. 'Jij droomt van militaire roem, maar die vind je niet in een slecht doordachte oorlog. Daar vind je alleen maar nederlagen en schande. Het volk zal tegen je in opstand komen en een hugenoot op de troon zetten.'

'Coligny houdt net zoveel van mij als van Frankrijk,' zei Karel. 'Oorlog tegen een gemeenschappelijke vijand zal het land verenigen.'

'Ik ga al heel wat jaren mee, mijn zoon, en ik heb gezien wat oorlog met Spanje dit land heeft gebracht. Je grootvader heeft een vreselijke nederlaag geleden, en je vader heeft vier jaar lang gevangengezeten. Het leger van Filips is te sterk. Zie je dan niet dat Coligny je manipuleert? Dat hij je tegen me wil opzetten?'

Karels kin werd onverzettelijk, en hij hief zijn ogen als een waanzinnige ten hemel. 'De admiraal zei al dat u dat zou zeggen. Het is niet natuurlijk voor een vrouw om zoveel macht te hebben. U hebt al veel te lang de baas over me gespeeld.'

Ik klemde mijn kaken op elkaar en verbeet mijn bitterheid over Coligny's woorden, die zo braaf werden gepapegaaid door mijn zoon.

'Als je er echt van overtuigd bent dat het in het belang van Frankrijk is om oorlog met Spanje te voeren, moet admiraal Coligny zijn voorstel aan de Geheime Raad voorleggen, zodat die het kan verwerpen of aannemen,' zei ik zachtjes. 'Als hij goede argumenten heeft, zullen de andere raadsleden hem gelijk geven. Waarom praat je er niet openlijk met iedereen over? Het is onmogelijk om in het geheim een succesvolle oorlog te voeren.'

Karel knikte toen dit idee in zijn hoofd begon te rijpen. 'Ik zal het tegen de admiraal zeggen. We zullen een presentatie voorbereiden.'

Mijn toon werd meteen een stuk luchthartiger. 'Mooi zo. Maar één ding moet je onthouden.'

Vragend fronste hij zijn wenkbrauwen.

'Je moet je houden aan het oordeel van de Raad. Als zij het met de admiraal eens zijn, kun je je oorlog in het openbaar voeren. Als dat niet het geval is, moet je het idee laten varen – permanent.'

Hij dacht daar even over na en zei: 'Goed.'

'Uitstekend! Ik zal de raadsleden waarschuwen en een datum voor de bijeenkomst vaststellen. Ik vertrouw erop dat jij admiraal Coligny vertelt dat hij zijn betoog moet voorbereiden.'

Ik verliet het slaapvertrek van Karel met een bijzonder huichelachtige glimlach. Die speelde nog om mijn lippen toen ik de gang in liep, waar Coligny en Genlis nog altijd met Navarra stonden te praten.

Coligny was de eerste die zich omdraaide en me begroette met een buiging. We glimlachten naar elkaar, al wist ik zeker dat hij me had horen schreeuwen. In zijn ogen zag ik een zelfvoldane, uitdagende blik: als ik weg was, zou hij het vertrek binnengaan om met de koning te spreken.

Toen ik langs Navarra liep, glimlachte hij ook naar mij. Ik wendde mijn hoofd af, omdat ik het niet kon verdragen om hem aan te kijken.

40

Acht dagen voor de bruiloft kwam de Geheime Raad van de koning bijeen. Het had de nacht ervoor stevig geregend, en op zondagochtend onweerde het nog steeds. Ondanks de stromende regen waren de ramen een handbreedte opengezet om de broeierige lucht binnen te laten, die de ruiten liet beslaan en de stapel papieren aan mijn rechterhand slap en klam maakte.

Ik zat aan het hoofd van de lange, ovale vergadertafel, geflankeerd door Eduard en maarschalk Tavannes, die inmiddels drieënzestig jaar, helemaal kaal en bijna helemaal tandeloos was. Tavannes had aan de zijde van Frans I in Pavia gevochten en was met zijn koning gevangengenomen. Door de strijd was hij het zicht in zijn linkeroog kwijtgeraakt, en het troebele oog draaide nu voortdurend rond en keek altijd een andere kant op dan het rechteroog. Ik hield van Tavannes omdat hij ooit had aangeboden Diane de Poitiers te doden vanwege haar arrogantie, en ik hield nog meer van hem omdat hij Eduard bij Jarnac naar de overwinning had geleid.

Naast Tavannes zat zijn leeftijdgenoot en vakgenoot maarschalk Cossé, die tijdens de oorlogen mijn afgezant bij Johanna was geweest. In tegenstelling tot Tavannes zag Cossé er nog steeds onberispelijk uit, met een keurig geknipte witte baard.

Tegenover Cossé zat de zwierige hertog van Nevers, een uit Toscane afkomstige diplomaat die als Ludovico Gonzaga geboren was en in Parijs zijn opleiding had genoten. Als jongeman had Gonzaga met Montmorency gevochten bij Saint-Quentin. Het laatste lid van de Raad was de jichtige, oude hertog van Montpensier, wiens vrouw lang geleden deel had uitgemaakt van koning Frans' groepje vrouwen.

Admiraal Coligny kwam een paar minuten te laat, met de opgewekte mededeling dat God op de zondag rust had voorgeschreven, maar dat de Almachtige hem misschien vergiffenis zou schenken als 'we, zo hoop ik, hier vandaag Gods werk zullen verrichten'. Op zijn vrome verklaring volgde alleen stilte en het gerommel van het onweer in de verte.

Een windvlaag liet de lampen flakkeren toen ik zei: 'Heren, admiraal Coligny zal zijn pleidooi voor een oorlog houden, en daarna wordt er gestemd.'

Ik knikte naar de admiraal. Coligny stond op, liet zijn vingertoppen ontspannen op de tafel rusten en begon te spreken.

'Vijf jaar geleden stuurde koning Filips zijn generaal, de hertog van Alva, op pad om de Nederlanden te bezetten en het volk daar aan een terreurbewind te onderwerpen,' begon hij. 'Sinds die tijd zijn er tienduizend mensen afgeslacht, alleen omdat ze God op hun manier wilden vereren.' Hij wendde zich tot mij. 'U, madame la reine, bent voor Frankrijk altijd de stem van de tolerantie geweest. Laat Frankrijk opnieuw stelling nemen tegen de tirannie en vóór de vrijheid.

Red nu de onschuldigen in het noorden, want als we dat niet doen, zal het bloed van tienduizenden anderen worden vergoten. Ik smeek u, maak een einde aan deze aanzwellende golf van bloed.'

Ik was sprakeloos. Coligny had zo briljant geappelleerd aan de dingen waarin ik geloofde dat ik zowaar ontroerd was. Sterker nog, hij had gebruik gemaakt van mijn grootste angsten, alsof hij van mijn vreselijke visioenen wist. Dat laatste was onmogelijk, dacht ik – tot ik me Navarra herinnerde, die op de balustrade leunde om uit te kijken over het Île de la Cité. *En visioenen van mijn kameraden die op een gruwelijke manier sterven...*

In een poging om mijn opwellende bitterheid te beheersen, staarde ik naar de matglanzende tafel. Toen ik mezelf weer in de hand had, keek ik de admiraal aan.

'Ik zou hen graag willen helpen,' zei ik, 'maar het is nu eenmaal een feit dat Frankrijk niet over de middelen beschikt om Alva af te zetten. De hugenoten en het koninklijke leger hebben zware verliezen geleden en het land na jaren van burgeroorlog aan de rand van een bankroet gebracht. We hebben domweg niet genoeg geld, wapens of mannen om het tegen zo'n grote vijand op te nemen. Zelfs als we een poging zouden wagen om uw onschuldigen te helpen, zouden ze sterven – samen met duizenden Fransen.'

'Dat zou niet gebeuren,' wierp Coligny vlug tegen, 'want we zouden medestanders krijgen. De prins van Oranje zal aan onze zijde vechten, en hij heeft zich onlangs van hulp uit Duitsland en Engeland verzekerd.'

'Maar het is al gebeurd,' zei ik. 'We hebben vijfduizend soldaten verloren. Er is al Frans bloed vergoten.'

'Ik ben van mening dat een oorlog met Spanje onvermijdelijk is,' zei de admiraal. 'We kunnen het land nu het hoofd bieden, in de Nederlanden, of later, op ons eigen grondgebied, als Filips eindelijk toegeeft aan zijn verlangen om zijn rijk te vergroten door onze grens over te steken. Daarom moeten we nú toeslaan, omdat we nu de steun van Oranje, Engeland en de Duitse prinsen hebben.'

De stem van Tavannes klonk laag en nors. 'Ik heb twee koningen de fout zien maken om een oorlog met een ander land te beginnen, omdat ze hoopten dat ze een bepaald gebied in handen konden krijgen. Ook zij kregen beloftes dat ze zouden worden gesteund. Uiteindelijk trokken we ons na zware verliezen terug in een land dat financieel aan de rand van de afgrond stond. Een oorlog met een ander land zal meer levens en goud kosten dan we ons kunnen veroorloven.'

'Ik heb als groentje bij Saint-Quentin aan de zijde van Montmorency gevochten,' zei Gonzaga, de hertog van Nevers, hartstochtelijk. 'Toen ik de strijd in ging, droomde ik van een makkelijke overwinning. Daar kwam ik van terug toen de bevelhebber en anderen – ook ik – door de Spanjaarden gevangen werden genomen.'

'Ik was erbij in Saint-Quentin,' mompelde Coligny verontwaardigd.

Gonzaga's toon was afkeurend. 'Inderdaad, u was erbij – verantwoordelijk voor de verdediging van de stad, als ik me goed herinner. Waarom zouden we u dan een veldtocht met nog meer soldaten toevertrouwen, als er al vijfduizend zijn gestorven als resultaat van pure domheid?'

Alle andere mannen in het vertrek begonnen door elkaar heen te praten. Gonzaga beledigde de admiraal nog een keer, en de hertog van Montpensier tierde over de schade die een nieuwe oorlog aan de economie zou toebrengen. Uiteindelijk schreeuwde de oude Tavannes dat iedereen stil moest zijn, en toen de aanwezigen hun mond hielden, vroeg hij: 'Admiraal Coligny, wilt u verder nog iets aan ons kwijt?'

'Ja,' zei Coligny. 'Toen Zijne Majesteit koning Hendrik II naar het advies van zijn Geheime Raad luisterde, was hij verplicht om daar goed over na te denken, maar niet om het op te volgen. Bij koning Karel ligt dat anders: hij is wettelijk verplicht om de wil van deze Raad op te volgen.

Dat was begrijpelijk toen de koning als jongen van tien de troon besteeg, maar hij is inmiddels een man, tweeëntwintig jaar oud. Het is een belediging hem te dwingen het voorschrift van zijn oude staatslieden op te volgen, zeker als dat tegen zijn eigen oordeel in gaat.'

Coligny vervolgde zijn betoog. 'Ik ben een hugenoot, u bent allen katholiek. Toch weet ik dat u allemaal met me eens zult zijn dat Karel koning is omdat God hem op de troon heeft geplaatst. Nietwaar, heren?'

Tavannes en Montpensier erkenden dat hij gelijk had. Eduard en ik keken elkaar somber aan, terwijl Gonzaga weigerde te reageren op een vraag waarvan het antwoord bekend was.

'Als Karels wil door deze Raad wordt gedwarsboomd, wordt Gods wil gedwarsboomd,' zei Coligny. 'En het is Karels wil de oorlog aan Spanje te verklaren.'

Ik hield mijn adem in bij het horen van zijn brutaliteit, zijn grillige redenering.

Coligny keek me indringend aan. 'Hare Majesteit hapt naar adem.

Maar ik zeg u nu dat regeren een mannenzaak is, niet die van vrouwen. Zo zijn de voorschriften van de Salische wet. En ik vraag u: wie regeert er over Frankrijk? Wie regeert deze Raad? En wie regeert Karel?

Elke man die hier aanwezig is, moet diep in zijn hart naar de waarheid zoeken: luister naar de zachte, kalme stem van God in uw binnenste. Is het juist dat de wil van onze koning wordt gedwarsboomd door een vrouw die bang is voor oorlog?'

Mijn gezicht werd vuurrood. Naast me mompelde Eduard een nauwelijks hoorbare verwensing.

'Mijn hemel, u bent krankzinnig,' zei Tavannes. 'En een onbeschaamd hondsvot als u zo over onze koningin durft te spreken.'

Ik keek hem en de andere raadslieden niet aan. Ik kon alleen maar staren naar de heldere vroomheid in Coligny's ogen, de gelukzalige eigendunk die van zijn gezicht afstraalde, aangewakkerd door de innerlijke vuren van de waanzin.

'Het is een heilige oorlog,' zei de admiraal, wiens stem nu niet meer dan gefluister was. 'Een oorlog om mensen te bevrijden die in vrijheid hun geloof willen uitoefenen. Ik zeg u, het is Gods eigen oorlog, en alleen de duivel zou u opdragen om hem niet te voeren.'

Het bleef stil in het vertrek, tot ik me vermande en koeltjes vroeg: 'Was dat alles, admiraal? Bent u klaar met uw betoog?'

'Jazeker.' Uit zijn houding bleek dat hij heel tevreden was met zichzelf en zijn verhaal.

De hertog van Montpensier kwam tussenbeide: 'Hoogheid, Majesteit, ik stel voor dat we hier verder niet meer over discussiëren. Admiraal Coligny heeft zijn mening voldoende toegelicht en heeft de voornaamste bezwaren ertegen gehoord. Het lijkt mij niet zinvol om de argumenten te herhalen in een gesprek dat waarschijnlijk verhit zal raken. Ik stel voor dat we onmiddellijk stemmen.'

'Uw mening is duidelijk,' zei ik. 'Heren, heeft iemand daar bezwaar tegen?'

Dat was niet het geval. Coligny – vol vertrouwen dat zijn oproep de raadsleden op andere gedachten had gebracht – kreeg het verzoek in de gang te wachten. Hij liep opgewekt weg, al bleef hij op de drempel staan om met een zelfvoldane, triomfantelijke blik naar mij te kijken.

De stemming duurde niet lang. De leden waren het zo snel met elkaar eens dat de papieren stembiljetten niet werden gebruikt en er mondeling werd gestemd.

Ik stond op. Met een handbeweging maakte ik mijn mederaadsleden, die meteen de neiging hadden om ook op te springen, duidelijk dat ze mochten blijven zitten. 'Ik wil het graag zelf aan admiraal Coligny vertellen.'

Ik liep in mijn eentje naar de gang. Afgezien van een paar lijfwachten was er niemand binnen gehoorsafstand. Coligny leunde met gebogen hoofd en gevouwen handen tegen de muur tegenover me, in gebed, en zodra hij de deur hoorde opengaan, keek hij gretig op.

Bij het zien van mijn gezicht zakte zijn mond verbaasd een stukje open, maar daarna werd zijn gelaatsuitdrukking langzaam harder.

'Aha,' zei hij. 'Ik had moeten beseffen dat hun oren doof waren. Per slot van rekening hebt u hen uitgekozen omdat ze loyaal zijn.'

'Ik heb hen uitgekozen omdat ze wijs zijn,' pareerde ik, 'en loyaal aan mijn zoon, die geboren is zonder het karakter dat hij nodig heeft om te regeren. Als u daarvan misbruik blijft maken, admiraal, verban ik u van het hof.'

Zijn ogen – felblauw en omzoomd door goudblonde wimpers – vernauwden zich met dezelfde nukkige, bittere koppigheid die ik zo vaak bij Karel had gezien. Hij kwam dreigend een stap dichterbij, om me eraan te herinneren dat hij een sterke man was en ik slechts een vrouw.

Met de langzame, nadrukkelijke toon van een dwingeland zei hij: 'Madame, ik kan me niet verzetten tegen wat u hebt gedaan, maar ik kan u verzekeren dat u hier spijt van zult krijgen. Want als Zijne Majesteit besluit om deze oorlog niet te voeren, zal hij binnenkort in een andere verwikkeld raken, waaruit hij niet kan ontsnappen.'

Hoewel zijn gezicht dreigend vlak bij het mijne kwam, weigerde ik ook maar één stap achteruit te zetten. Hooghartig en onbevreesd keek ik hem onvriendelijk aan.

'We hebben u als gast verwelkomd. En nu durft u ons – onder het dak van de koning – met een volgende burgeroorlog te dreigen?'

'U zou niet tegen mij vechten, maar tegen God,' zei hij.

Hij keerde me zonder afscheidsgroet de rug toe en liep weg. Toen hij uit mijn gezichtsveld verdwenen was, sloot ik mijn ogen en leunde ik met een zucht tegen de muur.

Onder de kaak, zo, fluisterde tante Clarice, terwijl ze haar hand om mijn vingers en het gevest van de stiletto legde.

41

Ik gaf de onversaagde Tavannes opdracht om het raadsbesluit aan de koning mee te delen. Daarna nam ik Eduard apart om hem over het dreigement van de admiraal te vertellen.

Ik haalde de hertog van Anjou over om me te vergezellen naar ons landgoed in Montceaux. We gingen onmiddellijk weg, zonder iets tegen de koning te zeggen, zodat ons vertrek hem zou verrassen en hij zou aannemen dat ik mijn dreigement om hem in de steek te laten had uitgevoerd. Ik bad dat Karel zich naar Montceaux zou haasten om me te smeken terug te komen. Dan zou ik hem uit de klauwen van Coligny kunnen houden, in elk geval tot de festiviteiten rond de bruiloft begonnen.

Nog geen drie uur na de bijeenkomst van de Raad zaten Eduard en ik in een koets, die in zuidelijke richting de drukke stad uit reed. Het was opgehouden met regenen en de wind joeg loodgrijze wolken weg om een brandende augustuszon te onthullen. De straten waren weer vol met kooplieden, edelen, klerken, bedelaars en de zwart-witte kleding van de hugenoten, vreemdelingen in deze katholieke stad, die de bruiloft van hun leider Navarra kwamen vieren.

Ik leunde achterover tegen de wand van de koets en staarde uit het raam, te diep in gedachten verzonken om te luisteren naar Eduards lange, felle aanval op de admiraal of naar het gejank van zijn hond, een spaniël die in een met juwelen bezet mandje aan een lang fluwelen koord om Eduards hals hing. Ik bleef zwijgen toen de buitenlucht lekkerder ging ruiken en het gekletter van de hoeven werd verzacht door de modder van de plattelandswegen. Stenen gebouwen maakten plaats voor de donkergroene, trillende bladeren van de nazomer. In de verte steeg er mist van de weg op, als etherische zielen die naar de hemel vlogen.

Ik kon mijn laatste gesprek met Coligny nog niet goed verkroppen. Terwijl de koets heen en weer schommelde, sloot ik mijn ogen en verbeeldde ik me dat tante Clarice naast me zat, ontzet maar onbevreesd, in haar gescheurde, prachtige gewaad.

'Wat een arrogantie!' tierde Eduard. Het hondje op zijn schoot kromp ineen, en hij begon het gedachteloos te aaien. 'Hij denkt dat hij Mozes is, en wij farao's!'

Ik deed mijn ogen open. 'Hij denkt dat hij Jezus is,' zei ik. Ik zweeg toen de implicaties van mijn eigen analogie tot me doordrongen.

Vanaf de andere kant van de koets staarde mijn zoon naar me. 'Hij zal nooit ophouden, maman. U hebt zijn ogen gezien. Hij is krankzinnig. We moeten hem tegenhouden.'

Ik schudde mijn hoofd. 'Wat kunnen we doen? We kunnen hem niet vlak voor de bruiloft arresteren. Denk aan de verontwaardiging die daarop zou volgen. Hij is een gerespecteerd lid van het bruiloftsgezelschap. En vergeet niet dat Navarra en wij ernstig in verlegenheid zouden worden gebracht.'

Ik had mezelf al dagen niet toegestaan om aan Navarra te denken. Ik had van hem gehouden alsof hij mijn zoon was, en ik liet mijn dochter met hem trouwen. Nu vertrouwde ik hem niet meer. Had hij bij zijn komst geweten wat Coligny van plan was?

'Coligny is oprecht in zijn verlangen om onze troepen naar de Nederlanden te sturen,' voegde ik eraan toe, alsof ik mezelf probeerde te overtuigen. 'Het heeft hem veel tijd gekost om bij de koning in de gunst te komen. Het zou onlogisch zijn als hij ons nu zou aanvallen.'

'Aanvallen?' Abrupt leunde Eduard naar voren. 'Bedoelt u dat alles wat hij heeft gedaan een afleidingsmanoeuvre was? Dat hij ons schade wil berokkenen?'

Ik staarde naar het veranderende landschap en dacht aan de straten van Parijs, die volstroomden met hugenoten, en aan het Louvre, waarvan de gangen uitpuilden van de zwart-witte kraaien.

'Nee,' antwoordde ik. 'Nee, natuurlijk niet, tenzij...'

Hier krijgt u spijt van. Want als Zijne Majesteit besluit om deze oorlog niet te voeren, zal hij binnenkort in een andere verwikkeld raken.

Eduard maakte mijn zin af. 'Tenzij dit onderdeel van een groter complot is,' zei hij. 'Tenzij Coligny en Navarra en de rest hier zijn gekomen met het plan om de kroon te veroveren. Hendrik heeft een gevolg van honderden mensen bij zich, en duizenden van zijn volgelingen zijn naar de stad gekomen. Elke herberg in Parijs zit propvol hugenoten. Ze hebben zelfs de kerken geopend om hun allemaal onderdak te verlenen.'

Mijn vingers vonden de zware ijzeren ring met het Gorgonenhoofd en begonnen ermee te spelen. 'Zo dom kunnen ze toch niet zijn,' mompelde ik.

'We hebben het over Coligny, die dom genoeg is om toe te geven dat hij denkt dat God hem hierheen heeft gestuurd,' hielp Eduard me herinneren. Zijn lange, knappe gezicht vertrok van walging en wantrouwen. 'En hij zal doen wat "God" hem heeft opgedragen. Zelfs als hij niet schuldig is aan het voorbereiden van een revolutie, zelfs als hij ons geen kwaad wil doen, zal hij Karel blijven manipuleren. We moeten iets doen.'

'Als we nu iets doen, in een stad vol hugenoten en katholieke stadsbewoners die hun met tegenzin onderdak verlenen, breekt er een enorme opstand uit,' zei ik langzaam.

'Maman...' Eduard klakte geërgerd met zijn tong. 'We kunnen niet werkeloos toekijken terwijl een waanzinnige ons een oorlog opdringt.'

'We zullen het in Montceaux bespreken,' zei ik. 'Ik wil er nu niet over nadenken.'

Ik deed mijn ogen weer dicht, half in slaap gesust door de schommelende koets, en zag het vollemaansgezicht van de profeet.

Wees op uw hoede voor mildheid, zei hij. *Wees op uw hoede voor genade.*

Karel arriveerde midden in de nacht in Montceaux. Ik hield mijn mond en deed net of ik erg kribbig was toen ik door een wanhopige koning uit mijn bed werd gehaald, maar ik kon nauwelijks mijn voldoening verbergen toen Karel op zijn knieën viel en zijn armen om mijn benen sloeg. Tot mijn genoegen zwoer hij dat hij zich aan het oordeel van de Geheime Raad zou houden, en hij smeekte me om met hem terug naar Parijs te gaan.

Ik stond erop dat Karel vier volle dagen bij ons in Montceaux bleef. Tijdens die dagen praatten Eduard en ik urenlang op hem in en probeerden we hem ervan te overtuigen dat Coligny hem meedogenloos had gemanipuleerd. Het kwam vaak voor dat Karel als een kind begon te snikken of zo kwaad werd dat het speeksel in het rond vloog, maar tegen de derde dag was hij uitgeput en begon hij naar ons standpunt te luisteren. Ik liet hem beloven dat hij Coligny tot na de feestelijkheden zou mijden.

Pas daarna gingen we terug naar de stad – op 15 augustus, de dag voor de verlovingsceremonie. Sinds de tiende had de meedogenloze zon aan een wolkeloze, bleekblauwe hemel gestaan, en onze koets reed in een wolk van stof terug naar de stad.

Ik stapte uitgeput uit de koets. In Montceaux had ik lange dagen met Karel doorgebracht en lange avonden met Eduard over Coligny gediscussieerd. Het enige besluit dat we hadden genomen, was dat we pas na de bruiloft iets konden ondernemen.

Terwijl ik de trappen naar mijn vertrekken op liep, zag ik madame Gondi – nog altijd mooi, maar verzwakt en in slechte gezondheid – boven aan de trap op me wachten. Ze glimlachte niet toen onze blikken elkaar kruisten, maar verstevigde haar greep op iets in haar hand: een brief.

Toen ik op de overloop aankwam, stak ik mijn hand uit naar de brief. Zodra ik hem had, verbrak ik het zegel. Ik vouwde hem open, en terwijl ik naast madame Gondi en haar lamp verder liep, begon ik te lezen.

Het was een mannelijk handschrift, maar het was niet dat van Zuñiga. Het was van de hertog van Alva, die laaghartige vervolger van de hugenoten, en de brief was op 13 augustus geschreven.

Aan de zeer hooggeëerde koningin Catharina van Frankrijk

Majesteit,

Ik heb begrepen dat koning Filips' ambassadeur in Frankrijk, don Diego de Zuñiga, u heeft verteld dat Franse soldaten onder bevel van een van uw hugenotengeneraals een inval in de Nederlanden hebben gedaan, en dat deze bewuste hugenotengeneraal een vertrouweling is van uw zoon, koning Karel.

Misschien kunt u uw zoon vragen of hij of zijn hugenotenvriend iets weet van de drieduizend gewapende Franse soldaten die vanochtend vroeg bij onze gezamenlijke grens zijn gearriveerd. En u doet er goed aan om te onthouden dat mijn eigen bronnen – die zeer goed geïnformeerd zijn over deze admiraal Coligny en zijn activiteiten – me het afgelopen uur hebben verteld dat hij bewust bezig is om een leger van niet minder dan veertienduizend man bijeen te brengen.

Het schijnt dat de meesten van die ketters op dit moment in Parijs zijn voor de bruiloft van hun leider met uw dochter, de zuster van koning Karel, en dat ze wapens bij zich hebben om direct na de bruiloft naar de Nederlanden te kunnen vertrekken.

Don Diego meldt ook dat u beweert helemaal niets van deze situatie te weten – sterker nog, dat Karels eigen Raad tegen de invasie van admiraal Coligny heeft gestemd. Als dat waar is, loopt uw familie groot gevaar. Misschien zou ik Uwe Majesteit een paar van mijn eigen betrouwbare spionnen moeten uitlenen, die zeggen dat de ijzersmeden in Parijs dag en nacht werken om zwaarden en wapenrusting voor hugenoten te maken, en dat monsieur Coligny kort na de uitspraak van de Raad in het openbaar heeft opgeschept dat hij het gezag van de Raad niet erkent. Hij zei dat hij ook zonder de toestemming van de koning naar de Nederlanden zal komen en me met zijn leger van veertienduizend Fransen zal verslaan.

Mijn vorst zou zeggen dat dit uw verdiende loon is, omdat u ketters aan uw tafel hebt laten dineren.

Ik heb geen represailles genomen, omdat don Diego ervan overtuigd is dat koning Karel deze zaak intern zal willen regelen. Hij heeft erop aangedrongen dat ik niet de wapens opvat tegen Frankrijk, maar Uwe Majesteit op de hoogte breng van deze ernstige belediging aan het adres van Spanje.

Ik heb deze brief aan mijn snelste boodschapper meegegeven. Hij is nu bij u en wacht op uw antwoord.

Uw dienaar, bij Gods gratie,
Fernando Alvarez de Toledo
hertog van Alva
gouverneur van de Nederlanden

Ik was bij mijn antichambre aangekomen tegen de tijd dat ik de brief van Alva had gelezen. Ik liet me in de stoel achter mijn schrijftafel zakken en keek even op toen madame Gondi de lamp bij me neerzette.

'Wilt u de hertog van Anjou vragen of hij onmiddellijk naar mijn vertrekken komt?' vroeg ik. 'Zeg hem dat het om een uiterst dringende zaak gaat.'

Toen ze weg was, legde ik mijn hoofd vermoeid op de tafel. Terwijl mijn wang op het koele hout rustte, liet de flakkerende lamp mijn schaduw op de muur tegenover me dansen. Opeens dacht ik aan mijn tante, die op de dag dat we Florence waren ontvlucht tot diep in de nacht aan haar schrijftafel brieven had geschreven, ondanks haar gewonde pols.

Geen bloed meer, had ik tegen Ruggieri gezegd. *Geen bloed meer*, maar het Huis van Valois – mijn bloed – liep nu gevaar.

Ik dacht aan de ogen van de staljongen, groot van schrik en stil verwijt, en voelde mezelf ongevoeliger worden.

De volgende ochtend, een zaterdag, vond de verlovingsceremonie plaats in de grote balzaal van het Louvre, gecelebreerd door de oom van de bruidegom, de kardinaal de Bourbon. Voor het oog van zo'n driehonderd gasten bereidden Navarra en Margot zich voor op de ondertekening van het dikke huwelijkscontract.

Terwijl Margot de ganzenveer boven de laatste bladzijden van het contract liet zweven, liet ze een hartverscheurende snik horen. Ze gooide de ganzenveer neer en bedekte haar gezicht met haar handen. Ik liep naar haar toe, sloeg mijn armen om haar heen en glimlachte naar de kardinaal.

'Zenuwen,' zei ik tegen hem, en ik fluisterde in Margots oor: 'Niet nadenken, gewoon doen. Nu.'

Ik stopte de ganzenveer tussen haar vingers en omsloot haar hand met de mijne. Haar schouders schokten van de onderdrukte tranen, maar ze liet haar hand zakken en zette haar handtekening.

Navarra hield zijn opgewekte, waardige blik op de kardinaal gericht en was zo beleefd om het incident te negeren. Net als de onwillige bruid kon ik het niet opbrengen om naar hem te kijken, maar tegelijkertijd herinnerde ik mezelf eraan dat ik geen duidelijke bewijzen had dat hij de admiraal en diens oorlog steunde. Als ik de bruiloft afgelastte, zou ik alle hoop op blijvende vrede vernietigen, en verraden dat ik van plan was om iets tegen Coligny te ondernemen.

In plaats daarvan sloeg ik mijn arm om Margot heen en stond ik naast haar toen de kardinaal een kruisteken boven het bruidspaar maakte en de zegen uitsprak. Na afloop van de ceremonie kuste ik eerst mijn dochter en daarna Hendrik, waarbij ik hem in onze familie verwelkomde.

'Je bent nu mijn zoon,' zei ik tegen hem.

Tijdens de receptie daarna legde ik mijn hand op de arm van de hertogin van Nemours, een oude vriendin. 'Wilt u vanavond naar mijn kabinet komen?' fluisterde ik in haar oor.

Met een gracieuze buiging stemde ze in. Ze woonde al aan het Franse hof sinds ze volwassen was en stond bekend om haar gewetensvolle discretie – een eigenschap waarop ik een dringend beroep wilde doen.

Die avond waren we met ons tweeën in mijn kabinet, waarvan ik de deur ondanks de hitte dicht en op slot had gedaan. Ik had Eduard niet uitgenodigd, want als het gesprek verkeerd liep, wilde ik hem er niet bij betrekken.

Aan de andere kant van de schrijftafel zat de hertogin zichzelf met een kalme glimlach koelte toe te wuiven. Ze was eenenveertig jaar, zacht en mollig, een vrouw die van nature geen schoonheid bezat en daarom weinig leek te veranderen naarmate ze ouder werd. Haar ogen waren groot en haar neus en lippen klein. Onder haar terugwijkende kin had ze een aantal onderkinnen, een geschenk van haar grootmoeder, Lucrezia Borgia. Haar wenkbrauwen waren zo uitgedund dat ze bijna niet meer te zien waren.

Ze was geboren als Anna d'Este en was in haar geboorteplaats Ferrara opgegroeid, tot ze als zestienjarig meisje was uitgehuwelijkt aan Frans, hertog van Guise. Ze kreeg de details van het hofleven snel onder de knie en bleek een geschikte levensgezellin voor haar ambitieuze echtgenoot te zijn. Toen Frans door de spion van Coligny werd vermoord, trok de weduwe zich niet kalm en zwijgend terug. Ziedend van woede eiste ze dat Coligny voor de moord vervolgd zou worden, en ze stuurde zoveel petities naar de koning dat Karel de admiraal geïrriteerd onschuldig verklaarde en haar verbood om er nog over te praten. Maar net als haar zoon Hendrik de Guise, die zijn adellijke titel van zijn overleden vader had geërfd, bleef ze Coligny verachten en, als ze de kans kreeg, openlijk beschuldigen. Zes jaar geleden was ze getrouwd met Jacobus van Savoye, de hertog van Nemours, een loyale katholiek die dapper tegen de hugenoten had gevochten.

Ik sprak haar in het Toscaans aan, om aan te geven dat ons gesprek intiem en delicaat van aard was. 'Anna, ik weet dat het heel moeilijk voor je moet zijn om in het gezelschap van hugenoten zo minzaam te glimlachen. Namens de koning bedank ik je voor je beleefdheid in het gezelschap van admiraal Coligny.'

'Hij blijft een moordenaar, Majesteit. Vandaag had ik het gevoel dat ik in een nest met adders was gevallen.' Ze zei het zachtjes en uiterst kalm, alsof we een alledaags gesprek voerden. 'Ik kan alleen maar bidden dat Zijne Majesteit en Frankrijk niet zullen lijden onder uw omgang met hem.'

'Daar wilde ik het net met je over hebben,' zei ik. 'Het is tot me doorgedrongen dat de admiraal Zijne Majesteit inderdaad kwaad wil doen.'

Ze bleef rustig. 'Dat verbaast me niets.'

'Dan zal het je misschien ook niet verbazen dat admiraal Coligny zich niets heeft aangetrokken van het koninklijke bevel dat er geen troepen naar de Nederlanden gestuurd mochten worden.'

Ze vouwde haar waaier met een klap dicht. 'De admiraal schept tegen iedereen op dat hij direct na de feestelijkheden naar de Nederlanden vertrekt, en dat hij een grote krijgsmacht meeneemt. Soldaten die hier in Parijs zijn, gewapend om ten strijde te trekken. Ik vrees voor de veiligheid van de koning, Majesteit.'

'Ik ook.' Ik haalde diep adem en zei: 'Zijne Majesteit zal de admiraal niet langer beschermen tegen de straf die hem toekomt.' Ik leunde achterover in mijn stoel en bestudeerde haar aandachtig.

Een paar tellen lang leek ze wel een geschilderd portret, maar toen keek ze uiteindelijk naar haar handen, waarvan er één de waaier vasthield. Toen ze weer opkeek, stonden er tranen in haar ogen. 'Ik heb vele jaren gewacht. Ik heb gezworen op de ziel van mijn dode echtgenoot dat ik hem zou wreken.'

'Het moet gebeuren op de tweeëntwintigste,' zei ik, 'de dag nadat er een einde aan de feestelijkheden is gekomen. Die ochtend is er een vergadering van de Raad, die admiraal Coligny zeker zal bijwonen.' Ik zweeg even. 'Het moet op zo'n manier worden gedaan dat de koning en de koninklijke familie er niet bij betrokken worden.'

'Dat spreekt vanzelf,' zei ze zachtjes. 'Dat zou een ramp voor de kroon zijn.'

Daarmee gaf ze aan dat het Huis van Guise de volle verantwoordelijkheid voor de moord zou nemen. Die zou worden gezien als het resultaat van een bloedvete, een geïsoleerd incident waarvan de koning niet de schuld zou kunnen krijgen.

'Ik zal zorgen dat jij en je familie worden beschermd tegen felle reacties, maar je zoon doet er goed aan om op het moment van de daad de stad te verlaten. Ik zal je morgenochtend ontbieden om de details met je te bespreken. Praat vanavond alleen met je zoon, met niemand anders. Jij en hij moeten nadenken over de vraag hoe we ons doel vakkundig kunnen bereiken.'

Ik stuurde haar weg en liep naar mijn antichambre om madame Gondi te zoeken.

'Wilt u de hertog van Anjou vragen om naar mijn kabinet te komen?' vroeg ik.

Toen madame was weggegaan, liep ik terug naar het kleine, benauwde kamertje en ging ik met de deur open aan mijn schrijftafel zitten. Terwijl ik naar de rug van mijn handen staarde, verbaasde het me dat ze niet trilden. In tegenstelling tot Anna d'Este plengde ik geen tranen.

De nacht bracht geen verkoelende bries, alleen een verstikkende vochtigheid die op me neerdaalde terwijl ik in bed lag. Ik had de lakens van me afgegooid, en toen het buiten eindelijk licht werd, stond ik op en gaf ik madame Gondi opdracht om Anna d'Este en haar zoon, de hertog van Guise, te vragen die dag zo snel mogelijk naar me toe te komen.

Er volgden voorbereidingen voor de bruiloft. Ik bezocht Margots vertrekken met Eduard – die het onfeilbare oog van een kunstenaar had – om de uiteindelijke plaatsen van de juwelen op het gewaad en de oogverblindende blauwe mantel en sleep te bepalen. Mijn dochter had rode, dikke ogen, maar ik deed net of ik het niet zag. Toen de laatste diamanten zorgvuldig waren vastgenaaid, stond Margot zichzelf voor een kleedspiegel vol ontzag te bestuderen.

Eduard kon zich niet beheersen en sprong op van zijn stoel. 'Wat zie je er adembenemend uit! Je wordt de mooiste koningin van de wereld!' Hij pakte haar beide handen en kuste haar op de mond – net iets te lang, vond ik, langer dan passend was voor een broer. Margot bloosde en giechelde, net als toen Hendrik de Guise zo vrijpostig met haar had geflirt.

Toen de mantel klaar was, werden er drie prinsessen – een Guise en twee Bourbons – naar het vertrek geroepen om te oefenen hoe ze de sleep moesten vasthouden. De sleep was zo lang dat een van de meisjes met het uiteinde in Margots slaapvertrek bleef staan, de twee andere in de antichambre stonden om het midden omhoog te houden, en Margot zelf grinnikend haar vertrekken uit liep en een stukje door de gang wandelde voordat de sleep strak genoeg stond om hem op te tillen.

Ik liet mijn dochter lachend met de drie jonge prinsessen achter en nam Eduard mee naar mijn vertrekken, waar Hendrik de Guise en zijn moeder in mijn kabinet op me wachtten.

Ons efficiënte gesprek duurde minder dan een kwartier. De Guises hadden een huis aan de rue de Béthizy – een huis waar Anna d'Este zelf ooit had gewoond. Toevallig had Gaspard de Coligny een hotelkamer in dezelfde straat, die slechts een korte wandeling van het Louvre verwijderd was.

Er brandde een kil, verbitterd lichtje in de ogen van de hertog van Guise toen hij zei: 'Coligny loopt elke ochtend langs ons huis als hij voor besprekingen naar de koning gaat, en hij komt elke middag via dezelfde route terug.'

Het lot is je gunstig gezind, Catharina.

'Er is een raam van waaruit een schot kan worden afgevuurd,' voegde Anna eraan toe.

'En de schutter?' vroeg ik.

'Maurevert,' antwoordde de hertog.

'Ik ken hem,' zei Eduard. Hij keek naar mij om het uit te leggen. 'Tijdens de oorlog is hij in de hugenotenbeweging geïnfiltreerd om Coligny te vermoorden. Omdat hij niet in de buurt van de admiraal kon komen, heeft hij een van diens beste vrienden doodgeschoten, een man die De Mouy heette. De Mouy is een poos Maureverts leermeester geweest. Ze kenden elkaar al vele jaren, maar Maurevert aarzelde geen seconde voordat hij de trekker overhaalde.'

'Koelbloedig.' Ik knikte. 'Een perfecte keuze. Dan moeten we alleen nog bepalen wanneer. Dit mag geen smet werpen op de feestelijkheden, die op de eenentwintigste afgelopen zijn. De dag daarna zal ik een vergadering van de Raad beleggen, waarbij Coligny aanwezig moet zijn. Ik zal het tijdstip via een koerier aan u doorgeven. Zeg tegen monsieur Maurevert dat hij klaar moet staan, want misschien krijgen we geen tweede kans.'

'Goed,' zei de jonge Guise. 'Maar voordat het gebeurt, zou ik Zijne Majesteit nederig iets willen verzoeken...'

'U krijgt koninklijke bescherming,' zei ik. 'In het geheim, natuurlijk. U doet er goed aan om Parijs direct daarna te verlaten, of misschien al eerder.'

Toen de hertog en zijn moeder naar buiten waren geleid, gebaarde Eduard dat hij mij nog even wilde spreken.

'De situatie in Parijs is explosief geworden,' zei hij. 'Ik heb een paar soldaten ingezet om de vrede te bewaren, maar ik geloof dat onze goede vrienden de Guises de onrust aanwakkeren. De meeste priesters in de stad hekelen de hugenoten en zetten de katholieken tegen hen op. Laten we hopen dat de bruiloft de mensen van hun haat afleidt.'

Ik vouwde mijn waaier open en wapperde hem snel heen en weer, want de kamer was zo heet als een oven. 'Dat gebeurt ook,' zei ik kortaf. 'Dat moet.'

Tegen de avondschemering vergezelde ik Margot naar het paleis van de kardinaal de Bourbon, waar ze de nacht zou doorbrengen. Terwijl onze koets over de oude, krakende brug naar het Île de la Cité rolde, keek Margot achterom naar het paleis het Louvre en barstte ze in tranen uit.

'Lieverd toch,' zei ik vriendelijk, 'morgenavond slaap je weer thuis. Er zal maar heel weinig veranderen.'

'Alleen ben ik dan getrouwd met een hugenoot,' zei ze, 'en als er weer oorlog uitbreekt... Dan vertrouwen mijn man én mijn familie me niet meer.'

Ze had natuurlijk gelijk, en dat besef deed me veel verdriet. Ik legde mijn arm om haar heen en veegde de tranen van haar wangen.

'Lief kind,' zei ik, en ik gaf haar een kus. 'Lief kind, dankzij jou komt er nooit meer een oorlog.' Ik zweeg even om een luchtigere toon aan te slaan. 'Wist je dat ik je vader verfoeide op de dag dat ik met hem trouwde?'

Ze hield lang genoeg op met huilen om me fronsend aan te kijken. 'Nu plaagt u me, maman.'

'Het is echt waar. Ik was verliefd op mijn neef, Ippolito.' Ik glimlachte bij de herinnering. 'Hij was zo lang, zo knap – ouder dan je vader en een stuk verfijnder. En hij zei dat hij van me hield.'

Margot depte haar neus met haar zakdoek. 'Waarom bent u niet met hem getrouwd?'

Ik zuchtte. 'Omdat mijn oom, paus Clemens, andere plannen had. Hij leverde me uit aan Frankrijk in ruil voor prestige en politieke steun. Daarom ben ik met je vader getrouwd. Hij was pas veertien, verlegen en onhandig, en hij moest niets van mij hebben, een onbekend meisje uit een ander land. We hadden nog niet geleerd om van elkaar te houden.

Achteraf ben ik blij dat ik nooit met Ippolito ben getrouwd. Hij was vrijpostig, dwaas... en een leugenaar. Hij hield niet echt van me. Hij wilde me alleen maar als pion in zijn politieke spelletjes gebruiken.'

Margot zat met grote ogen naar me te luisteren. 'Wat vreselijk, maman!'

Ik knikte. 'Het was afschuwelijk. Je moet begrijpen, Margot, dat sommige mannen je gebruiken om hun doel te bereiken. Gelukkig zit Hendrik van Navarra heel anders in elkaar. Niet alles is wat het lijkt, en al waardeer je Hendrik op dit moment misschien niet, als je je hart openstelt, zal je na verloop van tijd van hem gaan houden.'

Met een peinzende blik leunde Margot achterover op haar bankje. We waren allebei uitgeput, en de schommelende koets suste ons in een slaperige stilte.

Met een geveinsde nonchalance zei ik: 'Ik maak me zorgen om je broer Eduard. Hij en Karel verachten elkaar vanuit het diepst van hun hart.

Als de koning hoort dat zijn jongere broer ergens een voorstander van is, wordt hij er onmiddellijk een tegenstander van. Eduard heeft me vaak bekend dat hij wenste dat hij een nuttige spion had, iemand bij wie de koning zijn hart uitstortte.

Jij hebt een goede band met hen beiden, mijn dochter. Heeft Eduard het met jou wel eens over dergelijke zaken?'

Margots wangen werden vuurrood. Ze wendde haar hoofd af en keek zo schuldbewust uit het raam dat ik mijn ogen sloot, omdat ik al meer dan genoeg had gezien.

Haar geboorte was een geschenk geweest, ze was niet gekocht met bloed. Ik hoopte dat ze door de hemel gezonden was, om het kwaad dat door de aankoop van haar broers' levens was aangericht ongedaan te maken.

Lieve Margot, ze hebben je aangetast.

De rest van de rit spraken we geen woord meer.

42

Op maandag werd ik wakker van het vreugdevolle gebeier van kerkklokken, dat de burgers van Parijs opriep om op te staan en zich voor te bereiden op deze uiterst feestelijke dag. Ik liep naar het open raam in de hoop dat ik wat ochtendkoelte zou voelen, maar de lucht was alweer gebleekt door een felle, snel rijzende zon. De binnenplaats van het Louvre stond vol met staljongens, die felgekleurde rugpantsers vastmaakten aan de paarden die de koninklijke koetsen zouden trekken. Het paleis zelf weergalmde van de stemmen en voetstappen.

Algauw begon het kleedritueel: mijn nachthemd werd over mijn hoofd getrokken en vervangen door een onderhemd van dun batist, dat werd gevolgd door twee volumineuze hoepelrokken en een korset met houten baleinen, dat misdadig strak werd aangetrokken. Ik stapte in mijn auberginekleurige gewaad en stak mijn armen uit terwijl er enorme mouwen aan vast werden geregen. Mijn haar werd uitgeborsteld, daarna gevlochten en in een dikke knot achter in mijn nek gedraaid. Het geheel werd bedekt door een Franse kap, waarvan de paarse damasten band was bezet met tientallen zaadpareltjes. Ik smolt al bijna tegen de tijd dat het korset werd geregen, en tegen de tijd dat de kap werd geplaatst, was ik doorweekt.

Nadat er wel tien lange parelsnoeren om mijn hals waren gehangen en diamanten aan mijn oren waren vastgemaakt, kondigde madame Gondi aan dat ik klaar was. Ik liep naar beneden, naar de binnenplaats, waar Eduard en Karel de met linten versierde koets van Navarra nakeken, die de poort uit rolde.

Mijn zoons droegen bij elkaar passende wambuizen van lichtgroene zijde, die rijkelijk waren geborduurd met zilverdraad. Eduard had er een toque aan toegevoegd, versierd met pauwenveren en parels ter grootte van frambozen. De hertog van Anjou had een uitstekend humeur, de koning was somber en leek er met zijn gedachten niet bij te zijn.

We stapten in onze koets en reden de brug over, door de nieuwsgierige, zich verdringende menigte waarin zich hier en daar zwarte zwermen hugenoten bevonden. De hertog van Anjou en ik leunden uit het raam en zwaaiden naar hen, maar Karel leunde mokkend achterover.

Even later kwamen we bij het bisschoppelijke paleis naast de Notre-Dame, waar de kardinaal de Bourbon ons begroette, reeds in het gezelschap van Hendrik, die dezelfde lichtgroene zijde met zilveren borduursels droeg als mijn zoons. De koning van Navarra werd vergezeld door zijn mentor, Coligny, en zijn neef Condé. De admiraal droeg dezelfde mooie kleding als Condé: een wambuis van donkerblauwe zijden damast met een goudkleurig fluwelen galon, en een blauwe satijnen broek met rode strepen. Coligny was uitbundig. Het ene moment lachte hij en sloeg hij Navarra op de schouder, het volgende moment veegde hij tranen weg. Hij leek de terughoudendheid van de koning niet op te merken, en zag ook niet dat Karel steeds zijn blik afwendde als de admiraal naar hem keek.

'Ik ben trots op hem alsof hij mijn eigen zoon is,' zei Coligny, verwijzend naar Hendrik. 'Trots op zijn dapperheid als jongen, nog trotser op de man die hij geworden is. Nu is hij een inspiratie voor alle hugenoten.' In een opwelling sloeg hij zijn arm om de nek van de jonge koning en kuste hij de zijkant van diens gezicht.

Navarra reageerde met een zwak glimlachje en stilzwijgen. Hij zag er prachtig uit in zijn zilverkleurige kleding en met robijnen bezette kroon, maar hij was erg zenuwachtig. Hij bleef zijn handen aan de zijkant van zijn wambuis afvegen en reageerde met eenlettergrepige woorden als hem iets werd gevraagd of verteld. Hij beantwoordde Eduards enthousiaste omhelzing nonchalant en had niet in de gaten dat de koning hem niet groette.

Eindelijk gingen we voor de enorme houten deuren aan de voorkant van het paleis staan. Trompetten schalden toen de deuren opengingen en we de menigte mensen zagen, die ondanks de hitte jubelde en juichte.

De jongste familieleden van de bruid en bruidegom – twee grijnzende tweelingzusjes en een drietal bedremmelde jongetjes – gingen als eersten naar buiten en strooiden rozenblaadjes. Ze werden gevolgd door de kardinaal, en op enige afstand van hem volgde Navarra, geflankeerd door Condé en Coligny.

Zodra Hendrik en zijn gezelschap aan de afdaling van de paleistrappen begonnen, kwam Margot tevoorschijn uit haar schuilplaats, samen met de bruidsmeisjes, die de lange, ruisende sleep droegen. Er glinsterden duizend diamanten op haar mantel en gewaad, en om haar lange hals droeg ze nog eens honderd diamanten. Aan haar opgezwollen, rode ogen zag ik meteen dat ze de hele nacht had gehuild. Ik hield mezelf voor dat het er niet toe deed: slechts weinig mensen zagen haar zo van dichtbij als ik, en zij zouden alleen maar oog hebben voor het gewaad, de mantel, de juwelen en haar koninklijke houding, en ze zouden haar een echte koningin noemen.

Geflankeerd door haar broers en gevolgd door haar drie bruidsmeisjes liep mijn dochter langzaam de trappen van het paleis af. Ik liep vlak achter haar aan. De overige prinsen en prinsessen van den bloede van het Huis van Bourbon en het Huis van Guise liepen na mij naar beneden.

Onder aan de paleistrap was de ingang van de galerij, die zich uitstrekte van het paleis van de kardinaal tot een kleine, met touwen omheinde, open plaats voor een hoog podium. Dat podium was gebouwd op de westelijke trappen van de Notre-Dame, en was zo gemaakt dat je rechtdoor de kathedraal in kon lopen. Het strekte zich vijftig passen naar buiten uit, waardoor het volledig zichtbaar was voor de menigte die het plein vulde. De galerij was gebouwd van grote houten palen – timmerlieden en hun families aten goed in het jaar van een koninklijke bruiloft – die kaarsrecht in de grond waren gezet. De palen waren door dwarsliggers met elkaar verbonden en waren afgedekt met een canvas-dak. Aan de binnen- en buitenkant waren guirlandes van rode rozen en slingers van opbollende lichtblauwe zijde gedrapeerd, die bij de kleding van de bruid pasten.

Ik dwong mezelf een waardig glimlachje op te zetten toen ik Margot volgde en langs de rijen van lagere edelen in de galerij wandelde. Het canvas-dak bood schaduw tegen de felle ochtendzon, maar de lucht daaronder was een verstikkende mengeling van rozenessence, zweet en vers gekapt hout. Zonlicht stroomde aan de oostkant naar binnen en viel op de prachtige sleep van moiré zijde. Ik staarde ernaar, gebiologeerd door de manier waarop de blauwe stof in het gefilterde licht als een golvende, glinsterende oceaan bewoog. Piepkleine diamantjes, die met een vingerbreedte tussenruimte op het gewaad waren genaaid, blonken in de zon.

Opeens nam het kabaal van de menigte af, alsof ik onder water werd gedompeld. Het gejuich veranderde in gedempte, doodsbange kreten, het gejubel in het zwakke gekreun van een stervende. Toen ik vanuit de galerij naar het meedogenloze zonlicht keek, zag ik geen vreugde op de duizenden gezichten, maar grimassen vol angst en pijn.

Een stortvloed van bloed stroomde onder Margots prachtige blauwe sleep vandaan, langs de enkels van de meisjes die hem omhooghielden. Het bloed stroomde langs mij heen, waarbij mijn muiltjes en de zoom van mijn gewaad doorweekt raakten, en het verspreidde zich zo snel dat de hele breedte van de galerij onderliep. Ik staarde naar de edelen, die in de galerij toekeken en nog altijd verlegen grijnsden. Zij zagen geen bloed, zij hoorden geen geschreeuw.

Ik keek naar de felrode stroom en dacht: *het houdt op op het moment dat Margot ja zegt. Het houdt op zodra ze zijn getrouwd.*

Ik zette mijn muiltje op de grond en zag het in de donkere stroom verdwijnen. Ik kon het bloed zien, maar niet voelen: mijn hak raakte droge kasseien. Ik keek op en dwong mijn lippen om een gemaakte glimlach te vormen. Ik keek niet meer naar beneden.

Ik doorstond de lange optocht door de galerij en kwam op een open plek in het zonlicht, die naar het podium voor de Notre-Dame leidde. De plek was afgezet, zwaar bewaakt en goddank niet bebloed. Hendrik en zijn mannen wachtten ons daar op. Twee trappen leidden naar het podium. Navarra's gezelschap nam de noordelijke trap, Margots gezelschap de zuidelijke. De groepen ontmoetten elkaar in het midden van het podium, waar de kardinaal de Bourbon achter een bidbank stond te wachten. Vlakbij was een rij stoelen neergezet, zodat het gezelschap de ceremonie zittend kon bekijken. We gingen voor de stoelen staan en namen na het signaal van de kardinaal plaats. Margot en Hendrik knielden bij de bank, en de ceremonie begon.

Het ritueel was ontdaan van alle onnodige opsmuk, en de kardinaal ging efficiënt te werk. Hij had geen brevier bij zich, maar citeerde uit zijn hoofd uit de eerste brief van Paulus aan de Korintiërs: 'Al spreek ik de talen van mensen en engelen, als ik geen liefde heb, ben ik een rinkelend bekken of een rammelende cimbaal. Al heb ik de gave der profetie, al bezit ik alle geheimen en kennis, zonder liefde ben ik niets... De liefde handelt niet onedel, maar over de waarheid is zij verheugd.'

De volle zon was hardvochtig: onder alle lagen damast en onderrokken smolt ik. Zweet druppelde over mijn voorhoofd, en ik onderdrukte de drang om het weg te vegen. Mijn oogleden trilden toen het gezicht van de kardinaal begon te veranderen, ronder werd, voller, bleker.

Wat uit angst werd gedaan, moet nu uit liefde worden gedaan. Madame la reine, deze kinderen hadden niet geboren mogen worden.

Ik schudde mijn hoofd om helder te worden en concentreerde me tot ik het gezicht van de kardinaal weer zag. Hij sprak Navarra aan.

'Neemt u deze vrouw tot uw wettige echtgenote? Zult u haar beminnen en koesteren, zolang u beiden leeft?'

Navarra's krachtige stem droeg ver over de zwijgende, ademloze stad. 'Ja.'

De kardinaal keek naar mijn dochter. 'Neemt u, Margaretha, deze man tot uw wettige echtgenoot? Zult u hem eren en gehoorzamen, zolang u beiden leeft?'

Het volk wachtte. Margot boog haar hoofd en zei niets. Na een kwellend lange stilte herhaalde de kardinaal de vraag, omdat hij aannam dat de bruid door de hitte of haar emoties overweldigd was.

Margot gaf geen antwoord. Ze perste haar lippen strak op elkaar, en de hitte was beslist niet de aanleiding voor haar rode wangen. Haar bruidegom bleef vastbesloten strak naar de kardinaal kijken.

'Goddomme,' mompelde Karel naast me. 'Goddomme, heb ik nog niet genoeg doorstaan?' Hij sprong van zijn stoel. Naast me zag ik Eduard verstijven toen de koning met grote passen naar Margot beende. Hij drukte zijn hand op haar met juwelen versierde kroon en begon haar hoofd op en neer te duwen, waardoor ze gedwongen werd een parodie van een bevestigende knik te laten zien.

Margots gezicht vertrok van vernedering en woede, maar de opgeluchte kardinaal vatte het als een antwoord op en verklaarde het bruidspaar tot man en vrouw. De menigte reageerde met een enorm kabaal.

Het echtpaar stond op en de kardinaal stelde hen aan de verzamelde gasten voor: Hendrik de Bourbon, koning van Navarra en prins van Frankrijk, en zijn echtgenote Margaretha de Valois, koningin van Navarra en prinses van Frankrijk.

Ik stond op om mijn dochter en haar echtgenoot te omhelzen, maar op het moment dat ik opstond, begon het daglicht opeens te flikkeren. Ik keek naar mijn voeten en zag een donkere vlek die zich snel uitbreidde, tot het hele podium felrood bloedde.

Margot was met de hugenotenkoning getrouwd, maar het was nog niet genoeg.

Iets dwong me om achterom en naar beneden te kijken. Aan de noordelijke kant van het podium, op een armbreedte afstand van de Zwitsers met de hellebaarden, stond Cosimo Ruggieri.

Hij stond vlak bij een groep in het zwart geklede hugenoten, en hij had voor een protestant kunnen doorgaan als hij geen rode satijnen strepen op zijn zwarte mouwen en broek had gehad. De afgelopen dertien jaren hadden hun tol geëist: zijn blauwzwarte haar bevatte zilvergrijze strepen, en zijn schouders hingen duidelijk naar beneden. Hij was de enige tussen al die juichende feestvierders die niet glimlachte. Hij staarde somber en indringend naar mij.

Ik wilde naar hem toe rennen om te vragen of hij de rivier van bloed ook zag, maar ik kon alleen maar strak naar hem staren tot Eduard sissend mijn aandacht trok: het was tijd om de kathedraal in te gaan voor de ceremonie met de plaatsvervanger. Terwijl Navarra en zijn gezelschap buiten wachtten, ging ik met tegenzin met de anderen naar binnen.

Na afloop van het ritueel kwamen we terug op het podium, begeleid door het oorverdovende gebeier van de vijf klokken van de Notre-Dame. Ik wendde mijn zoekende, bezorgde blik weer naar de menigte, maar Ruggieri was verdwenen.

Er volgde een banket in het paleis van de kardinaal, en daarna gingen de verzadigde gasten op weg naar de balzaal van het Louvre. Ik at en danste en hield bezorgd mijn dochter in de gaten, die zich kennelijk bij haar lot had neergelegd. Ze leek met genoegen te dansen en te glimlachen, al bleef ze angstvallig de bewonderende blik van haar echtgenoot mijden.

Ik was zo onverstandig geweest om aan een inspannende *saltarello* deel te nemen, en ik liep me op weg naar mijn stoel met mijn waaier uit alle macht koelte toe te wuiven toen ambassadeur Zuñiga mijn aandacht trok en gebaarde dat ik naar hem toe moest komen. Hij had ook net de sprongen en draaien van de veeleisende dans achter de rug, en er liepen straaltjes zweet over zijn gezicht.

'Madame la reine, vergeef me,' bracht hij hijgend uit. 'Ik wil geen domper op de feestvreugde zetten, maar ik moet een protest indienen.'

Vanachter mijn koortsachtig wuivende waaier keek ik hem aan. 'Wat nu weer, don Diego?'

'Het gaat om die onbeschofte lomperik Coligny. Moet u eens naar hem gaan luisteren: hij schept openlijk op dat hij zegevierend uit de Nederlanden zal terugkeren en Karel de veroverde banier van Spanje zal overhandigen. Hoe kan ik werkeloos naar deze schaamteloze belediging van mijn koning luisteren?'

Ik hield mijn waaier stil. 'Hij is een verrader,' zei ik zachtjes, 'en hij zal binnenkort boeten voor zijn misdaden tegen onze koning en de uwe. Maar niet vandaag, don Diego. Vandaag vieren we de bruiloft van mijn dochter.'

De ambassadeur hief zijn hoofd geïntrigeerd schuin, waarmee hij aangaf dat hij wel kon raden wat ik níét had gezegd en dat hij ons gesprek maar beter kon vergeten.

'Dank u, madame la reine.' Hij kuste mijn hand. 'In dat geval moet ik me verontschuldigen dat ik uw vreugdevolle dag heb verstoord.'

Ik kwam in de verleiding om naar Coligny toe te lopen en zijn pocherij met eigen oren te beluisteren, maar ik besloot het niet te doen. Ik wilde niet dat iemand mijn reactie op zijn arrogantie zou zien. Ik zat de rest van de avond in mijn stoel naar de muziek te luisteren tot de meeste gasten waren weggegaan.

Tegen het einde van de feestelijkheden kwam Navarra uitgeput naar me toe. 'Tante Catharina, kan ik u even onder vier ogen spreken?' vroeg hij.

'Natuurlijk.' Ik tikte op de lege stoel naast me. 'Je bent nu mijn zoon.'

Hij ging zitten en gaf me een fluwelen doosje en een brief. 'Deze zijn van mijn moeder. Ze vroeg of ik ze na de bruiloft aan u wilde geven.'

Ik nam de voorwerpen van hem aan. De verzegelde brief was in Johanna's keurige handschrift aan mij gericht. Ik kende het goed, van de talloze lijsten met eisen die we elkaar tijdens de huwelijksonderhandelingen hadden laten zien.

'Ik zal de brief straks lezen, als ik alleen ben,' zei ik, terwijl ik hem in mijn mouw stopte.

Ik opende het stoffige doosje. Op een witte zijden ondergrond, vergeeld van ouderdom, lag een broche, gemaakt van een grote, perfecte smaragd, omringd door groepjes diamanten.

'Prachtig,' mompelde ik. 'Deze broche moet een klein fortuin waard zijn, maar ik heb nooit gezien dat je moeder hem droeg.'

'Ik ook niet,' bekende hij. 'Ik weet niet hoe ze eraan komt, maar ze wilde dat u hem zou krijgen. Haar hofdame vertelde dat ze de brief op haar sterfbed heeft geschreven.'

'Dank je,' zei ik ontroerd, en ik gaf hem een kus op zijn wang. Een charmante verlegenheid liet hem blozen. Ik maakte van het moment gebruik om openhartig met hem te spreken.

'Zo,' zei ik, terwijl ik het doosje sloot. 'Ga je na de feestelijkheden met de admiraal naar de Nederlanden?'

Zijn ogen werden groot voordat hij zich vermande en fronste. 'Nee,' antwoordde hij ferm. 'Ik moet me voor hem verontschuldigen, madame la reine. Hij is te ver gegaan. Ik heb mijn mening aan hem kenbaar gemaakt, maar hij doet net of hij me niet hoort.'

'En wat is die mening?' vroeg ik.

Hendriks gelaatsuitdrukking werd harder. 'Het is waanzin om Spanje uit te dagen. Daar kan alleen maar rampspoed uit volgen. We zijn nog maar net herstellende van een jarenlange oorlog. Dit is het moment voor herstel en wederopbouw, niet voor vernieling.'

'Mooi gezegd,' zei ik, al kon ik me niet voorstellen dat hij het meende.

De glimlachende kardinaal de Bourbon kwam met Karel en Margot achter zich aan naar ons toe. Hij boog zich voorover om iets in mijn oor te fluisteren.

'Het moment is aangebroken, madame la reine.'

Ik nam Margot mee naar boven, naar haar eigen vertrekken, die met indigokleurige satijnen lakens en lichtblauwe fluwelen gordijnen waren ingericht als bruidssuite. Met mijn dames strooide ik plichtsgetrouw handen vol walnoten over de vloer van de antichambre. Daarna assisteerde ik bij het uitkleden van mijn dochter en hielp ik haar onder de zijden lakens. Terwijl ze het bovenste laken over haar borsten trok, liepen er tranen naar haar slapen toe. Ik trok haar dicht tegen me aan.

'Lieve schat,' fluisterde ik, 'je zult gelukkig worden, en dit huwelijk brengt ons vrede.'

Ze was zo overmand door haar emoties dat ze niet kon reageren. Ik liep terug naar de antichambre, waar ik de kardinaal en Eduard met bezorgde gezichten aantrof.

'Zijne Majesteit weigert hier te komen om getuige te zijn van de consummering,' zei Eduard geërgerd. 'Hij staat erop dat ik het in zijn plaats doe.'

De kardinaal schudde zijn hoofd. 'Dit is ongehoord,' zei hij. 'De koning moet het contract als getuige ondertekenen, om te verifiëren dat de consummering werkelijk heeft plaatsgevonden.'

'Dat zal hij ook doen,' zei ik tegen de kardinaal, en ik wendde me tot Eduard. 'Zeg tegen hem dat hij móét komen.'

'Dat heb ik gedaan, *maman*,' zei Eduard. 'Hij luistert niet.'

Ik liet een diepe, geërgerde zucht horen. 'Waar is hij?'

'In zijn slaapvertrek. Geloof me, hij is niet van plan om te komen,' zei Eduard.

Ik was de deur al uit. Ik vond Zijne Majesteit ineengedoken in bed, met het laken over zich heen en nog altijd gekleed in zijn bruiloftskleding.

'Sta op, Karel,' zei ik.

'Ik doe het niet,' zeurde hij. 'U begrijpt het niet, maman. Niemand begrijpt me, behalve Margot. En nu wil die... die ellendige hugenoot haar van me afpakken.'

'Doe niet zo kinderachtig,' zei ik. 'Sta op. De kardinaal staat te wachten.'

Hij kreeg tranen in zijn ogen. 'Iedereen probeert haar van me af te pakken. Eduard, Hendrik... en nu u weer. Begrijpt u het dan niet, maman? Ik hou van haar...'

Ik gaf hem zo'n harde klap dat zijn hoofd tegen het hoofdeinde sloeg.

'Hoe durft u!' snauwde hij. 'Hoe durft u de koning aan te raken!'

Ik maakte aanstalten om hem nog een klap te geven, maar hij hief defensief een arm op.

De woorden tuimelden uit mijn mond. 'We moeten allemaal dingen doen die we vreselijk vinden, jongen, maar ik wil je eraan herinneren dat je zuster niet je echtgenote is. Ze is van een andere man, en terecht, en nu gedraag jij je als een goede broer en doe je wat de traditie voorschrijft.'

Karels gezicht vertrok van verdriet, en hij liet een luide snik horen. 'Ik wil dood,' bracht hij hijgend uit. 'Niemand anders kan me om zich heen verdragen... niemand anders is lief voor me, omdat ik zo erbarmelijk ben. Wat moet ik zonder haar?'

'Karel, je doet net of je haar voor altijd kwijt bent. Je vergeet dat ze zelfs op dit moment onder je dak verkeert, en de kans is groot dat ze hier nog jaren blijft. Nu Hendriks moeder dood is, zal hij niet veel tijd doorbrengen in Navarra.'

Karel keek met zijn natte gezicht naar me omhoog. Op zijn donkere snor zat slijm. 'U liegt toch niet tegen me, hè?'

'Ik lieg niet,' zei ik, zonder zelfs maar een poging te doen mijn ergernis te verbergen. 'Karel, als je ooit nog over haar spreekt alsof ze méér dan je zuster is, kun je iets veel ergers dan een klap verwachten. En nu sta je op en voer je de taak uit die alle Franse koningen vóór je hebben uitgevoerd.'

Uiteindelijk liep hij met me mee naar de antichambre en ging hij trillend naast de kardinaal zitten, terwijl Hendrik en zijn bruid hun huwelijk consummeerden. Later bekende de kardinaal aan mij dat Karel de hele tijd met zijn handen voor zijn gezicht had gezeten.

Toen de koning uit Margots slaapvertrek kwam, keek hij me met rode, dikke ogen aan. 'God is mijn getuige, ik vermoord hem,' fluisterde hij. 'Ik vermoord hem ook...'

Er volgden drie dagen van doorlopende festiviteiten, al werden de meer inspannende evenementen, waaronder het steekspel, afgelast nadat er te veel deelnemers in de genadeloze hitte waren flauwgevallen. Op de laatste dag, de eenentwintigste, kwam Eduard me vertellen dat hij bij de tennisgalerij getuige was geweest van een confrontatie tussen Coligny en de koning. Coligny had een audiëntie geëist, maar Karel had tijd gerekt door te zeggen: 'Laat me nog een paar dagen feestvieren, *mon père* – ik kan niet denken nu al die feesten aan de gang zijn.'

'Als u me niet eerder wilt ontvangen, zie ik mij genoodzaakt Parijs te verlaten,' scheen Coligny te hebben gezegd. 'En als ik dat doe, raakt u verwikkeld in een burgeroorlog in plaats van een oorlog met een ander land.'

De opmerking zette Eduard, de luitenant-generaal, ertoe aan soldaten op strategische punten rond de stad te plaatsen, ogenschijnlijk om de vrede tussen de Guises en Coligny te bewaren. Het baarde me ook zorgen dat ons slachtoffer de stad te snel zou kunnen verlaten, maar later die dag had de admiraal mijn vraag of hij de volgende ochtend de bijeenkomst van de Raad zou bijwonen met nadruk bevestigend beantwoord. De arme dwaas, hij dacht nog steeds dat hij ons op andere gedachten kon brengen.

Laat die avond, terwijl we in de verte muziek en lachende stemmen op het laatste gemaskerde bal hoorden, hadden Eduard en ik een ontmoeting met maarschalk Tavannes, die we in vertrouwen hadden genomen over het nieuws van de naderende moord, en met Anna d'Este, haar echtgenoot en haar zoon, de hertog van Guise. Anna's echtgenoot, de hertog van Nemours, meldde dat de arkebussier, Maurevert, al in het huis aan de rue de Béthizy was gearriveerd en al uitzocht vanaf welke plek hij het beste kon schieten.

Op de gezichten van de samenzweerders stond een grimmige vreugde te lezen. Hier en daar bespeurde ik ook enig schuldgevoel, maar ik voelde niets, ik had alleen het idee dat alles om me heen onwerkelijk was – de gesprekken, de gezichten, de muziek en de stemmen van de vrolijke feestvierders in de balzaal in de verte.

Die nacht lag ik badend in het zweet in bed en had ik moeite om mijn ledematen, mijn versnelde ademhaling en mijn opvallend snel roffelende hart te ontspannen. Ik werd misselijk, dezelfde branderige rillingen die ik vaak tijdens mijn zwangerschappen had gevoeld, vlak voordat ik moest overgeven. Deze keer kon ik de dingen die me dwarszaten niet uitbraken; deze keer zette ik geen nieuw leven op de wereld.

Ik droomde die nacht niet, want ik sliep niet. Ik sliep niet omdat ik bang was voor de dromen die me al zo lang achtervolgden. Ik staarde naar de duisternis en bad dat de verstikkende lucht boven mijn hoofd niet opeens in bloed zou veranderen, bloed dat als een dodelijke regen op me neer zou vallen en me in mijn bed zou verdrinken.

Achteraf wenste ik dat dat wel was gebeurd.

43

VRIJDAG 22 AUGUSTUS – DE DAG WAAROP DE REGERING WEER AAN HET werk ging – werd de allerwarmste dag tot dan toe. Sinds de zondag ervoor had het niet meer geregend, en op straat joegen koetswielen en paardenhoeven wolken stof omhoog. De lucht was benauwd en vochtig: ik verruilde mijn klamme nachthemd voor een onderhemd en onderrokken die meteen weer aan mijn glimmende, vochtige huid vastplakten.

Eduard en ik hadden besloten dat we ons op die beslissende dag zo veel mogelijk in het openbaar moesten laten zien, zodat iedereen kon zien dat wij ons bezighielden met zaken die veel aangenamer waren dan moord. Ik ging met Anjou, Margot – die uitgeput, maar opvallend vrolijk was – en alle katholieke leden van het bruiloftsgezelschap naar de vroege mis in de nabijgelegen kathedraal van Saint-Germain-l'Auxerrois.

Eduard en ik keerden terug voor de bijeenkomst van de Geheime Raad, die om negen uur zou beginnen. We kwamen ruim op tijd, en de hertog van Anjou ging op de plaats van de koning aan het hoofd van de lange ovale tafel zitten. Ik nam naast hem plaats. Ik had Zijne Majesteit al gewaarschuwd dat Coligny aanwezig zou zijn en dat hij Karel weer onder druk zou zetten om een oorlog in de Nederlanden te steunen. Ik had gezegd dat de druk nu nog groter zou zijn, omdat Coligny besefte dat hij op het punt stond om de stilzwijgende zegen van de koning kwijt te raken. Als gevolg daarvan was Karel zo laf om die ochtend langer in bed te blijven liggen en de bijeenkomst door zijn broer te laten leiden.

Coligny arriveerde klokslag negen uur, vlak na de witharige hertog van Montpensier en vlak voor de zwierige jonge Gonzaga, de hertog van Nevers, en de oude maarschalk Cossé. De laatste die binnenkwam, was de kale, bijna tandeloze maarschalk Tavannes, wiens jarenlange dienst hem het recht had gegeven om leden van de koninklijke familie te laten wachten.

Ik bestudeerde Coligny in de wetenschap dat dit de laatste keer was dat ik hem zou zien. Zijn huid, die ooit door de zon gebruind was geweest, was verbleekt door zijn lange afwezigheid van het slagveld, en hij was door het goede eten aan het hof een beetje aangekomen. Ondanks zijn talent voor dubbelhartigheid had hij zijn teleurstelling over de afwezigheid van de koning niet helemaal kunnen verbergen. Ik voelde geen vrees toen ik hem zag, alleen een vreemde opluchting bij de wetenschap dat hij de volgende dag dood zou zijn. Als ik een hekel aan hem had, was dat alleen maar de haat van een moeder die haar kinderen niet door een adder bedreigd wilde zien. Ik had niets persoonlijks tegen hem, ik wilde alleen mijn familie beschermen.

Nadat de hertog van Anjou het gezelschap de kans had gegeven om te klagen over de vreselijke hitte, begon hij aan de vergadering. Coligny vroeg of hij zijn pleidooi voor een oorlog in de Nederlanden mocht herhalen. Hij beweerde dat er vlak over onze noordelijke grens, in Vlaanderen, weer nieuwe wreedheden gaande waren. Omdat die regio vlakbij lag, konden we heel vlug troepen sturen, en de overwinning zou ons de benodigde stootkracht geven om verder op te rukken naar de Nederlanden.

Eduard luisterde uiterst kalm naar zijn verzoek en zei: 'Over een oorlog met Spanje hebben we al gesproken, en er is al over gestemd. Het heeft geen zin om weer over de kwestie te beginnen. Zijn de andere raadsleden het daarmee eens?'

Dat bleek het geval te zijn.

Er blikkerde woede in Coligny's ogen, die plaatsmaakte voor een kille vastberadenheid. Met deze mogelijkheid had hij rekening gehouden, en hij had zijn besluit al genomen. De vergadering duurde nog twee uur. In die tijd zat de admiraal met zijn vuist onder zijn kin uit het raam te staren en een oorlog te beramen. Toen de vergadering werd geschorst, liep hij vlug weg, zonder nog één woord te zeggen.

Na afloop gingen de hertog van Anjou en ik op weg naar een openbaar middagmaal. De luiken waren geopend en de gordijnen waren opengeschoven om licht in het enorme vertrek met het hoge plafond te brengen. Er hingen stofvlokjes in de lucht, die oplichtten in het felle zonlicht.

Eduard en ik gingen aan één kant van de lange eettafel zitten. Van tijd tot tijd liepen er discreet wachters tussen ons en de staande edelen door. Terwijl Eduard en ik de eerste gang geserveerd kregen, trakteerde een octet ons op grapjes en geestige, gezongen liefdesverhalen vol misverstanden en dubbele bodems, die allemaal goed afliepen. De aanwezigen applaudisseerden enthousiast.

Toen de muziek wegstierf, gaven kerkklokken in de hele stad aan hoe laat het was: elf uur in de ochtend, het sterfuur van Coligny. In het huis aan de rue de Béthizy tilde Maurevert zijn haakbus op, en hij nam de admiraal zorgvuldig onder schot.

Ik keek naar mijn zoon. Terwijl we onze aandacht op onze kommen richtten, leek Eduard opgewekt en volkomen op zijn gemak. Ik vroeg me af of Lorenzo, de jongen met de schrandere blik op de kapelmuur van de familie de Medici, instemmend zou hebben geknikt als hij ons kon zien.

We begonnen in stilte aan onze maaltijd. Ik was me scherp bewust van alles wat ik zag, hoorde en aanraakte: de tik van mijn lepel tegen de porseleinen kom, het oor dat snel warm werd in mijn hand, de golfjes in de bouillon toen de rand van de lepel door het oppervlak heen brak. Eduards zwarte ogen waren heel helder, zijn handen rustig.

'Ik wil Hendrik graag meenemen naar het kasteel van Blois,' zei ik loom. 'Daar is het veel koeler dan in de stad. Ik hoop te gaan zodra de staatszaken het toelaten.'

'Uitstekend idee,' zei mijn zoon. 'Het lijkt me aangenaam om met Hendrik op jacht te gaan.'

We waren al vlug klaar met de eerste gang. Door het weer had ik weinig trek, en ik stuurde mijn kom halfvol terug naar de keuken. De tweede gang – een van mijn lievelingsgerechten, aal in rode wijn – werd gloeiend heet op tafel gezet. Er kwam zoveel damp af dat ik achteroverleunde in mijn stoel en met mijn waaier wuifde. Terwijl het gerecht afkoelde, praatten Eduard en ik over koetjes en kalfjes.

Mijn Eduard, dacht ik. *Mijn lieve schat... Zonder jou zou ik dit nooit kunnen verdragen.*

Hoe had Ruggieri zo'n monster kunnen zijn? Hoe had hij ooit kunnen voorstellen dat ik mijn geliefde kind kwaad moest doen?

Er was net een bord met koud, ingelegd vlees voor me neergezet toen ik de hertog van Anjou abrupt zag opkijken. Ik volgde zijn blik.

Maarschalk Tavannes baande zich met grote haast een weg door de menigte wachtende edelen. Van alle aanwezigen was hij de enige die niet glimlachte, maar hij was discreet genoeg om zijn ontzetting te verbergen en geen aandacht van zijn omgeving te trekken. Zodra ik zijn ogen zag – behoedzaam, indringend – wist ik het al.

Ik dwong mezelf om te glimlachen toen hij naar ons toe kwam. Hij kon zich er niet toe zetten om terug te lachen, maar maakte een buiging en vroeg toestemming om naar onze tafel te komen.

Hij kwam eerst naast mij staan en boog zich voorover om in mijn oor te fluisteren, zo zachtjes dat zelfs Eduard hem niet kon horen.

Admiraal Coligny was in zijn arm geschoten. Zijn mannen – onder wie een paar wachters die Eduard hem na zijn aankomst aan het hof ter beschikking had gesteld – hadden hem naar zijn veilige kamer in het Hôtel de Béthizy gebracht.

De glimlach bleef op mijn lippen staan, bevroren door de schrik. 'Is de wond dodelijk?' vroeg ik fluisterend aan Tavannes.

'Ze denken van niet, madame la reine.'

'Wie weet het nog meer?'

'De admiraal heeft meteen twee van zijn kapiteins naar de koning gestuurd om het hem te vertellen. Ik heb begrepen dat Hendrik van Navarra op dit moment met de koning in gesprek is.'

Tavannes zei ongetwijfeld nog meer, maar zijn woorden werden gedempt door een aanhoudende, steeds harder wordende dreun in mijn oren, een dreun die op het geluid van naderende paardenhoeven leek. Ik legde mijn hand op mijn zoons onderarm.

'Eduard,' zei ik zachtjes. Ik stond op en gebaarde dat Tavannes ons moest vergezellen.

Terwijl we rustig door de grote ontvangstzaal liepen, gingen de edelen aan de kant om ons doorgang te verlenen. Ik tilde mijn rokken op en keek niet naar beneden. Dat hoefde ook niet – deze keer kon ik het bloed voelen.

Dit is het verhaal, samengesteld uit het relaas van maarschalk Tavannes en ooggetuigenverslagen.

Direct na de vergadering van de Raad ging admiraal Coligny op zoek naar de koning. Tot zijn ergernis was Karel in de tennisgalerij, waar hij een set speelde tegen Coligny's zwager, Teligny, en – toevallig – de jonge hertog van Guise. Karel was in verlegenheid gebracht, Coligny was geïrriteerd omdat de koning had beloofd dat hij direct na de bruiloftsfestiviteiten met de admiraal zou praten. De admiraal verlangde ter plekke een audiëntie achter gesloten deuren, en toen de koning weigerde, werd Coligny woedend en beende hij weg.

Hij verliet het Louvre door de bewaakte noordelijke poort en ging op weg naar de rue de Béthizy. Hij werd gevolgd door vier kapiteins van de hugenoten en tien Schotse wachters. Toen hij in de buurt van het huis van de Guises kwam, viste hij in zijn zak om een bril en een brief van zijn jonge vrouw te pakken, die onlangs een kind had gekregen. Hij liep de brief te lezen toen de moordenaar hem in het vizier kreeg. Op dat moment stond hij stil omdat hij merkte dat de binnenkant van zijn schoen loszat.

Maurevert, die natuurlijk niets van die schoen wist, vuurde zijn schot af.

Precies op dat moment bukte de admiraal om zijn schoen te bekijken.

De kogel ging dwars door Coligny's linkerarm en rukte zijn rechterwijsvinger praktisch van zijn hand. De vinger bungelde enkel nog aan een stukje huid. De admiraal verloor meteen het bewustzijn.

Zijn mannen gingen onmiddellijk dicht om hem heen staan. Ze hadden het schot allemaal gehoord en waren het erover eens dat het uit het nabijgelegen huis van de Guises kwam. Drie van hen drongen het huis binnen en ontdekten de rokende haakbus. Tegen die tijd was Maurevert al ontsnapt.

Ik had me voorbereid op een hevige publieke verontwaardiging na de moord op Coligny, maar ik had geen rekening gehouden met de mogelijkheid dat hij de aanslag zou overleven.

Toen Eduard en ik Karels antichambre binnenkwamen, ontdekten we daar een stuk of tien woedende hugenoten, die zo dicht bij elkaar stonden dat ik de koning eerst niet eens zag. Zodra de in het zwart geklede edelen onze voetstappen hoorden, draaiden ze zich om en gingen ze aan de kant, al keken ze ons met onvriendelijke, afkeurende blikken aan. Karel zat achter zijn schrijftafel, Hendrik en Condé stonden naast hem.

Zodra Condé ons zag, deinsde hij achteruit. Navarra was zo druk in gesprek met de koning dat hij onze aankomst niet in de gaten leek te hebben. Karel zat ineengedoken in zijn stoel en hield zijn hoofd in zijn handen. Tranen van woede stroomden over zijn wangen, die nog vuurrood waren van zijn inspannende tenniswedstrijd.

'Laat me met rust!' brulde hij. 'Laat me met rust, ik kan niet nadenken! Waarom kwelt God me toch zo?' Hij begon met zijn voorhoofd op zijn schrijftafel te bonken.

Navarra keek op en ving mijn blik op. Hij was veel te beheerst om achteruit te deinzen, zoals Condé, maar in zijn ogen zag ik wantrouwen en verhulde woede.

'Madame la reine,' zei hij afstandelijk en beleefd. 'Monsieur le duc. U moet ons helpen. Admiraal Coligny is neergeschoten, en Zijne Majesteit is zichzelf niet. Maar er moet gerechtigheid worden gedaan! Nu, voordat er geweld losbarst!'

'Ik ben inderdaad mezelf niet,' beaamde Karel met een kreun. 'Veel te ingewikkeld...' Hij kneep zijn ogen stijf dicht en begon in zijn stoel zachtjes heen en weer te wiegen. 'Ik kan het niet meer aan!'

'Dat komt gewoon door de warmte,' zei ik beschermend. 'De warmte en de enorme schok.' Ik vouwde mijn waaier open en wuifde hem koelte toe. 'Lieve Karel,' zei ik, 'je moet naar me luisteren.'

Zijn ogen gingen abrupt open, en hij keek me volslagen wanhopig aan.

‘Waarom kwellen ze me zo?’ jammerde hij. ‘Zeg dat ze moeten ophouden, maman. Zorg dat ze vertrekken en doodgaan!’

‘Ik kan zorgen dat ze ophouden,’ suste ik, ‘als jij admiraal Coligny helpt.’

‘Wat moet ik dan doen?’

‘Je moet openlijk deze gruwelijke daad veroordelen,’ antwoordde ik, blij dat de hugenoten hier getuige van waren. ‘En je moet duidelijk maken dat de kroon niet zal rusten tot de misdadiger zijn verdiende straf heeft gekregen. Er moet een grootscheeps onderzoek komen.’

Eduard kwam wat dichter bij ons staan. ‘De omgeving van Coligny moet worden beveiligd,’ zei hij kordaat. ‘Ik zal alle katholieken uit de buurt van de rue de Béthizy weghalen om het risico voor de admiraal en zijn mannen te verkleinen. En ik zal vijftig van mijn beste arkebussiers opdracht geven om rond het hotel van de admiraal te posten.’

‘Ja,’ zei Karel met een diepe zucht van opluchting, al stond er nog steeds een verwilderde blik in zijn ogen. ‘Ja, regel dat maar.’

‘Verder nog iets?’ vroeg ik vriendelijk.

‘Ja.’ Nadat Karel zijn hakken op de rand van de stoel had gezet, sloeg hij zijn armen om zijn gebogen benen en wiegde hij zachtjes heen en weer. ‘Dokter Paré...’ De chirurg die tevergeefs had geprobeerd mijn mans leven te redden, was nu de lijfarts van de koning. ‘Stuur Paré naar het Hôtel de Béthizy.’

‘Het zal gebeuren,’ zei ik.

Karel zat opeens stil en keek naar me omhoog. ‘Ik moet naar de admiraal toe. Ik moet zijn vergiffenis smeken voor het feit dat ik hem niet heb beschermd. Ik moet hem laten weten dat ik hem niet in de steek heb gelaten. Laten we nu meteen gaan, maman.’

‘Ik vraag maar één ding,’ zei ik.

Hij keek me nors aan.

‘Sta de hertog van Anjou en mij toe om mee te gaan.’

Het was natuurlijk te vroeg om aan Coligny’s bed te verschijnen, want dokter Paré moest de wond nog opereren. Maar halverwege de middag had zich een groep bij de noordelijke poort van het Louvre verzameld – Navarra, Condé, tien lijfwachten, Anjou, de koning en ik. Ik had ook de oude Tavannes uitgenodigd, die volledig achter de moordaanslag had gestaan, maar die koelbloedig genoeg was om me in een groep van hugenoten te vergezellen en te veinzen dat hij met Coligny meeleefde. Navarra was beleefd en afstandelijk, Condé nog steeds zo boos dat hij geen woord tegen ons sprak.

Ik had voorgesteld dat we het korte stukje naar Coligny's hotel zouden wandelen, omdat het goed was als het volk onze bezorgdheid om de admiraal zag. Behalve Navarra's lijfwachten gingen er twaalf Zwitserse soldaten mee om de koning te beschermen.

Nadat twee wachters de dikke ijzeren vergrendeling omhoog hadden geschoven, duwden drie stalknechten de zware poort open. De soldaten rond het paleis gingen voor ons aan de kant en we liepen de straat op.

We lieten het Louvre al snel achter ons en wandelden over de snikhete kasseien van de rue de Béthizy, waar groepjes in het zwart geklede voetgangers ons in de gaten kregen en een menigte vormden, die op ons afkwam. Tavannes en Eduard gingen intuïtief aan weerszijden van mij lopen, terwijl Condé en Navarra dat bij de koning deden.

'Daar loopt die Italiaanse vrouw!' schreeuwde een man, die hooguit vijf passen van ons vandaan stond. 'Ze begroet haar vrienden op de Florentijnse manier: met een glimlach op haar gezicht en een dolk in haar hand!'

De menigte brulde instemmend. Opeens dook een wirwar van zwarte stof en bleek vlees dreigend op ons af. Aan mijn linkerkant wankelde de oude maarschalk Tavannes op zijn benen, en zijn schouder raakte de mijne. Ik verloor mijn evenwicht en viel tegen Eduard aan. De Zwitserse soldaten grepen hun hellebaarden en staken de glanzende lansen uit naar de toestromende, boze toeschouwers.

'Doe de mensen geen kwaad! Verwond hen niet!' schreeuwde ik. Een dodelijk incident zou makkelijk een enorme opstand kunnen veroorzaken.

De koning, Navarra en Condé stonden stil om over hun schouders naar ons te kijken. De menigte had hen niet aangeraakt.

'Laat hen erdoor!' schreeuwde Navarra, en de zwarte zwerm trok zich terug.

We liepen verder, een beetje vlugger nu, en bereikten zonder verdere moeilijkheden het Hôtel de Béthizy, al bleven de mensen ons de hele weg achtervolgen en vormden hun gemompelde verwensingen een dreigend, rommelend geluid.

In het gebied rond het hotel werd gepatrouilleerd door meer dan vijftig rusteloze mannen in het zwart. Sommigen waren taaie soldaten met ongeschoren gezichten, anderen keurig verzorgde edelen. Ze begroetten

Navarra met een hoffelijke buiging, maar voor mij en de hertog van Anjou hadden ze alleen maar norse, ijzige blikken over. Ambassadeur Zuñiga had gelijk gehad: ze waren allemaal bewapend om een oorlog te voeren, sommigen met lange zwaarden, anderen met haakbussen. De vier mannen die op de trappen bij de ingang de wacht hielden, zweetten onder hun zware borstplaten. Navarra liep in zijn eentje de trappen op om met hen te praten, waarna ze opzij stapten om ons doorgang te verlenen.

Binnen verstikten wel twintig wachters en edelen een zonnige, bedompte hal. Sommigen huilden, anderen tierden, en iedereen was woedend. Ik drukte mijn geparfumeerde zakdoek onder mijn neus tegen de overweldigende stank van ongewassen mensen en gebakken worst, die op een fornuis vlakbij aanbrandde. De hugenoten reageerden op Navarra met hoopvolle, dankbare en respectvolle blikken. Zodra ze Anjou en mij in de gaten kregen, wendden ze hun blik af en trokken ze vol walging hun lippen op, alsof ze iets hadden gezien wat braakneigingen opwekte.

We liepen de krakende houten trap op naar de eerste verdieping, die helemaal diende als het grote, open slaapvertrek van de admiraal. Hoewel het vertrek groter was dan mijn eigen slaapvertrek in het oude, bouwvallige Louvre, leek het door het lage plafond kleiner. Dat effect werd versterkt doordat er een stuk of vijftig mannen rond het bed van hun gewonde leider stonden.

Navarra ging voorop. Zijn volgelingen gingen gewillig voor hem opzij en spraken zachtjes hun dankbaarheid uit, maar als Navarra niet waarschuwend naar hen had gekeken, zouden ze tegen mij hebben gesist. We liepen naar Coligny, die in een bed van bewerkt kersenhout lag.

De admiraal werd ondersteund door kussens en was krijtwit. Zijn rechterhand, die voorzichtig op zijn schoot lag, zat dik in het verband. Dokter Paré had de bungelende wijsvinger moeten wegknippen terwijl zijn patiënt volledig bij bewustzijn was, en Coligny was uitgeput van de pijn en het bloedverlies. Zijn blonde haar was donker van het zweet en plakte aan zijn hoofdhuid. Zijn ogen, samengeknepen van ellende, begonnen niet te stralen toen we naderden. Als een witharige leeuw stond Paré met een beschermende blik in zijn gelige ogen bij het hoofdeinde. De ramen waren gesloten, omdat de wind kou zou kunnen meebrengen en een ontsteking zou kunnen versnellen. Het was verstikkend in de kamer, en ik kon het bloed ruiken.

'Majesteit,' mompelde de admiraal zodra hij Navarra zag. Toen Karel naar voren kwam, werd hij op dezelfde manier begroet.

'Mijn vader,' zei Navarra zachtjes, terwijl hij zich vooroverboog om de admiraal op het hoofd te kussen. 'Ik heb alleen nog maar gebeden sinds ik het nieuws hoorde. Is de pijn draaglijk? Kunnen de dokters iets doen om hem te verzachten?'

'Het gaat wel,' zei Coligny, maar zijn grauwe lippen trilden. Ik had hem alleen maar willen doden; het was niet mijn bedoeling geweest hem te laten lijden.

'Ik heb vijftig lijfwachten naar u toe gestuurd, zodat u veilig bent en uw eigen mannen kunt inzetten om de dader op te speuren en te straffen,' zei Navarra.

'Mon père!' riep Karel uit. 'Moge God me persoonlijk treffen als ik er niet in slaag om de ellendige dader te vinden en te vierendelen! Vergeef me! Als ik vanochtend naar u had geluisterd, was dit nooit gebeurd...' Hij begon te snikken.

Coligny stak zijn trillende linkerhand met gespreide vingers naar hem uit. Karel greep hem beet.

'Er valt niets te vergeven,' fluisterde de admiraal. 'Het is Gods wil.' Hij genoot van zijn rol als martelaar en glimlachte zwakjes en gelukzalig naar mijn zoon.

'Ik zweer dat ik niet zal rusten tot u bent gewroken, mon père,' bracht Karel hijgend uit.

We zijn hem kwijt, dacht ik, starend naar Karel. Het was helemaal verkeerd gelopen. Als Coligny was vermoord, zou de koning verdriet hebben gehad, maar uiteindelijk zou hij het sterfgeval hebben geaccepteerd. Nu Coligny gewond was, kon hij op het gemoed van de koning werken. De situatie was nu gevaarlijker dan ooit.

'Mijn hart breekt als ik u zie lijden, admiraal,' zei ik hardop, terwijl ik dichter bij het bed ging staan. 'Zijne Majesteit heeft gelijk – er zal een grootscheeps onderzoek worden gehouden en de dader zal worden berecht. Ik heb ook de hele ochtend gebeden voor uw veiligheid en herstel.'

Coligny liet zijn hoofd naar mijn kant zakken. 'Is het werkelijk?' fluisterde hij.

Hoewel zijn ogen mat waren van de pijn, keek hij me diep en indringend aan. Ik besefte dat hij het wist. Hij wist het en was vastbesloten om wraak te nemen, maar ik hield mijn hoofd fier omhoog en kromp niet ineen onder zijn blik.

Eduard kwam ook naar het bed. 'De dader zal snel gevonden worden,' zei hij. 'Ik heb ook mannen gestuurd om u te helpen – vijftig van mijn beste arkebussiers. De katholieken zijn uit de straat gehaald, u bent omringd door vrienden. We zijn al begonnen aan ons onderzoek: zoals u weet, is het schot afgevuurd uit een huis van de Guises. We zijn op zoek naar de hertog om hem te ondervragen.'

Karel liet de hand van de admiraal los. 'Guise? Dat is onmogelijk! Ik heb vanochtend met hem getennist.'

'We moeten geen overhaaste conclusies trekken,' zei Eduard rustig, 'maar we moeten met alle mogelijkheden rekening houden.'

'Admiraal, hoe is het met uw hand?' vroeg ik.

'Tja,' zei hij. 'De vinger... Het zou fijn zijn geweest als de schaar van de dokter scherper was geweest. Er waren drie pogingen voor nodig, maar de vinger is verdwenen.' Hij zweeg even toen Karel, Eduard en ik kreunden bij de gedachte. 'Vergeef me, maar ik moet u toestemming vragen om Zijne Majesteit onder vier ogen te spreken.'

Die ellendige Coligny wist dat we geen keuze hadden. Ik wendde me tot Karel, zoekend naar de juiste woorden om hem het verzoek te laten weigeren zonder schuld te bekennen. Ik kon geen woorden bedenken.

Karel maakte een wegwuivend gebaar naar Eduard en mij. 'Ik roep jullie wel als we klaar zijn.'

Er zat voor mij niets anders op dan de aangeboden arm van Tavannes te nemen en met Eduard aan mijn andere zijde Coligny de rug toe te keren.

Op drie passen van het bed moesten we stilstaan. Een enorme man, die om zijn schouder een haakbus had gehangen, versperde me de weg en staarde met walging in zijn kleine oogjes op me neer.

'Ga aan de kant voor Hare Majesteit,' snauwde Tavannes.

Toen de reus geen gehoor gaf, gaf de oude maarschalk hem een duw. Eduard ging onmiddellijk op de leeggekomen plaats staan, en we slaagden erin om nog een paar stappen te zetten tot we omringd werden door mannen in gekreukt zwart linnen, die steeds dichterbij kwamen. Ze maakten geen kniebuiging voor ons, leden van het koninklijk huis. Er blonk haat in hun ogen en hun handen rustten op de gevesten van hun zwaarden.

Een van hen, een verwilderd uitziende man van een jaar of dertig, kwam naar ons toe. Hij hield zijn hand ook op het gevest van zijn lange zwaard, en ik voelde Eduard naast me verstijven. Ik legde waarschuwend mijn hand op de dauphins arm, want ik was bang dat hij een verborgen dolk tevoorschijn zou halen. We waren in de minderheid en zouden een eventueel gevecht heel snel verliezen.

Het gezicht van de hugenoot was mager en scherp als een bijl. Toen hij begon te praten, ging zijn rode baard op en neer.

'Straks breekt de hel los door wat jullie hebben gedaan,' siste hij. Zijn adem stonk zo vreselijk dat ik mijn hoofd afwendde.

Achter hem voegde iemand eraan toe: 'God straft moordenaars.'

Een andere man, die een kropgezwel ter grootte van een tennisbal in zijn hals had, stapte naar voren om naast de soldaat met de rode baard te gaan staan. 'We hebben God niet nodig.' Hij had blauwe ogen, net als Coligny, en ze keken al net zo krankzinnig. 'Wij rekenen wel met hen af.'

Hij zwaaide een haakbus van zijn schouder en zette de geweerlade tegen zijn borst. Hij kwam een stap naar voren en raakte met zijn loop de elleboog van mijn mouw.

Nu doden ze ons, dacht ik. Ik was woedend op mezelf, omdat ik niet had doorgehad dat de situatie zo gevaarlijk was geworden.

'Onbeschofte pummel!' riep Eduard. 'Als je de koningin nog eens aanraakt, vermoord ik je.'

'Wil je oorlog?' fluisterde de soldaat met de rode baard fel. 'Dan krijg je oorlog!'

De eigenaar van de haakbus schreeuwde: 'Jullie lokken ons naar je katholieke stad om ons als varkens te kunnen slachten, maar wij slaan als eersten toe!'

'Ik heb mijn eigen dochter met een van jullie laten trouwen,' pareerde ik hooghartig. 'Hoe durf je te suggereren dat wij de admiraal kwaad zouden doen? De koning houdt van hem alsof hij zijn vader is!'

Mijn stem moet verderop te horen zijn geweest. Ik hoorde Navarra schreeuwen, en de mannen sloegen hun vijandige ogen neer en gingen aan de kant toen hij zich naar me toe haastte.

'Madame la reine,' zei hij met een verontrustende formaliteit, 'hebben ze u kwaad gedaan?'

Eduard wees. 'Hij heeft haar met de loop van zijn haakbus aangeraakt!'

Navarra wendde zich tot de bewuste man en hief zijn arm op om hem te slaan, maar ik ving zijn arm op.

'Straf hem niet,' zei ik. 'De gemoederen zijn al verhit genoeg.' Ik keek weer naar Coligny. 'Wil je me alsjeblieft weer naar de admiraal begeleiden?' vroeg ik aan Navarra.

Toen ik daar kwam, zat Karel met een strak gezicht en een diepe frons op de rand van het bed. Toen hij naar me keek, kneep hij zijn ogen achterdochtig samen.

'Karel,' zei ik zachtjes, 'ik weet zeker dat admiraal Coligny uitgeput is. We moeten hem laten rusten.'

Karel wilde me tegenspreken, maar opeens deed dokter Paré, die bij het hoofdeinde had gestaan, zijn mond open.

'Ja,' zei hij. Onze blikken kruisten elkaar en hij keek onmiddellijk de andere kant op, alsof hij bang was dat ik te veel in zijn ogen zou kunnen lezen. 'Het valt voor hem al niet mee met al zijn mannen hier. Het lijkt me het beste, Majesteit, als hij een poosje kan rusten.'

'Goed dan,' zei Karel korzelig en met tegenzin. Hij keek naar Coligny. 'Maar ik kom binnenkort terug, mon père. Moge God u in de tussentijd beschermen. U kunt rekenen op al mijn gebeden en mijn liefde.'

'En op de mijne,' zei ik tegen de admiraal.

Coligny keek me aan. Hij beefde en er stonden zweetdruppels op zijn voorhoofd, maar ik zag triomf in zijn ogen.

Met het oog op de vijandigheid op straat stuurde Eduard een van onze wachters weg om een koets te halen. Navarra en Condé bleven achter in het Hôtel de Béthizy, terwijl de koning, Anjou, Tavannes en ik langzaam terugreden naar het Louvre. Onze koets werd omringd door de wachters die ons op onze wandeling naar Coligny's hotel hadden vergezeld.

Karel bleef dreigend zwijgen en weigerde zijn broer of mij aan te kijken, al probeerden we hem een paar keer bij ons gesprek te betrekken.

Uiteindelijk vroeg ik geërgerd: 'Waarom ben je eigenlijk zo van streek? Wat heeft admiraal Coligny precies tegen je gezegd?'

Hij boog zijn hoofd, en op zijn gezicht stond een woedende, verbeten blik. 'Alleen maar dat ik jullie geen van beiden kan vertrouwen. Alleen maar dat jullie mijn wil willen ondermijnen en me gebruiken om zelf je doel te bereiken.'

Eduard werd kwaad. 'Is het misschien wel eens bij je opgekomen dat hij zulke dingen zegt omdat je hém niet kunt vertrouwen? Omdat hij zelf van plan is je wil te ondermijnen en je te gebruiken om zijn krankzinnige oorlog door te drukken? Hij zegt kwalijke dingen over ons omdat hij wéét dat we jou tegen zijn koelbloedige manipulatie willen beschermen.'

'Genoeg!' schreeuwde Karel. 'Genoeg leugens, leugens, leugens!' Hij legde zijn handen op zijn oren.

We naderden inmiddels het paleis en gingen nog langzamer rijden. Opeens begon een van de paarden angstig te hinniken. Ik hoorde de koetsiers vloeken, en daarna klonk er een woedende, oorverdovende hagelbui tegen de zijkanten en het dak van de koets.

Er stonden wel honderd in het zwart geklede demonstranten bij de noordelijke poort. Sommigen gooiden stenen naar ons, anderen zwaaiden met hun zwaarden en schreeuwden tegen de Zwitserse soldaten, die nu twee rijen dik en bewapend met haakbussen rondom het Louvre stonden. Een nieuw contingent Zwitsers was de straat op gemarcheerd om een menselijke barricade te vormen. Vlak achter hen hadden zich enige tientallen boeren verzameld – haveloze, uitgehongerde mannen met hooivorken, spades en stenen.

Dood aan de ketters! schreeuwden de boeren in de verte, terwijl de hugenoten bij de poort schreeuwden: *Moordenaars! Vuile moordenaars!*

We slaan terug, en er zullen doden vallen!

Er daalde weer een regen van stenen op de koets neer. Een ervan vloog als een kogel door de ruit en boorde zich in de gestoffeerde bank naast Karel, die onmiddellijk zijn woede in bedwang hield.

'Jezus,' fluisterde hij.

'Dit is dus het begin,' zei ik, terwijl ik naar de woedende menigte keek en me Ruggieri's laatste woorden herinnerde.

Misschien is het al te laat.

44

Onder een regen van projectielen – keien, bakstenen, rottende groente – snelde onze koets door de poorten van het paleis, dankzij de wachters die de aanstormende, boze hugenoten op afstand hielden. Onmiddellijk kwam een van Eduards commandanten naar ons toe, die meldde dat er in diverse wijken 'oproer' was ontstaan, niet alleen door woedende hugenoten, maar ook door bange katholieken, die ervan overtuigd waren dat ze zich van een groeiend gevaar moesten ontdoen. Eduard reageerde daarop door nog meer troepen naar belangrijke punten in de stad te sturen, ogenschijnlijk om de vrede te bewaren.

Ik beefde toen ik in mijn vertrekken kwam, maar stond erop om een uur na zonsondergang in het openbaar de avondmaaltijd te gebruiken. De hertog van Anjou werd in beslag genomen door zijn commandanten, en Karel was zo van streek dat hij naar bed was gegaan. Margot had zich bij haar echtgenoot aan Coligny's bed gevoegd. Ik ging in mijn eentje eten.

Het was een gespannen maaltijd. Met het oog op het ongeluk van de admiraal was er die avond geen vermaak geregeld. Er waren een stuk of tien edelen aanwezig, maar zij waren gespannen, somber en stil. Omdat er geen gesprek werd gevoerd, weergalmden het getik van de lepel en het mes en het getinkel van het glas door het stille vertrek. Ik dwong mezelf om te kauwen en door te slikken, om te doen alsof ik van een bitter geworden maaltijd genoot.

Terwijl ik hulpeloos naar de geroosterde duiven keek die voor me werden neergezet, verscheurde een schreeuw de stilte.

'Madame la reine!'

Een edelman die ik vaak aan het hof had gezien, maar wiens naam ik me niet kon herinneren – ik dacht dat hij een baron was, en een hugenoot – stond op drie armlengtes afstand van mijn tafel. Mijn enige wachter had hem bij de elleboog gepakt, maar de baron – een reusachtige man, lang en breed als een eik, met een groot, lang gezicht dat werd omzoomd door een golvende wolk wit haar – weigerde weg te gaan. Hij maakte geen kniebuiging en boog ook niet zijn hoofd. Zijn grote, gele tanden waren ontbloot, maar niet om naar me te lachen. Hij schreeuwde mijn naam alsof die een beschuldiging was.

'We zullen niet rusten, begrijpt u?' Zijn gezicht stak felrood af tegen zijn witte haar. 'We zullen niet rusten tot de moordenaars hun gerechte straf hebben gekregen. We zullen niet rusten tot ze hangen!'

Tevergeefs probeerde mijn wachter hem achteruit te duwen. 'Betuig de koningin respect, hondsvot!'

'Ik buig niet voor een met bloed besmeurde kroon!' verklaarde de baron. 'Geniet van uw maaltijd nu het nog kan, madame!'

Hij rukte zich eindelijk los uit de greep van de wachter en was zo onbeleefd om me de rug toe te keren. Met grote passen beende hij de eetzaal uit. Niemand ging achter hem aan, niemand verdedigde me of bood zijn verontschuldigingen aan. Het handjevol aanwezige edelen stond met elkaar te mompelen en keek naar mij.

Ik staarde naar de lijkjes op mijn bord en duwde ze van me af. Ik stond op en liep langzaam en koninklijk op onvaste benen het vertrek uit.

Intuïtief ging ik op zoek naar Eduard. Hij kwam net uit de raadzaal op de begane grond, onder de vertrekken van de koning. Daar had hij gesproken met maarschalk Tavannes, maarschalk Cossé en de stadsprovoost. Op het moment dat mijn zoon over de drempel kwam, keken we elkaar aan. Waarschijnlijk zag hij in mijn ogen dezelfde ontzetting als ik in de zijne, en op dat moment wist ik dat we eindelijk tot dezelfde conclusie waren gekomen.

Hij bleef in de deuropening staan tot ik bij hem was en pakte me bij de hand. Daarna nam hij me mee naar binnen en deed hij de deur zachtjes achter ons dicht. De lamp was gedoofd, en hij gebaarde in het donker dat ik aan de lange vergadertafel moest gaan zitten. Ik ging zitten en keek toe terwijl hij het zwavelstokje aanstreek en het bij de lont hield, die meteen vlam vatte.

'Het is nog erger dan ik dacht,' zei ik schor. 'Ik ben in mijn gezicht een moordenares genoemd, hier in het paleis. We zijn niet meer veilig, Eduard.'

'Maman,' zei hij. Hij probeerde zich te vermannen, om iets te zeggen wat hem zwaar viel. 'Maman...'

Uiteindelijk kon hij de woorden niet over zijn lippen krijgen, maar hij drukte een vel papier in mijn handen, een missive die in een onbekend, mannelijk handschrift was geschreven.

Val maandagochtend bij het ochtendgloren aan, als de Notre-Dame het uur slaat, begon de brief. *Tegelijkertijd slaan we in het paleis toe, waarbij we Karel sparen – een openlijke troonsafstand dient ons doel – maar geen genade kennen voor zijn moeder en broer, die een gevaar vormen voor...*

Ik slaakte een zachte kreet en drukte mijn vingertoppen tegen mijn lippen. De brief dwarrelde naar de tafel en bleef daar liggen. Ik wendde mijn gezicht ervan af, want ik kreeg opeens de neiging om over te geven.

Eduard bracht zijn gezicht vlak bij het mijne. 'Geschreven door Navarra, maman, aan zijn commandant te velde. De provoost onderschepte hem bij de stadspoort. Onze verkenners zeggen dat vijfduizend hugenoten naar Parijs marcheren en zondagavond hun kamp buiten de stadsmuren zullen opslaan.'

'Néé,' zei ik. Ik sloot mijn ogen.

Hij zei niets meer, maar hij bleef in mijn buurt. Er kwam warmte van zijn onzichtbare gelaat af, net als van de lamp. In het warme vertrek werd de geur van oranjebloesem verstikkend. Ik begreep er niets meer van. Vanaf Navarra's geboorte had ik van hem gehouden, en ik vertrouwde hem alsof hij mijn eigen zoon was. Nu had hij me verraden. Wiens bloed had hij in zijn visioenen gezien? Dat van mijn kinderen, en dat van mij?

Ik deed mijn ogen open om naar mijn handen te staren, naar de ring die de macht van het Gorgonenhoofd had gekregen. *De ster Algol, die de Arabieren* ra's al-Ghul *noemen, Hoofd van de Demon, en die door de Chinezen de Opgestapelde Lijken wordt genoemd.*

Op 24 augustus zal de ster Algol twee uur voor zonsopgang in het teken Stier opkomen... en precies tegenover de krijgshaftige Mars komen te staan... Frankrijk is nog nooit in groter gevaar geweest, en u ook niet.

Het was nu vrijdagavond, de tweeëntwintigste.

Ik dacht aan het enorme gevolg dat Navarra had meegenomen naar de bruiloft. De meesten van hen waren hier ondergebracht, in het Louvre. Militaire commandanten, kapiteins, generaals, al zijn voormalige strijdmakkers – driehonderd man.

'Ik heb hen in mijn huis verwelkomd,' fluisterde ik, 'en hij heeft op klaarlichte dag zijn leger meegebracht. Coligny wil misschien werkelijk een oorlog in de Spaanse Nederlanden, maar Navarra heeft hem alleen maar hierheen gestuurd om ons af te leiden. Ze liggen op de loer. Ze willen ons in ons bed doden.'

'We moeten hen tegenhouden,' zei mijn zoon zacht.

Ik keek hem aan. Eduards gitzwarte ogen glitterden in het lamplicht. Ik had heel hard gewerkt om vrede te bewerkstelligen, terwijl ik niet wist dat we al in oorlog waren.

'Wij moeten als eersten toeslaan,' zei ik.

De uren daarna zaten Eduard en ik in de raadzaal, waar we onze aanval voorbereidden. Ik liet hem een discrete boodschapper naar de jonge hertog van Guise sturen, met de opdracht om mannen te verzamelen voor een aanval op Coligny's kamer in het Hôtel de Béthizy. Coligny moest worden vermoord, en ook zijn commandanten moesten stuk voor stuk worden gedood. Onder mijn leiding schreef Eduard de geheime orders voor de Zwitserse soldaten die het paleis beschermden en de Schotten die de koning bewaakten. Op het moment dat Guise de aanval op Coligny inzette, zouden onze soldaten de protestante logés in het Louvre aanvallen.

Om een massaslachting te voorkomen, schreven Eduard en ik de namen op van de personen die moesten sterven, allemaal militaire commandanten of strategen. Ik wilde geen wraak, alleen maar een snelle, zij het meedogenloze executie van diegenen die een oorlog met ons konden beginnen. Zonder hun leiders zouden de hugenoten vleugellam zijn, niet in staat om de kroon of de stad te bedreigen.

Het zou allemaal beginnen voor het ochtendgloren van zondag 24 augustus, als de klok van de Saint-Germain het derde uur na middernacht sloeg – één uur voordat de duivelse ster Algol precies tegenover de oorlogszuchtige Mars kwam te staan.

Toen de lijst met slachtoffers was geschreven, keek ik somber naar Eduard. 'We moeten het tegen Karel zeggen,' zei ik. Zonder de handtekening van de koning zouden de wachters zo'n gruwelijke order niet opvolgen, en als het moorden eenmaal begon, zou de missie geen geheim meer zijn.

Eduard knikte. 'Dat is veiliger voor hem. We moeten hem aan onze kant zien te krijgen.'

'Maar niet nu,' zei ik met een zucht, en ik zweeg toen de klok van de Saint-Germain middernacht sloeg. De dag vóór Sint-Bartholomeus was begonnen.

Daarna trokken we ons allebei terug in onze eigen vertrekken, uitgeput van de spanning.

Die nacht droomde ik niet; mijn lange nachtmerrie was nu ook bij me als ik wakker was. Ik stapte uit bed, schoof een stoel naar het raam om naar de broeierige duisternis te kijken en hoorde in de straten van Parijs af en toe woedende mannen schreeuwen. Ik dacht aan de kracht van tante Clarice, tijdens die afschuwelijke uren voordat we het Palazzo Medici ontvluchtten. Ik dacht ook aan Ruggieri's wrede woorden tijdens ons laatste gesprek, en mijn antwoord daarop.

Ik dacht dat het effect van één kind op de toekomst veilig zou zijn, maar drie...

Wat bedoelt u? Moet ik mijn zoons de schuld geven? Moet ik mijn band tegen hen opheffen?

Het weefsel zal scheuren, had Nostradamus gefluisterd, *en er zal bloed vloeien...*

In stilte sprak ik de mannen toe met de woorden van Clarice. *Soms moet je het bloed van anderen vergieten om je eigen bloed te beschermen.* Het Huis van Valois moet tegen elke prijs overleven.

Ik had mijn keuze gemaakt. Ik zou mijn eigen vlees en bloed niet opofferen.

Tegen zonsopgang zwol het geschreeuw buiten de poorten van het Louvre aan, en gedurende de dag nam het gestaag in volume toe. Zodra het licht was, kleedde ik me aan en ging ik op zoek naar Eduard. Hij was in de raadzaal met maarschalk Tavannes, maarschalk Cossé, commandanten van de Parijse militie en de stadsprovoost. De wachters bij de deur hielden vol dat ze niet gestoord mochten worden. Ik liet een bericht voor de hertog van Anjou achter dat hij na de bespreking naar mijn vertrekken moest komen, en liep naar mijn kabinet om een boodschap aan Anna d'Este te schrijven over de details van ons plan. Ik durfde niet rechtstreeks aan haar zoon te schrijven, de hertog van Guise, maar ik vertrouwde erop dat Anna de informatie aan hem zou doorgeven. Ze zou hem ongetwijfeld graag vertellen dat hij was uitgekozen om de aanval tegen Coligny te leiden. Ik gaf haar opdracht om zijn bevestiging zo snel mogelijk naar me toe te sturen.

Eduard zag er doodmoe uit toen hij een uur later in mijn antichambre verscheen. Hij had die nacht ook niet geslapen, maar had Tavannes en Cossé wakker gemaakt om hun de brief van Navarra voor te lezen. Beide mannen stonden volledig achter onze beslissing om als eerste aan te vallen. Tegen zonsopgang kwamen de provoost en de commandanten van de militie naar hem toe, die hem vertelden dat er op straat steeds meer werd gevochten. Bendes gewapende hugenoten zwierven door de stad en maakten burgers bang. Kooplieden hadden hun winkels dichtgetimmerd, herbergiers hun taveernes. Leden van de militie deelden in het geheim wapens uit aan katholieken die zich graag wilden beschermen tegen de groeiende dreiging.

We spraken af dat we Karel die avond na het eten op de hoogte zouden brengen. Karel had een zwak voor de kribbige oude Tavannes, en van al onze confidenten was hij degene die Karel het meest vertrouwde. Ik stond erop dat Tavannes Karel de waarheid zou vertellen. Als Karel tijd had gehad om de schok te verwerken, zouden Eduard en ik bij hem komen om een handtekening op de beslissende koninklijke order en de lijst met slachtoffers te halen.

Rond het middaguur, toen Navarra en zijn neef Condé terugkwamen van hun wake aan Coligny's bed, brak er een handgemeen uit tussen zijn protestante lijfwachten en de Schotse garde, dat werd aangewakkerd door opruiende opmerkingen van beide partijen. Ik was geen getuige van de gevechten, die ook snel weer ophielden, maar een van Karels meest ervaren wachters verloor een oor.

Na het middagmaal zag ik Karel even. Hij was opgetogen na zijn gesprek met Navarra en Condé, en vertelde enthousiast dat dokter Paré zeer tevreden was over het herstel van de patiënt. Coligny's wond vertoonde geen tekenen van infectie en begon al te genezen.

'Zodra hij zich goed genoeg voelt, haal ik hem naar het Louvre en zorg ik zelf voor hem,' zei Karel opgewekt. Opeens kreeg hij een kille, woedende blik in zijn ogen. 'Maman, hadden ze u verteld dat ze de man hebben gevonden die de moordenaar in het huis van de Guises heeft toegelaten? Hij heeft bekend dat de schutter Maurevert was. Het is nog maar een kwestie van tijd voordat we hem in de kraag kunnen grijpen.

Maar Guise had bevel gegeven tot de aanslag. Wat een lef, dat hij die ochtend met mij heeft getennist en naar de admiraal heeft geglimlacht!'

Ik schudde mijn hoofd en deed net of ik geschokt was, maar ik zei niets.

Aan het einde van de middag was ik op van de zenuwen. Om geen argwaan te wekken, moesten Eduard en ik allebei onze eigen gang gaan en ons met onze eigen zaken bezighouden – hij moest de kwestie van militaire pensioenen bespreken met zijn adviseurs en schatmeesters, en ik moest petities aanhoren en daarna een uur met Margot in mijn vertrekken gaan borduren. Ondanks de voelbare spanning in het Louvre was mijn dochter vrolijk en had ze niets in de gaten. Op mijn vriendelijke opmerking dat ze een goed humeur leek te hebben, begon Margot te blozen en glimlachte ze preuts.

'Hendrik is erg lief,' zei ze. 'U had gelijk, maman, het valt eigenlijk erg mee.'

Als we over een andere man hadden gesproken, zou ik oprecht naar haar hebben geglimlacht. Ik wachtte tot we het over iets anders hadden en legde mijn hand op mijn dochters arm.

'Ik maak me zorgen over het geweld in de stad,' zei ik. 'Sinds de admiraal is neergeschoten, ben ik bang dat er iets vreselijks gaat gebeuren. Misschien is het verstandig...' Ik zweeg even. 'Misschien is het verstandiger, Margot, als je vannacht in je eigen vertrekken slaapt.'

Ze keek geschrokken op van haar borduurwerk. 'U denkt toch niet dat Hendrik gevaar loopt?'

Ik wendde vlug mijn blik af en zocht naar woorden die haar zouden waarschuwen zonder haar bang te maken. 'Ik zeg niet dat iedereen gevaar loopt, maar dat we voorzichtig moeten zijn. Misschien heb je gehoord dat de wachters van je echtgenoot en je broer vandaag met elkaar hebben gevochten. Ik zeg alleen...' Mijn bezorgdheid benam me de woorden en de adem. Ik staarde naar mijn naaiwerk, opeens doodsbang dat er iets met mijn dochter zou gebeuren, maar ik besefte dat ik geen idee had hoe ik haar moest beschermen. Ik durfde haar niet in vertrouwen te nemen, want ze zou het verhaal ontzet en vol afkeer meteen aan Navarra vertellen.

Ze zag mijn paniek en liet haar werk uit haar handen vallen. 'Maman! Hebt u gedroomd? Gaat er iets vreselijks met Hendrik gebeuren?'

Ik keek haar aan en wist even niet wat ik moest zeggen, maar toen werd ik weer de moeder die ze kende en slaagde ik erin om zwakjes te glimlachen. 'Natuurlijk niet,' antwoordde ik. 'Er gebeurt helemaal niets akeligs. Na alles wat er is gebeurd, ben ik gewoon bezorgd. Dat zou elke moeder zijn. Doe het voor mij, Margot. Trek je vanavond vroeg terug en slaap in je eigen bed.'

'Goed, maman,' zei ze, maar ze kneep haar ogen samen. Ze kon door mijn gespeelde opgewektheid heen kijken, met als gevolg dat ik er verder niet met haar over durfde praten.

Na het avondeten gingen Eduard, Tavannes en ik op zoek naar Karel. Buiten de bewaakte deur van zijn vertrekken, die een stukje openstond, stonden we stil, en de hertog van Anjou gaf de belastende brief van Navarra aan de maarschalk. We hadden afgesproken dat Tavannes Karel zou meenemen naar zijn werkkamer. Nadat we de maarschalk de tijd hadden gegeven om de koning het nieuws te vertellen, zouden Eduard en ik hem de lijst geven van mensen die geëxecuteerd moesten worden.

Tavannes ging naar binnen, en Eduard en ik zetten een paar passen achteruit, waarbij we zorgden dat de koning ons niet zag. Ik ving een glimp op van Karel toen hij en Tavannes door de gang liepen. Terwijl de oude maarschalk de deur van het kabinet openhield, hoorde ik hem iets mompelen tegen Karel, die op de drempel stilstond en in paniek een kreet slaakte.

'Mijn god! Hij is toch niet dood, hè?'

Tavannes mompelde geruststellende woorden. De koning ging naar binnen en de maarschalk deed de deur achter hen dicht. Eduard en ik haastten ons het vertrek binnen – zonder acht te slaan op de lijfwacht van de koning, die op wacht stond – en gingen voor de deur staan. We zagen eruit als samenzweerders, maar dat waren we natuurlijk ook. Ik spitste mijn oren, maar hoorde bijna niets anders dan het kalme, gestage gebrom van Tavannes' stem.

Dat werd plotseling onderbroken door een schrille kreet en een woedende verwensing. Eduard stuurde de wachter abrupt weg. Terwijl hij dat deed, vloog er iets hards en zwaars tegen de binnenmuur van het kabinet. Eduard wilde de deur opendoen, maar ik hield zijn hand tegen. Ik had niet gedacht dat Karel het zou wagen om de oude Tavannes te slaan, maar ik wist ook dat de maarschalk krachtig genoeg was om met de woede-uitbarstingen van de koning om te gaan.

Ik wist exact welke passage in Navarra's brief de felle reactie had opgeroepen.

> *Coligny's verwonding maakt de zaak ingewikkelder, maar ik heb ook het vertrouwen van de koning gewonnen en kan hem makkelijk in onze klauwen drijven. Als we hem in onze greep hebben, krijg ik hem wel zover dat hij aftreedt. Zonder zijn moeder en broer zal hij volkomen hulpeloos zijn.*

Er volgde een luid gesnik, een hoestbui en daarna zacht gehuil. Toen we dat laatste geluid hoorden, knikte ik naar Eduard, en we liepen zachtjes naar binnen.

Tavannes stond voor de schrijftafel van de koning, met een donkere, vochtige streep over de borst en schouder van zijn matgouden wambuis. Hij veegde zijn gezicht af met een zakdoek, en toen hij naar me keek, waarbij zijn blinde, troebele oog alle kanten op draaide, zag ik een bruine vlek op zijn gladgeschoren kin. Op de muur achter hem zat een grote, onregelmatige vlek in dezelfde donkerbruine tint. Op de vloer daaronder liep een omgevallen zilveren inktpot op het vloerkleed leeg.

Karel was nergens te bekennen, maar achter de schrijftafel hoorden we zacht gesnik. Toen ik vlug om de tafel heen liep, zag ik mijn zoon ineengedoken onder de tafel heen en weer wiegen. Ik schoof de stoel opzij en knielde bij hem neer.

'Leugens,' jammerde hij, terwijl hij met een onheilspellende blik naar me keek. De tranen stroomden over zijn wangen. 'Jullie willen mijn hart breken met leugens.'

'Karel,' begon ik bedaard, maar toen ik hem zo verdrietig zag en besefte welke afschuwelijke dingen ik moest doen, knapte er iets in me. Ik sloeg mijn handen voor mijn ogen en begon zelf ook te huilen. Het duurde even voordat ik mijn emoties weer in de hand had, en Eduard en Tavannes keken zwijgend toe.

Uiteindelijk kwam ik weer op adem en keek ik naar de arme Karel.

'Het is afschuwelijk, Karel,' zei ik oprecht. 'En het doet me pijn om je zulk vreselijk nieuws te brengen, maar we konden het niet verzwijgen. Er staat te veel op het spel.'

'Het is niet waar,' reageerde hij fel, maar het volgende moment vertrok zijn gezicht en begon hij weer hard te huilen. 'Hoe kon hij me zo verraden? Hij houdt van me, maman, ik ben de zoon die hij nooit heeft gehad. Dat heeft hij zelf gezegd...'

Ik leunde naar voren om zijn hand te pakken en was dankbaar dat hij hem niet terugtrok. 'Karel, mijn lieverd, dit is een harde waarheid, een afschuwelijke waarheid, maar je moet nu dapper zijn. Jij bent onze koning, we willen dat jij ons redt.'

Hij kromp ineen. 'Maar wat kan ik doen? Ik kan dit niet geloven, maman! Ik weet niet meer wie ik moet geloven! Coligny waarschuwde me...'

'Hij heeft je gewaarschuwd dat Eduard en ik zijn bloed wel konden drinken – omdat hij wist dat dit moment zou aanbreken als we achter zijn plannen kwamen,' zei ik rustig.

Zijn lichaam beefde van de volgende schorre snik. 'Maar ik weet niet wat ik moet doen!'

'Daarom zijn wij hier.' Ik stak mijn hand in mijn mouw, haalde het fatale document tevoorschijn en keek omhoog naar Tavannes. 'Maarschalk, zoudt u zo vriendelijk willen zijn...' Ik knikte in de richting van de omgegooide inktpot, en de oude man snelde weg om een andere te halen.

'Er is een manier waarop we dit en de daaropvolgende, onvermijdelijke oorlog kunnen voorkomen,' zei ik sussend, terwijl ik het papier uitrolde. 'Je kunt er met je handtekening een einde aan maken. Karel, we moeten afmaken waar Maurevert aan begonnen is.'

Hij keek achterdochtig naar mijn lelijke, onregelmatige handschrift op het witte blad en deinsde een stukje achteruit.

'Een order, Karel, om de hugenoten aan te vallen voordat ze ons aanvallen,' zei ik. 'Dit is een lijst met de samenzweerders. We moeten méér doen dan de kop van de hydra afhakken. We moeten korte metten maken met iedereen die in Parijs oorlog met ons wil voeren.'

Hij griste de lijst uit mijn hand en keek er een poosje met vernauwde ogen naar. Ik was bang dat hij zou terugschrikken voor de bittere realiteit ervan, maar zijn ooghoek begon te trillen toen hij moeiteloos van een hartverscheurend verdriet op een withete woede overging.

'Ze zouden me in de gevangenis opsluiten,' mompelde hij verbitterd, 'en mijn kroon van me afpakken. Ze zouden mijn familie vermoorden...'

'Ja,' fluisterde ik. 'Herinner je je, Karel, wat je tijdens die vreselijke ontsnapping uit Meaux in de koets tegen me zei? Ze zouden ons op dat moment allemaal hebben vermoord. Al die tijd hebben ze gewacht op een volgende kans... en ik heb hun er een gegeven. Ik vertrouwde hen.' Ik zweeg even. 'Wat is Gaspard de Coligny eigenlijk voor een man? Hij waagt het om jou te bedreigen als je hem zijn zin niet geeft. Hoe durft hij een order te negeren die hem verbiedt om troepen naar de Nederlanden te sturen – een order die door jou persoonlijk is ondertekend? Hij heeft je als koning nooit de verschuldigde eerbied betoond. Achter je rug heeft hij je voortdurend uitgelachen.'

Karels gezicht vertrok van razernij. 'Dood hen dan maar allemaal,' fluisterde hij schor en vol haat. 'Waarom zouden we iemand sparen, maman?' Zijn stem zwol aan tot een hartstochtelijk gebrul. 'Dood die ellendelingen! Dood hen allemaal! Dood hen allemaal!'

Op dat moment kwam Tavannes terug met de inktpot, en even zag ik het bezorgde gezicht van de weggestuurde wachter, die ook was teruggekomen. Hij had het geschreeuw van de koning gehoord, maar bleef buiten staan toen de maarschalk de deur voor zijn neus dichtdeed.

Ik gebaarde dat Tavannes de inktpot naast mij op de grond moest zetten, en Eduard gaf me de ganzenveer aan.

'Ik stel voor dat we laten zien dat wij beter zijn dan onze vijanden,' zei ik tegen Karel. 'We zullen geen onschuldigen doden, wat zij wel zouden hebben gedaan.'

Hij vermande zich om de order te bestuderen. 'Wanneer gebeurt het?'

'Vannacht,' antwoordde Eduard. 'In de uren vlak voor zonsopgang. Je doet er goed aan om in je slaapvertrek te blijven. Ik heb extra beveiliging geregeld, en we zullen zorgen dat jou niets overkomt.'

Hijgend keek Karel naar zijn broer en daarna naar de lijst in zijn hand. 'Ik hoop dat ze allemaal een pijnlijke dood sterven,' zei hij, 'en dat hun zielen rechtstreeks naar de hel gaan.'

Ernstig gaf ik hem de ganzenveer.

45

EDUARD EN IK BLEVEN NOG EEN PAAR UUR BIJ KAREL OM HEM TE KALmeren en ervoor te zorgen dat hij zijn vertrekken niet verliet. Tegen elven gingen mijn jongste zoon en ik terug naar onze eigen vertrekken, want het leek ons het beste om gewoon naar bed te gaan en geen argwaan te wekken. Ik had moeite mijn groeiende bezorgdheid te verbergen toen mijn dames me kleedden voor de nacht. Ik stuurde hen weg voordat mijn nervositeit te duidelijk zichtbaar werd.

Ik stapte in bed, maar kon niet stilliggen, laat staan slapen. Mijn raam keek uit over de binnenplaats van het Louvre, en ik was doodsbang voor wat ik straks zou kunnen zien. Nadat ik twee uur had liggen woelen, stak ik de lampen aan. In mijn kamerjas liep ik door mijn donkere vertrekken naar mijn kabinet.

Het raamloze kamertje was muf en warm, maar op een bepaalde manier bood het me een veilig gevoel, omdat ik er niemand kon zien en niet gezien kon worden. Ik deed de deur op slot, begon resoluut door een stapel correspondentie te bladeren – een paar brieven van onze diplomaten in het buitenland, andere van petitionarissen – en ging zitten om te lezen. Het had geen zin: ik staarde bijna een uur naar een brief van onze ambassadeur in Venetië zonder hem te begrijpen. Ik was zo dom om aan een antwoord te beginnen, maar ik kon de juiste woorden niet vinden en liet de ganzenveer vallen. Ik was duizelig van de hitte. Ik leunde met gesloten ogen achterover in mijn stoel en dommelde bijna in, maar in plaats van dromen kwamen er herinneringen.

Ik dacht aan Margot in haar prachtige bruidsgewaad en de manier waarop ze Navarra met haar glimlach had betoverd. Ik dacht aan Ruggieri, die op de bruiloft aan de rand van de menigte had gestaan, en herinnerde me dat hij grijs haar had gekregen en niet naar me had geglimlacht. Ik vroeg me af of hij nog steeds in de gevaarlijke straten van Parijs woonde.

Ik dacht aan Hendrik van Navarra, die als jongetje vanuit de tennisgalerij het grasveld op de binnenplaats op was gerend en samen met mij de opgestapelde lijken van Algol had gezien. Ik vroeg me af of hij ze nu ook zag.

De klok van Saint-Germain sloeg twee keer, voor elk uur dat er sinds middernacht was verstreken, en mijn hart begon sneller te slaan. Over een uur zou het moorden beginnen.

Ik dwong mezelf om adem te halen, dwong mijn ledematen om zich in de stoel te ontspannen en haalde het verleden weer naar boven. Ik dacht aan de eerste levensjaren van al mijn kinderen: mijn arme, lieve Elizabeth, de zwakke Frans, Karel – zelfs toen al nukkig en wreed, mijn lieveling Eduard, mijn kleine Margot en zelfs Maria, koningin van Schotland, met haar zure, minachtende glimlachje. Ze liepen en lachten en praatten in mijn herinnering, en ik glimlachte en huilde en zuchtte met hen. Ik dacht aan mijn echtgenoot, Hendrik, die dol op hen was geweest en zijn armen om hen heen had geslagen.

Straaltjes zweet, vermengd met tranen, stroomden over mijn wangen.

Ik zag Navarra op de balustrade leunen en naar het Île de la Cité kijken. *Ik ben gekomen omdat ik u vertrouw, tante Catharina – omdat ik geloof, hoe absurd het ook klinkt, dat we hetzelfde kwaad hebben zien naderen en van plan zijn om het af te wenden.*

Ik zag Johanna, die op het grasveld naast de driejarige Hendrik stond en met een verwonderd glimlachje Nostradamus nakeek. *Wat een mal mannetje.*

Ik deed mijn ogen open en zag de flakkerende gele glans van de lamp. Tijdens de koortsachtige voorbereidingen voor Margots bruiloft had ik de brief die Johanna me op haar sterfbed had geschreven niet gelezen, omdat ik niet wilde dat verdriet de feestvreugde zou bederven. Nu zou zelfs verdriet een welkome afleiding zijn van de ondraaglijke angst.

Ik haalde een sleutel uit de bovenste la van mijn schrijftafel en draaide me naar de bewerkte lambrisering bij mijn elleboog. Een handbreedte naar beneden en nog een handbreedte naar links, bijna verscholen achter de poot van mijn schrijftafel, bevond zich een sleutelgaatje. Ik stak de sleutel erin en het houten paneel sprong open, waardoor het geheime compartimentje in de muur zichtbaar werd.

Daarin lagen documenten die ik bijna was vergeten: het vergeelde stuk perkament met de woorden die mijn overleden echtgenoot in Chaumont aan Ruggieri had gedicteerd, en het kwatrijn in het handschrift van Nostradamus, geschreven vlak voordat hij Blois had verlaten. Er lagen ook juwelen, waaronder een zeer kostbare robijn en een collier met parels en diamanten, dat paus Clemens me ter gelegenheid van mijn bruiloft had gegeven. In het compartiment lag ook het kleine fluwelen doosje van Johanna, waarin de prachtige broche met de smaragd zat.

Daaronder lag haar brief, nog altijd verzegeld. Ik haalde hem eruit, verbrak het zegel en begon te lezen.

Ik ben stervende, lieve vriendin, en moet nu mijn zonden aan je opbiechten, al doet dat me zoveel pijn dat ik de ganzenveer nauwelijks kan vasthouden.

Ik vertelde je dat ik was aangetast door de decadentie van het Franse hof. Misschien is het eerlijker om te zeggen dat ik toegaf aan mijn eigen verdorven hart. Toen ik zei dat je trouw was, maar werd omringd door zonde, verwees ik naar mezelf. Ik, die me je vriendin noemde, heb je verraden.

Ik hield van je echtgenoot, Catharina, en nadat we jarenlang tegen de verleiding hadden gevochten, begingen we een zonde. Al gaf Hendrik toe aan de verleiding van het vlees, uit elke gedachte en elk woord bleek dat hij veel meer van jou hield dan van de vrouwen die slechts zijn bed deelden. Zelfs nu kan ik je niet zeggen waarom we elkaar opzochten, of waarom ons gezonde verstand en onze deugd ons zo in de steek lieten. Er is niets in mijn leven waar ik zoveel spijt van heb, en nu ik de dood in de ogen zie, verlang ik nog heviger naar jouw vergiffenis dan naar die van God.

Mijn Hendrik, mijn enige zoon, was het gevolg van onze zonde. Ik weet dat je van hem houdt, en daar ben ik blij om. Maak deze pijnlijke waarheid alsjeblieft niet aan hem kenbaar, laat haar met ons sterven. Hij zal al genoeg verdriet hebben van mijn dood. Ik wil hem vanuit mijn graf niet nog meer schade berokkenen.

Mijn liefde voor de koning was niet mijn enige zonde. Ik heb deze waarheid bewust achtergehouden, zodat mijn zoon met zijn halfzuster Margot kon trouwen. Misschien begrijp je nu beter waarom ik zo graag Hendriks rechten als eerste prins van den bloede wilde beschermen, en wilde dat hij met iemand van zijn vaders familie trouwde. Als prins met de naam Bourbon en het bloed van Valois heeft hij dubbel recht op de troon. Ik denk dat je echtgenoot het daarmee eens zou zijn geweest.

Vergeef me, mijn vriendin, en als je dat niet kunt, wees dan in elk geval goed voor mijn Hendrik. Hij heeft zijn vaders eerlijkheid en zachtaardigheid geërfd, en ook zijn oprechte affectie voor jou.

Ik ga nu naar God met gebeden voor jou op mijn lippen.

Johanna

De brief viel op mijn schoot. Ik bracht mijn handen naar mijn gezicht en begon bitter en hartverscheurend te snikken, vreemd genoeg zonder tranen. Ik voelde een diepe, schrijnende droefheid – niet vanwege het verraad, maar omdat wij drieën zoveel hadden geleden bij onze pogingen geluk te vinden. Overmand door verdriet bleef ik een poosje zitten, tot een grimmige en afschuwelijke ontdekking me liet opspringen.

In mijn herinnering weerklonk de parelende lach van de hertogin van Étampes toen ze halfnaakt het donker in rende, op de voet gevolgd door haar minnaar, koning Frans.

Louise is een mooi meisje, vind je niet?

En Frans' geïrriteerde reactie: *Kwel me niet, Anne. Hendriks nichtje Johanna heeft bijna de huwbare leeftijd bereikt en brengt de kroon van Navarra mee.*

Als ik me had laten verstoten, als ik geen bloed had vergoten om kinderen te kopen, zou Johanna dan mijn plaats hebben ingenomen? Zou haar zoon dan nu koning zijn?

De muren om me heen vielen weg: opeens stond ik op de binnenplaats van het Louvre, met mijn blote voeten op warme kasseien. In de duisternis lag een man languit op de grond, met zijn gezicht van me af.

Catherine, kreunde hij. Zijn hoofd rolde naar mijn kant en ik kon hem duidelijk zien. Zijn gezicht was lang, bebaard en knap – net als dat van mijn overleden Hendrik, zijn vader – het gezicht dat me altijd in mijn duistere dromen had bezocht.

Ik liet me naast hem op de grond zakken en raakte zijn wang aan.

'Wat kan ik voor je doen, Navarra, als je mij en mijn kinderen wilde doden?' fluisterde ik.

Venez à moi. Aidez-moi. Er verscheen een zwarte vlek op zijn voorhoofd, tussen zijn wenkbrauwen, die zich als een vloeistof verspreidde. Het zwart liep aan de zijkanten van zijn gezicht af en vormde een poeltje op de stenen.

Met een schok was ik weer in mijn kabinet, en ik boog me meteen voorover om mijn hand in het compartiment te steken. Ik haalde de andere papieren tevoorschijn – de boodschap van mijn overleden echtgenoot, het kwatrijn van de ziener – en vouwde ze open, waarna ik ze naast elkaar op mijn schrijftafel legde.

Catherine, uit liefde voor jou geef ik gehoor uit liefde voor jou
kom ik deze keer
Mijn enige echte erfgenaam zal regeren
Vernietig wat het dichtst bij je hart ligt
Vernietig wat het dichtst bij je hart ligt

Eén streng is nog immer zuiver
Herstel hem en wend het aanzwellende kwaad af
Verbreek hem en Frankrijk zelf zal sterven
Verdronken in het bloed van haar eigen zoons.

Ik keek op van de bladzijden en deed mijn ogen dicht. In mijn hoofd lag Navarra nog steeds kreunend aan mijn voeten, stervend aan helse pijnen. Zijn lippen trilden toen ze met moeite één enkel woord wilden vormen.

Catherine

Ik boog me voorover en legde mijn vingers op zijn mond, om te voorkomen dat hij zijn laatste woord zou uitspreken.

'Ik ben helemaal uit Florence gekomen, monsieur,' fluisterde ik, 'veel te ver om u te laten sterven.'

Ik legde mijn gezonde verstand als een last naast me neer en liep de duisternis in.

Toen ik vanuit mijn vertrekken de gang in liep, keken de drie koninklijke lijfwachten aan weerszijden van de deur verbaasd naar me om.

'Madame la reine,' fluisterde de oudste van hen op dringende toon, terwijl hij en zijn medewachters haastig voor me bogen. Hij was hooguit achttien jaar, een gladgeschoren, slungelige jongeman met rossig haar en een gezicht vol bijpassende sproeten. Zelfs op de knieën onder de zoom van zijn rode kilt zaten sproeten. 'Het uur breekt bijna aan! Toe, het is het veiligst als u in uw vertrekken blijft.'

'Waar is je kapitein? Ik moet hem onmiddellijk spreken.'

'Vergeef me, madame, maar hij is op dit moment druk bezig,' antwoordde de Schot. 'Het kan even duren voordat we hem naar u toe kunnen brengen.'

'Maar ik heb geen tijd!' Ik aarzelde en tuurde door de in schaduwen gehulde gang. Sinds de problemen in de stad waren begonnen, bleven de muurtoortsen 's nachts branden om het de patrouillerende soldaten makkelijker te maken. 'Dan ga ik wel naar hem toe. Waar is hij?'

Het was de bedoeling geweest dat hij me tegenhield, maar nu aarzelde hij en dempte hij zijn stem tot zijn gefluister nauwelijks verstaanbaar was. 'Madame, hij wacht bij de vertrekken van de koning van Navarra op het signaal.'

Ik fronste mijn wenkbrauwen en staarde door de schaars verlichte, smalle gang. Daarachter, onzichtbaar voor ons, lag de lange galerij die het oude fort met de nieuwe zuidwestelijke vleugel verbond, de plaats waar Navarra en zijn gezelschap waren ondergebracht. Als ik heel hard liep, kon ik er binnen een paar minuten zijn, maar zelfs dat kon al te laat zijn.

Ik tilde mijn rokken op en zette het op een lopen. De oudste wachter volgde me en fluisterde woedend naar me.

'Madame la reine! Alstublieft! Ik moet u beschermen!'

'Nou, waar wacht je op?' snauwde ik, maar ik remde niet af.

Hij haalde me makkelijk in en ging voor me staan, met de hand op het gevest van zijn zwaard.

'Zweer dat je me zult helpen om Navarra te vinden en hem te beschermen!' hijgde ik. 'Het is allemaal een vreselijke vergissing – hij mag niet sterven!'

'Madame,' zei hij, 'u kunt op me rekenen.'

We haastten ons de trap af naar de eerste verdieping van het Louvre, waar de vertrekken van de koning en Anjou waren, en renden in westelijke richting door de benauwde gangen met de lage plafonds. Uiteindelijk kwamen de gangen uit op de bredere hallen van de lange galerij, die naar de nieuwe vleugel leidde die mijn schoonvader had gebouwd.

De weg door de galerij werd versperd door soldaten die met hun gezicht naar het westen stonden: vier Zwitserse hellebaardiers, die allemaal het witte vierkante kruis op de borst en rug van hun tuniek droegen. Ze droegen allemaal lange lansen met messcherpe bijlen eraan. Ze waren in het gezelschap van vier Schotten in kilts – twee met haakbussen, twee met slagzwaarden.

'Maak plaats voor de koningin!' hijgde mijn wachter toen we naderden.

Acht mannen draaiden zich stomverbaasd om.

'Jezus,' fluisterde er een.

Er volgde een golf van snelle, nauwelijks zichtbare buigingen.

'Madame la reine!' zei het hoofd van de wachters met ingehouden stem. Het zweet liep onder zijn muts vandaan en glinsterde in het licht van een muurtoorts voordat hij het met de rug van zijn hand afveegde. In zijn ogen was een koortsachtige, nerveuze blik te zien. 'U mag hier niet komen! Ga alstublieft terug naar uw vertrekken.'

'Ik moet je kapitein spreken,' zei ik ongeduldig. 'Navarra moet gespaard worden. Laat me erdoor!'

De Zwitser met de hoogste rang zei: 'Het is zo tijd, madame la reine. We durven u geen doorgang te verlenen.'

Ik begon hen aan de kant te duwen en maakte gebruik van hun angst om een koningin aan te raken, maar een van de hellebaardiers versperde me de weg.

'Ik heb geen tijd om in discussie te gaan!' zei ik, zonder de moeite te nemen zachter te praten. 'Het is een kwestie van leven of dood! Als je nek je lief is, ga je nú aan de kant.'

'Laat mij dan een boodschap aan de kapitein van de wacht overbrengen,' zei de hellebaardier. 'Doe het omwille van uw eigen veiligheid, madame.'

Zijn toon was zalvend, zijn blik onoprecht. Als ik hem zou vertrouwen, zou Navarra sterven. Ik zette een stap naar rechts en hij volgde me, beleefd maar resoluut.

'Zorg dat ik door kan lopen!' zei ik tegen mijn jonge wachter met sproeten.

Hij legde een hand op het gevest van zijn weggestoken zwaard.

Er drong een geluid door de paleismuren heen dat de mannen liet verstijven: het lage, klaaglijke geluid van de klok van Saint-Germain. De klok sloeg een keer, twee...

In een Parijse straat in de buurt van het Louvre ramden de hertog van

Guise en zijn mannen de deuren van het Hôtel de Béthizy in.

In gedachten hoorde ik Ruggieri fluisteren: *misschien is het al te laat.*

Toen de klok voor de derde keer sloeg, schoot ik langs de wachters heen. Mijn jonge Schot schrok op en kwam achter me aan. De anderen durfden hun post niet te verlaten, en we negeerden hun gedempte kreten en renden de galerij in.

Onze tocht was lang en inspannend, langs schilderijen, standbeelden en oogverblindende muurschilderingen, die door Cellini's vergulde profielen werden omlijst. Aan onze rechterkant keken hoge ramen uit op de bestrate binnenplaats, waar Zwitserse hellebaardiers en kruisboogschutters onder een groot, marmeren standbeeld van de god Vulcanus stonden te wachten. Vulcanus leunde op zijn aambeeld, en zijn zojuist gesmede speer wees naar de hemel. Door de ramen waaide een zwoele bries naar binnen, die de vlammen van de toortsen liet flakkeren en dreigende schaduwen op de muren wierp. Ik had pijn in mijn zij en liep te hijgen, maar ik durfde niet te stoppen. Toen we in de buurt van de zuidwestelijke vleugel kwamen, hoorde ik geschreeuw. De aanval was al begonnen.

De galerij eindigde abrupt in een gang die ook als overloop diende. Terwijl ik passeerde, kwamen twee mannen in nachthemden schreeuwend de trap af rennen.

Aidez-nous! 'Help ons!'

Ze kwamen bijna in botsing met mijn jonge Schot, die zijn zwaard trok en brulde: 'Maak plaats voor de koningin!'

De verwilderd kijkende slachtoffers leken hem niet te horen en mij niet te zien. Ze vluchtten schreeuwend verder de trap af, naar de trappen die van het paleis naar de binnenplaats leidden.

We negeerden de koortsachtige voetstappen van anderen die de trap af vluchtten en renden verder naar boven, naar de gangen van de nieuwe vleugel. Algauw waren we bij de ingang van Navarra's antichambre. In de deuropening lag een naakte man op zijn zij – lichtblond, met de prachtige, gebeeldhouwde spieren van de jeugd en een bloederige snee tussen zijn nek en schouder. Donkere stroompjes liepen van zijn haarloze borst en ribben op de marmeren vloer. Achter hem, in de antichambre, klonk het geschreeuw en gekreun van een slagveld.

'Madame la reine!' beval mijn jonge Schot. 'Zet uw handen op mijn heupen en hou u aan me vast! Til uw hoofd niet op!'

Ik gehoorzaamde hem zonder te blozen en drukte me tegen zijn bezwete rug. We zetten twee wankelende stappen het vertrek in, dat slechts werd verlicht door het lamplicht dat door de openstaande deur van het slaapvertrek naar binnen kwam. In de schemering zag ik bewegingen, maaiende ledematen. Zwaarden zwiepten met een zachte fluit heen en weer, torso's doken naar voren, allemaal vergezeld van gekreun, geschreeuw en gevloek. Het vertrek was een wriemelende massa van lichamen geworden, maar ik probeerde niet te kijken wie het waren. Ik boog mijn hoofd en hield me vast aan de dikke leren koppel om de smalle heupen van mijn redder. De spieren in zijn rug spanden zich toen hij zijn wapen hief, en ik dook ineen toen het met een klap op het zwaard van een ander terechtkwam.

Dood aan de hugenoten! riep een man.

Dood aan de katholieke moordenaars! luidde de reactie daarop.

'Navarra!' riep ik. Mijn woorden werden gedempt door het vlees van de jonge Schot. 'Navarra, ik ben het, Catharina!'

'We komen in vrede!' schreeuwde mijn Schot, terwijl hij keer op keer uithaalde. 'Maak plaats voor de koningin!'

Vóór ons hoorden we een afgrijselijk, reutelend geluid. De spieren van mijn wachter ontspanden zich abrupt toen hij zijn zwaard liet zakken. We konden twee stappen naar voren zetten, maar bij de tweede stap struikelde ik bijna over een lichaam. Ik moest de leren koppel even loslaten en mijn verstrikte rokken optillen om over het lijk te kunnen stappen.

Overal om ons heen schreeuwden onschuldige mensen om hulp. De Schot botste tegen een van zijn landgenoten op en sprak hem koortsachtig aan in het Gaelisch. Ik kon het woord *Navarra* verstaan. De leren koppel trok me verder naar voren toen de wachter in de richting van het slaapvertrek liep. Ik struikelde weer over een uitgestrekt ledemaat en verloor mijn greep op de riem. Mijn wachter draaide zich vlug naar me toe om me zijn hand aan te bieden.

Terwijl hij dat deed, keek ik even op. Omlijst door het raam zag ik de zwarte schaduw van een man. Een piepklein vlammetje, kleiner dan dat van een lamp, dreef voor zijn schouder. Ik rook de geur van een brandende lont op het moment dat mijn Schot een kreet slaakte.

Er volgde een oorverdovende knal, vergezeld van de indringende geur van kruit. Mijn wachter viel achterover tegen me aan, waardoor ik op mijn knieën viel. Ik worstelde me onder zijn slappe lichaam vandaan, en in de schemering zag ik zijn geopende ogen. Mijn hand zocht naar zijn borstkas. Mijn vingers tastten hem af, zoekend naar een rijzende en dalende borstkas, een ademhaling, maar ik vond geen van beide. In plaats daarvan gleden mijn vingers in een warm, gloeiend gat in de buurt van zijn hart, en ik trok mijn hand onmiddellijk terug.

Ik krabbelde overeind op het moment dat de arkebussier zijn wapen herlaadde en wankelde het slaapvertrek in. Door de lamp naast het bed was het daar lichter, maar het was er niet minder chaotisch: ruim tien lichamen – hugenoten, naakt of in dunne nachthemden, Zwitserse soldaten en Schotse koninklijke wachters – lagen languit op de grond, terwijl de overlevenden doorvochten.

Aan de andere kant van het bed was de kapitein van de wacht in een zwaardgevecht met een kale, vloekende hugenoot verwikkeld. Opeens kreeg hij me in de gaten.

'Madame la reine! Mijn god!'

Hij durfde niet te degageren en naar me toe te rennen, maar richtte zijn aandacht weer op de hugenoot. Vlakbij, aan het voeteneinde – vijf vechtende mannen van me vandaan – stond Navarra.

Hij was nog gekleed in zijn witte onderhemd en zwarte broek, alsof hij zich niet helemaal had durven uitkleden. Zijn vochtige hemd kleefde aan zijn borstkas en rug, en zijn haren plakten aan zijn hoofdhuid. Zijn gezicht was vertrokken, zijn ogen schoten vuur, zijn wangen en voorhoofd glommen van het zweet terwijl hij met een al even verbeten Zwitserse soldaat vocht. Toen hij de kapitein hoorde roepen, keek hij vlug even naar mij, en zijn mond zakte geschokt een stukje open.

Ik dook ineen voor de rondsuizende zwaarden. 'Navarra!' Ik krabbelde langs een paar andere vechtende mannen, en passeerde er daarna nog een paar. Ik stak mijn hand naar hem uit, zonder te weten of hij die zou pakken of zou afhakken. Terwijl ik dat deed, kwam er iemand voor me staan.

Het was de witharige, reusachtige hugenoot die me twee avonden eerder tijdens mijn openbare avondmaaltijd had bedreigd. Hij greep een kort zwaard dat ter hoogte van zijn middel hing en ontblootte zijn grote, gele tanden in een vuile grijns. Hij bracht zijn arm met het zwaard naar achteren, om het met kracht naar voren te kunnen stoten en mij eraan te kunnen rijgen. Ik wankelde naar achteren, maar mijn voet bleef achter een lichaam haken en ik viel met maaiende armen op de grond.

De grijnzende gigant boog zich over me heen en tuimelde vervolgens abrupt opzij, daarbij geholpen door de platte kant van een zwaard tegen zijn schedel. Naast me verscheen Navarra, wiens ogen wild waren van woede, verwarring en wanhoop. Ik keek met een oneindige hoop naar hem op: hij had me niet vermoord.

'Catharina!' Door het kabaal was zijn stem nauwelijks hoorbaar.

'Ik kom je helpen! Volg me naar een veilige plek,' schreeuwde ik, maar hij schudde zijn hoofd omdat hij me niet kon verstaan en gaf me zijn hand.

Terwijl hij me overeind trok, keek hij over zijn schouder en zag ik een Zwitsers wit kruis dreigend naderen. Op het moment dat de Zwitserse zwaardvechter naar hem uithaalde, slaakte ik een kreet. Navarra draaide zich razendsnel om en boog zijn bovenlichaam naar achteren om het zwaaiende zwaard te ontwijken. Dat lukte niet, want de punt sneed met een klap over zijn voorhoofd en hij viel op de grond.

Ik liet me op mijn knieën naast hem zakken en zag zijn oogleden knipperen.

'*Help ons*,' fluisterde hij, en daarna lag hij stil.

Helder bloed welde uit zijn voorhoofd en liep op het vloerkleed. Ik hapte naar adem, maakte mijn kamerjas los en graaide zo veel mogelijk stof bij elkaar, die ik op de wond drukte. Boven ons bracht de Zwitserse soldaat zijn arm naar achteren, klaar om de beslissende stoot uit te delen.

Ik kroop boven op Navarra en ging op zijn lichaam liggen.

'Als je hem doodt, dood je de koningin!' schreeuwde ik.

Onder me lag Navarra te draaien en te kreunen. De geschrokken soldaat liet zijn wapen zakken en stapte achteruit. Opeens viel hij ook op de grond, en toen ik opkeek, zag ik de jonge prins van Condé, met opengevallen mond en ogen als schoteltjes. Toen hij zag dat Navarra gewond was, slaakte hij een kreet. Hij trok zijn nachthemd uit en gooide het naar me toe. Ik haalde mijn doorweekte kamerjas weg. De wond bloedde nog en Navarra's voorhoofd zwol op, maar de schedel was niet gespleten. Ik bond het hemd om Navarra's hoofd en keek op naar Condé, die zijn oor naar me toe boog.

'Help me om hem in veiligheid te brengen!' riep ik.

Condé aarzelde geen moment. Hij trok me aan mijn hand omhoog en samen sleepten we Hendrik overeind. Navarra was duizelig en wankelde op zijn benen, maar hij begreep nog wel dat hij zijn armen om mijn schouder moest slaan en samen met mij achter Condé aan moest strompelen, die zijn zwaard hief en zich een weg baande door de Zwitsers en de Schotten. Sommigen van hen deinsden schuldbewust achteruit en keken verward toen ze mij zagen.

'Waarom?' vroeg Hendrik snikkend. Slingerend liepen we de antichambre in, waar de gevechten abrupt waren opgehouden. Wel twintig geloofsgenoten van hem lagen vermoord op de grond. 'Waarom?'

Ik gaf geen antwoord en liep door naar de gang, waar ik Condé aansprak. Zijn blik was nog altijd behoedzaam, maar hij keek me aan zonder de wrok die ik tot dan toe altijd had bespeurd. 'Deze kant op.' Ik wees in oostelijke richting.

We passeerden de trap, waar het nu stil was, en liepen de verlaten galerij in. Een vochtige bries had de gordijnen gevonden en blies ze zachtjes heen en weer. Twee verdiepingen onder ons, op de binnenplaats, krompen slachtoffers in de kolossale schaduw van Vulcanus ineen. Hendrik slaakte een jammerkreet en stond stil om ontzet door het raam te staren.

Meer dan honderd doodsbange hugenoten waren vanuit het paleis de binnenplaats op gevlucht, waar de Zwitsers hen met hun kruisbogen en hellebaarden opwachtten. Tegen de westelijke muur lagen stapels lichamen, en in de gloed van de toortsen zochten wel tien schreeuwende mannen steun bij elkaar terwijl de kruisboogschutters hen stap voor stap over de bebloede en glibberige kasseien achteruit dwongen, naar de wachtende bijlen van de hellebaardiers. Ik duwde mijn vuist tegen mijn lippen om mijn bittere misselijkheid en verdriet te verbijten. Hiertoe had ik opdracht gegeven, omdat ik bang was geweest voor oorlog, omdat ik niet wilde dat er mensen zouden sterven.

Condé keek somber toe, te ontsteld om iets te zeggen.

'Waarom?' vroeg Hendrik weer jammerend aan mij. 'Waarom doet u ons dit aan?'

'We moeten hier niet blijven staan,' zei ik. 'Anders vinden ze ons en doden ze jullie allebei. Kom.'

Ik haalde een toorts uit de houder en nam hen mee naar een kleine deur halverwege de galerij, die een smalle wenteltrap verborg – een ontsnappingsroute die alleen bij de koninklijke familie bekend was. De muffe lucht was misselijkmakend en Navarra wankelde op zijn benen, maar we slaagden erin om drie verdiepingen lager uit te komen, in de aangenaam koele kelders. Ik leidde hen langs enorme, stokoude wijnvaten naar een gevangeniscel en pakte de verroeste sleutel van de muur om hem open te maken. Condé hielp zijn neef op een van de hangende planken die als bed dienden. Hendrik ging zitten en leunde met zijn volle gewicht tegen de aarden muur. Ik bleef buiten de cel staan, waar ik het hek abrupt dichtsloeg en op slot deed. Beide mannen schrokken door de klap van het metaal.

Condé reageerde woedend. 'Wat bent u met ons van plan? Een openbare executie?'

'Ik wil jullie hier houden tot ik weet wat mijn volgende stap zal zijn,' zei ik. 'Het is de enige plaats waar jullie veilig zijn. Ik zweer bij God dat ik jullie geen kwaad zal doen.'

Hendrik haalde het met bloed doordrenkte hemd van zijn hoofd en staarde er ongelovig naar. 'Waarom doodt u onze geloofsgenoten?' Zijn toon was bedroefd, verbijsterd.

'Omdat jullie van plan waren ons te doden,' antwoordde ik fel. 'Omdat jullie leger op dit moment oprukt naar Parijs. Omdat jij van plan was om de dauphin en mij te doden en de troon van mijn zoon te stelen.'

Hij en Condé staarden naar me alsof ik opeens mijn nachthemd had uitgetrokken.

'U bent krankzinnig,' fluisterde Condé. 'Er is helemaal geen leger.'

Navarra voelde voorzichtig aan zijn opzwellende voorhoofd en knipperde met zijn ogen, alsof het zwakke licht van de lamp hem pijn deed. 'Van wie zijn die leugens afkomstig?'

'Ik heb jouw brief aan je commandant te velde,' zei ik, 'waarin je je plan onthult om oorlog met Parijs te voeren en Karel tot troonsafstand te dwingen.'

'Dat liegt u!' zei Condé. 'U liegt omdat u een oorlog met ons wilt beginnen! Pardaillan, Rochefoucauld, al mijn kamerheren – u hebt hen vanwege een leugen vermoord!' Opeens sloeg hij zijn handen voor zijn ogen en begon hij bitter te huilen. Navarra legde een hand op zijn schouder en keek naar mij.

'Breng mij die brief, dan zal ik aantonen dat het een vervalsing is,' zei hij. 'De enige misdaad die we hebben gepleegd, is dat we Coligny's onbehouwen gedrag in de kwestie van de Spaanse Nederlanden hebben getolereerd. Madame la reine, maak hier uit naam van God een einde aan. Al mijn mannen...' Zijn stem brak. 'Vijftig van hen verlieten hun eigen slaapvertrekken om op mijn vloer te slapen, omdat ze na de aanslag op de admiraal voor mijn leven vreesden. En nu zijn ze dood...' Er ontsnapte een luide snik aan zijn keel en hij liet het hoofd hangen.

'En je leger dan?' wilde ik weten. 'Eduards verkenners zeggen dat het onderweg is en vannacht buiten de stadsmuren zijn kamp zal opslaan.'

'Er is geen leger!' riep Condé uit. 'Anjou en zijn verkenners liegen! Madame, uw jongste zoon is al net zo gek als zijn broer – maar veel gevaarlijker!'

'Beledig hem niet!' schreeuwde ik, maar mijn boosheid was vermengd met een stijgende verwarring. Ik greep de spijlen beet die me van hen scheidden. 'Jullie waren tot de tanden bewapend toen jullie hier kwamen. Jullie waren klaar om te vechten.'

Hendrik hief zijn gezicht op, zo vertrokken van verdriet dat hij zijn ogen niet kon openen om me aan te kijken. 'Toen we hier kwamen, vreesden we voor ons leven,' zei hij, voordat hij het hoofd weer liet hangen.

Gedempt door stenen en aarde sloegen de klokken van Saint-Germain het vierde uur na middernacht. Aan de hemel schoof de ster Algol tegenover Mars: Coligny en zo'n tweehonderd hugenoten die in het gebied rond het Hôtel de Béthizy hadden gepatrouilleerd, waren dood. Mijn greep op de spijlen verslapte, mijn handpalmen gleden over het koele metaal terwijl de last van mijn daden me op mijn knieën dwong. Ik was de architect van dit alles – ik, samen met mijn vurige liefde voor mijn zoons die nooit geboren hadden mogen worden.

'God sta ons bij,' fluisterde ik. 'God sta ons allen bij.'

46

Ik vond de geheime trap die van de kelder naar de eerste verdieping van de zuidelijke vleugel en de ontsnappingsroute naar de vertrekken van de hertog van Anjou leidde. Een paar keer dreigde ik door mijn knieën te zakken en moest ik tegen de muur leunen om uit te rusten. Ik kwam trillend uit in de garderobe naast Eduards slaapvertrek. Daar lag Lignerolles op het smalle bed te doezelen, en hij schoot met ingehouden adem overeind toen ik de krakende deur openduwde. Hij deed meteen de lamp aan en slaakte een kreet toen hij Hendriks bloed op mijn kamerjas zag.

'Wie is daar?' riep Eduard vanuit het slaapvertrek. Gekleed in een dun nachthemd sprong Lignerolles overeind om me bij mijn elleboog te pakken. Ik beefde inmiddels zo dat ik nauwelijks rechtop kon staan.

In de overwelfde doorgang verscheen Eduard, die een zijden kamerjas over zijn naakte lichaam sloeg. Ik keek naar hem alsof ik hem voor het eerst zag: hij zag er niet uitgeput, gekweld en verward van schuldgevoelens uit, zoals ik, maar zijn mond viel open toen hij me zag en hij pakte me bij de arm. We haastten ons van het slaapvertrek – waarin de goudblonde Robert-Lodewijk naakt, met grote ogen en met de dekens tot aan zijn borst in bed zat – naar de antichambre, waar mijn zoon me in een stoel zette.

'Mijn hemel,' riep hij uit. 'Maman, u bloedt!' Hij draaide zich razendsnel om naar Lignerolles, de wachters en de bedienden die opeens waren verschenen. 'Haal in godsnaam een dokter voor haar! En haal onmiddellijk een waskom en een handdoek!' Hij draaide zich weer naar mij en ging op zijn hurken naast mijn stoel zitten. 'Waar hebben ze u pijn gedaan?'

Ik legde mijn hevig trillende hand op zijn onderarm. 'Geen dokter,' zei ik. 'Ik ben niet gewond.'

'Maar het bloed...' Hij raakte mijn haar aan. Ik keek naar de vlecht over mijn schouder en zag dat die ook onder Hendriks bloed zat.

'Ik ben een dwaas geweest,' zei ik somber. 'Ik was zo dom om mijn vertrekken te verlaten. Er waren hugenoten... Deze bloedvlekken zijn afkomstig van hen.'

'Maar hoe... Waar bent u vandaan gekomen?' Hij keek in de richting van de garderobe, maar ik wendde mijn blik af en gaf geen antwoord.

Lignerolles arriveerde met een kom oranjebloesemwater en een handdoek. Eduard doopte de handdoek in de kom en wreef er voorzichtig mee over mijn gezicht. Toen hij hem weghaalde, zat er bloed op.

'Kijk nu naar uw prachtige kamerjas,' zei hij hoofdschuddend. 'Die kunt u wel weggooien... Hoe komt u nu zo onder het bloed te zitten? Het is niets voor u, maman, om zo roekeloos te zijn.' Hij stopte mijn vuile hand in de kom en waste hem voorzichtig schoon. 'Waar was u in godsnaam mee bezig?'

Ik keek hem aan. 'Eduard... die brief die Navarra aan zijn commandant te velde schreef. Ik moet hem onmiddellijk zien.'

Hij nam even de tijd om de handdoek uit te wringen. 'Waarom?'

'Omdat het een vervalsing zou kunnen zijn.'

Zijn ogen, die zo aandachtig naar me hadden gekeken, kregen bijna onmerkbaar een peinzende uitdrukking. 'Dat lijkt me onmogelijk.'

'Waarom? Je had hem toch van de provoost gekregen? Kunnen we hem vertrouwen? Kunnen we je verkenners vertrouwen?'

'Als hij niet te vertrouwen was, zou ik hem niet de leiding over de verdediging van de stad hebben gegeven. Natuurlijk kunnen we hem vertrouwen – en de verkenners ook! Wat is dat nu voor een vraag?'

'Toch wil ik graag Navarra's brief zien,' zei ik. 'Ik weet zeker dat je hem nog hebt.'

Er verscheen een geërgerde, ongelovige frons op zijn gezicht en hij slaakte een geïrriteerde zucht. 'Ik heb geen idee waar hij is. Ik zal mijn secretaris morgen vragen om hem te zoeken.'

'En ik wil graag je verkenner spreken,' zei ik. 'Degene die meldde dat het hugenotenleger oprukt naar Parijs. Ik ben heel benieuwd waar het op dit moment is.'

'U gelooft me niet,' zei hij. Hij liet een kort, nerveus lachje horen, net als mijn neef Ippolito toen ik hem had gevraagd naar al die andere meisjes.

'Ik wil het bewijs gewoon met eigen ogen zien,' zei ik.

Net als Ippolito werd hij opeens woedend. 'Wat schiet u daarmee op? Wat hebt u eraan om bewijsmateriaal te bestuderen dat al belastend is gebleken? Ze zijn allemaal dood, niets kan hen weer tot leven wekken! Zelfs als we een vreselijke fout hebben gemaakt, is dat uiteindelijk het beste – ze kunnen nooit meer oorlog met ons voeren, nooit meer!' Hij kneep zijn ogen samen. 'U hebt met iemand gepraat. Met wie?' Zijn vingers knepen in het zachte vlees van mijn bovenarmen. 'Wie heeft u deze leugens verteld?'

Ik voelde een steek in mijn hart toen ik in zijn trouweloze ogen staarde. Hij had me net zo makkelijk gemanipuleerd als zijn onschuldige zuster. Ik keek over zijn schouder naar de ramen, die op de gruwelijke binnenplaats uitkeken. Hij wist natuurlijk dat Karel ziekelijk was en niet lang meer zou leven. Navarra en zijn hugenoten vormden de enige bedreiging voor zijn troonsbestijging. Coligny had hem gewoon een gelegenheid geboden zich van zijn voornaamste rivalen te ontdoen.

Eigenlijk had ik niet verbaasd moeten zijn dat mijn zoon zo meedogenloos was, want ik wist waar zijn moeder toe in staat was.

'Cosimo Ruggieri zei dat ik verraden zou worden,' fluisterde ik.

De lichamen van de doden bleven meer dan een dag op de binnenplaats liggen, omdat de soldaten die hen hadden gedood nodig waren om het paleis te verdedigen. In de meedogenloze zon werd de stank ondraaglijk.

Ondanks de hitte deden we de ramen dicht, maar de vliegen vonden toch een weg naar binnen, samen met de geur, die aan onze kleren en haren bleef hangen. Ik deed de gordijnen dicht en weigerde naar buiten te gaan.

In de straten van Parijs bleef de strijd vijf dagen woeden, terwijl wij, de angstige leden van de koninklijke familie, binnen de versterkte muren van het Louvre dicht bij elkaar kropen en naar het geschreeuw en de felle gevechten buiten de paleispoorten luisterden. Het volk vatte de aanval op de rue de Béthizy en het feit dat de katholieken wapens hadden gekregen om zich te beschermen verkeerd op. Er werd een gerucht verspreid dat de koning burgers had opgedragen om de hugenoten aan te vallen, en dat nieuws ging als een lopend vuurtje rond.

In een week stierven er in Parijs en op het platteland zeventigduizend onschuldige mensen. De verantwoordelijkheid voor de aanval werd terecht bij mij neergelegd: *madame la Serpente*, noemen ze me nu, en *de Zwarte Koningin*.

Ik zal niemand tegenhouden die de waarheid wil vertellen. Maar nu denkt de bevolking van het land dat ik als tweede vaderland heb aangenomen dat ik de aanval vanaf het begin heb voorbereid, dat ik eerst Coligny, en daarna Navarra in de val heb gelokt als onderdeel van een plan om de hugenotenbeweging van de aardbodem te vegen.

Guises aanval op het Hôtel de Béthizy was een doorslaand succes. Twee van zijn soldaten trapten de deur van de slaapkamer in, waar dokter Paré aan het bed van Coligny zat. Toen ze Coligny vroegen om te zeggen wie hij was, gaf hij meteen eerlijk antwoord, maar hij bekeek de soldaten minachtend en zei: 'Ik zou in elk geval gedood moeten worden door een heer, in plaats van door deze pummels.' Als reactie daarop stootte een van die pummels zijn zwaard door de borstkas van de admiraal en gooide hij hem uit het raam. Het lichaam kwam toevallig vlak naast de opgetogen hertog van Guise terecht.

Inmiddels waren wraakzuchtige katholieken de straat op gegaan. Ze castreerden het lichaam, sleepten het door de stad en smeten het verminkte lijk in de Seine. Guise kwam me trots het hoofd brengen, verpakt in een zijden buidel die de overweldigende stank niet kon maskeren. Ik wendde me vol afgrijzen af en beval dat het gebalsemd moest worden.

Ik slaagde erin om Hendrik van Navarra en zijn neef, de prins van Condé, uit Anjous klauwen te houden. Op de dag dat Coligny stierf, ging ik in het geheim naar Margot en vertelde ik haar van haar broers bedrog. Samen lieten we Karel het bewijs zien dat Navarra onschuldig was. Zijne Majesteit was toen snel overtuigd dat de prinsen van den bloede Navarra en Condé gespaard moesten worden en vaardigde een koninklijk decreet uit. Naderhand, toen de gevechten waren opgehouden, ging ik naar de provoost, die verifieerde dat er nooit een hugenotenleger was gearriveerd en dat hij de brief aan Navarra's commandant te velde niet persoonlijk had onderschept. Eduard had hem de brief laten zien, en de provoost had hem – evenals maarschalk Tavannes en andere militaire leiders – op zijn woord geloofd.

Eduard kwam nooit voor de dag met de belastende brief die zogenaamd door Navarra was geschreven, en we namen elkaar ook nooit meer in vertrouwen. Ik waarschuwde Navarra voor Anjous verraderlijkheid en daar was hij me dankbaar voor, al was hij intens verdrietig om het verlies van zijn vrienden en geloofsgenoten, en zeer ontstemd dat hij zich voor zijn eigen veiligheid tot het katholicisme moest bekeren en in het Louvre huisarrest kreeg.

Het bloedbad van de Bartholomeusnacht was de nekslag voor Karel. Hij begon af te glijden naar zijn dood – ongetwijfeld tot Eduards genoegen.

Het werd september, een maand waarin we werden verlost van de hitte en het geweld. Toen de poorten van het paleis weer opengingen – een week en een dag na de moord op admiraal Coligny – ontving ik mijn eerste bezoeker achter de gesloten deuren van mijn kabinet.

Cosimo Ruggieri was niet leeftijdloos meer: in het licht van de lamp waren het zilvergrijs in zijn haar en baard, de diepe, gerimpelde plooien onder zijn zwarte ogen en de slappe, verouderende huid onder zijn kaak maar al te goed zichtbaar. Hij was uitgemergeld, skeletachtig zelfs, en met zijn onregelmatige gelaatstrekken zag hij er zo lelijk uit dat hij zelfs het dapperste kind naar zijn moeder zou jagen. Hij had zijn gebruikelijke rood afgelegd en kleedde zich nu helemaal in het zwart, als een hugenoot.

Toen hij binnenkwam, zat ik zoals altijd aan mijn schrijftafel, alsof er maar weinig tijd voorbij was gegaan sinds onze laatste ontmoeting, en zoals altijd maakte hij een diepe buiging. Maar toen hij me weer aankeek en me eigenlijk zou moeten begroeten, bestierven de woorden op zijn lippen. Ontzet staarde hij me aan.

'Cosimo,' zei ik. Ik stond op en liep om mijn schrijftafel heen – misschien om zijn hand te pakken, misschien om hem te omhelzen, ik weet het niet. Maar voordat ik bij hem was, begaven mijn knieën en zelfbeheersing het eindelijk en viel ik op mijn knieën, radeloos van verdriet.

Hij knielde naast me neer. Gebroken en huilend klemde ik me aan hem vast.

Toen ik weer kon praten, bracht ik hortend en stotend uit: 'De nachtmerries zijn weer begonnen. De doden zijn nog niet eens allemaal begraven, maar toch zijn de dromen teruggekomen. Ik ben overal toe bereid: ik zal mijn zoons doden, desnoods met mijn eigen handen, om er een einde aan te maken. Je hebt me gewaarschuwd, maar ik wilde niet naar je luisteren. Nu luister ik wel.'

Zijn blik was open en kwetsbaar, zonder de duistere aantrekkingskracht van de magiër. De glinstering van zijn tranen in het lamplicht verbijsterde me. 'Er hoeft geen bloed meer te worden geplengd,' mompelde hij. 'We moeten alleen de duivel bevrijden en de sterren hun gang laten gaan.'

Ik schudde mijn hoofd, omdat ik hem niet begreep.

Hij herhaalde mijn mans laatste woorden tegen mij: *Vernietig wat het dichtst bij je hart ligt.*

Het was een eenvoudige handeling, die we in Ruggieri's tijdelijke onderkomen in de buurt uitvoerden: we tekenden een cirkel, legden de met bloed besmeurde parel op het altaar en riepen de barbaarse naam aan. Toen de duivel verscheen – wat ik kon merken aan het plotseling opvlammende vuur en het kippenvel op mijn armen – bedankte de magiër hem en ontsloeg hij hem van zijn taak. Nu alle bovennatuurlijke steun was weggenomen, zouden mijn zoons snel aan hun einde komen.

Ruggieri wilde de ontkrachte parel zelf weggooien, maar ik legde mijn hand erop. 'Dit moet ik doen,' zei ik.

Mijn koets rolde door rustige straten naar de oever van de Seine, waar de nerveuze koetsier wachtte terwijl Ruggieri en ik door het weggegooide afval op de modderige oever naar het water liepen.

Er stond die dag geen wolkje aan de hemel, en de lucht was heerlijk fris. Het onweer van de vorige dag had een einde gemaakt aan het stof en de rottingsgeur die zich door de hele stad hadden verspreid. Even keek ik in zuidelijke richting, naar de twee torens van de Notre-Dame en de sierlijke torenspitsen van Sainte-Chapelle – het uitzicht dat mijn mans naamgenoot Hendrik van Navarra met zoveel verlangen had vervuld. Daarna tilde ik mijn arm op en gooide ik de parel in het donkere water. De parel stuiterde twee keer en zakte geluidloos in het water weg.

Ik liet me ook geluidloos zakken. Als Ruggieri me niet had opgevangen, zou ik zijn gevallen.

'Ik heb me aan mijn belofte gehouden,' fluisterde ik. De magiër zei niets, want hij wist dat ik het niet tegen hem had.

'Ik heb me aan mijn belofte gehouden, mijn liefste,' herhaalde ik op luidere toon. 'Er zal altijd een zoon van Valois op de troon zitten. Je enige echte erfgenaam zal regeren.'

Mijn blinde egoïsme, mijn weigering om een stap opzij te zetten en mijn man een vrouw te geven die hem toekwam, had onbeschrijflijk veel ellende voortgebracht. Onder die last kon ik niet staan of lopen, maar toch bracht Ruggieri me terug naar de koets voordat ik in het niets kon oplossen, net als de bezwering.

Epiloog

DIE NACHT DROOMDE IK WEER.

Ik droomde van Karels naderende dood, van het hoesten en de koorts, van de met bloed doordrenkte lakens die bijna elk uur werden verschoond. Omdat ik wist dat mijn handelingen zijn laatste marteling hadden versneld, lag ik snikkend naast hem in bed en sloeg ik mijn armen om hem heen toen hij zijn laatste woorden fluisterde: '*Ma mère... Eh, ma mère...*'

Ik droomde ook over Eduard, over de waanzin, het bedrog en de wreedheid die hij niet meer verborg toen hij eenmaal de troon had bestegen en mij al mijn macht had ontnomen. Ik zag de gewelddadigheid, de executies, de moorden, de haat die hij opriep tot het volk zich tegen hem keerde en hij voortijdig, maar passend aan zijn einde kwam toen een moordenaar zijn buik openreet.

Ik droomde over Hendrik, koning van Frankrijk en Navarra, die omwille van de vrijheid katholiek was geworden zodat hij in een kathedraal gekroond kon worden, zoals het hoorde, en die de woorden sprak: *Parijs is wel een mis waard.* Ik zag dat hugenoten en katholieken zich met elkaar verzoenden in een verenigd land, dat eindelijk werd geregeerd door een schrandere koning die het welzijn van zijn burgers belangrijker vond dan zijn eigen welzijn, een heerser die zo geliefd was bij zijn volk dat men hem Hendrik de Grote noemde. Ik zag een vredig, welvarend Frankrijk.

Ik droomde niet over bloed. Ik werd intens verdrietig, maar opgelucht wakker, met berouwvolle gebeden op mijn lippen.

Dit meldde ik de volgende middag allemaal aan Ruggieri, toen hij met zijn schamele bezittingen in het Louvre was gearriveerd om zijn intrek te nemen in zijn nieuwe vertrekken. Gekleed in een effen zwart wambuis en een bijpassende kraag leek hij niet te passen bij de verguldde muren, het verfijnde, vrouwelijke meubilair en de lichtblauwe brokaten gordijnen, die door embrasses werden opengehouden om het wegstervende licht binnen te laten. Net als ik had hij sinds het bloedbad tijdens de Bartholomeusnacht weinig geslapen, en toen ik zag hoe uitgeput hij was, stond ik erop dat hij met mij in de antichambre ging zitten terwijl zijn dienaren in zijn slaapvertrek rondstommelden en zijn spullen uitpakten.

'Ik heb mijn best gedaan om mijn misstap goed te maken,' zei ik zachtjes. 'Maar ik kan alle onschuldige doden niet terughalen. En ik kan het niet aanzien om mijn geliefde zoons te zien sterven, ook al zijn ze dan monsters. Ik heb in mijn leven meer dan genoeg verdriet gehad. Laat mij ook sterven, Cosimo.'

Hij hield zijn hoofd schuin en keek me somber aan. Hij was erg lelijk, maar toen een straal licht door het raam in zijn zwarte ogen scheen, zag ik hoe prachtig ze waren.

'Het is jouw tijd nog niet, Catharina,' zei hij. 'Je hebt de zaken rechtgezet, en nu moeten jij en ik nog vele jaren leven om te zorgen dat dat zo blijft. Navarra zal nog vele hindernissen op zijn pad vinden.'

Die gedachte was zo misselijkmakend dat ik mijn gezicht van hem afwendde en mijn ogen sloot. Even daarna deed ik ze weer open omdat ik iets zachts en warms over mijn wangen voelde strijken. Ruggieri was opgestaan en knielde bij me neer. Zijn vingers zweefden tussen ons in, teder en trillend.

'Geef de hoop niet op,' zei hij. 'Ik heb je vele jaren geleden beloofd dat ik je door alle beproevingen heen zou helpen. Ik blijf altijd aan je zijde.'

'Maar ik ben verdoemd, Cosimo,' zei ik verdrietig.

'Dan zijn we samen verdoemd, Catharina Maria Romula de Medici.'

Ik staarde hem aan en herinnerde me zijn woorden op de dag dat de prostituee stierf. Zijn liefde en loyaliteit waren dieper en standvastiger geweest dan die van tante Clarice, mijn echtgenoot of mijn eigen kinderen. Net zoals ik alles had willen riskeren voor mijn Hendrik, had Cosimo alles willen riskeren voor mij. Bij dat besef ging mijn duistere, weifelende hart open.

'Alleen maar uit liefde,' fluisterde ik.

'Alleen maar uit liefde,' herhaalde hij plechtig, en hij stak zijn hand weer naar me uit.

Ik pakte de hand beet, trok hem naar me toe en kuste hem.

Nawoord

HENDRIK VAN NAVARRA – BIJ ONS BETER BEKEND ALS HENDRIK IV, EN bij zijn landgenoten beter bekend als Hendrik de Grote – was de eerste koning uit het geslacht de Bourbon, en zeker de geliefdste. Zijn huwelijk met Margot werd uiteindelijk nietig verklaard, en hij hertrouwde met Maria de Medici, die hem een aantal kinderen schonk.

Catharina de Medici bereikte de eerbiedwaardige leeftijd van negenenzestig jaar. Ze was een ijverige astrologe, een wiskundig wonderkind, en – volgens vele Franse historici – de intelligentste persoon die ooit op de troon van Frankrijk heeft gezeten. Voor zover ik het met mijn beperkte kennis kan beoordelen, kloppen de details van haar horoscoop in dit boek met de werkelijkheid. Ze had twee keer een ontmoeting met Nostradamus en benoemde hem uiteindelijk tot Buitengewoon Geneesheer van de Koning, maar er is nooit verslag gedaan van hun gesprekken. Van haar profetische dromen wél: haar dochter Margot schreef dat haar moeder over de dood van koning Hendrik droomde, en ook over Eduards zege bij Jarnac.

De jonge dauphine Catharina liep daadwerkelijk gevaar om verstoten te worden, en de eerste tien jaren van haar huwelijk waren kinderloos. Daarna beviel ze in tien jaar tijd van evenveel kinderen. Het gerucht ontstond dat ze op de talenten van haar hofmagiër had vertrouwd, Cosimo Ruggieri, een man aan wie ze zeer toegewijd was. Catharina's verzameling amuletten en interesse in magie waren legendarisch. Na de dood van haar echtgenoot gaf ze Diane de Poitiers het kasteel in Chaumont in ruil voor Chenonceaux. Toen Diane naar Chaumont verhuisde, ontdekte ze daar tot haar schrik geschilderde vijfhoeken op de vloer en achtergelaten magische instrumenten, met als gevolg dat ze het kasteel verliet.

De ster Algol, ook bekend als het Gorgonenhoofd, wordt door astrologen nog steeds als de kwaadaardigste ster beschouwd. Op 24 augustus 1572 stond hij rond vier uur 's ochtends tegenover Mars – een uur nadat het bloedbad van de Bartholomeusnacht was begonnen en Mars door Catharina's ascendant, Stier, ging. Als Mars door iemands ascendant gaat, voorspelt dat periodes van ernstige crisis, mogelijk resulterend in de dood.

Woord van dank

Mijn dank gaat uit naar de volgende dappere mensen:
Mijn fantastische agenten, Russell Galen en Danny Baror
Mijn wijze en geduldige uitgevers, Charles Spicer van St. Martin's Press en Emma Coode van HarperCollins UK
Mijn vriendin, lezeres en buitengewoon goede redactrice Sherry Gottlieb
De vrouw die altijd mijn hartsvriendin zal blijven, Helen King Knight
Tom Jacobs, evolutionair astroloog
Christopher Warnock, renaissance-astroloog
Nina Toumanoff, die me hielp om weer plezier in het schrijven te krijgen

Wie meer wil weten over mijn boeken en mijn werk kan een bezoek brengen aan mijn website, www.jeannekalogridis.com of mijn blog, www.historyisabitch.com.